# LES PASSAGERS ANGLAIS

MATTHEW KNEALE

# LES PASSAGERS ANGLAIS

*Traduit de l'anglais par*
*Georges-Michel Sarotte*

**belfond**
12, avenue d'Italie
75013 Paris

Titre original :
*ENGLISH PASSENGERS*, publié par Hamish Hamilton, Londres.

L'auteur remercie Southern Arts ainsi que l'Arts Council of England pour les bourses que ces institutions lui ont aimablement accordées. Ce roman n'aurait pu être écrit sans leur aide généreuse.

Si vous souhaitez recevoir notre catalogue
et être tenu au courant de nos publications,
envoyez vos nom et adresse, en citant ce livre,
aux Éditions Belfond,
12, avenue d'Italie, 75013 Paris.
Et, pour le Canada,
à Vivendi Universal Publishing Services,
1050, bd René-Lévesque-Est,
Bureau 100,
Montréal, Québec, H2L 2L6.

*Ce livre est dédié à Victoria Egan*

# Note sur le langage

L'un des personnages du roman est un aborigène de Tasmanie. Lorsque j'écrivais les sections le concernant, mon intention était de dépeindre un personnage intelligent, passionné par le vocabulaire et venant d'une culture tout à fait différente de celles des hommes blancs, mais qui, instruit par ces derniers, s'approprie des expressions anglaises du style recherché ou familier communément utilisées dans les années 1830. Il n'est pas censé parler comme un aborigène moderne du continent australien. Je souhaitais seulement évoquer un personnage particulier vivant à cette époque lointaine.

# UNE PREUVE

## Contre les athéismes de la géologie

*La vérité de la chronologie de la*
*Bible démontrée de manière concluante*

*Ainsi que*

la nouvelle et importante révélation que

## le jardin d'Éden

*n'était pas, comme on le supposait, situé dans*
*la région de l'Arabie, mais se trouvait en fait*
*en Australie, sur l'île de*

## Tasmanie
(jadis connue officiellement sous le nom de terre de Van Diemen)

*Contenant également une explication complète et détaillée de la*
*Théorie de la réfrigération divine*

*par*

le révérend Geoffrey Wilson, maître ès lettres (Cambridge)

Imprimé par J. P. Terence
52 Paternoster Square
Londres 1856

# 1

## Le capitaine Illiam Quillian Kewley. Juin 1857

Imaginons qu'un homme prenne une balle en pleine tête au cours d'une guerre quelconque… Quelle est donc la cause première de cette chose-là ? Vous pourriez répliquer qu'il est facile de répondre à cette question. Ce petit événement a comme origine le moment où notre héros s'en va-t-en guerre en compagnie de ses nouveaux copains soldats, la fleur au fusil, le sourire aux lèvres, tout en faisant de grands signes aux filles. Mais est-ce bien le cas ? Pourquoi pas l'instant où, la mâchoire pendante, comme une grenouille au temps des moissons, il saisit le shilling du sergent recruteur en gobant ses paroles mielleuses ? Et pourquoi ne pas remonter à cette matinée ensoleillée où, à peine âgé de six ans, il voit des soldats, l'air farouche, l'attirail cliquetant, descendre la grand-rue du village d'un pas martial ? Mais alors pourquoi ne pas revenir au tout début, à cette longue nuit calme où est né un petit bébé, tout neuf, l'œil étonné et doté de minuscules menottes ? Des mains qu'on n'imaginerait pas devenir un jour assez fortes pour soulever un long et lourd fusil afin de loger une balle dans le crâne de feu notre pauvre ami.

Si je devais déterminer le point de départ de toutes les étranges aventures que j'ai connues, eh bien ! je choisirais sans doute la matinée où nous naviguions vers le nord, en provenance d'un certain port français discret où le tabac et le cognac étaient on ne peut meilleur marché. Non qu'à l'époque ç'ait vraiment semblé être le début de quelque chose, non, ç'avait plutôt presque l'air d'une fin, du moins était-ce là ce que j'espérais. Le vent était égal, le bateau voguait allègrement et, tout en vaquant à leurs occupations, tous les membres de l'équipage, je crois, rêvaient avec délices à l'argent qu'ils n'avaient pas encore en poche et aux plaisirs qu'il leur procurerait. Certains devaient le dépenser en moins de temps qu'il n'en faut pour pisser par-dessus bord, envisageant déjà une débauche d'alcool et de tabac, avant de se payer les charmes d'une fille boudeuse. D'aucuns pensaient probablement tout claquer dans l'achat d'une nouvelle veste ou de chaussures neuves afin, pendant un jour ou deux, d'en jeter plein la vue aux habitants de Peel.

D'autres enfin restaient peut-être prudents, songeant à s'en servir pour régler le loyer et apaiser leur épouse.

Et Illiam Quillian Kewley ?

Tandis que la *Sincérité* roulait et tanguait sur les flots, je rêvais de Castle Street, le samedi matin, lorsque l'animation bat son plein et que chacun examine l'autre. Ealisad à mes côtés, vêtue d'une belle robe neuve, nous marchions tous les deux, la tête haute comme des seigneurs, et personne n'avait l'idée de s'exclamer : « Regardez donc ! Voici les Kewley… Vous n'saviez pas qu'au temps jadis c'étaient de gros bonnets ? » Ou bien je pensais à mon arrière-grand-père, Juan, que je n'ai jamais connu, mais qu'on appelait « le grand Kewley », vu que c'était le seul Kewley qui ait jamais gagné de l'argent au lieu d'en perdre. Il était là, dans toute sa splendeur, penché à la fenêtre du paradis, muni d'un télescope et hurlant d'une voix tonitruante : « Visez-le donc ! C'est Illiam Quillian, mon arrière-petit-fils. Ça, c'est un homme capable ! »

Puis, d'un coup, nos rêves furent brisés. De son poste de vigie en haut du mât, Tom Teare cria : « Voile en vue ! Voile au nord-ouest ! »

Non pas que sur le moment on ait prêté beaucoup d'attention à son annonce. La Manche n'étant pas précisément la mer la moins fréquentée du monde, il n'y avait aucune raison de se faire du mouron en voyant un autre bateau glisser sur l'eau. Les matelots continuèrent à récurer le pont, tandis que Brew – mon second – et moi-même ne bougeâmes pas du gaillard d'arrière de peur qu'ils n'en profitent pour relâcher leurs efforts.

Mais il faut que je vous donne quelques renseignements sur la *Sincérité*, car c'était une merveille de construction tout en bois, ou je ne m'y connais pas. Au vrai, on ne pouvait imaginer vaisseau ayant l'air plus normal de l'extérieur. Sans doute était-il un peu vieillot – la proue, arrondie et sans angle, était fort démodée et son gaillard d'arrière se dressait trop haut pour le goût moderne –, mais, à part ça, il paraissait aussi banal que l'eau de mer. Je parie que vous auriez pu passer toute une journée à bord sans vous apercevoir de rien. À moins, bien sûr, d'être doté d'un sens des proportions particulièrement aigu. Ou d'avoir eu l'occasion de jeter un œil au-dessus du linteau intérieur de la porte de l'office.

Ce qui était peu probable.

À l'époque de mon arrière-grand-père, le grand Kewley, point n'était besoin d'être aussi futé. L'île de Man était libre et indépendante, n'ayant pas encore été achetée par des politiciens anglais intrigants. Elle avait donc décidé d'instaurer, de manière libre et indépendante, ses propres droits sur le cognac, le tabac et autres produits de même acabit, autre façon de dire qu'il n'y en avait pratiquement aucun. En vérité, c'était l'âge d'or de l'île de Man. Les navires entraient directement dans ses ports, en provenance des quatre coins du monde, Europe et Afrique, Indes occidentales et orientales. Fûts et barriques s'empilaient sur les quais au point que regagner son bateau constituait une véritable course d'obstacles. Qui plus est, la moindre goutte d'alcool, la moindre feuille de tabac, bon marché et exemptes de droits, étaient aussi légales que le roi George lui-même.

Il va sans dire que les Mannois au cœur tendre, tel mon arrière-grand-père, jugeaient dommage de garder cette manne pour eux seuls alors que de malheureux Anglais, Irlandais, Écossais et autres Gallois se désespéraient devant le prix scandaleusement élevé de leur alcool taxé. Il ne semblait que charité, pour les dépanner, de charger une yole, par une nuit sans lune, et de filer sur la mer jusqu'à quelque rivage tranquille d'Irlande ou d'Écosse, ou même d'Angleterre ou du pays de Galles, puisque l'île de Man se trouve exactement à égale distance des quatre. Oubliez tout ce boniment à la mode sur le libre-échange ! Il ne s'agit de rien d'autre que d'un plagiat commis par les Anglais. Mon arrière-grand-père était un adepte du libre-échange avant même que le système soit inventé.

Mais je m'éloigne du début que j'ai choisi pour notre histoire. La seconde annonce de Tom Teare se fit entendre juste une seconde ou deux après la première. « Le bateau qui fait route vers le nord-ouest... On dirait que c'est un cotre. »

Je crois qu'alors on y prêta un peu attention. Certes, il n'y avait là rien de précis ni de certain, le signal était toutefois nettement plus marqué que s'il ne s'était agi que d'un quelconque bateau à voiles. Voyez-vous, quoique plusieurs sortes de bateaux puissent en effet être des cotres, certains, en particulier, le sont toujours, sans exception, et c'était à ceux-là que nous ne voulions pas avoir affaire. Nul ne pipa mot – les hommes d'équipage, sous la surveillance de Brew et moi-même, continuèrent à frotter et à laver le pont à grande eau comme si de rien n'était –, mais on n'en menait pas large.

D'accord, cette petite balade à bord de la *Sincérité* était risquée, mais ça valait le coup de tenter sa chance. C'est triste à dire, mais aucune famille n'a jamais eu à ce point le chic, comme les Kewley, pour tout laisser filer entre ses doigts. Lorsque le grand Kewley est mort, il a laissé des fermes, une demi-douzaine de maisons de ville, une auberge et assez de bateaux pour emmener la moitié de la population de Peel se balader dans le port. Pourtant, quand l'héritage m'est parvenu, il ne restait que la maison dans laquelle nous habitions – avec son toit celle-là –, ainsi qu'une ferme à moitié en ruine, une échoppe mal située et une petite auberge miteuse qui ne rapportait pas un sou. Rien de tout cela n'avait été gaspillé au jeu ou avec des poules de luxe, ce qui aurait eu au moins

15

un certain panache. Non, les Kewley étaient des gens sobres et parcimonieux, mais ils avaient le mauvais goût de contester les testaments et un œil infaillible pour repérer la mauvaise affaire. Je ne peux certes pas me vanter d'avoir mieux réussi que mes prédécesseurs. Mes appointements de patron de minables petits rafiots faisant la navette sur la mer d'Irlande pour transporter des ossements de bétail ou ce genre de chargements ne me permettaient guère d'endiguer la marée. À moins de réagir très vite, il ne resterait plus rien, et des Kewley en seraient un jour réduits à mendier dans la grand-rue comme une bande de pauvres hères.

Puis un beau jour j'entendis parler d'un vaisseau marchand en faillite qui mouillait dans la rade de Ramsey. Il n'avait pu régler les droits de port, et on allait le mettre à l'encan ; le bruit courait qu'il se vendrait pour une bouchée de pain. Je me pris à rêver. Pour sûr, les Kewley ne s'étaient jamais enrichis que d'une seule façon, alors peut-être devrais-je tenter le sort une fois de plus ? Toutefois, il y avait belle lurette que l'ancien négoce était passé de mode. Il pouvait quand même rapporter encore. Je devrais à tout le moins y jeter un regard. Voilà pourquoi j'allai à cheval jusqu'à Ramsey afin de reluquer le bateau immobilisé. Et il était en bien piteux état, ce vieux rafiot, avec son haut gaillard d'arrière comme on n'en voyait plus guère de nos jours et son petit canon à la proue pour s'amuser à effrayer les mouettes, mais je m'en fichais. Rien qu'à le regarder, je sentais l'espoir se couler dans ma poitrine. Je me voyais déjà en train de hurler des ordres depuis la passerelle de ce bateau, devenu mien, qui me rendrait assez riche pour acheter la moitié de la ville de Douglas.

Avant la fin de la semaine il était à moi, et je cherchais à vendre les ultimes vestiges de la grande fortune des Kewley. Bien entendu, ça n'eut pas l'heur de plaire à ma chère épouse. Même si Ealisad fait le bonheur de ma vie, quand il s'agit de prendre des risques c'est l'une de ces femmes prudentes qui pèsent le pour et le contre et refusent de miser deux pence, même si ça peut leur rapporter cinquante guinées. Pourtant, je m'évertuai à l'amadouer, lui expliquant de quelle manière judicieuse on pouvait se servir d'un bateau, surtout lorsqu'on était des Mannois de Peel. J'évoquai le cousin Rob qui, après avoir servi dans la marine anglaise et épousé une Anglaise, pêchait maintenant des anguilles et autres poissons près de Maldon – à seulement un jet de salive de Londres – et habitait une maison ancienne située sur un rivage désert, endroit si propice à certaines activités que la dernière fois qu'il nous avait rendu visite il en avait même fait des gorges chaudes. Je lui indiquai combien on pourrait espérer tirer d'un seul voyage de ce type particulier et comment, en plus, ça ne faisait qu'aider les Anglais, ce qui rendait l'opération sacrément morale en un sens. En pure perte. Tout ce que je reçus en échange, ce furent des regards noirs et des versets bibliques.

« Tu finiras par nous obliger à aller de maison en maison mendier des piécettes. Rappelle-toi ce que je te dis, rétorqua-t-elle. Ou bien alors tu nous feras jeter en prison.

— Ne te bile pas, ce sera un jeu d'enfants. Prends patience. Dans trois mois tu auras une belle voiture toute neuve pour t'emmener à l'église le dimanche. »

Évidemment, les choses ne se passent jamais comme on l'espère. Cela prit plus de trois mois rien que pour préparer le bateau. D'abord, il fallut l'emmener jusqu'à Peel, port plus discret que Ramsey. Puis trouver tout ce bois supplémentaire dont j'avais besoin. On devait le récupérer sur un bateau récemment démantelé à peine plus petit que la *Sincérité*. Et faire mettre en place la charpente, sans compter les réparations à effectuer. Ensuite, recruter l'équipage dont tous les membres devaient être triés sur le volet, c'est-à-dire des Mannois de Peel, vu qu'on ne pouvait se fier à personne d'autre. Enfin, une fois que le bateau fut paré et les hommes prêts, on dut s'occuper de la cargaison visible : des harengs saurs on ne peut plus mannois. Tout ça coûta une petite fortune et, bien que j'eusse acquis la *Sincérité* à petit prix, je me retrouvai un peu juste et fus même obligé d'emprunter à Dan Gawne, le brasseur de Castletown. Dès la fin mai, cependant, tout était prêt.

Les adieux furent magnifiques. Vrai, on avait l'impression que la moitié des habitants de Peel étaient sur le quai et dans les harenguiers, les yeux fixés sur nous en train d'agiter un chapeau s'ils en possédaient un. Sûr qu'on offrait un sacré spectacle. Avec sa nouvelle voilure, ses cordages neufs, sa peinture fraîche, la *Sincérité* avait l'air d'un arbre de Noël. Même sa figure de proue rutilait comme si elle venait d'être sculptée, scrutant l'horizon lointain en esquissant comme un infime clin d'œil entre ses boucles brunes. M'étant offert des habits tout neufs et une casquette, debout sur le pont, je me sentais plein d'allant et de courage. La seule chose qui gâta la fête fut l'apparition de l'évêque de Man qui, se frayant un chemin à travers la foule, se dirigeait vers nous.

« Vous êtes bien le capitaine Kewley ? demanda-t-il. Je crois comprendre que vous allez vers le sud. »

Il faut que vous sachiez que l'évêque de Man, un Anglais du nom de Chalmers, était une vieille teigne susceptible qui toisait tout le monde avec mépris. D'aucuns affirmaient que s'il était devenu ronchon, c'est que, loin de lui proposer une belle cathédrale spacieuse à Winchester ou Cantorbéry où jouer les grands seigneurs, on l'avait relégué dans un petit pays plein de méthodistes marmonnant un patois incompréhensible. Je ne dis pas que c'était la vérité mais voilà le bruit qui courait. Cette fois-là, il se fit mielleux, bien sûr, vu qu'il demandait un service.

« Je dois me rendre à Port-Sainte-Marie, voyez-vous. Étant donné le déplorable état des routes, j'aimerais savoir s'il me serait possible de prendre un court passage sur votre vaisseau. »

Je ne peux pas prétendre que j'avais très envie de l'avoir à bord, même pendant une heure ou deux, temps qu'il nous faudrait pour atteindre Port-Sainte-Marie, mais il n'est guère aisé de dire non à un évêque. De plus, s'il existait une seule personne à Peel qui ne pût deviner la vraie nature de la *Sincérité*, c'était lui… Sa présence à bord ne tirerait donc guère à conséquence. Du moins était-ce ce que j'imaginai à ce moment-là. Le voilà donc qui grimpe sur le pont, vêtu de pourpre et coiffé d'un ridicule chapeau de paille censé protéger du soleil sa belle tête anglaise.

Mais l'heure était venue d'appareiller. Comme dit l'adage : « Fais attendre le bon vent qui souffle dans la voilure, et tu feras ceinture. » Je criai l'ordre de lâcher la bouline et les deux remorqueurs démarrèrent, tirant sur les câbles qui se raidirent d'un coup sec. La *Sincérité* fut parcourue d'une sorte de frisson, et une petite langue d'eau se forma entre elle et le quai. Je me rappelle avoir pensé alors qu'après toutes ces semaines d'attente, et bien que nous n'ayons parcouru qu'un mètre à peine, nous étions enfin en route. Puis je réfléchis aux inconnues que constituaient le déroulement et l'issue du voyage ainsi qu'aux pensées qui seraient miennes au retour. Non, évidemment, que j'en aie eu la moindre idée, car alors j'aurais sans doute sauté à terre sans demander mon reste… Je fis un signe d'adieu à Ealisad, mais elle me rendit à peine mon salut : elle boudait toujours. Les hommes des deux remorqueurs faisaient force de rames et, se déformant peu à peu, le port finit par paraître tout ratatiné derrière nous, tandis que les quidams qui faisaient des gestes d'adieu se transformaient en une simple masse compacte. Après, on n'eut plus le temps de regarder car on était en pleine houle. Le bateau se balançait gaîment et on avait du pain sur la planche. Les câbles de remorque furent détachés, les deux canots remontés. Alors les gabiers grimpèrent dans la mâture pour déferler une voile ou deux et attraper le vent. Bientôt Peel disparut complètement. L'heure était venue de détourner la tête et de s'occuper du présent.

C'est alors que l'évêque de Man commença de se morfondre. Je suppose que, parvenu à ses fins, il pouvait remballer ses politesses. Il ne tarda pas à bâiller et à faire les cent pas sur le pont d'un air agacé, comme s'il subissait la vie de bord depuis des mois. Pour se distraire il se rabattit sur les animaux. Étant donné l'état des finances, je n'en avais pas embarqué des tas, n'ayant prévu de la viande fraîche que pour une semaine ou deux. Je n'avais donc rapporté qu'une douzaine de poulets, un mouton et un cochon, mais ça suffisait pour l'évêque. Il était là, vêtu de sa pourpre et coiffé de son chapeau de paille grotesque, gloussant à l'adresse des poulets, passant ses doigts à travers leur grillage ou tentant de caresser le mouton qui ne lui rendait pas ses amabilités. Il devait se prendre pour un véritable saint François, notre évêque. Rien de tout cela n'était déplaisant. Non, c'est ce qui vint juste ensuite qui le fut.

« Quel magnifique cochon ! »

Cette exclamation peut sembler inoffensive au néophyte, pas au rouleur de mer mannois. Bien sûr, je n'ai personnellement jamais fait le moindre cas de ces superstitions stupides, mais il en allait tout autrement de certains membres de l'équipage. Lesquels vous auraient déclaré que, aussi sûr que deux et deux font quatre, il y a des mots qu'on ne doit jamais prononcer à bord d'un bateau sans risquer d'attirer le mauvais sort sur toute la traversée. Même si, je le répète, je ne suis pas expert en la matière, d'aucuns soutiennent qu'il ne faut pas dire lapin mais *pommit*. De même, à la place de hareng il faut toujours employer le mot *enfant*. Pour désigner un chat, celui de *gratteur*. Une souris se dit *lonnag*. Le vent est *Vieux Sacs*. Les rats sont des *oncles* ou des *gros jules*. *Ree Yn Laa* – « le roi du jour » – désigne le soleil, tandis que *Ben-rein Nyhoie* – « la reine de la nuit » –, c'est la lune. Une *Judith bleue* est une sirène. L'océan se nomme *Jean le Bleu*. Et on ne doit jamais dire cochon, mais toujours *goret*.

Bien sûr, il arrive qu'on commette une erreur, mais alors on peut assez aisément conjurer le mauvais sort en faisant ce qu'il faut. Quiconque s'est trompé de terme doit, paraît-il, hurler « métal froid ! » et toucher de toute urgence du métal froid sur le bateau. Comme ce n'est pas très difficile, autant se conformer à l'usage, ne serait-ce qu'afin d'apaiser ceux qui croient à ces idioties. L'ennui, c'est qu'en l'occurrence le terme avait été utilisé par un étranger, évêque de surcroît. Par conséquent, aucun d'entre nous ne dit mot, même si un matelot ou deux durent le regarder de travers, ce que d'ailleurs il remarqua peut-être. En tout cas, il laissa vite le cochon tranquille, et je me rappelle qu'il descendit dans l'entrepont peu après en se plaignant du soleil. Enfin, on atteignit Port-Sainte-Marie, et on fut débarrassé de cette vieille baderne.

Non que ce genre de chose m'ait tracassé, n'ayant pas le temps de prêter attention à ce genre d'enfantillages, mais je sais que pour un ou deux membres de l'équipage le fait que l'incident se fût produit au cours du premier voyage de la *Sincérité*, navire mannois chargé d'une mission spéciale, était inquiétant. Voilà pourquoi on ne se priva pas d'invectiver l'évêque Chalmers quand, du haut du mât, guère plus de quinze jours plus tard, Tom Teare lança sa troisième annonce.

« Le cotre, il fonce droit sur nous maintenant ! » Eh bien ! on savait désormais à quoi s'en tenir.

D'après mon expérience, lorsque la guigne a commencé à tomber sur quelqu'un, pas question qu'elle lâche prise, et Clarke, le commandant du *Dauphin*, garde-côte de Sa Majesté, était l'incarnation pure et dure du mauvais sort. Au moment où son embarcation se précipitait sur nous, je me pris à espérer qu'on aurait affaire à quelque vieux gâteux, ventripotent et goutteux, rêvant à sa retraite, rechignant à se coltiner toute la paperasse... Que nenni ! Le commandant Clarke, qui débarqua sur le pont de la *Sincérité*, était l'un de ces fringants Anglais qui, sanglés dans leur uniforme impeccable, orné de boutons étincelants, inspectent le monde extérieur avec une seule idée en tête : relever la moindre infraction à la loi. Il ne se fendit même pas d'un « bonjour », voyez-vous, mais jeta maints coups d'œil à l'entour, suivi – crainte de se sentir un peu seul –, de six fusiliers marins. Il dit simplement : « Capitaine... ?

— Kewley, répondis-je poliment en lui remettant les documents du bateau.

— "Immatriculé au port de Peel, île de Man" », lut-il en me décochant un petit coup d'œil de connaisseur quand il prononça « île de Man », l'air de dire : Ce trou perdu n'a aucun secret pour moi. « En route pour Maldon, dans l'Essex, avec une cargaison de harengs saurs. » Puis il se mit à jouer un peu à l'acteur, secouant sa tête aussi étincelante que ses boutons et prenant une mine dubitative.

« Permettez-moi de vous dire que je suis quelque peu surpris de votre destination. Sauf grave erreur de ma part, Maldon est un port de pêche. Êtes-vous sûr qu'on y sera intéressé par une cargaison de harengs ? »

Je haussai les épaules.

« Y a poisson et poisson... »

Évidemment, il se fichait pas mal de la cargaison. Ce n'était que le hors-d'œuvre.

« Ce qui m'étonne, capitaine, c'est votre position. Votre itinéraire va de Peel à Maldon, nous sommes d'accord ? Pourquoi, dans ce cas, votre bateau fait-il route vers le nord ? »

J'avais une réponse toute prête – une manière de réponse, à tout le moins.

« On a essuyé un grain pas plus tard qu'hier. Ça a dû nous faire dévier sur trente milles vers le sud. »

En effet, il y avait bien eu du gros temps, la veille, et ça venait bien du nord. Comme dit l'adage : « Choisis tes mensonges comme ta femme : avec discernement. »

Non que ça ait servi à grand-chose. Suivant son intention première, Clarke montra les griffes.

« Capitaine Kewley, je dois vous demander si, contrairement à ce que stipulent vos documents, vous avez fait relâche dans un port étranger.

Je vous conseillerais de bien réfléchir avant de répondre car, n'en doutez pas, tout mensonge sera découvert et entraînera l'imposition d'une si lourde amende que vous regretterez bien vite d'avoir jamais pris la mer. »

Je ne pouvais donner qu'une seule réponse et, simulant le mieux possible la dignité offensée, je répliquai :

« Bien sûr que non !

— Avez-vous à bord d'autre fret que les harengs saurs mentionnés ici ?

— Non plus. »

Il parut ravi, tel un chien de meute qui a flairé un lièvre, et se tourna immédiatement vers ses six acolytes en uniforme écarlate.

« Fouillez ce bateau ! De fond en comble ! »

On en était donc là. Finalement, ce n'était pas du tout un jeu d'enfants. Non pas qu'il nous ait déjà coincés, pour sûr, mais c'était un vrai souci tout de même, d'autant plus que je n'aimais pas l'idée que des inconnus allaient tâter et palper ma *Sincérité* de haut en bas, comme une vulgaire catin. J'avais pris le plus de précautions possible pour dissimuler ses appas, ne fût-ce qu'en m'assurant que tout le monde était occupé. Rien n'est pire que l'oisiveté pour rendre les hommes nerveux et il fallait surtout éviter que quelqu'un se mette à bredouiller ou regarder, même brièvement, dans la mauvaise direction. Juan Brew, le second, et Parrick Kinvig, le maître d'équipage, hurlaient des ordres à gorge déployée, forçant les matelots à s'affairer sans relâche sur le pont ou à grimper aux mâts pour manœuvrer les voiles. Chine Clucas, le géant du bateau, tenait la barre, tandis qu'en bas, dans l'atelier, Chalse Christian, le menuisier, sciait un morceau de bois et Ritchie Moore, le voilier, cousait sa toile avec ardeur. Mylchreest, le commis aux vivres, faisait le ménage des cabines.

Restait Rob Quayle, le cuistot. Lui, on l'avait chargé de nettoyer la porcherie, c'était là qu'il causerait le moins de dégâts. Les Quayle, dois-je préciser, étaient bien connus pour leur bizarrerie. Toute la famille était bizarre. Le père de Rob étant mort quand celui-ci était encore bébé – de pure folie furieuse selon certains –, l'enfant fut élevé par sa mère qui vivait dans une petite masure délabrée près des hangars où l'on salait les harengs. Elle se faisait quelques pennies en lavant du linge à domicile. Était-ce ça qui avait rendu Rob étrange, ou tenait-il sa bizarrerie des autres Quayle ? Je me garderais bien de me prononcer là-dessus, en tout cas il était drôlement bizarre, avec son visage long et ses yeux inquiets. Il préférait s'isoler, persuadé que tout le monde parlait de lui, ce qui était d'ailleurs souvent vrai. Rien de très surprenant, par conséquent, qu'il ait eu un fort penchant pour la compagnie des bêtes. Son meilleur copain était le goret que l'évêque de Man avait

21

appelé « cochon » ; deux petites semaines après notre départ de Peel, tous deux semblaient déjà comme cul et chemise. Pas une heure ne s'écoulait que Quayle n'aille lui tenir le crachoir ou lui apporter quelque reste de choix. Quant au cochon lui-même, on ne pouvait imaginer créature plus prétentieuse. Au fur et à mesure que sa nourriture s'améliorait, il se gonflait d'importance, et Quayle ne cessait de se torturer la cervelle pour imaginer devant quel mets il ne ferait pas la fine bouche.

« Y a qu'une chose que le goret n'a pas encore goûtée, répétait-on en plaisantant, au grand dam de Quayle, c'est un bon rôti de porc. »

Non qu'aucun d'entre nous fût d'humeur à plaisanter maintenant que le commandant Clarke avait envoyé ses hommes fourrer leur nez partout. Ils commencèrent par la cale, ce qui comportait des risques mais également des avantages, vu que la cargaison pouvait œuvrer en notre faveur. Je l'avais choisie avec un certain soin, puisqu'il n'y a rien de plus sale, de plus gluant et en général de plus puant que cinquante caques de harengs saurs. Le commandant se protégea du mieux qu'il put, demeurant à distance respectueuse lorsque ses soldats se mirent à ouvrir les barils, mais il n'y a pas moyen d'échapper à une telle quantité de poissons. Lorsque les soldats les vidèrent sur des morceaux de toile à voile, une sacrée puanteur envahit le bateau, et des gouttelettes d'huile, de petits fragments de peau et d'arêtes jaillirent de-ci, de-là, sautant extraordinairement loin, éclaboussant les fusiliers, et même l'uniforme rutilant et les chaussures reluisantes du commandant Clarke. Ça ne lui fit pas du tout plaisir, c'est certain, mais, hélas ! ça ne le dissuada pas. Une fois que ses gars eurent examiné une bonne vingtaine de caques, la cale était plus infecte que l'haleine d'un cabot, et même si leurs recherches étaient demeurées infructueuses, Clarke n'avait rien perdu de son mordant.

« Ça ira comme ça, sergent ! lança-t-il, comme s'il s'agissait pour lui d'une vraie partie de plaisir. Passons au reste du bateau… »

Voilà qui devenait inquiétant… Ses hommes se mirent à déambuler dans tout le bateau, palpant les parois, tambourinant dessus, moi sur leurs talons pour les garder à l'œil. Cap fut mis d'abord sur le gaillard d'avant, où les soldats fouillèrent les coffres des matelots et tapotèrent les hamacs et le linge mis à sécher sur les cordes. Puis, direction l'atelier, où Chalse Christian et Ritchie Moore maniaient leurs morceaux de bois et de toile d'un air grave. À l'office, j'eus une peur bleue. Clarke y jeta un coup d'œil – rien de grave jusque-là –, mais, au lieu de se contenter de regarder les biscuits, le bœuf salé, etc., il plaça ses mains sur le linteau de la porte, comme pour se propulser à l'intérieur. Un instant, je craignis qu'il n'ait pu accidentellement toucher certain cordon qui y était attaché. Ce ne fut que lorsqu'il se balança en arrière, l'air aussi revêche qu'auparavant, que je respirai plus librement. Ensuite on arriva au carré. Une visite qui pouvait ou nous achever, ou nous sauver défini-tivement. Voyez-vous, j'avais beaucoup réfléchi à cet endroit précis, en me fondant sur le principe que rien ne protège mieux l'honneur d'une dame des mains baladeuses des polissons qu'une flopée de beaux atours. D'ailleurs, ça marcha, et bien mieux que les harengs saurs. Dès que le commandant Clarke y entra, je vis l'expression de son visage commencer à se radoucir un tantinet.

« Quelle belle collection vous avez là ! »

Je me laissai porter par le vent.

« Disons que c'est l'un de mes passe-temps favoris. Je les ai toujours admirés. »

Il se baladait dans la pièce, les examinant l'un après l'autre.

« L'Albert est superbe. Où les avez-vous trouvés ?

— À Peel. Ils suscitent un grand intérêt dans l'île. »

Je n'oserais affirmer que c'était l'exacte vérité. En réalité, ces gens n'éveillaient pas le moindre intérêt à Man, sauf de la part d'Anglais de passage. C'est pourquoi j'avais dû envoyer chercher les gravures à Liver-pool. Mais si je décidais d'être patriote, pourquoi ne pas m'adjoindre toute l'île de Man ?

« Ma préférée est celle de la reine Victoria. Quelle majesté, vous ne trouvez pas ?

— Elle s'appuie sur le lion avec un naturel… » Pour la première fois depuis qu'il était monté à bord, sa voix était courtoise, comme si je méritais d'être traité en être humain à part entière plutôt que comme un délinquant en puissance. « Il est inhabituel de voir un si grand nombre des enfants présentés ensemble. »

En effet, je n'avais pas ménagé ma peine et j'avais même appris leurs noms par cœur. « Victoria, Albert, Édouard, Alfred, Alice, Hélène, Louise, Arthur et le petit Léopold, récitai-je. Je recherche une Béatrice, bien sûr, mais il faudra sûrement attendre qu'elle vieillisse un peu pour trouver son portrait.

— Les deux bustes sont eux aussi excellents. »

Il étudia celui de la reine Victoria, fixé au sommet d'une colonne creuse placée contre le mur. Heureusement, il ne s'y attarda pas ! Il paraissait hésitant, voyez-vous, l'air de celui qui a un peu mauvaise conscience. Sans doute ne pouvait-il pas imaginer qu'un type qui connaissait par cœur le nom des neuf enfants royaux songeât à tromper le service des douanes de Sa Majesté. Il avait à l'évidence perdu tout intérêt pour les opérations de fouille. Il enjoignit encore à ses hommes de fureter un peu partout dans la pièce mais, lorsque le sergent fit mine de regarder derrière la gravure représentant le prince consort, Clarke eut l'air agacé.

« Ça ira comme ça, je pense ! s'écria-t-il d'un ton aussi sec que si l'initiative de cette fouille malencontreuse venait du pauvre gars. Vous pouvez regagner notre bâtiment. »

Pas question de bouder son plaisir… On n'allait pas faire les difficiles ! Quand on vient d'un pays aussi petit que l'île de Man, il ne faut pas s'attendre à remporter beaucoup de victoires contre des étrangers – pas de Waterloo, de Bannockburn, etc. –, mais, toutes proportions gardées, celle-ci n'en semblait pas si loin. Nous avions été envahis, occupés, à deux doigts du désastre, et voilà que nos ennemis battaient en retraite. En effet, au moment où, étant remontés sur le pont, on se trouvait près de la porcherie et que les soldats redescendaient déjà dans leur navire, Clarke se confondait presque en excuses.

« Pourvu que votre poisson n'ait pas été gâté, capitaine. »

J'eus du mal à contenir ma joie.

« Oh ! je suis certain qu'il parviendra à s'en remettre.

— Eh bien ! je dois vous remercier de votre coopération et j'espère que vous n'avez pas été trop gêné. »

Sur ce, il se dirigea vers l'échelle pour rejoindre ses hommes dans le cotre en contrebas.

Oui, sans mentir, nous étions à ce point près du but. Allez, ouste ! commandant Clarke. Ôtez-vous de mon pont et fichez le camp, vous et votre peu ragoûtant uniforme maculé d'éclaboussures de saumure de hareng. Si vous déguerpissez, on s'épargnera tous les tracas qui nous attendent : odyssée, séjour dans une cave et même pire – bien pire. Ah ! le seul désir de vous voir partir me fait aujourd'hui encore trembler de tous mes membres. Manque de chance ! Il est là, déjà si bien passé de l'autre côté qu'il n'est plus qu'une tête et deux épaules, mais il faut qu'il lance un dernier coup d'œil dans ma direction, par courtoisie, pour ainsi dire – comme si j'avais besoin du sourire de ce sale morveux –, et tout est fichu. Tout à coup, je me rends compte que son regard s'attarde juste un peu trop longtemps. Le sourcil froncé, l'œil perçant et inquisiteur. Ça sent mauvais. Le voilà qui regrimpe sur le pont. Ce qui n'augure rien de bon pour nous, je le sais.

« Qu'avez-vous donc là ? »

Ce n'est pas à moi qu'il s'adresse mais à Quayle, le cuistot. Celui-là, on dirait que la foudre lui a un peu trop caressé la tête.

« C'est juste du fromage pour le goret, là », qu'il balbutie.

Clarke lui ôte le fromage de la main – un sacré morceau et à la forme vraiment pas de chez nous – et le hume avec force.

« D'où ce fromage peut-il bien venir ? »

En un éclair, je devine ce qui s'est passé. Il y avait une rangée de boutiques tout près du quai du petit port discret et Quayle avait dû s'y rendre en catimini. Conscient que les bégaiements de ce petit nigaud vont nous enferrer davantage, je lui lance un regard pour le calmer.

« De Peel, c'est ça ?

— Donc, il s'agit de fromage mannois, n'est-ce pas ? » Clarke le retourne, son visage devient crayeux et il me fourre le fromage sous le nez. Et je suppose que ça, c'est du manx ? »

Le croirez-vous ? Collé dessous, il y avait un bon bout du journal dans lequel le fromage avait été enveloppé. Je savais que Quayle était un foutu péquenaud, mais je n'arrivais quand même pas à comprendre comment il avait pu être aussi bête. Et tout ça pour un minable goret.

Clarke jeta un bref coup d'œil sur le journal.

« Il date de quatre jours seulement. »

On n'aurait guère reconnu l'homme qu'il était une minute plus tôt. Disparue, sa jovialité de soldat tout pimpant dans son bel uniforme. Sa voix était devenue chuintante et il grimaçait de colère. Hélas ! Je suis certain qu'il n'aurait pas du tout été aussi furibard si je ne l'avais pas si joliment roulé avec les gravures de la reine Victoria et de tous ses mioches. Il avait été berné, et le savait, et ce qu'un Anglais en uniforme déteste par-dessus tout, c'est d'être pris pour un idiot par des étrangers.

Je devais répondre quelque chose.

« On a bien rencontré un bateau de pêche ? Tu as dû lui acheter le fromage, pas vrai, Quayle ? »

Il hocha la tête sans grande conviction. Il aurait acquiescé si j'avais affirmé qu'il l'avait acheté à un requin de passage. Non que ça ait pu faire désormais la moindre différence, vu que Clarke n'allait plus croire une seule de mes paroles, même si c'était une vérité d'évangile. De plus, acheter des marchandises à un bateau étranger sans les déclarer constitue autant une infraction à la loi que de se les procurer dans un port étranger.

« Je pense, dit-il d'un ton glacial, qu'il est temps que vous mettiez le cap sur Londres afin de faire un brin de causette avec les inspecteurs du service des douanes de Sa Majesté. » Puis il se pencha sur le rebord pour rappeler ses hommes. « Le *Dauphin* va vous escorter, ajouta-t-il d'un ton railleur, vous pourriez vous égarer. »

Nous voilà donc repartis, la queue basse, suivis de près par un cotre garde-côte, les six fusiliers marins étendus sur le pont, fumant la pipe et se gaussant à l'envi des Mannois et de leur fromage. Que nous restait-il à faire, sinon ordonner à Quayle de nous préparer pour le dîner un bon rôti de porc fraîchement saigné ? Évidemment, certains à bord firent remarquer à quel point il était étrange que la créature qui nous avait porté la poisse fût justement celle que l'évêque de Man avait appelée « cochon ». Même si je ne suis pas du genre à me laisser impressionner par ces sornettes, c'était quand même une drôle de coïncidence.

Au crépuscule, la côte se dessina nettement à l'horizon. La journée avait été bien longue. Lorsque nous aperçûmes le sombre rivage anglais, nos rêves de lucre, de rhum et de catins s'étaient dès longtemps envolés. Je n'avais en tête que fouilles, interrogatoires, saisie, faillite. Peut-être même une peine de prison.

Ce qui nous arriva, il va sans dire, n'eut absolument rien à voir avec tout ça.

## Le révérend Geoffrey Wilson. Juin 1857

Cette nuit-là, marchant sur la terre de Van Diemen, je m'enfonçai au cœur de terres qu'aucun chrétien n'avait encore foulées. Devant moi se dressaient des sommets escarpés pareils aux murailles d'une forteresse, mais bien éloignés des montagnes ordinaires car leurs parois, blanches et lisses, évoquaient de l'albâtre poli. Avec humilité mais sans le moindre effroi, j'en commençai l'ascension, escaladant les roches et enjambant les crevasses, grimpant toujours plus haut, avant de parvenir enfin au sommet d'un pic altier. Alors, sous mes yeux, apparut le miracle d'une campagne, la plus verte que j'eusse jamais contemplée, une terre d'abondance luxuriante mais ordonnée, oubliée depuis six mille ans, un jardin au milieu du désert. Je demeurai frappé de stupeur et d'admiration. La moindre fougère, la moindre fleur, le plus petit cours d'eau dans le lointain semblaient me susurrer à l'oreille : « Approche, mon doux révérend, viens ici ! Hâte-toi ! »

Puis je m'éveillai et me retrouvai chez ma belle-sœur à Highgate. Le soleil d'un matin d'été teintait les rideaux d'un éclat délicat, transfigurant ce lieu des plus banals, m'emplissant de la chaude lumière de la vérité et me donnant le sentiment que ma prémonition – car c'était de cela qu'il s'agissait, évidemment – était confirmée.

« Louisa, murmurai-je à mon épouse, je viens de faire le rêve le plus extraordinaire qui soit. Je crois vraiment que c'est un signe. »

Ma chère femme, si noble d'esprit et pourvue de maintes qualités, ne croit guère aux visions. « Ah ? Bien », marmonna-t-elle, sans me prêter beaucoup d'attention, avant de se rendormir.

Malgré l'heure matinale, je me levai sur-le-champ. Les vingt-six années passées dans le Yorkshire comme prêtre de campagne avaient largement suffi à me faire contracter des habitudes de paysan qu'un séjour de quelques semaines dans l'oisive ville de Londres ne pouvait me faire oublier. En l'occurrence, ma promptitude s'avéra fort opportune. Je venais à peine de me mettre à mon courrier qu'un coup fut frappé à la porte et que la servante, tirée de son sommeil, fit entrer le cocher de Jonah Childs, porteur d'un message de son maître qui résidait à Clapham, à l'autre bout de la ville.

*Cher monsieur Wilson,*
*Pouvez-vous venir chez moi à onze heures ? Cela concerne votre expé-*
*dition. Je vous présenterai quelqu'un que vous devez impérativement*
*rencontrer. Au cas où cette heure ne serait pas à votre convenance, faites-*
*le-moi savoir par retour du courrier.*
*Emmenez Renshaw.*
*Votre fidèle,*

*Jonah Childs*

La simplicité et la concision de ce billet étaient tout à fait caractéristiques de la noblesse de cet homme, tout comme le moment de son arrivée. Ayant dû décider au milieu de la nuit d'organiser ce rendez-vous, il avait fait réveiller le cocher – visiblement, ce fainéant boudait – et l'avait envoyé chez moi sans plus tarder. Débordant d'enthousiasme, Jonah Childs n'était pas homme à perdre son temps en empruntant des chemins détournés. Quand on le connaissait, on ne laissait d'être charmé par sa nature impétueuse, son exubérance, ses éclats de rire soudains. D'aucuns, il est vrai, le trouvaient trop changeant, ce qui pour moi, loin de constituer un défaut, est plutôt une délicieuse qualité, semblable à une agréable journée de printemps où le vent change de direction sans crier gare, apportant le beau temps après la pluie.

La vérité, c'est que sans l'extraordinaire bonté de Jonah Childs toute cette expédition n'eût pas été possible et le jardin d'Éden sans doute jamais retrouvé, en tout cas pas de mon vivant. L'homme ayant été la générosité même, un véritable envoyé de Dieu, les petits tracas subis n'avaient qu'une importance toute relative. Bien que cela ne m'arrangeât guère, je l'avoue, d'être convoqué chez lui à Clapham au débotté, je ne songeai pas un seul instant à décliner son invitation. En outre, il pouvait s'avérer fort intéressant de connaître l'identité de ce mystérieux « quelqu'un » qu'il souhaitait me présenter. M. Childs était d'humeur si imprévisible qu'il était impossible de deviner ce qu'il avait en tête.

« Dites à votre maître que je me réjouis d'aller lui rendre visite à onze heures », déclarai-je à son domestique.

La journée s'annonçait caniculaire : dès huit heures et demie, il faisait déjà très chaud. Tandis que mon fiacre descendait la colline de Highgate et qu'à travers sa propre poussière Londres scintillait faiblement dans le lointain, je réfléchissais à la riche imprévisibilité de la vie. Ne serait-ce que quelques mois auparavant, même dans mes rêves les plus fous je n'aurais pu m'imaginer dans une telle situation : ma vie complètement chamboulée, les devoirs de la paroisse remplacés par de fébriles préparatifs en vue d'un épique voyage d'exploration dont le départ était fixé dix jours plus tard à peine.

Je ne dirai pas que ce bouleversement m'était entièrement désagréable. Être pasteur dans la campagne du Yorkshire pendant vingt-six ans, c'est bien long, et quoique je fusse fier d'accomplir mes humbles tâches paroissiales et que, malgré leurs manières frustes, j'aie trouvé mes fidèles tout à fait attachants, je dois admettre qu'à certains moments je me demandais si je n'avais pas été destiné à rendre de plus grands services à l'humanité. Mes travaux d'étudiant n'avaient pas été – j'ose l'affirmer – dénués de promesses, et j'étais apparenté – d'assez loin, il est vrai – à l'une des plus anciennes familles du Kent, laquelle avait donné deux évêques à l'Église. Je commençai l'exercice de mon ministère avec quelque zèle, cherchant à améliorer la vie de mes ouailles en lançant une petite campagne pour qu'on n'ouvre la taverne que trois jours par semaine, au lieu de sept, et en proposant – en guise de compensation spirituelle – deux offices supplémentaires. Il est regrettable que cette initiative ait été reçue avec quelque hostilité dans certains milieux. En fait, le nombre de fidèles assistant à mes offices dominicaux déclina, et je sentis bien que parfois on me regardait de travers dans le village.

En outre, le bonheur de ma chère épouse me préoccupait de plus en plus. Ayant grandi dans l'animation de Manchester – elle évoquait avec nostalgie ses nombreuses et pimpantes boutiques –, elle ne trouvait pas toujours facile de vivre dans ce coin tranquille du Yorkshire. Son attention fut un temps accaparée par les soins que requéraient nos sept enfants, mais, lorsque ceux-ci grandirent et gagnèrent en indépendance, son stoïcisme commença de faiblir. Une morosité principalement due – trait de caractère charmant – à sa noble fidélité à ma personne. Elle faisait souvent allusion à l'un de mes professeurs de l'époque où j'étudiais à Cantorbéry. Lui et moi avions eu de merveilleuses passes d'armes théologiques – où je ne m'étais pas trop mal comporté, je dois dire. Mon adversaire ayant par la suite acquis quelque influence dans l'Église, elle pensait, naïvement peut-être, qu'il aurait pu m'aider à trouver un poste plus digne de moi. J'avais beau m'évertuer à la rassurer en lui expliquant que ces choses dépassaient notre médiocre entendement, elle ne cessait de remettre la question sur le tapis. C'en était lassant. Très attristé par son chagrin que je paraissais incapable de soulager, je fus de plus en plus enclin à faire de longues promenades, sur les collines ou à travers la lande, dans le vent cinglant du Yorkshire, afin de me revivifier l'esprit. Bien sûr, il ne me vint jamais à l'idée que la réponse à mes nombreuses questions pouvait se trouver sous mes pieds.

Tout commença fort futilement. Je prenais plaisir à ramasser des pierres, rapportant les plus belles pour les disposer sur le manteau de la cheminée. Peu à peu, fasciné par leurs couleurs si extraordinairement variées, j'en vins à observer la teinte des monts et des sols de la région. Puis, ayant effectué le grand saut en achetant un sac et une toute petite pioche pour recueillir des échantillons, je m'aperçus tout à coup que je possédais désormais un « passe-temps », lequel m'entraînait dans des excursions par tout le comté. Je n'imaginais pas du tout que cette passionnante recherche déboucherait sur autre chose que le savoir et le simple bonheur qu'elle m'apportait déjà.

Un matin, m'étant rendu à la ville la plus proche pour remplacer une lampe que j'avais cassée, je trouvai le magasin fermé. Quelque peu agacé d'avoir fait ce voyage pour rien, j'entrai sans but précis dans une librairie voisine et tombai sur un ouvrage de géologie qui venait de paraître. Le prix me semblant trop élevé, je fus à deux doigts de remettre le livre sur le rayon. Qu'est-ce qui me poussa à effectuer un si fol achat ? Le pur hasard ? Ou bien une voix lointaine me murmurat-elle des paroles d'encouragement ? La vie est faite de ces mystères. L'après-midi même, j'entrepris de le lire, et je reçus alors un terrible choc. Dès le tout premier chapitre l'auteur – censé être un géologue de renom – assurait avec impudence que le calcaire silurien n'avait pas moins de cent mille ans. Ces assertions vont à l'encontre de ce que dit expressément la Bible, à savoir que la Terre a été créée voilà six mille ans seulement.

Il s'agissait non seulement d'une erreur mais aussi d'un sacrilège. D'une attaque extrêmement venimeuse contre l'honneur des Écritures. Assis près de l'âtre, ayant laissé refroidir la tasse de thé posée à côté de moi, ma femme occupée à son tricot, au son du cliquetis de ses aiguilles, je sentis mon cœur s'emballer et soudain je compris qu'au milieu du lent train-train quotidien je vivais un instant rarissime, comme lorsque, du haut d'une colline, on découvre un éblouissant panorama. Tel un flux électrique, une grande vérité se fit jour dans mon âme. Toutes ces longues années dans le Yorkshire n'avaient pas été perdues, loin s'en fallait. En réalité, on me préparait seulement à la grande tâche qui m'était maintenant révélée : redresser ce tort affreux et empêcher les esprits faibles de se laisser égarer par ce vil mensonge.

Dès lors, le passe-temps futile se transforma en véritable mission ; je m'efforçai de me muer en machine de guerre pour défendre cette cause sacrée. Je lus tous les ouvrages que je pus me procurer sur le sujet et découvris qu'un assez grand nombre d'entre eux commettaient le même sacrilège que mon adversaire. Mes ennemis étaient plus forts que je l'avais supposé. Malgré cela, je m'évertuai à ne pas perdre courage, me rappelant l'histoire du petit David et du puissant Goliath.

29

Je me lançai dans des recherches personnelles, sortant même du York-shire, voyageant jusqu'au pays de Galles et en Cornouailles. J'étudiai. Je réfléchis. J'étudiai à nouveau. Des ébauches d'idées commencèrent à prendre l'allure d'un raisonnement. De vagues hypothèses se préci-sèrent et se rangèrent en ordre de bataille. Enfin, je fus prêt à mettre la plume au papier pour entreprendre la rédaction de mon premier essai que je fis imprimer à compte d'auteur sous le titre suivant : *D'honnêtes réponses apportées à des questions fallacieuses : la nouvelle théorie de la réfrigération divine expliquée en détail.* J'étais loin d'imaginer, en regar-dant le résultat de mes travaux, ces piles d'ouvrages sur le point d'être envoyés aux journaux et aux hommes d'influence, jusqu'où ces feuilles de papier pourraient finalement me mener. Publié, un livre possède un grand pouvoir et peut nous entraîner dans toutes sortes d'événements imprévus, faisant de parfaits inconnus des amis ou des ennemis, et bien d'autres choses encore.

Le premier argument de mes adversaires était que les pierres de notre planète – laquelle, selon une théorie généralement acceptée, avait jadis été constituée d'une matière en fusion – auraient eu besoin de davan-tage de temps pour se refroidir que ce que prétendent les Écritures. Je répondis que la Terre s'était refroidie très rapidement, grâce à un pro-cessus que j'appelai la « réfrigération divine ». Puisque Notre-Seigneur avait joui du pouvoir de créer le monde, il paraissait assez logique, somme toute, qu'il ait également possédé celui d'en modifier la tempé-rature. Seule la deuxième assertion des géologues athées, concernant des créatures ayant disparu de la surface du globe, restait donc à réfuter. Mes adversaires avaient fait grand cas de ces dernières, et en particulier d'un animal appelé trilobite – une sorte de cloporte géant –, dont on trouve parfois des fossiles dans le calcaire silurien et qui, selon eux, a existé dans un passé lointain. Cependant, l'explication semblait on ne peut plus évidente, la Terre à l'origine ayant été créée en même temps qu'une immense variété d'animaux, de l'utile – le cheval ou le chien fidèle – au grotesque, tel cet ennuyeux spécimen. Évidemment, avec le temps, beaucoup d'animaux ne donnant pas entière satisfac-tion – quelle satisfaction attendre d'un cloporte géant ? – avaient sim-plement disparu. Un grand nombre d'entre eux, suggérai-je, avaient dû être emportés par le déluge.

On aurait pu penser que cela aurait mis un point final à l'affaire, pas du tout, mes suggestions ne réussirent, semble-t-il, qu'à attiser les flammes. Quelques semaines plus tard parut une réfutation, non de la part de mon premier adversaire mais d'une autre des têtes de cette hydre. Qu'en était-il, demanda mon nouveau critique, des premières plantes et des premiers animaux ? La Genèse déclare qu'ils furent placés sur la Terre moins de deux jours après sa création. Même la réfrigération divine, souligna-t-il, ne pouvait sûrement pas refroidir aussi vite un monde de roches en fusion.

C'est ainsi que le jardin d'Éden fut placé au cœur de la bataille.

Mon allié le plus puissant dans ce combat acharné fut en fait le Livre saint lui-même. Bien que les Écritures détiennent les réponses à toutes les questions qu'on peut se poser, il n'est pas toujours aisé de les comprendre. Il arrive que la foi du lecteur soit mise à rude épreuve par une ingénieuse énigme accompagnée de subtils indices, comme ce fut le cas cette fois-là. La Bible nous apprend qu'au commencement l'homme et les animaux habitèrent en un seul lieu – lequel n'était probablement pas très vaste –, à savoir le jardin d'Éden. Là se trouvait notre réponse. J'en déduisis que l'Éden s'étendait sur une sorte de pierre unique totalement insensible à la chaleur, flottant sur le reste comme un immense radeau et entourée sans doute de nuages de vapeur chaude. La Genèse ne nous dit pas combien de temps Adam et Ève vécurent heureux au Paradis avant que le serpent ne commette son œuvre pernicieuse mais, comme à l'époque les hommes vivaient très vieux, cela dura sûrement un grand nombre d'années. Avant qu'ils n'en soient finalement chassés, le reste de la Terre aurait amplement eu le temps de se refroidir grâce à la réfrigération, et les plantes et les animaux d'envahir toute sa surface. Ce fut le sujet de mon deuxième essai : *Réflexions sur la géologie de l'Éden.*

Il appert pourtant qu'il n'y a pas moyen de réduire à quia les critiques. Si c'est vrai, s'écrièrent-ils dans des lettres aux gazettes et dans au moins deux articles, alors, où peut-on voir cette sorte de pierre particulière ? Pourquoi ne l'a-t-on pas retrouvée ?

Je me colletai avec cette difficulté pendant un certain temps, en pure perte, je dois l'avouer. L'étude et la lecture ne me procurèrent aucun soulagement, non plus que les lettres que j'écrivis aux rares hommes intrépides qui avaient voyagé dans les plus lointaines régions d'Arabie où je supposais toujours qu'avait dû être situé l'Éden. Ce furent des semaines difficiles, et force m'est d'admettre que je fus à deux doigts de tout laisser tomber et de décider, bien à contrecœur, d'attendre que de futures découvertes me donnent raison.

Jusqu'au jour où je reçus une missive des plus inattendues. L'expéditeur, qui avait suivi mes écrits avec intérêt, expliquait qu'il avait jadis été éleveur de moutons durant quelques années dans l'île lointaine de la terre de Van Diemen, récemment rebaptisée Tasmanie, juste au sud de l'Australie. Sa ferme était située sur une élévation de terrain aux confins de la colonie, et il signalait que par temps clair il pouvait apercevoir au loin les montagnes de la zone sauvage. Bien qu'il eût effectué de grands voyages dans d'autres parties du globe, il n'avait absolument jamais rien vu de semblable. Les pics, affirmait-il, avaient l'air de forteresses en ruine, tels les uniques vestiges de quelque merveilleuse cité bâtie à une échelle impossible à concevoir par de simples mortels et oubliée depuis des milliers d'années. Comme si cela n'était pas déjà assez curieux, mon correspondant insistait sur le fait qu'on s'était borné, dans l'ensemble, à explorer la côte de la colonie, et qu'à l'exception des aborigènes noirs nul ne s'était encore aventuré au cœur de ces lointaines terres vierges.

D'un coup, mon cerveau s'emballa. La Genèse, dans un passage célèbre qui, je m'en rendais compte maintenant, m'avait souvent quelque peu intrigué, affirme que quatre fleuves prennent leur source dans l'Éden. Le nom du premier est Pichôn, non identifié, celui du deuxième, Guihôn – également non identifié –, lequel, est-il dit, coule en direction de l'Éthiopie. Le troisième, appelé l'Hiddekel, « coule vers l'est de l'Assyrie », et enfin il y a l'Euphrate. J'ai dit comment la Bible informe souvent à la manière d'une énigme pour mettre à l'épreuve le lecteur. Un simple coup d'œil à une carte révèle qu'il est impossible que des fleuves coulent du même lieu vers l'Éthiopie et vers l'Assyrie, étant donné que ces deux pays sont presque complètement séparés par un océan et qu'ils ne sont reliés que par l'étroite bande de la péninsule du Sinaï, elle-même désertique, comme chacun sait. Plus je réfléchissais à la question, plus j'en venais à penser que le passage ne pouvait signifier qu'une seule chose, et j'étais stupéfait de n'y avoir jamais songé auparavant. « Cherche ailleurs, me soufflaient les Écritures, cherche tout à fait autre part. » Mais où ? À l'est de l'Assyrie. Soudain, tout devenait d'une clarté éblouissante. À l'est de l'Assyrie ? Pourquoi pas très loin à l'est, et même jusqu'en Tasmanie ?

Ce n'était pas une preuve, cela va sans dire. Je devais maintenant essayer de découvrir le nom des fleuves de cette terre lointaine. Je recherchai les noms indigènes – les noms donnés par les colons blancs étant bien trop récents –, mais j'eus beaucoup de mal à les retrouver, les aborigènes ayant presque tous, hélas ! disparu. Mon appétit ayant été aiguisé, je refusai de me décourager et, persévérant dans ma tâche, j'écrivis à toutes les personnes ayant pu selon moi passer un certain temps dans cette colonie lointaine pour les prier, si elles ne pouvaient m'aider elles-mêmes, de me fournir l'adresse de connaissances susceptibles de le faire. Peu à peu, des noms de fleuves me parvinrent, et ce que je découvris me stupéfia. S'ils n'étaient pas identiques à ceux de la Bible – il était inévitable que les hasards du temps eussent apporté des changements dans la prononciation –, ils ne me laissèrent pas moins véritablement éberlué.

| Nom biblique : | Nom aborigène : |
|---|---|
| Euphrate | Ghe Pyrrenne |
| Guihôn | Gonovar |
| Pichôn | Pewunger |
| Hiddekel | Liddywydeve |

Où donc, est-on en droit de se demander, ces quatre fleuves prennent-ils leur source ? Eh bien ! précisément dans la région inexplorée des montagnes que mon ami fermier avait aperçue de loin !

Évidemment, je me sentis contraint d'informer le public de cette découverte. D'où la publication de ma troisième brochure intitulée : *Une preuve contre les athéismes de la géologie : la vérité de la chronologie de la Bible démontrée de manière concluante.* J'avais bien prévu, sans doute, que cet essai pourrait entraîner une réaction, pourtant son ampleur me stupéfia. Du jour au lendemain, notre maison ne fut plus le havre isolé qu'elle avait été jusque-là, et le facteur croulait souvent sous la correspondance qui m'était destinée. Des visiteurs débarquaient chez nous, parfois à l'improviste, l'un d'eux venant même de la lointaine Édimbourg. Jusqu'à la population locale qui se mit, de son air buté habituel, à nous dévisager avec curiosité, tandis que mon épouse, qui ne s'était jamais intéressée auparavant à mes recherches en géologie, commençait à prendre tout à fait goût à notre nouvelle petite renommée.

Hélas ! je me reçus pas que des lettres d'encouragement. Je fus surtout blessé par le fait que pour la première fois des confrères pasteurs se rangèrent dans le camp de mes adversaires, refusant avec obstination d'abandonner leur conviction que l'Éden était situé en Terre sainte. Pour toute lettre de critique, cependant, j'en recevais au moins une autre de soutien. En outre, un grand nombre de mes correspondants posaient fébrilement la même question, laquelle, étrangement, ne m'était encore jamais venue à l'esprit : Pour quand était prévue une expédition pour la terre de Van Diemen ? Sa pertinence ne pouvait être mise en doute : c'était le seul moyen de prouver une fois pour toutes le bien-fondé de cette grande intuition. Quoique je n'eusse guère considéré qu'un tel voyage fût de mon ressort, jugeant que mon rôle était celui d'un humble lanceur d'hypothèses plutôt que d'un explorateur, j'écrivis pourtant à la Société de géologie afin d'attirer son attention sur cette question vitale. Elle ne montra cependant qu'un intérêt décevant, obnubilée qu'elle était par le désir de découvrir la source du Nil, ce fleuve si morne. Somme toute, l'affaire en serait sans doute restée là si, un beau jeudi matin, une lettre n'était parvenue au presbytère, accompagnée d'un billet de train pour Londres.

*Cher monsieur Wilson,*
*J'ai lu votre essai. J'applaudis à vos idées. Il faut à tout prix retrouver*
*l'Éden. Je pense être l'homme qui peut mettre en œuvre ce projet.*
*J'attends votre visite.*
*Bien à vous,*

*Jonah Childs*

Remarquable missive ! J'allais d'ailleurs me rendre bientôt compte
que mon correspondant ne l'était pas moins. Je me rappelle fort bien
notre merveilleuse première rencontre à Clapham, les yeux de
M. Childs pétillant d'enthousiasme pendant qu'il me harcelait de questions, tant il était passionné par le projet. À peine commençais-je à
répondre à l'une que je me trouvais confronté à la suivante. Son désir
de défendre les Écritures était si ardent que je craignais à tout moment
de le voir fondre en larmes. Après seulement quelques minutes de discussion il se mit à griffonner une liste des dépenses prévues, qu'il addi-
tionna avec un certain panache.

« C'est avec joie que je réglerai ce montant, et même un plus élevé si
nécessaire. »

J'étais littéralement médusé. Je n'avais jamais rencontré générosité
si grandiose et si sainte. Je m'efforçai d'exprimer mes humbles
remerciements.

« Bien sûr, vous devez faire partie de l'expédition, poursuivit-il. C'est
vous qui en avez eu l'idée. Vous connaissez les pierres. Vous devez en
être. »

Je n'avais pas réfléchi à cette possibilité. Quoique profondément
flatté par sa suggestion, je demeurais fort sceptique. Je n'avais jamais
traversé les mers, ni même voyagé en bateau, si ce n'est en ferry-boat,
sur un fleuve. Il me fallait aussi consulter ma chère épouse. En l'occurrence c'est elle, brave petit chou, qui fit pencher la balance. Quand je
lui assurai, le lendemain, que si elle le souhaitait je me ferais un plaisir
de demeurer avec elle dans notre paisible Yorkshire, elle leva les bras
au ciel.

« Tu dois y aller, Geoffrey. C'est ton destin. Ne t'en fais pas pour
moi. J'ai les enfants, ainsi que ma sœur, pour me tenir compagnie. »

Les choses avancèrent ensuite à grands pas. Considérant que pour
mener une telle expédition il fallait un homme d'expérience, M. Childs
confia cette tâche, après mûre réflexion, au major Henry Stanford, un
grand soldat à l'œil vif qui avait tour à tour combattu des pirates
chinois, des guerriers sikhs et bien d'autres... Il s'était également rendu
célèbre en traversant la Mésopotamie en solitaire, aventure au cours de
laquelle il avait enduré tant d'épreuves qu'il avait dû manger son propre
mulet. S'il ne connaissait rien à la géologie, il est vrai, et pas grand-chose

34

aux Écritures, je pensais néanmoins qu'il ferait un chef d'expédition parfaitement compétent. Il s'empressa de transformer nos aspirations en réalité, effectuant plusieurs démarches et achetant des provisions. C'est lui qui affréta notre bateau, la *Caroline*. Il s'agissait d'un vaisseau tout à fait excellent, destiné au transport de marchandises pour la marine et qui avait servi dans la récente guerre contre la Russie avant d'être vendu à une entreprise privée. L'équipage se composait de marins originaires de Portsmouth, hommes costauds et courageux au passé militaire aussi admirable que celui de leur navire.

D'ici à dix jours, nous nous retrouverions tous à bord, en route pour notre expédition. Tandis que le fiacre traversait Londres, j'étais fou d'excitation rien que d'y penser. J'avais enjoint au cocher d'aller d'abord à Hampstead, chez Timothy Renshaw, le botaniste de l'expédition, que Jonah Childs m'avait demandé d'emmener. Le père de Timothy était un homme austère d'origine modeste qui avait fait fortune dans le plâtre. Témoin de cette prospérité, la maison familiale, vaste, pour ne pas dire prétentieuse. En revanche, la mère de Timothy était une femme extrêmement cultivée, issue d'une bonne famille du Herefordshire ; c'est auprès d'elle qu'on m'introduisit. Elle paraissait un rien mal à l'aise.

« Timothy ne va pas tarder. Je crains qu'il ne soit un peu souffrant. »

Le jeune homme entra peu après d'un pas traînant, le teint pâle, des cernes très marqués sous les yeux. Son apparence confirma mes soupçons, à savoir qu'il s'était lui-même infligé ses souffrances. Il avait une réputation de noceur, ses virées nocturnes et sa vie de bâton de chaise donnant beaucoup de tracas à ses parents. Ces débordements n'étaient pas étrangers à mon avis au vif désir qu'avaient ces derniers de le voir se joindre à l'expédition.

« Quoi de neuf ? » demanda-t-il sans même me dire bonjour. Quand je lui expliquai qu'on requérait sa présence à Clapham, toutes affaires cessantes, il prit un ton des plus maussades : « C'est gênant. J'avais autre chose à faire. » Mais, voyant le regard sévère de sa mère, il haussa les épaules et ajouta : « Si c'est absolument nécessaire, je suppose que… »

J'avoue qu'il n'était pas à mes yeux la personne idéale pour cette grande aventure. M. Childs avait insisté pour que nous l'embarquions, car si, selon lui, aucune expédition ne serait complète sans un homme de science, il ne fut guère facile d'en trouver un. Les savants, semble-t-il, forment une tribu très influencée par la mode, et à l'époque, plutôt que la lointaine Tasmanie, les sinistres jungles de l'Amérique du Sud constituaient leur destination favorite. C'est alors, juste au moment où nous commencions à perdre espoir, que nous reçûmes une lettre de M. Renshaw ; son épouse avait entendu parler de notre expédition par une cousine de M. Childs qu'elle connaissait par son église. Joint à la lettre de M. Renshaw, un mot de référence de la main de l'éminent botaniste M. Dyson, docteur ès sciences, ancien professeur de Timothy, vantait le travail de son étudiant sur les plantes des climats froids – surtout les chardons. Il le décrivait comme « une étoile montante dans un domaine rare ». Mais, lorsque je rencontrai le jeune Renshaw, je me demandai si les louanges de Dyson n'étaient pas à double tranchant et si la mention de la rareté de son domaine n'ajoutait pas un subtil bémol aux louanges concernant son « ascension ». Toujours aussi imprévisible, Jonah Childs paraissait cependant être entièrement satisfait de ce jeune homme maussade.

« Je suis persuadé que c'est Notre-Seigneur qui nous l'a envoyé, avait-il affirmé, les yeux brillants, après l'entretien. Il a l'air si sérieux, si mûr malgré son jeune âge. Il fera honneur à l'expédition. »

Je me gardai de lui faire part de mes réserves ; l'expérience m'avait appris à ne jamais opposer le moindre doute à l'enthousiasme de M. Childs. Malgré sa bonté, cet homme était doué d'un caractère complexe ; si on le contredisait, son humeur pouvait changer avec une déconcertante rapidité, passant de la surexcitation à la plus profonde déception, ou pire. Lorsqu'une fois ou deux j'avais eu la sottise de le contrer, par exemple quand il avait suggéré qu'on utilisât les wallabies de Tasmanie comme bêtes de somme, bien qu'il se fût finalement rangé à mon avis, il m'en avait beaucoup tenu rigueur, au point que j'en étais venu à craindre – stupidement sans doute – qu'il se désintéressât totalement de l'aventure.

« Ça n'avance pas ! » lança Renshaw avec une sorte de satisfaction sinistre au moment où le fiacre s'immobilisait une fois de plus. On avait roulé à bonne allure et puis, après avoir contourné Trafalgar Square, on s'était retrouvés coincés dans un encombrement. Rien d'étonnant à cela, les ralentissements étant aussi communs dans les rues de Londres que les poissons dans les rivières, mais, l'heure tournant et les récriminations des cochers à l'entour devenant plus sonores et plus vulgaires, je commençai à me faire du souci.

« Que se passe-t-il ? demandai-je au cocher.

— Y a quelque chose qui cloche dans la parade de la garde à cheval. »

En me tordant le cou pour voir de l'autre côté de Renshaw, je découvris en effet un grand tumulte devant le quartier général de l'armée, un nombre considérable de voitures bouchant la rue, ainsi qu'une foule de personnes dont beaucoup portaient l'uniforme. Étrange ensemble, à la fois agité et ordonné.

« Cela ne ressemble guère à une parade », commentai-je.

Renshaw haussa les épaules.

« Probablement une nouvelle guerre. »

La remarque paraissant à la fois idiote et de mauvais goût, j'étais sur le point de le morigéner quand le fiacre s'ébranla et reprit sa route. Heureusement, la rue qui partait de Westminster vers le sud s'avéra peu fréquentée, et nous roulâmes bientôt dans le sentier menant à la demeure de Jonah Childs, située dans un alignement de maisons perdues au milieu des champs, poste avancé d'un Londres qui ne cesse de croître. Ce n'était qu'au prix d'une grande attention qu'on pouvait détecter les signes indiquant l'activité de la grande entreprise commerciale Childs & Cie. Ainsi au-dessus de l'escalier le portrait du père de Jonah dans quelque pays lointain, parmi des arbres soigneusement abattus, que des bateaux attendaient de transporter, ou, juste au-dessous, la splendide reproduction du HMS *Victoire* construit, avais-je appris, avec pas moins de vingt-deux sortes de bois.

« Monsieur Wilson. Ah ! en compagnie de M. Renshaw. Comme c'est merveilleux ! » M. Childs ne se tenait plus de joie en nous voyant entrer dans le bureau. « Notre autre invité est déjà là. »

Voilà donc le mystérieux « quelqu'un » : un homme plutôt corpulent, à la mine sérieuse, quasi mélancolique. Ce n'est que lorsque nous nous serrâmes la main que son visage s'éclaira d'un bref sourire, bien que, même à ce moment-là, il parût un peu sur la défensive, comme s'il croyait nécessaire de prévenir une antipathie supposée. La rudesse londonienne demeurant dans sa manière de parler révélait, à l'instar du père de Timothy Renshaw, l'homme qui s'était élevé à la force du poignet.

« Puis-je vous présenter le Dr Potter, l'éminent médecin, déclara Childs. C'est un ami du Dr Kite, qui a accompli des exploits sur les pieds de ma pauvre sœur. » Il eut un sourire nerveux. « Le Dr Potter a aimablement proposé ses services pour notre expédition. N'est-ce pas fantastique ? »

Je défendrai toujours M. Childs, son caractère est au-dessus de tout reproche, j'avoue cependant déplorer qu'il prenne des décisions importantes sans consulter les autres auparavant. Non que j'aie contesté le choix du Dr Potter ou que ses origines modestes m'aient gêné – je ne suis pas homme à prêter la moindre attention à ce genre de broutilles, lesquelles n'ont d'ailleurs aucune valeur aux yeux de Notre-Seigneur –, mais j'étais plus qu'irrité qu'un changement aussi grave fût proposé si peu de temps avant notre départ. N'était-ce pas prendre le risque de la précipitation ? Je jetai un coup d'œil sur Renshaw mais il bâillait en fixant ses chaussures, sans se soucier le moins du monde de la situation.

Potter me regarda froidement.

« M'intéressant depuis longtemps d'un point de vue scientifique à la Tasmanie, je me suis tout de suite passionné pour votre expédition.

— Le major Stanford a-t-il été informé ? » m'enquis-je. Notre chef était à ce moment-là parti essayer les tentes sur quelque mont venteux du Dartmoor.

Childs hocha la tête.

« Il a été tout à fait enchanté d'apprendre qu'un médecin vous accompagnait dans votre voyage. » Il fronça soudain le sourcil. « Vous ne paraissez pas très content, mon révérend. »

Il ne semblait ni utile ni raisonnable d'exprimer mon désaccord.

« Je suis persuadé que la présence du Dr Potter constituera un grand atout. »

Le visage de Jonah Childs s'éclaira.

« Alors c'est merveilleux ! Eh bien ! maintenant je peux vous montrer l'autre petite surprise que je vous ai réservée. »

L'espace d'un instant, je craignis qu'on fût sur le point de me présenter à de nouveaux membres de l'expédition : une équipe de chameliers, peut-être... Heureusement, il n'en fut rien. À la queue leu leu, et avec une certaine solennité, nous suivîmes Childs vers une salle contiguë où, posés sur une caisse, se trouvaient six fusils flambant neufs ainsi qu'un revolver.

« Un mien cousin possède à Birmingham une petite usine qui fabrique l'une des pièces de ces armes », expliqua-t-il. Saisissant un fusil, il visa soigneusement l'un des murs. « Il s'agit du modèle le plus récent utilisé par l'armée, et d'après lui il n'y a pas mieux après les fusils de chasse ; ils sont dotés de ces fameuses nouvelles balles expansives. »

L'attrait des armes à feu... J'avoue que je le ressentis, même si toute mon éducation me mettait en garde contre cet instinct. Quant aux autres, ils étaient tout à fait fascinés. Comme hypnotisé, Potter examina le revolver puis, s'emparant de l'un des fusils, il le lança vivement en l'air et le rattrapa en un geste enfantin, surexcité. Même Renshaw était captivé, maniant avec précaution l'une des armes, pourtant presque aussi grande que lui.

« Est-ce que les balles se dilatent vraiment ? »

Potter connaissait la réponse.

« Elles changent de forme. Elles sont fabriquées en plomb, métal malléable, et elles possèdent une cheville d'acier à la base. Elles sont assez étroites pour glisser aisément dans le barillet mais, quand le coup part, la cheville les aplatit quelque peu. Ainsi, elles s'adaptent parfaitement au calibre du canon et tournoient sur elles-mêmes, sans aucune difficulté. C'est grâce à ce mouvement que le fusil est si précis. Il peut emporter tout le bras d'un homme, paraît-il. »

Renshaw n'ayant pas saisi le sens du mot « calibre », Potter nous mit à chacun la pointe du fusil directement sous l'œil afin que nous puissions apercevoir les stries du canon, qui formaient des spirales évasées. Il accomplit tous ces gestes avec un vif entrain.

J'éprouvai le besoin de calmer le jeu.

« Remerciez votre cousin, je vous prie. Je suis certain qu'il sera très rassurant d'avoir de si belles armes à notre disposition, même si je demeure persuadé que nous n'aurons pas l'occasion de nous en servir.

— J'espère que vous avez raison, répondit Childs, son humeur s'assombrissant soudain. Quoique je doive avouer que je n'en suis pas aussi sûr que vous. Quand j'ai appris la nouvelle, aujourd'hui, j'ai été fort aise que vous soyez flanqués de ces bons compagnons. »

Je ne comprenais pas, Renshaw et le médecin non plus.

« Quelle nouvelle ? »

Childs eut l'air stupéfait.

« Je croyais que vous étiez au courant : il y a eu une terrible révolte de l'armée du Bengale. Delhi est tombée, et l'on craint que des centaines de pauvres femmes et d'enfants aient été sauvagement massacrés. »

Il y a nouvelle et nouvelle. La plupart d'entre elles n'engagent que modérément notre attention, et même si elles sont susceptibles de faire naître en nous une joie ou un chagrin momentané, leurs lointains protagonistes disparaissent vite de nos pensées. Celle-ci était différente : il s'agissait vraiment d'une horrible catastrophe. Je me rappelai la fureur et l'angoisse inscrites sur les visages, devant l'esplanade de la Garde à cheval ; j'en comprenais bien la cause, désormais. L'espace d'un instant, il me sembla entendre les cris des innocents terrorisés, transmis comme par magie sur des kilomètres depuis ces plaines poussiéreuses.

« Étant donné que les nouvelles mettent un mois à nous parvenir, ajouta Childs, il est impossible de savoir ce qui s'est passé entre-temps. »

Le Dr Potter replaça soigneusement son fusil par terre et nous demeurâmes tous un moment silencieux et songeurs. C'est Renshaw qui brisa notre grave méditation, révélant une fois encore sa propension aux erreurs de jugement.

« Ça pourrait mettre vos projets en péril. »


## Le capitaine Illiam Quillian Kewley. Juin 1857

Et trois jours durant, raides comme des piquets, la mine rébarbative et fort peu loquaces, ces types du service anglais des douanes farfouillèrent partout à bord de la *Sincérité*. Ah ! je ne les portai pas dans mon cœur, pendant ces trois jours. On nous avait relégués dans l'un de ces nouveaux bassins clos, et nous ne pouvions qu'attendre, en écoutant l'effroyable tintamarre de Londres qui déferlait par-dessus le haut mur et menaçait de nous engloutir. Et tout ce temps, quelle horrible torture de voir mon pauvre bateau palpé et examiné sous toutes les coutures ! Je me disais : Il suffirait qu'on trouve l'une des cachettes, ou qu'un imbécile soit pris de panique...

Au vrai, il n'y a pas plus méticuleux que les douaniers. Ils commencèrent par nous faire débarquer toutes les caques sur le quai pour qu'on les vide de leurs harengs. Puis ils inspectèrent toutes nos provisions jusqu'à la dernière barrique de biscuits de la cambuse, ainsi que le poulailler, le parc à moutons, et l'embarcation qui avait servi d'abri au cochon de Quayle. Ils fouillèrent les cantines de tout l'équipage et sortirent de leurs cadres les gravures de Victoria et de sa nichée. Ils s'en prirent même à mon uniforme, triturant ma casquette, au cas, je suppose, où j'y aurais dissimulé quelques onces de tabac. Leur besogne terminée, ils remirent ça, tapotant les parois du vaisseau, ou au contraire y donnant de grands coups, arrachant une lame du plancher, allumant de petits feux pour voir où se dirigeait la fumée. Le pire, c'étaient les interrogatoires. L'un après l'autre, nous fûmes emmenés au carré pour un petit entretien individuel. On vérifia chaque récit, en particulier ma grotesque déclaration au sujet du bateau qui aurait vendu le fromage à Quayle. Ils menaçaient ou cajolaient tour à tour, dans l'espoir que l'un d'entre nous craquerait et lâcherait le morceau.

« De toute façon, on trouvera la marchandise, ricanaient-ils. Dans votre propre intérêt, vous feriez mieux d'avouer tout de suite. »

Ça dura trois jours entiers. Et que découvrirent-ils après tout ce remue-ménage ?

Que dalle.

J'avais moi-même du mal à le croire. Je savais bien, voyez-vous, que nous possédions une véritable merveille de bois et que tous les matelots étaient des Mannois de Peel, mais je n'aurais jamais cru que la *Sincérité* aurait si bien réussi à préserver sa virginité. Après tout, on avait affaire à la crème du service des douanes de Sa Majesté, spécialisé dans l'espionnage et les complots, et cela dans son redoutable fief de Londres. Alors que nous, on n'était qu'un bateau plein de pauvres ignorants de l'île de Man, le plus petit pays du vaste monde. Non que je sois du genre à parler miracles, mais tout ça semblait quasi surnaturel. Je me demandai même si d'avoir donné passage à l'évêque Chalmers ne nous avait pas, tout compte fait, porté bonheur.

Voilà une bonne raison de festoyer... Non que je sois très enclin à faire des fredaines, mais, après ces trois longs jours, il n'y avait pas moyen d'en empêcher les autres. Ce soir-là, on descendit donc dans la cale, à l'abri des regards indiscrets, et, par mesure de précaution supplémentaire, on ne parla que le manx. De l'alcool ? On dut bien en boire un peu. Des chants ? Sans nul doute. Des toasts ? Ça, ça ne fait pas un pli. On hurla « *Boiys da dooine as baase da eease* », ce qui signifie : « La vie pour les hommes et la mort pour les poissons. » Ça parle de harengs, comme tous les toasts mannois. Puis on s'écria : « Mort à celui qui n'a pas un poil sur le caillou ! » et « Mort à notre meilleur ami ! ». Le hareng, bien sûr.

Évidemment il y a toujours un prix à payer après ce genre de soirée. En l'occurrence, il paraissait exorbitant. Le lendemain matin, comme je sortais en titubant, souffrant d'une forte migraine, accrue par le grand vacarme de Londres qui vous casse les oreilles comme si on y livrait un tournoi en charrettes, ne voilà-t-il pas que je découvre, la pipe au bec, un inconnu confortablement installé sur un rouleau de cordages.

« Capitaine Kewley ? » Il se lève en prenant son temps, comme si on n'avait pas à se presser pour moi. « Je m'appelle Parish. » Là-dessus, il fouille dans sa poche et me tend une lettre. En apercevant les sournois et mesquins gribouillis, je devine qu'il s'agit d'un billet venimeux de la douane. Et je ne me trompe pas.

« Le service des douanes, annonçait le billet, a conclu que, vu les articles de provenance étrangère découverts à bord de la *Sincérité* (c'est-à-dire le fromage de Quayle), ce navire marchand a fait indûment escale entre Peel et Maldon dans un port étranger, bien que le capitaine ait à plusieurs reprises nié ce fait devant un officier des gardes-côtes de Sa Majesté. En conséquence, il a été décidé que le capitaine (c'est-à-dire mézigue) devra payer l'amende légale de deux cents livres. »

Deux cents livres ! Voilà une somme que plus d'un aimerait gagner en dix ans… Deux cents livres, on ne les avait pas. Il fallait en sus régler les droits portuaires, très élevés à Londres – port où l'on était venus contraints et forcés –, et qui augmentaient à chaque jour qui passait. Enfin, on devait aussi neuf pence de droits de douane pour le fromage. Ce n'était pas du tout légal, remarquez. Ce n'était rien que pour se venger d'avoir fait chou blanc. Leur fair-play c'est de la gnognote : y a pas plus mauvais perdant qu'un Anglais, surtout un Anglais en uniforme. Pas étonnant que tous ces Hindous se soient révoltés contre eux s'ils avaient subi ce genre de traitement. J'étais de tout cœur avec eux.

« Je dois rester à bord jusqu'à ce que cette somme soit réglée, expliqua Parish, l'air de prendre ses aises. Simplement pour voir ce que vous faites, vous comprenez ? »

Je comprenais fort bien. Il était là pour nous espionner. N'ayant pas réussi à trouver quoi que ce soit, malgré leurs nombreuses fouilles, la douane espérait maintenant nous forcer à sortir du terrier en nous imposant des amendes et en nous tenant à l'œil.

Je me démenai comme un beau diable. J'écrivis ce jour-là à Dan Gawne, le brasseur de Castletown. Lettre sur laquelle je fondais beaucoup d'espoirs. Vu que Dan Gawne nous avait déjà prêté des pépètes, j'espérais qu'il nous en prêterait encore, de peur de ne pas récupérer ses billes. Je pensais d'ailleurs qu'il n'était pas trop risqué de miser sur nous, car, si on pouvait se tirer de ce bassin-prison pour se rendre à Maldon, on gagnerait assez pour satisfaire tout le monde. Entre-temps, on vendit le plus possible aux agents opérant dans le secteur, et également à d'autres bateaux. On commença par les harengs saurs, même s'ils ne rapportèrent pas grand-chose, puisqu'on les avait déjà deux fois sortis des caques, et ça se voyait. Puis ce fut le tour de toutes les provisions superflues, y compris les poulets qui restaient. J'aurais même revendu les gravures de la reine Victoria, d'Albert et de leurs huit mioches, si elles avaient trouvé preneur. Ce fut loin d'être suffisant, hélas ! Quand tout fut terminé et que j'eus compté nos gains, il manquait toujours quatre-vingt-trois livres. C'est alors qu'arriva le message on ne peut plus laconique de Gawne :

*Vendez le bateau et payez-moi ce que vous me devez.*

En voilà une réponse ! C'était rien d'autre qu'une pourriture balancée par-dessus les océans. Comme si j'allais vendre la *Sincérité* ! Comme si c'était même possible, vu ce que trouveraient dans ses flancs les nouveaux propriétaires. Croyez-moi, ce matin-là, on traita Gawne de tous les noms, en manx et en anglais. Salaud, radin, vieux filou. Froussard. Morveux de Castletown. Grosse limace. Gros porc assis sur ses shillings, flanqué de sa petite femme grincheuse, fière et prétentieuse comme s'ils appartenaient à la haute.

Non que ç'ait servi à grand-chose. Moins d'une heure plus tard, on était encore plus dans la mouise, après que deux des vigies de tribord, Tom Hudson et Rob Kneale, eurent déserté le navire devant tout l'équipage, sautant sans vergogne par-dessus bord avec leur cantine. « Non merci ! raillèrent-ils quand je leur ordonnai de remonter à bord, on préfère trouver un bateau qui paye. » Sur un autre vaisseau ça n'aurait pas tiré à conséquence et ç'aurait même pu être une bonne chose, on aurait ainsi économisé leur salaire, mais la *Sincérité* n'était pas n'importe quel navire, tout son équipage devant absolument être composé de Mannois de Peel. Tout à coup, je compris qu'il était temps de prendre des risques et de tenter un gros coup. Comme dit l'adage : « À quoi bon miser des pennies quand tu as perdu au jeu et ton cheval et ton logis ? »

À force de traîner sur des bateaux, on entend des rumeurs, y compris à propos de lieux qu'on n'a jamais vus et qu'on ne compte jamais visiter… J'avais donc ouï parler de Londres, et en particulier d'une taverne située près des quais où, disait-on, on pouvait rencontrer certaines gens et conclure certains marchés. Peut-être, pensai-je, quelqu'un, dans le cadre d'un accord, pourrait-il me consentir un prêt. Ce ne serait pas une si mauvaise transaction, après tout. Dès que nous serions libres de nos mouvements, nos éventuels partenaires seraient à même d'acquérir notre chargement à un prix défiant toute concurrence. Pour sûr, une telle entreprise comportait quelques risques. Et, surtout, on ne savait pas à qui faire confiance parmi tous ces étrangers anglais ; la crainte de solliciter de l'aide auprès d'une bande de gabelous déguisés n'était pas vaine : il leur arrivait, on le savait, de jouer à ce genre de jeu. Il fallait tenter le coup malgré tout.

D'abord, je devais aller chercher des échantillons. Par précaution, j'envoyai Kinvig faire un brin de causette à l'espion Parish pour détourner son attention et je donnai l'ordre à Brew d'employer les hommes à un travail bruyant pendant que je descendais en direction des lieux secrets que le regard des douaniers n'avait pas réussi à souiller. Je gagnai d'abord l'office et, passant la main au-dessus du linteau de la porte, saisis le fameux cordon que le commandant Clarke avait été à deux doigts de découvrir. Je le tirai d'un coup sec. Le déclic qui s'ensuivit ne se produisit pas à proximité mais dans la cambuse contiguë à l'office. Et on pouvait comprendre ce qui l'avait produit en regardant, juste derrière un certain rouleau de cordages, un panneau soudain légèrement détaché. Ce que je fis. Et, le croirez-vous ? il s'ouvrit, révélant deux morceaux de câble ne demandant qu'à être tirés. Ce que je fis également. Que se passa-t-il donc à ce moment-là ? Il y eut deux déclics supplémentaires dans le carré. Et les bustes d'Albert et de Victoria parurent soudain un rien moins stables. En y regardant de plus près, vous auriez remarqué que les deux socles creux sur lesquels ils étaient fixés n'étaient plus tout à fait d'aplomb, et en poussant l'un des deux vous auriez eu la surprise de votre vie en voyant la trappe du plancher pivoter sur ses gonds avec souplesse et précision.

C'est le moment de vous révéler pourquoi tous ces douaniers à la mine si grave n'avaient trouvé que dalle. C'est que la *Sincérité* n'était pas un piètre assemblage de fausses parois, oh que non ! Du parquet du carré jusqu'à la cale, elle se composait en fait de deux navires séparés, l'un contenant l'autre. La carcasse intérieure avait été construite avec le bois du bateau démantelé et, bien que je l'eusse fait un peu raboter, elle ne sonnait pas creux quand on tapait dessus. Elle avait même l'air patinée et humide, comme il se devait. Quant à l'espace entre les deux coques, il ne mesurait que cinquante centimètres – s'il avait été plus large la cale aurait eu l'air trop bizarre – mais un espace de cette dimension sur tout le pourtour d'un bateau peut contenir une sacrée quantité de balles de tabac et de fûts de cognac. Sans compter certains carreaux de verre peint français que j'avais acquis par la même occasion.

43

Quel plaisir de contempler tous ces trésors, lesquels, en piles impeccables, s'enfonçaient dans les ténèbres et dégageaient cette bonne odeur de bois, de feuilles de tabac et de spiritueux qui chatouille les narines !

Je n'avais besoin que d'échantillons, bien sûr. Quelques onces de tabac dans une boîte en fer, un petit flacon de cognac et l'une des petites plaques de verre. Je les mis dans la poche de ma veste, puis, ayant rendu à la *Sincérité* son aspect normal, je remontai sur le pont où Parish continuait à parler à Kinvig sans se soucier apparemment de mes allées et venues. Je fis signe à Brew de me suivre. Le second était très malin, malgré ses yeux pâles ensommeillés aussi ternes qu'un bout de fromage. Tous les Brew avaient de la jugeote, certains affirmant même qu'ils étaient par trop finauds et que : « À la foire, tous les Brew cherchent la bonne poire. » Non que je sois du genre à écouter cette sorte de mise en garde. L'autre marin que j'emmenais avec moi était Chine, Clucas, qu'il était toujours utile d'avoir sous la main : le géant du bateau, et fort comme une demi-douzaine de bœufs.

On avait besoin de chance, et pour le moment on en avait. L'air innocent comme l'enfant qui vient de naître, on se dirigea tous trois vers la grille, les bras ballants pour bien montrer qu'on ne transportait rien. Après un vague regard dans notre direction, les gardes nous firent signe qu'on pouvait y aller. D'un seul coup, on se retrouvait en plein Londres, ville que j'avais à peine entrevue jusque-là. Mais je n'étais pas homme à m'effaroucher d'un peu de saleté et de boucan. Je décidai qu'on allait marcher, de peur que les cochers de fiacres soient des espions à la solde du service des douanes ; et nous voilà partis d'un pas alerte.

« Vous avez besoin de quelqu'un pour vous montrer le chemin, m'sieur ? » La question émanait d'un gamin, si c'est le terme qui convient pour désigner ce tas de haillons crasseux d'où émergeaient deux petits yeux affamés. « Pour un penny je vous servirai de guide. »

Je ne saurais expliquer à quoi il vit qu'on n'était pas du coin, étant donné qu'on s'était efforcés de prendre une mine aussi triste et morne que celle du premier Londonien venu. Je me dis cependant qu'on pourrait en avoir besoin.

« Un penny, hein ? Très bien. D'accord. On cherche le Waterman's Arms.

— J'sais où c'est. Vous n'avez qu'à me suivre, chantonna-t-il presque.

— J'espère qu'il ne travaille pas pour la douane », murmura Brew.

J'éclatai de rire, car ce n'était pas souvent que Brew sortait ce genre de pure niaiserie.

« Allez, mon vieux ! Tu vas finir par prendre les poissons eux-mêmes pour des espions de la douane ! »

Nous eûmes un certain mal à suivre notre guide, qui enfilait une rue puante après l'autre… On s'enfonçait de plus en plus dans la ville, à telle enseigne que je commençais à me demander s'il connaissait vraiment le chemin ou s'il nous avait raconté des histoires rien que pour gagner sa pièce. Finalement, il nous fit entrer dans une étroite ruelle débouchant sur une petite cour sale enserrée entre des maisons de guingois et en piteux état. C'est là qu'il fit halte. J'étais désormais à bout de patience.

« Tu es perdu, n'est-ce pas ? constatai-je. On n'a pas que ça à faire, tu sais… »

Au lieu de répondre oui ou non, comme on s'y serait attendu, il eut une réaction bizarre. Il se mit à hurler : « P'pa ! M'man ! »

Sur quoi un petit vieux qui avait l'air d'un fou sortit de l'une des maisons, appuyé sur une longue canne grise, hirsute, avec des yeux hagards qui ne vous regardaient pas mais fixaient un point sur le côté. Il paraissait trop âgé pour être le père de quiconque. J'espérais qu'il allait nous aider à trouver le Waterman's Arms, mais brusquement le gamin se tourna vers moi et glapit : « Dites donc ! Eh là ! où sont mes deux guinées ? »

Ç'aurait dû être drôle, je suppose, mais ce ne fut pas tout à fait le cas. Le seul à rire fut Chine Clucas, qui ne pigeait jamais très vite. Il se pencha pour se mettre au niveau du môme.

« Dis donc, galopin, tu sais bien que tu n'auras qu'un penny. »

Je vis alors le gamin prendre une formidable inspiration. Et le voilà qui s'époumone tant et plus – « Sus au voleur, sus ! » – qu'il hurle tel un sifflet vivant. D'un seul coup, on se retrouve cernés par une foule d'individus prétendant avoir des droits sur le petit misérable. Sa « mère » – qui avait l'air plus jeune que lui – et son « frère », qui paraissait plus âgé que la mère, ainsi que des oncles, des tantes et quelques autres, dont le lien de parenté ne fut pas précisé. Apparemment une famille très unie. Ils n'exigeaient qu'une chose, affirmaient-ils au fur et à mesure qu'ils sortaient de leur taudis, que nous rendions à leur jeune parent ses quatre, ou plutôt cinq guinées qu'on lui avait dérobées. L'affaire était désormais claire comme de l'eau de roche.

« Filons d'ici ! » criai-je.

La plupart de nos assaillants n'étant pas plus grands que le gamin, je crus un instant qu'on pourrait s'échapper avec dignité. Nous avançâmes d'abord lentement et plutôt à reculons, ressortîmes de la cour pour regagner la ruelle, Chine protégeant notre retraite. Tout se passa bien jusqu'à ce qu'on débouche dans la rue, où ils avaient plus de place pour leurs manœuvres. Tout d'un coup, le gamin plante ses crocs dans le mollet de Chine. Profitant de l'inattention du pauvre lourdaud, le petit vieux lui flanque un coup de canne, et, pendant que je m'efforce de l'aider, deux autres tentent de m'arracher les poches. Nous prîmes alors nos jambes à notre cou, tandis que derrière nous une sorte de rugissement nous poussait à dévaler la rue au grand galop, en évitant les badauds – surtout ceux qui étendaient les bras. J'aperçus soudain un grand bâtiment sans style qui ne pouvait être qu'un temple. Quelqu'un était en train d'y pénétrer par la porte ouverte.

« Par ici ! » hurlai-je.

Quelques instants plus tard, suant et soufflant, j'écoutais un sermon depuis le fond de la salle. L'officiant devait être apprécié car l'endroit était bourré à craquer de gens à la mine austère et pauvrement vêtus, si bien que certains restaient debout, d'aucuns me lançant des regards noirs à cause du vacarme que j'avais fait en entrant pendant le prêche et de ma respiration bruyante. Chine se trouvait juste derrière moi, cherchant à se faire le plus petit possible au milieu de l'assemblée. Mais pas de Brew en vue.

« Sais-tu ce qui lui est arrivé ? » chuchotai-je, ce qui me valut un « chut ! ».

Chine haussa les épaules, puis se frotta la jambe à l'endroit où le gamin l'avait mordu. On aurait sans doute dû ressortir pour partir à la recherche de Brew, mais je craignais que nos poursuivants ne soient encore tous là. D'ailleurs, puisqu'il était si malin, pensai-je, Brew devait être capable de se débrouiller tout seul. « On cherchera un peu tout à l'heure », ajoutai-je, ce qui parut suffire à Chine.

« Les terribles événements survenus en Inde, expliquait le pasteur, un petit homme soigné, à lunettes, ne constituent que le premier pas sur le chemin de la bataille qui mettra un terme à toutes les batailles. »

Un tenant de l'Armageddon. Bon, je n'ai rien contre un peu de feu et de soufre, même si je n'en raffole pas. Les Mannois, je me dois de l'expliquer, ne sont pas toujours très sectaires en matière de religion, et beaucoup assistent aux offices de deux ou trois Églises différentes le même dimanche, surtout s'il n'y a pas grand-chose d'autre à faire. Ça semble dommage, après tout, de s'en tenir à une seule, alors que les anglicans sont ceux qui chantent le mieux, les catholiques romains les plus forts pour la fumée et les parfums, tandis que pour le côté spectacle pas moyen de battre un type comme celui-là qui vous menace de tous les feux de l'enfer. Voilà qu'il prononçait en effet le mot d'« Armageddon ». On y serait dans quelques années seulement, promettait-il. Il avait le don de relier tout ça à l'actualité. Selon lui, Gog, prince de Roch, Mèchek et de Toubal, n'était autre que le tsar lui-même, souverain de Russie, de Moscovie et de Sibérie. Quant à la bataille finale accompagnée de pestilences, d'apocalypse, etc., elle opposerait les Russes aux Anglais, comme au cours de la petite escarmouche qui venait d'avoir lieu en Crimée, mais en cent fois plus horrible.

« Qui sera frappé par ce grand châtiment et emporté par cette puissante marée dévastatrice ? » Ah ! on connaissait tous la réponse à cette question : les pécheurs... Il en avait toute une liste et observait une pause après chaque nom afin qu'aucun ne nous échappe par mégarde. Les fornicateurs et les ivrognes. Ceux qui violent le repos du dimanche. Les papistes et les disciples du révérend Pusey. Les Turcs et les adorateurs de l'infidèle Mahomet. Le sauvage noir, qui n'a jamais reconnu la gloire du Christ. Les Juifs, qui ont assassiné le Christ, Notre Sauveur. Et quiconque négligerait de confesser ses péchés et d'implorer le pardon. Les fidèles, fascinés comme des enfants crédules, étaient agréablement bercés, soulevés par le flot de ses paroles. Ils commencèrent par frémir d'angoisse, se demandant s'ils s'étaient suffisamment bien confessés et si c'étaient eux qui allaient brûler à jamais. Puis ils ressentirent un délicieux soulagement en entendant qu'ils ne figureraient sans doute pas sur la liste fatidique, du moment qu'ils faisaient bien attention. Ensuite, comble de bonheur, ils éprouvèrent un petit sentiment de supériorité et de revanche en apprenant que, ne pouvant plus être sauvés malgré leurs beaux atours et leurs somptueux équipages, les riches seigneurs et les nobles dames, les rois ainsi que les empereurs seraient bientôt jetés à bas de leurs piédestaux et précipités dans les flammes de l'enfer. Effroyable vision ! Quoique je ne sois pas moi-même un fanatique de l'Apocalypse, la manière catégorique dont elle était évoquée me touchait un brin, suscitant quelques petits doutes et interrogations.

« Fichons le camp ! » murmurai-je.

Chine semblait ne pas m'avoir entendu. Ferré comme un poisson, les yeux exorbités d'effroi, il fixait le prédicateur et buvait ses paroles. Il n'y a pas plus facile à berner que lui. Plus jobard, ça n'existe pas. Quand je lui donnai un coup de coude, il me tourna carrément le dos. D'accord, la discipline sur les bateaux mannois, c'est peut-être du nanan par rapport à ce qui se passe à bord des vaisseaux anglais ou américains, l'île de Man étant trop petite pour qu'on se prenne vraiment au sérieux, mais il y a des limites. Je lui flanquai un coup dans les côtes.

« Matelot Clucas, je vous ordonne de me suivre ! »

Je dus parler un peu trop fort. Tout à coup, l'un des fidèles tira fortement sur ma veste.

« Ça suffit ! Si vous n'êtes pas capable de vous taire, sortez ! »

Hélas ! en fouillant dans mes poches, la bande de sales petits voleurs avait déjà mis la doublure à moitié en lambeaux. Je sentis soudain quelque chose s'échapper par un trou. Rien n'est plus sonore que du verre qui se brise ; même notre ami à lunettes se tut quelques instants. Et rien ne montant plus vite aux narines que le fumet du cognac, tous ceux qui nous entouraient se retournèrent pour voir ce qui arrivait. Ils ne furent pas déçus par ce qu'ils découvrirent... Près du flacon de cognac cassé se trouvait la boîte de tabac renversée, et à côté la plaque de verre peint. Même si celle-ci était brisée, il n'était pas difficile de deviner ce qui était figuré dessus, vu que c'était du joli travail et que certaines formes sont facilement reconnaissables. Ça représentait une jeune demoiselle souriante, absolument superbe, assise dans un fauteuil confortable et tenant un chaton. Pour tout vêtement, elle portait un petit bonnet fort seyant et une jolie paire de bottines lacées jusqu'en haut. Et, bien sûr, le chaton. Mais c'était à peu près tout. Les détails étaient très nets.

« Ivrogne ! » siffla une voix.

« Fornicateur ! » éructa une autre.

En gros, il apparut que finalement je ne m'en tirerais pas très bien le jour du Jugement dernier. En tout cas, les insultes firent décamper Clucas, qui fila sans demander son reste. L'autre bonne chose, c'est que devant le temple il n'y avait plus trace de notre ami en haillons ni de sa nombreuse famille. La rue était calme, et à quelques mètres de là se tenait ce sournois de Juan Brew, mon second, qui, appuyé contre un mur, se dorait au soleil. C'était typique de l'homme. Si le monde entier marchait dans une crotte de chien, c'est lui qui trouverait la pièce d'une guinée. Parfois, ça vous démangeait de lui flanquer un bon coup de pied dans les fesses.

« Vous pensez que c'est vrai ? me demanda ce gros benêt de Clucas, dans tous ses états. Est-ce que l'Apocalypse est proche ?

— Pour toi, sûrement. »

Je pensais surtout aux échantillons que le grand vociférateur m'avait fait casser. Il ne s'agissait pas d'un simple contretemps. Maintenant qu'on n'avait plus rien à montrer, il était devenu inutile de chercher le Waterman's Arms.

À ma grande surprise, Brew ne parut guère consterné en apprenant ce qui s'était passé.

« Oh ! ne vous en faites pas, capitaine ! J'ai eu une idée, annonça-t-il en souriant. Pourquoi est-ce qu'on ne louerait pas la *Sincérité* ? On pourrait emmener quelques passagers où ils voudraient aller, dans un trou perdu à l'autre bout du monde s'il le faut. Et avec leurs sous, on pourrait payer l'amende.

— Louer le bateau ? » Je savais qu'on était dans la panade, mais quand même ! Y a des bateaux pour transporter des passagers, d'autres non, et je savais à quelle catégorie appartenait la *Sincérité*.

« On n'aurait pas besoin de les transporter quelque part, continua Brew en poursuivant son raisonnement. Une fois sortis d'ici et dès qu'on aura gagné des pépètes avec la cargaison, on pourra inventer un bobard pour expliquer pourquoi on peut pas continuer et leur rendre leurs sous sur les gains. »

J'avais bien envie de répondre non, rien que pour lui rabaisser le caquet. Mais, à dire vrai, son idée n'était pas si mauvaise que ça.

## Le révérend Geoffrey Wilson. Juillet 1857

Le premier signe pouvant suggérer que quelque chose clochait fut l'arrivée devant la maison de ma belle-sœur d'une grande charrette dont la charge était dissimulée sous une grosse bâche. Rédigeant mon courrier, je n'y prêtai guère attention tout d'abord, m'imaginant que cela devait concerner l'un des voisins, mais bientôt la servante m'appela.

« Quelqu'un vous demande, monsieur Wilson. »

Le charretier m'attendait. C'était l'un de ces Londoniens d'aspect rébarbatif dont la bouche n'est jamais en repos, toujours occupée à mâcher, cracher, ou fumer, voire les trois à la fois.

« Alors, où est-ce qu'on met tout ça ? » demanda-t-il en désignant le véhicule.

Je réfléchissais à une réponse dûment dissuasive lorsque, écartant la bâche, son aide révéla, parfaitement arrimés, l'équipement et tous les vivres, sans exception, prévus pour notre expédition.

« Mais vous faites totalement erreur ! m'écriai-je d'un ton sec. Il faut charger tout ça sur la *Caroline*. »

Le charretier cherchait toujours des documents quand je vis Jonah Childs arriver dans sa voiture. Dès qu'il mit pied à terre, je remarquai sa mine abattue, et peu après la triste vérité se fit jour.

« Je n'ai appris la nouvelle que ce matin, expliqua-t-il. L'Amirauté envoie le navire à Bombay pour y livrer des munitions. »

Nous n'avions plus de bateau ! Un malheur n'arrivant jamais seul, il m'annonça tout à trac une deuxième mauvaise nouvelle.

« Je crains que le major Stanford ne nous ait été enlevé. Son régiment s'embarque pour Calcutta avant la fin de la semaine. »

Deux jours de plus et nous aurions été en pleine mer, à l'abri d'une telle mésaventure ! Il va sans dire qu'en ce moment de grande crise j'étais de tout cœur avec l'armée, mais je ne pouvais m'empêcher de regretter qu'elle n'eût pu trouver un autre bateau à réquisitionner, ainsi qu'un autre major. Notre expédition n'était-elle pas à sa manière tout aussi importante que la campagne des militaires contre des rebelles sanguinaires ? Si eux tentaient de défendre les lois de la civilisation, nous nous efforcions, nous, de protéger le roc sur lequel cette civilisation était bâtie, c'est-à-dire les Écritures elles-mêmes.

Ce fut un choc terrible. Une expédition dépouillée, et de son chef, et de son moyen de transport, n'avait guère plus de sens qu'une chimère. Pour l'instant, je n'avais pas le loisir de réfléchir au problème ; le charretier commençait à montrer des signes d'impatience, et il fallait régler une question pratique : où entasser les marchandises déchargées du bateau ? Même si je ne souhaitais pas transformer en entrepôt la demeure de ma belle-sœur – où je vivais moi-même en invité –, puisqu'on ne pouvait les laisser dans la rue, je n'avais guère le choix.

« Mettez-les dans le salon », lui dis-je. C'était la pièce la plus vaste et la moins encombrée.

M. Childs ayant envoyé quelqu'un prévenir Renshaw et le Dr Potter, ceux-ci ne tardèrent pas à faire leur apparition. Afin de surveiller les deux ouvriers, je proposai qu'on se réunisse dans le salon. Ce fut un moment fort triste. L'afflux constant de nos fournitures, lesquelles formèrent bientôt une petite montagne au beau milieu de la pièce, constituait un accompagnement affreusement approprié à notre discussion ; on eût presque dit qu'elles nous raillaient en nous rappelant nos espoirs déçus : tentes, hamacs, selles de cheval, et surtout un nombre apparemment illimité de sacoches de mulet qui auraient suffi, apparemment, à équiper une petite armée.

« Je crains qu'il ne soit pas facile de trouver un autre bâtiment, déclara Childs d'un air sombre. Je crois comprendre que l'Amirauté réquisitionne tout ce qui lui tombe sous la main.

— Et si l'on prenait un bateau à vapeur ? suggéra Potter. Il me semble qu'aujourd'hui ils vont jusqu'au continent australien. »

Je ne pus m'empêcher de juger plutôt pénible de nous entendre expliquer par un homme n'appartenant à l'expédition que depuis une semaine à peine la manière de la conduire.

« Il est essentiel que nous ayons notre propre bateau, répliquai-je fermement. On peut en avoir besoin pour pénétrer dans certaines régions sauvages de la Tasmanie ou pour qu'il nous apporte des vivres. »

Renshaw bâilla.

« Et si on affrétait un bateau étranger ? Ils n'ont sans doute pas été réquisitionnés ? »

C'était typique de cet individu de faire une proposition si peu civique. L'ardent patriote qu'est Childs lui jeta un regard réprobateur.

« Il vaudrait mieux annuler l'expédition que d'en venir à cette extrémité. Il s'agit d'une expédition anglaise et chrétienne et, en tant que telle, elle ne doit pas dépendre d'hommes égarés dans l'erreur. Non, s'il n'y a pas d'autre solution, je crains qu'on ne doive simplement envisager de retarder le départ. »

À ces mots, je me sentis obligé d'intervenir :

« Mais cela voudrait dire que nous arriverions trop tard à la terre de Van Diemen pour jouir de l'été austral, la seule saison propice à un voyage dans l'intérieur des terres. Il nous faudrait repousser l'expédition de toute une année. »

Parvenue à ce point, la discussion s'enlisa. Nous étions bel et bien dans une impasse. Il était vital que nous levions l'ancre au plus vite, et cependant aucun d'entre nous ne savait comment s'y prendre. Pendant quelques instants, nous observâmes le déchargement de nouvelles provisions dans un silence attristé. Le charretier et son aide en avaient désormais terminé avec les objets les plus volumineux et, suant et soufflant, apportaient les vivres achetés par le major Stanford.

« Il y a des trucs de superbe qualité là-dedans », remarqua Renshaw.

Il semblait, en effet, que le major n'eût lésiné ni sur la quantité ni sur la qualité, pour ne pas dire le luxe. Je me pris à penser qu'il avait peut-être trop appréhendé de revivre sa malheureuse expérience avec le mulet de Mésopotamie. Tour à tour apparurent d'excellentes terrines de jambon, du saumon en pots hermétiquement scellés, des boîtes de hochepot d'Aberdeen, ainsi que des caisses entières de vin de Xérès, de whisky et de champagne. Aucun risque non plus qu'on consommât ces produits dans l'inconfort, car le reste de l'équipement comprenait des tables et des chaises pliantes, du linge de table, de la vaisselle et des couverts en plaqué argent de Sheffield. Ainsi que, comble de raffinement, un gros coffret de havanes.

« Pas étonnant qu'on ait tant de bâts », murmura Renshaw.

Jonah Childs faisait grise mine, réaction compréhensible puisque c'était lui qui avait tout payé.

« Je ne me doutais pas que le major Stanford ait ressenti le besoin de se munir d'un si vaste attirail.

— Peut-être n'est-ce pas un si grand malheur qu'il ait été rappelé, lança Potter. Après tout, il ne connaît pas du tout l'Australie. »

L'outrecuidance de ce tout nouveau membre de l'équipe se permettant de critiquer l'un d'organisateurs de longue date me choqua mais, curieusement, Childs ne chercha pas le moins du monde à le remettre à sa place. Il parut même d'accord avec lui.

« Vous avez sûrement raison. Remarquez, je doute qu'on puisse trouver un spécialiste de l'Australie en si peu de temps. »

On passa donc à la question du chef, quoique la discussion dût forcément demeurer théorique, puisque désormais l'expédition était elle aussi hypothétique.

« D'ailleurs, avons-nous vraiment besoin d'un explorateur ? s'enquit carrément Potter. Nul doute qu'en Tasmanie on en ait treize à la douzaine. Peut-être devrions-nous seulement choisir quelqu'un possédant les qualités de base. Un homme décidé et vigoureux. Énergique et déterminé. Doté d'une bonne force physique et mentale. »

Était-ce pure imagination de ma part ? J'eus tout de suite la nette impression que le médecin ne brossait pas le portrait abstrait d'un chef d'expédition idéal et qu'il recommandait discrètement sa propre candidature à ce poste. Peut-être lui faisais-je un procès d'intention mais, bien que je ne le connusse que de fraîche date, j'avais remarqué qu'il était vif et plein d'allant, voire intrigant. La perspective n'était guère réjouissante. Si l'homme était certes admirable à sa manière, cela ne me convainquait pas, loin s'en fallait, qu'il possédât les qualités requises pour remplir cette importante fonction. Après tout, il ne s'agissait pas d'une expédition ordinaire, mais plutôt d'une sorte de quête sacrée menant à la découverte de merveilles d'une infinie portée. C'eût été une erreur fatale de placer à sa tête quelqu'un dont on ne savait pas grand-chose, notamment en matière de principes moraux. Mon plus grave souci – et il était de taille –, c'était que dans l'enthousiasme du moment l'irréfléchi M. Childs désignât le médecin comme chef de l'aventure.

« Il va de soi, avançai-je, que nous devrions chercher un homme ayant prouvé qu'il possède les principes présidant à notre mission. Quelqu'un dont l'intégrité morale soit reconnue de tous. »

Je dois souligner que je n'avais aucun désir d'offrir mes propres services. Cela aurait été absolument contraire à ma nature foncière, car j'ai absolument horreur de me pousser du col. Cette pensée ne m'était pas même venue à l'esprit. Je souhaitais simplement définir les qualités nécessaires pour diriger cette entreprise.

« Un géologue, peut-être ? » murmura sans nécessité Renshaw, tout en promenant son regard insolent de Potter à moi-même.

Jonah Childs se tourna vers moi, l'air légèrement surpris, comme si une pensée avait brusquement jailli en son esprit.

« Peut-être seriez-vous disposé à occuper ce poste vous-même, mon révérend ? »

C'est ainsi que ce redoutable et glorieux défi se présenta tout soudain à mes yeux sans que j'y eusse jamais songé. Cette proposition était si imprévue que, tout abasourdi, je fus assailli de doutes. Comment pouvais-je envisager cette charge alors qu'il ne manquait certainement pas de personnes bien plus compétentes que moi pour l'assumer ? Mais où les trouver ? J'en conclus que, même si je m'en jugeais indigne, je n'étais pas entièrement dénué de qualités qui pourraient se révéler utiles. Outre que je connaissais les Écritures et la géologie, je n'étais pas totalement ignorant de la manière dont fonctionne l'esprit des hommes. L'enjeu était si grand et il y avait une telle urgence ! Le regard fixé sur moi, les autres attendaient ma réponse. Étais-je l'homme de la situation ? Devais-je accepter ? Tout à coup, je me rappelai la vision que j'avais eue dans mon sommeil quelques jours plus tôt seulement et l'appel que j'avais entendu : « Approche, mon doux révérend, viens ici ! Hâte-toi ! »

« Si vous avez besoin de moi pour mener cette expédition, répondis-je avec calme, je suis prêt. »

Le cher M. Childs fit un large sourire.

« Bravo ! mon révérend, bravo !

— Mais on n'a toujours pas de bateau ! » insista Renshaw d'un ton morne.

La solution était plus proche qu'on n'aurait jamais osé l'imaginer. Tout se passa presque comme si le franchissement d'un premier grand obstacle nous avait gagné le droit de surmonter le second. Notre sauveur fut en fait ma propre épouse qui apparut alors dans l'encadrement de la porte, un carton à chapeaux à la main.

« Que se passe-t-il ? » demanda-t-elle en contemplant, l'air fort surpris, l'énorme tas formé par l'équipement et les vivres. À peine avais-je fini d'expliquer l'état de la situation qu'elle eut un geste de dénégation comme si j'avais proféré des inepties.

« Mais il y avait une petite annonce dans le journal de ce matin, affirma-t-elle à notre grande stupéfaction, qui proposait un bateau à louer. Autant qu'il m'en souvienne, il portait un nom charmant. Je crois qu'il s'appelait la *Chasteté*. »

# 2

## Trente-sept ans plus tôt

### Jack Harp. 1820

Si le vent n'avait pas si gentiment tourné au nord-ouest, sans doute rien de tout ça ne serait arrivé et j'aurais toujours le petit canot à rames. Ça donne à réfléchir.

La saison de la chasse aux phoques était terminée et, comme on commençait à manquer de vivres sur l'île, il était temps d'emmener le grand baleinier à Georgetown pour rendre visite à ce sale radin de Bill Haskins. Ce baleinier était un chouette bateau avec une bonne voile, et même si Ned tenait la barre comme un pied, au point que j'ai même dû lui flanquer une baffe ou deux, ça nous a pris seulement deux jours.

Bon, Georgetown n'est pas mal du tout, mais c'est risqué quand même. Vu que c'est tout petit, on peut faire en gros confiance aux habitants, mais on ne sait vraiment jamais quels étrangers peuvent y être de passage et à qui ils pourraient se mêler de parler, et j'avais surtout pas envie de me retrouver en costume de bagnard, après tout le mal qu'on s'était donné pour s'en débarrasser. Voilà pourquoi on est allés directement chez Haskins sans s'arrêter une seule fois. Ça faisait un an qu'on n'y avait pas mis les pieds et on a commencé par tout bien reluquer. Il avait les plus jolies billes de verre qui soient, de toutes les couleurs, comme j'en avais pas vu depuis que j'étais gosse, à Dorking, là-bas, au pays. J'ai aussi trouvé quelque chose pour mettre sur ma joue à l'endroit où le couteau dont je me sers pour écorcher les phoques l'avait entaillée un mois plus tôt en provoquant une sale plaie qui ne voulait pas guérir. J'ai dit à Ned de se taire pendant la discussion, car c'était un idiot en affaires et il était utile que pour la chasse aux phoques. Finalement, j'ai bien troqué les peaux contre de la farine, du thé et du rhum, assez pour que ça nous dure un bon bout de temps, avec en plus le médicament pour ma joue. Et comme on a eu quelques pièces en rab, j'ai pensé rendre visite à l'auberge et même passer un petit moment avec la Lill, mais Ned a gémi qu'on allait se faire remarquer, alors on a regrimpé dans le bateau.

D'habitude, pendant le voyage de retour depuis Georgetown il fallait se battre contre les vents d'ouest, mais on venait à peine de lever l'ancre que la brise a tout bonnement tourné au nord-est, ce qui était un sacré coup de veine. On n'aurait pas pu avoir une traversée plus peinarde, et moins de trois jours plus tard on était pratiquement chez nous. Alors, puisque le vent restait favorable, je me suis mis à penser à récupérer autre chose que le thé, la farine et le rhum. Ned, ce foutu froussard, n'aimait pas beaucoup cette idée. Il avait une trouille bleue des créatures auxquelles je pensais, mais je l'ai convaincu en le traitant de tous les noms et en lui promettant que si on en attrapait deux il pourrait en avoir une pour lui tout seul. Ned était du genre à se laisser facilement persuader. Mais ça lui a coûté très cher, en fin de compte, vu comment les choses ont tourné.

On a dépassé l'île avant de virer au sud le long de la côte presque entièrement plantée d'arbres, jusqu'au moment où j'ai aperçu devant nous la fumée d'un de leurs feux. Après ça, on a fait gaffe. J'ai amené la voile et je me suis rapproché de la côte pour qu'on soit moins visibles. C'était pas facile d'accoster là, à cause du ressac violent, mais on a fini quand même par traîner le bateau sur la grève dans une crique située à deux ou trois kilomètres de l'endroit où ils se trouvaient. C'est pendant qu'on cachait le bateau dans les buissons que Ned s'est mis à avoir peur, une sacrée trouille même, ce qui le rendait inutile, même après les menaces de gnons. Alors, je l'ai laissé sur place et suis parti tout seul en restant parmi les arbres pour me cacher. J'ai eu vite fait de repérer une bonne femelle en train de plonger depuis un rocher pour attraper des crustacés, nue comme un ver, avec une belle paire de tétons, la toison et la fente à l'air comme si elle ne demandait que ça.

Ensuite, j'ai rejoint Ned et le bateau pour attendre le moment propice. On pouvait pas faire de feu, bien sûr, et il faisait froid cette nuit-là. Je me suis remis en route bien avant l'aube, avançant tout doucement à la lumière de la lune jusqu'à ce que j'aperçoive leur feu. Ils devaient être une trentaine, dormant tous le plus près possible des flammes sans se brûler, comme s'ils avaient peur de ce qui pourrait sortir du noir. Ça m'a fait rigoler. Je me suis approché à pas de loup de l'aborigène que j'avais reluquée plus tôt et je l'ai attrapée par le bras. Nom de Dieu ! elle voulait vraiment pas se laisser faire, celle-là, poussant des cris et mordant comme une bête sauvage, et à cause d'elle les autres s'en sont pris à moi. Je m'y attendais, remarquez, et quand ils se sont approchés j'ai tiré sur le premier, ce qui a joliment flanqué la frousse aux autres mais n'a pas empêché la fille de continuer à se contorsionner pour m'échapper. Même une fois que Ned et moi on l'a forcée à monter à bord, elle s'est agitée encore plus, et j'avais la trouille qu'elle nous fasse chavirer et que nos achats se retrouvent à la baille. J'ai dit à Ned : « On s'est dégoté là une vraie guerrière ! » Elle était si insupportable que, quand on a enfin débarqué sur l'île, j'ai pas voulu d'elle dans la cahute et je l'ai attachée dehors avec une chaîne, et même comme ça elle me mordait et me griffait pendant que je la besognais. Ned voulait en avoir sa part mais je lui ai répondu que non, vu qu'il n'avait rien fait pour.

Puis j'ai eu une mauvaise surprise. À peine quelques semaines plus tard j'ai découvert que trois des barils de farine récemment achetés étaient complètement fichus. Quelle plaie ! Comme je savais que le reste ne nous suffirait pas, j'étais forcé de retourner à Georgetown avec le baleinier pour qu'on me dédommage. Ned a dit qu'il se sentait patraque et il est resté sur place.

Bill Haskins s'est mis à geindre, il a dit que la farine avait moisi parce que je l'avais laissée à l'humidité, ce qui était un pur mensonge. Pourtant il a fini par m'en donner deux barils, ce qui ne couvrait qu'une partie de mes pertes, mais ça valait mieux que rien, et ça devrait nous suffire à mon avis. Entre les courses que j'avais à faire, à part ça, et la nuit passée en compagnie de Lill à l'auberge – j'ai quand même tenté le coup malgré les risques –, c'est seulement dix jours plus tard que je suis revenu sur l'île.

J'ai deviné que quelque chose clochait quand je me suis aperçu qu'aucune fumée ne sortait de la cheminée. Et pour sûr que ça clochait ; en atteignant la cahute, chargé d'un des barils de farine, voilà que je découvre Ned, les pantalons autour des chevilles et la tête éclatée comme une citrouille éventrée, la pierre utilisée pour ça posée à côté, toute souillée. Il devait être là depuis pas mal de temps ; les oiseaux s'étaient bien régalés, surtout de son visage et de son ventre. Évidemment, il n'y avait plus ni aborigène ni petit canot.

Il n'était pas difficile de deviner ce qui s'était passé. Elle l'avait enjôlé. Elle connaissait quelques mots de notre langue et j'avais vu Ned la reluquer. En plus, ce fichu imbécile de Ned était une vraie pâte molle. Quand elle a vu qu'il tirait une langue longue comme ça, elle a dû le charmer pour qu'il ouvre le cadenas et la libère, et pendant qu'il était en train de savourer sa récompense elle lui avait flanqué un coup avec la pierre. Quand je l'ai enterré, j'ai constaté qu'on avait salement mutilé son engin, et ça, c'était elle, et pas les oiseaux, sûr.

Savez-vous que j'ai jamais pu remettre la main sur le petit canot ? J'ai passé trois jours à le chercher le long de la côte où elle avait dû débarquer mais j'ai rien trouvé, même pas un bout de bois. Elle avait dû le démolir. J'ai trouvé ça plutôt inutile, et même minable.

Remarquez, la dernière saison de la chasse aux phoques a été bonne, une des meilleures que j'ai connues. Alors, j'espère avoir assez de peaux pour m'offrir un nouveau canot à Georgetown. C'est-à-dire, s'il y en a un de disponible. Vous voyez, avec un seul bateau, je ne me sens jamais en sécurité, en cas d'accident. Qui sait, si le vent est favorable, je pourrai peut-être dégoter une autre aborigène. Mais cette fois-ci, il faudra qu'elle soit moins guerrière.

### Peevay. 1824-1828

Au temps passé, quand j'étais petit et que je n'arrêtais pas de courir partout et que le monde entier était plein de casse-tête à n'y rien comprendre, j'ai eu une sacrée petite surprise. Même aujourd'hui, songer à ce fichu type réveille tout au fond de ma poitrine des sentiments drôlement émus. D'autres gars auraient pu s'égarer après ce désastre, sans jamais être capables de retrouver le bon chemin, pas moi. J'ai tenu bon. Mais c'est vrai que survivre, ç'a toujours été mon fort.

Ça se passait au temps jadis, ça fait beaucoup d'étés, avant que tout change, alors c'est dur de penser que j'étais le même moi qu'aujourd'hui. Je ne connaissais même pas les mots que j'emploie là maintenant. Mais je peux quand même me souvenir. Le jour où j'ai eu cette surprise il faisait chaud, les mouches à viande piquaient et tout le monde s'était arrêté près d'un grand étang où l'eau montait pas plus haut que la cheville. Les plus âgés des gosses barbotaient dedans pour se rafraîchir et se protéger des mouches, et tout à coup, je n'ai eu envie que d'une chose : patauger avec eux. Je me suis précipité dans l'étang, rapide comme le vent. Mais sous l'eau ça glissait, mes pieds dérapaient. Et patatras ! je suis tombé et je me suis fait bougrement mal. C'est à ce moment-là, quand j'ai réussi à me relever, le genou endolori, que cette chose horrible est arrivée.

Soudain, là, dans l'eau, vous voyez, il y avait un inconnu et cet inconnu il ressemblait à un monstre. Sa figure était presque ordinaire, mais ça le rendait encore plus affreux, à cause des cheveux, qui étaient drôlement bizarres. Ils n'avaient pas du tout la couleur de cheveux : ils étaient pâles comme l'herbe après qu'il a fait très chaud. Ses yeux me fixaient. Quand j'ai sursauté, le visage du monstre s'est plissé.

Un instant, j'ai cru que les autres avaient leurs monstres, eux aussi. J'ai regardé, mais ils étaient tout seuls, la tête penchée en bas.

Mongana l'a vu et il a hurlé : « Un monstre ! » Mongana était mon pire ennemi, à cette époque lointaine. Mongana veut dire « mouche à viande », et ça lui allait bien, vu que son grand plaisir, c'était de piquer et de mordre. Le sale petit bougre avait deux étés de plus que moi et il me détestait, d'aussi loin que je m'en souvenais, et sa haine était toujours là, comme le vent dans les arbres. Il me suivait souvent pour essayer de me surprendre et de me flanquer un coup de pied ou de me faire vraiment mal en me frappant, alors, partout où j'allais, je n'oubliais jamais de me munir d'une grosse massue. Il a hurlé : « Ça te plaît ce que tu vois, espèce de monstre ? » Puis il m'a éclaboussé, et il y avait autant de haine dans ce geste que dans son cri. Et quand les autres m'ont aussi aspergé d'eau, je suis sorti de l'étang.

Plus tard, une fois qu'ils étaient partis, j'y suis retourné, au cas où le monstre aurait disparu. Mais quand je suis entré dans l'eau il était toujours là et il m'a fixé de ses yeux effrayés.


Bien sûr, ce qui était arrivé à papa et maman, c'était ça le grand foutu mystère de cette époque lointaine. Les autres gosses avaient les leurs, sauf s'ils étaient morts, mais moi je n'avais ni l'un ni l'autre, pas même un vague souvenir. Quand je demandais, je n'avais jamais de réponse, juste des regards furieux, et quelquefois un sale coup.

« T'occupe pas ! » disait grand-mère, ses yeux comme des poignards. Grand-mère était souvent en colère contre moi. C'était mon amie, ma protectrice, ma famille, mais même si elle était gentille, sa gentillesse contenait toujours un peu de haine. C'était son caractère. C'est elle qui me donnait de la viande quand on était assis près du feu. Elle la glissait dans ma bouche avec ses longs doigts osseux en disant : « Je sais pas pourquoi je prends la peine de te nourrir. Tu me causes que des ennuis. » Pareil quand on marchait vers un nouveau lieu et que j'étais crevé, c'est elle qui me soulevait gentiment et me portait sur ses épaules, mais après, elle me pinçait si fort la jambe que ça faisait drôlement mal. Des fois, j'étais si en colère que moi aussi je la détestais, et alors j'allais dormir tout seul de l'autre côté du feu. Mais elle était toute ma famille et je revenais toujours tôt ou tard. Quand je rentrais, elle ne disait rien, et elle me donnait à manger exactement comme avant.

Bien sûr, aujourd'hui, toutes ces années plus tard, je sais pourquoi il y avait de la haine dans l'amour de grand-mère. Et je ne lui en veux pas du tout, d'ailleurs. Et merde ! pourquoi tu réponds pas, grand-mère ? que j'aurais pu demander. Mais quand on est gosse, on ne se pose jamais de questions sur le pourquoi des choses. On les avale comme l'air qu'on respire.

« Oublie ta mère », elle répondait, quand je l'agaçais avec mes questions, ce que je faisais souvent, parce que j'étais du genre à pas renoncer une fois que j'avais commencé quelque chose, « elle est partie, un point c'est tout. » C'est tout ce que j'ai jamais pu tirer d'elle.

Mais, bien sûr, je refusais d'oublier. J'ai demandé à Tartoyen.

En fait, Tartoyen était presque plus mon ami que grand-mère, même s'il ne faisait pas partie de ma famille. Il n'avait pas de fils, rien que des filles, et même à l'époque je devinais que c'était pour ça. Tartoyen était un peu grassouillet et il avait des yeux paresseux, mais il était malin et ne se mettait presque jamais en colère, sauf quand il était mal fichu.

C'est pour ça que tout le monde l'écoutait, moi y compris, la plupart du temps. Il ne marmonnait jamais que j'étais une petite peste qui ne causait que des ennuis, comme le faisait grand-mère. Des fois il m'apprenait de nouvelles choses, ce qui me réjouissait le cœur. Et surtout, s'il attrapait Mongana et d'autres ennemis en train d'essayer de me blesser en me flanquant un sale coup, il leur cassait la figure. Mais même Tartoyen devenait tout drôle quand je posais des questions sur ma mère. Il changeait de mine comme s'il apercevait des nuages sombres chargés de pluie.

« Elle est partie au-delà des mers. » C'est tout ce qu'il répondait, sans me regarder dans les yeux comme d'habitude, mais en détournant la tête. C'était encore pire quand je l'interrogeais sur mon père. Alors ses yeux devenaient de vraies fentes.

« Tu n'as pas de père. Tu n'en as jamais eu. Bon, arrête de me casser la tête avec ces trucs-là. Ta mère est morte. Si elle était vivante, elle reviendrait. »

Pourtant, je ne l'ai jamais complètement cru. Je le croyais, et en même temps je ne le croyais pas. Quand on s'arrêtait près du rivage, je regardais les grosses vagues bruyantes en rêvant que maman en sortait. Elle était grande, belle et mieux que les mères de tous les autres. Elle portait à la main un panier de jonc plein d'aliments bizarres venant des lieux où elle avait vécu de l'autre côté des flots – des oreilles de mer aussi grosses que des pierres, mais sucrées comme du miel, des racines bleues comme l'océan, et elle me donnait tous ces trésors, me souriant avec une immense tendresse comme grand-mère ne l'avait jamais fait. Des fois, elle amenait papa, mais lui, je ne le voyais jamais nettement. C'est ce qui est ennuyeux avec les rêves. Quand ils se défilent et refusent d'obéir bien qu'ils soient à vous. Malgré tous mes efforts, je n'arrivais jamais à ce que papa ait des bras et des jambes, du coup il avait l'air de planer au-dessus de l'eau comme une sorte de nuage doté d'un visage.

Si mes rêves avaient des ennemis, c'était bien ce petit salaud de Mongana, et sa mère, qui s'appelait Pagerly, car ils faisaient tout pour me rendre la vie dure. Pagerly essayait de monter les autres contre moi en racontant des sales mensonges, par exemple que j'avais donné de méchants coups à leurs bébés pendant qu'ils avaient le dos tourné, que je leur jetais des mauvais sorts en secret et que c'est pour ça qu'ils avaient attrapé mal. Quand je l'entendais dire ces horribles méchancetés, je hurlais à tue-tête que c'était une sale menteuse qu'il ne fallait pas écouter. En gros, les autres savaient que j'avais raison, mais seulement en gros, car je voyais bien qu'ils ne me croyaient jamais au fond et au tréfonds de leur cœur. Des fois je sentais leur regard soupçonneux posé sur moi.

Mongana était presque pire. Il pouvait prononcer des paroles empoisonnées rien que pour me vexer et gâter mes rêves.

« Où est ta mère, monstre ? Tu n'en sais rien ? Moi, je vais te le dire. Quand elle a vu à quel point t'étais moche, elle a essayé de te tuer, et puis elle s'est enfuie pour mourir.

— C'est pas vrai. Elle est partie au-delà des mers. C'est Tartoyen qui l'a dit. »

Mais Mongana était haineux et son jeu favori était de vous lâcher des paroles dans l'oreille comme des œufs de fourmis venimeuses.

« Tartoyen dit ça uniquement pour que tu chiales pas. »

Ensuite, je tentais de noyer ces paroles comme on pisse sur un feu, mais ça ne les empêchait pas d'éclore et je sentais leurs piqûres. Quand, assis près de la mer, j'essayais de rêver à maman et papa, ça ratait complètement. Elle sortait bien de la mer, grande et belle comme avant, mais elle ne me souriait plus et passait à côté de moi avec un visage de pierre, comme si elle ne voulait plus me reconnaître. C'était affreux.

Mais les années ont passé et j'ai survécu. Comme je l'ai dit, survivre, c'était mon fort. J'ai survécu malgré Mongana et, les jours de chance, j'ai même réussi à flanquer des sales coups à cette ordure. Avec le temps, j'ai même de moins en moins pensé au mystère de ce qui était arrivé à maman et à papa.

Quelquefois, on restait sur place, et quelquefois on se remettait à marcher dans un sens ou dans l'autre. Les jours de chaleur, on restait dans la brousse, et Tartoyen et les autres chassaient le gibier qu'on faisait ensuite cuire sur le feu. À la saison des vents glacials, quand la brousse gelait et se couvrait de neige, on s'installait au bord de la mer, avec ses énormes vagues et son vacarme. Alors on construisait des cases tapissées d'écorce de théier où on se tenait au chaud et on mangeait des oreilles de mer, ou du phoque, si on en attrapait un.

Petit à petit, j'ai commencé à me rappeler certains des endroits où on allait, j'ai fini par connaître les collines et les montagnes, et même l'endroit où le monde s'arrêtait. Lentement, lentement, j'ai réussi à résoudre quelques-uns des casse-tête incompréhensibles. Tartoyen nous a emmenés dans la vallée où il y avait de l'ocre rouge et il m'a montré comment il le mettait sur ses cheveux pour les rendre magnifiques. Il m'a appris à prédire le temps qu'il allait faire grâce au halo nébuleux autour de la lune ou à la forme des nuages, il était si fort qu'il ne se trompait quasiment jamais. Il m'a expliqué comment utiliser mes dents et le feu pour aiguiser les sagaies, les rendre si pointues qu'elles pouvaient presque se planter dans le roc, et aussi comment les lancer, même si j'étais trop petit pour les envoyer très loin. J'ai appris à suivre les bêtes en étudiant leurs traces sur le sol et à deviner sur quel arbre avait grimpé l'opossum en examinant les égratignures faites par ses griffes sur l'écorce. Et j'ai appris ce qu'était l'affreux et méchant *kanunnah*, avec sa longue tête pendante et ses raies sur le dos, et j'ai su qu'il était notre ennemi mortel. Le kanunnah vous tuait si on ne le transperçait pas avant avec la lance, et ce qu'il aimait par-dessus tout, c'était manger les petits enfants. On l'a très souvent aperçu, mais il s'enfuyait dès qu'il voyait qu'on était si nombreux.

J'ai aussi appris à connaître le grand et horrible *wraggeowrapper* qui, rapide comme le vent, arrivait quelquefois dans la nuit et dont le hurlement ressemblait au craquement des arbres. Le wraggeowrapper nous observait pendant qu'on dormait, et c'était un ennemi très dangereux parce qu'on ne pouvait jamais le voir. Il rendait les hommes fous quand il les attrapait la nuit, loin du feu, mais on était plus malins que lui et on ne s'en éloignait jamais. Quand on restait assis dans le noir après le repas, Tartoyen nous racontait des histoires – des histoires secrètes que je ne veux pas révéler même aujourd'hui – sur la lune et le soleil, sur la façon dont on a tous été créés, les hommes, les wallabies et les phoques, et aussi les kangourous, les rats, et ainsi de suite. Il nous révélait aussi qui se trouvait dans les rochers, dans les montagnes et les étoiles et comment ils y étaient allés. Si bien que petit à petit j'ai entendu beaucoup d'histoires pendant qu'on traversait le monde et j'ai pu comprendre comment il est devenu ce qu'il est, au point que je le connaissais comme si c'était une personne de ma famille.

Des fois on rencontrait les *Tarkiners*, qui habitaient au sud du monde. Les Tarkiners étaient presque des amis, et trois de nos femmes venaient de chez eux, même si certains de leurs mots étaient bizarres et qu'ils réagissaient des fois comme des fichus crétins : si on mettait des oreilles de mer dans le feu pour les faire cuire, ils avaient peur et ils disaient que ça apporterait la pluie, ce qui est impossible. Lorsqu'on les rencontrait à l'extrémité du monde on s'arrêtait, de temps en temps, pour leur donner des nouvelles, et la nuit, on campait ensemble et on veillait très tard pour voir qui dansait le mieux, les Tarkiners ou nous, même si c'était toujours nous.

Il y avait aussi les *Roingins*, qui vivaient au nord et étaient nos ennemis jurés. Ç'avait toujours été comme ça, de mémoire d'homme, parce que c'étaient des sales types à qui on ne pouvait pas faire confiance, même le temps qu'on se retourne pour pisser contre un arbre. Tartoyen nous a raconté des histoires sur des guerres anciennes contre les Roingins et comment ils n'avaient jamais gagné sauf en trichant honteusement. Peu avant, il y avait eu une bataille au cours de laquelle l'oncle de Gonar avait reçu un coup de lance dans la jambe, et l'un d'eux avait aussi été blessé, même si j'étais trop petit pour m'en souvenir. En général, on évitait d'aller du côté de cette extrémité du monde et quand on s'en approchait, on parlait peu et on faisait bien attention. On n'avait jamais peur des Roingins, bien sûr, car c'étaient des lâches, mais ils étaient plus nombreux que nous, les Roingins étant bien connus pour être très nombreux. Une fois qu'on se trouvait à l'extrémité du monde je les ai vus, une foule énorme de gens assis au bord de l'océan en train de manger des oreilles de mer, ce qui était intéressant. Ils nous ont vus, bien sûr, mais ils ont fait semblant que non, et Tartoyen a forcé tout le monde à se taire, et alors on est repartis, sans guerre cette fois-ci. Après ça, Gonar a dit qu'on était bêtes de ne pas s'être battus contre les Roingins et de ne pas les avoir tués à coups de lance, car ce que Gonar aimait par-dessus tout, c'était se battre. Il était toujours en colère, comme si une bagarre s'était logée en lui et ne le laissait jamais en repos. Mais d'autres savaient que Tartoyen avait raison, vu le nombre des Roingins.

Le temps a passé. J'ai grandi, je croyais tout savoir déjà et qu'il n'y avait plus de casse-tête à résoudre. Naturellement, en réalité j'étais bougrement ignorant. Je n'en savais que la moitié, et toute l'autre moitié me guettait là-bas comme un kanunnah qui se lèche les babines.

Un jour où il faisait chaud et qu'il y avait de la pluie mais pas de vent, les gouttes tombaient dru comme des pierres. On était dans la brousse, assis tranquillement, en train de regarder cuire la viande dans le feu, et la fumée sentait bon parce que c'était le premier gibier qu'on avait attrapé depuis des jours, et on avait faim après tout ce temps à ne manger que des racines. Alors Gonar, qui était allé à l'autre bout de la clairière pour faire sa crotte, est revenu à toute vitesse en chuchotant très fort : « Quelque chose vient ! »

Or, si quelque chose arrive et qu'on ne sait pas ce que c'est il n'est pas prudent d'attendre que ça vous marche dessus. Tartoyen a fait des signes avec ses mains, et on est entrés dans le bois sans faire de bruit. On s'est cachés plus loin, dans des buissons où on pouvait voir entre les feuilles. On entendait les brindilles se casser, donc ce quelque chose était maladroit. En fait, ils étaient trois. Non, je n'avais jamais vu des créatures aussi bizarres, il m'en souvient. Ils avaient la forme d'hommes mais c'était tout. Leur peau ne ressemblait pas du tout à de la peau mais avait la couleur de la pierre, et elle était flasque et pendait mollement. Même leurs pieds étaient affreux, trop grands et sans orteils. Le pire, pourtant, c'était leur visage. Il avait la couleur de la viande crue, sans le moindre signe de vie. Ils avançaient sous la pluie qui s'était mise à tomber à verse et faisait claquer les arbres. Ils se sont arrêtés quand ils ont vu le feu et la viande, mais ensuite ils se sont précipités dessus, les mains tendues.

J'ai regardé Tartoyen, et à ma grande surprise j'ai découvert qu'il avait l'air tout malheureux. Puis j'ai vu que tout le monde semblait désolé, même Gonar, qui se serait battu contre le vent lui-même. Ça, c'était un casse-tête à n'y rien comprendre, et ça m'a rendu curieux.

« Qui c'est ? » j'ai chuchoté.

Savez-vous que Tartoyen s'est fâché plus que je ne l'avais jamais vu se fâcher auparavant.

« Des fantômes ! il a répondu, comme si je l'avais insulté. Des hommes morts revenus sur terre. »

Quand tout est devenu étrange d'un seul coup, une chose étrange de plus paraît presque normale. Voilà donc ce qui arrive aux morts, j'ai supposé. C'était étrange, mais intéressant aussi. J'ai observé que ces fantômes n'avaient pas l'air heureux d'être morts mais qu'ils s'agitaient comme si à l'intérieur de leur corps ils avaient très mal. Et ils avaient une faim de loup. Sans se demander un seul instant qui avait allumé le feu, ils se sont mis tout de suite à manger la viande. Notre viande. Elle n'avait pas fini de cuire, et elle devait être drôlement brûlante, mais ils en ont arraché de gros morceaux qu'ils ont fourrés dans leur bouche, de façon très vulgaire. J'ai compris que la mort leur avait donné un fichu appétit.

C'étaient des mystères à n'y rien comprendre. Alors j'ai essayé de deviner pourquoi Tartoyen ne m'avait jamais parlé de ces fantômes avant, alors qu'il m'avait parlé de tout le reste. Je me suis aussi demandé si les fantômes pouvaient mourir, même si ça semblait impossible, puisqu'ils étaient déjà morts. Voilà à quoi je pensais pendant que la pluie crépitait et que les autres regardaient les fantômes manger notre viande, quand j'ai vu la mère de Mongana me jeter un regard haineux, plus perçant qu'une sagaie. Des fois, on devine que quelque chose de terrible est près d'arriver, et justement, elle a pointé son doigt droit sur mon visage.

« C'est sa faute ! »

D'un seul coup, ils me regardaient tous. Je ne comprenais pas.

« Qu'est-ce que tu veux dire ? »

Pendant quelques instants, personne n'a prononcé un seul mot, et on n'entendait que la pluie qui tombait de plus en plus fort et faisait frissonner les feuilles. Puis la mère de Mongana a jeté à Tartoyen un regard plein de mépris, ce qui était étrange, ça aussi, car en général personne n'osait traiter Tartoyen de cette manière.

« Vas-y ! Dis-lui ! »

Je croyais que Tartoyen allait lui lancer des paroles comme on flanque des coups, mais non, il a juste fermé les yeux, on aurait dit qu'il avait mal à la tête et il est resté muet. C'est grand-mère qui a répondu en glapissant à voix basse : « Fiche-lui la paix ! »

Mais il n'y a pas pire piège qu'un mystère auquel on comprend rien. Même si on devine que la réponse va être horrible, malgré ça, on a besoin de l'entendre.

« Dis-le-moi ! »

Alors Tartoyen a poussé un grand soupir et s'est affaissé comme un gros ventre flasque.

« Ton père était comme eux. C'était un fantôme. »

Voilà un casse-tête à n'y rien comprendre, encore plus compliqué que tous les autres. Comment est-ce que je pouvais être le fils d'un homme mort ? Pourtant, le regard des autres me disait que ça devait être vrai, car ils avaient changé maintenant comme si j'étais un sale étranger bizarre ou un Roingin. Alors je me suis rappelé cet après-midi lointain et l'inconnu dans l'étang peu profond qui avait levé les yeux vers moi. C'est comme ça que j'ai pu deviner la vérité. Oui, j'avais bien les cheveux de fantôme et le visage de monstre des fantômes. Une chose atroce. Et pendant tout ce temps j'avais été là, à respirer et à manger depuis des années, et en gros rien ne changeait vraiment. Les jours se suivaient et je croyais tout connaître. Et, brusquement, comme quand on glisse et qu'on tombe soudain, j'ai découvert que, jour après jour, tout ça avait été une odieuse folie. La colère m'a pris, surtout contre Tartoyen, qui était supposé être un bon ami.

« Pourquoi tu ne me l'avais pas dit ? » Je ne me suis même pas donné la peine de chuchoter. Je me fichais pas mal que les fantômes viennent tous nous tuer.

Tartoyen n'a pas répondu, il a fixé le sol, où un petit scarabée gris avançait sur une feuille.

« Tu m'as menti. Tu m'as dit que je n'avais pas de père... »

Tartoyen a fermé les yeux.

« Il n'était pas comme un père. Il est juste venu une nuit pour enlever ta mère. »

Alors j'ai vu grand-mère pointer son long doigt osseux vers le visage de Tartoyen.

« Vous l'avez laissé me la voler. Vous tous. »

Savez-vous qu'ils ont tous eu l'air honteux ? Tout ça parce qu'ils n'avaient pas tué papa à cette époque lointaine. La seule exception, c'était Pagerly, la mère de Mongana, qui gardait son air haineux.

« Mon mari s'est battu contre lui alors que vous n'avez rien fait, vous tous. Ne l'oubliez pas ! rugit-elle. Les fantômes ne lui faisaient pas peur. Il était brave, alors que vous étiez des lâches. Et à cause de ça, son fantôme à lui (elle me montrait du doigt) l'a tué avec son bruit de tonnerre. »

Mongana pleurait.

C'est comme ça que j'ai appris pourquoi ils me détestaient tous les deux depuis tout ce temps. Le père de Mongana avait été tué par mon père. C'était atroce, vraiment atroce. Pourtant, il fallait que j'en sache davantage, même si ça risquait d'être encore pire.

« Qu'est-ce qui est arrivé à maman ? »

Grand-mère a haussé les épaules.

« Elle s'est échappée de l'île du fantôme et est revenue chez nous. Mais, à partir de là, la rage est entrée en elle et refusait de la laisser en paix. Alors un jour, après ta naissance, elle est repartie pour le tuer. J'ai essayé de la faire rester mais ta mère n'acceptait les conseils de personne. »

À ce moment, Pagerly m'a regardé d'un air joyeux, comme si elle avait quelque chose de particulièrement méchant à me dire.

« Elle voulait te tuer, Peevay. Elle voulait te fracasser la tête contre un arbre. C'est ce qu'elle a dit. Et elle l'aurait fait si elle n'avait pas été si faible. »

Je me rappelle bien que ça, c'était le pire de tout et je me suis senti mal à cause de la fichue tristesse qui m'a remué tout au fond de la poitrine. Mongana avait donc raison, maman avait voulu me tuer. Elle ne sortirait jamais de la mer chargée de provisions spéciales rien que pour moi.

Ainsi a été résolu ce foutu mystère à propos de ce qui était arrivé à maman et à papa. J'ai vu les autres m'observer, et leur regard disait que j'étais différent maintenant, pas tout à fait comme eux, et c'était horrible. D'un seul coup, tout dans le monde entier a été complètement gâté, et en plus c'était ma faute. Je voulais revenir en arrière pour que tout redevienne comme quand on était assis autour du feu, tranquilles, comme d'habitude, en train d'attendre la viande.

« Regardez ! Ils sont partis », a dit Gonar.

J'avais oublié les fantômes. Et en effet, quand on a regardé à travers les arbres il n'y avait plus aucun signe de leur présence. On a quitté prudemment les buissons pour retourner près du feu. Les empreintes des fantômes montraient qu'ils s'étaient enfuis en courant, comme s'ils nous avaient entendus parler et qu'ils avaient pris peur. Il ne restait presque pas de viande, que des os.

Tartoyen a levé la tête comme si les nuages sombres étaient passés.

« Allons chercher du gibier. »

Alors, lui et quelques autres sont repartis à la chasse. Nous, on s'est mis à ramasser du bois pour le feu. Tout était calme et on faisait des choses ordinaires, tout avait l'air pareil qu'avant, mais bien sûr c'était pas complètement vrai. Je ne pouvais pas oublier les paroles de la mère de Mongana lorsqu'elle avait dit que maman avait voulu me tuer, ou la façon dont ils me dévisageaient tous comme si j'étais différent. Quand les autres ne regardaient pas je me suis éloigné, mais sans me presser, comme pour aller pisser, par exemple. Une fois hors de portée de vue, je me suis mis à courir. De plus en plus loin et de plus en plus vite ; j'avais l'impression que les arbres et les buissons couraient eux aussi, que le vent me cinglait la figure et que le sol devait se dépêcher pour recevoir mes pieds à temps, et jusque dans les os je ressentais la joie de déguerpir. Je suis descendu dans une vallée, sautant par-dessus un petit cours d'eau, puis j'ai grimpé sur l'autre bord, si bien que j'étais essoufflé et que mon cœur battait plus vite que la pluie. Même alors, je ne me suis pas arrêté, j'ai couru dans tous les sens entre les arbres et à travers les buissons qui me laceraient les jambes, jusqu'à ce que je ne puisse pas aller plus loin et que je m'affale près d'une vieille souche.

Je suis donc resté là à attendre. C'était la première fois, bien sûr, que je me retrouvais tout seul, et bientôt ça m'a fait bizarre. Tout était si calme ! Je me suis couché près de la souche et j'ai écouté les oiseaux chanter et les arbres remuer, ils semblaient tous faire beaucoup de bruit. Petit à petit, mon désir le plus cher était que Tartoyen, grand-mère et les autres viennent me chercher et qu'ils regrettent bougrement leurs paroles, qu'ils me disent en pleurant qu'en fait maman n'avait jamais voulu me tuer, et que tout ça, c'étaient des bobards. Et qu'ils flanquent à Mongana et à sa mère des sales coups, qu'ils les battent très fort. Ce serait finalement presque comme si rien ne s'était jamais passé, et alors toutes ces sensations horribles au fond de ma poitrine pourraient simplement s'en aller.

Mais il ne s'agissait que d'un fol espoir. Il n'y a eu aucun bruit de pas, aucun cri. Il n'y a rien eu, à part les piqûres des mouches et les appels des oiseaux. Enfin, la nuit est tombée, et je savais qu'ils ne viendraient pas. Soudain, je les ai tant détestés que ça m'était presque égal d'être seul et de ne pas avoir de feu. Je souhaitais même que le kanunnah vienne, avec sa longue tête affreuse, et qu'il me tue avec ses dents. Ou que le wraggeowrapper tombe des arbres et me rende fou. Vraiment, je m'en foutais.

Mais ni le kanunnah ni le wraggeowrapper ne sont venus. En fait, rien n'est arrivé. Je me suis juste endormi.

Le lendemain tout était exactement pareil, et, pour mourir je me suis fait un bon lit avec de la mousse, de l'herbe et des fougères, tout à côté de la souche. Puis j'ai attendu. Mais ce n'est pas si facile de mourir juste comme ça. Ça me démangeait aux endroits où les mouches m'avaient piqué et où les broussailles m'avaient égratigné, et mes mains ne voulaient pas rester tranquilles. Et aussi, je n'arrivais pas à décider si j'avais envie de mourir allongé sur le côté ou sur le dos. Enfin, il a fait noir et je me suis endormi à nouveau.

Et puis, le troisième jour, quelque chose de très curieux et déroutant s'est passé. Je me suis réveillé, le jour commençait à se lever et le ciel était rouge comme du sang. J'avais faim et soif. Mais surtout, malgré qu'il n'y avait rien de nouveau, j'étais joyeux, comme si ça m'arrivait pour la première fois. J'étais crevé. Si j'avais été accablé par un grand bonheur ou qu'on m'avait annoncé une nouvelle qui réjouit le cœur, ç'aurait été pareil. Et j'étais si surexcité que mes mains tremblaient. Ça, c'était un casse-tête à n'y rien comprendre. Je voulais crier pour surprendre les arbres, et les mouches qui piquent. Je voulais rester vivant, malgré ce que disaient Mongana et sa mère. Je voulais rester vivant, même si pas un seul connard au monde, ami ou ennemi détesté, ne voulait que je vive. Ça me déconcerte aujourd'hui encore, si longtemps après, maintenant que le monde entier a tellement changé. C'était peut-être seulement parce que j'avais si faim. Ou parce que j'avais découvert mon don particulier, celui de survivre. Voilà sûrement ce que j'avais découvert.

Alors, j'ai décidé d'aller chercher les autres car je ne haïssais même plus ces sales bougres. Non pas que ç'ait été facile. Ça faisait un bon bout de temps que je m'étais réfugié près de cette souche, et je me fichais pas mal d'ailleurs de la direction que je prenais. Comme cette région était couverte de forêts, et de forêts très denses en plus, je ne voyais aucune colline, aucun roc, aucun signe familier qui puisse m'indiquer le chemin. Ils étaient agaçants, ces arbres. À un moment, je croyais les reconnaître et que j'étais sauvé, mais ensuite je m'apercevais qu'ils me racontaient de sales bobards, et que c'étaient seulement des arbres différents qui avaient pris une forme semblable. Et aussi, la faim me faisait tourner la tête, et à cause de ça je butais tout le temps contre les bosses du sol.

Finalement, j'ai atteint un sentier, et même si je ne l'ai pas reconnu, j'ai aperçu des empreintes de pas. Elles avaient l'air récentes, elles ne devaient dater que d'un jour ou deux et étaient assez nombreuses pour appartenir à tous les miens, ce qui était intéressant. Je les ai donc suivies, me demandant ce que j'allais leur dire quand je les retrouverais, et ce qu'ils me diraient. Je n'avais jamais été seul de cette manière, et maintenant je me sentais très brave. J'ai suivi les empreintes jusqu'à ce que j'entende des oiseaux se bagarrer, ce qui était mauvais signe, et du coup j'ai avancé avec prudence. Et juste après, en effet, le sentier débouchait dans une vaste clairière, et en regardant à travers les feuilles j'ai vu une foule d'oiseaux en train de picorer et d'arracher des morceaux de quelque chose à coups de bec. Ils étaient en train de dévorer les trois fantômes qui gisaient transpercés par des sagaies, à divers endroits de la clairière, comme s'ils avaient tenté de s'échapper. Je savais donc qu'on pouvait les tuer, même s'ils étaient déjà morts. J'ai ressenti un peu de tristesse, malgré qu'ils avaient mangé notre viande et causé tous ces affreux ennuis. J'ai lancé une pierre pour faire partir les oiseaux, mais ils ne sont pas allés très loin et ont attendu en sautillant.

Voilà un casse-tête à n'y rien comprendre ! Tartoyen les avait laissés partir en disant qu'on devait plutôt chasser le gibier, alors qui les avait transpercés ainsi ? Je me suis approché pour regarder, car c'était intéressant, même après ce qu'avaient fait les oiseaux. « Es-tu papa ? » j'ai demandé. « Ou bien toi ? » L'un d'eux avait des cheveux exactement comme les miens, et quand je les ai touchés j'ai eu l'impression de toucher les miens. Un autre avait encore un œil, aussi bleu que le ciel les jours de froid. Puis, quand j'ai effleuré leur peau, qui était de la couleur de la pierre, je me suis aperçu que ce n'était qu'une fausse peau. Dessous se trouvait la vraie, qui avait la pâleur de viande crue de leur figure. Ma peau à moi, au moins, avait une couleur humaine.

Même si c'était intéressant, j'avais trop faim pour rester plus longtemps. J'ai jeté un autre caillou en direction des oiseaux avant de m'engager à nouveau dans le sentier en suivant les empreintes de pas. Puis, au fur et à mesure que j'avançais, j'ai senti la meilleure, la plus appétissante, la plus délicieuse odeur, celle de la fumée montant d'un feu de camp sur lequel on fait sûrement cuire de la viande. Quand on a une faim de tous les diables, le nez la perçoit, même si elle vient de derrière une chaîne de montagnes. Vous voyez, la faim fatigue les yeux et les oreilles, mais elle rend le nez plus sensible que jamais.

Cette odeur m'a donc donné la force d'obliger mes pieds épuisés à marcher jusqu'à ce que je parvienne au sommet de la colline, et là, s'élevant au-dessus de la forêt, j'ai aperçu une mince langue de fumée. C'était un grand bonheur, et un signe qui réjouit le cœur. Oui, j'ai pensé, maintenant, je suis sauvé. Alors, rapide comme le vent, j'ai dévalé la pente.

### George Baines,
### employé de la Compagnie du Nouveau Monde. 1828

*Très cher père,*
*Je suis tristement conscient des nombreuses semaines écoulées depuis ma dernière lettre et j'espère que vous n'imaginerez pas avoir un fils négligent. Les bateaux en partance de ces lointains rivages sont très rares. Quant aux nouvelles me concernant, je ne sais trop par où commencer, tant les changements survenus dans la colonie – et dans ma propre condition – ont été importants. Tout n'a pas été facile, je ne vous le cacherai pas. Souvent, j'ai pensé à vous, si sérieux et si sage, en train de regarder*

*vos élèves à travers vos lunettes, vous qui savez toujours, et en apparence avec une telle aisance, comment il convient d'agir.*

*Le voyage final depuis Hobart – qui n'est guère plus qu'un petit port monté en graine – fut moins pénible que je ne l'avais craint, et je ne souffris pas du tout autant du mal de mer qu'en venant d'Angleterre. Mais je fus beaucoup plus inquiet en découvrant l'état du lieu de ma nouvelle résidence. Bien que j'eusse su que la colonie existait depuis une année à peine, ce que je vis me stupéfia. À part le bâtiment du siège de la compagnie, lequel, apporté morceau par morceau tout spécialement d'Angleterre, avait splendide allure, les autres maisons n'étaient que des cabanes en simple écorce de bois, sans plancher ni plâtre pour protéger du vent. Je m'efforçai d'accepter cette simplicité sans me plaindre et de me laisser porter par mon enthousiasme pour les projets de cette nouvelle grande compagnie et pour le rôle que je devais y jouer, si bien que, lorsque le printemps succéda à l'hiver et que les vents se calmèrent un peu, je finis par m'accoutumer à mon primitif logis. Je m'habituai également au paysage. On ne peut sûrement pas le comparer à celui du Dorset, car s'il est en tout lieu plus sauvage et moins varié, il n'est cependant pas dépourvu d'un certain charme. Je me suis en particulier pris d'affection pour les eucalyptus, qu'on appelle ici des gommiers. Ils poussent à profusion, et leur couleur est d'une merveilleuse délicatesse – la façon dont leurs feuilles légères frissonnent dans la brise met du baume au cœur –, tandis que leur âcre parfum semble l'essence même de cette étrange terre.*

*La plupart des employés de la compagnie me traitèrent assez courtoisement dans l'ensemble. Les gardiens de troupeaux, les fantassins de la colonie – des durs à cuire – me montrèrent davantage de compassion qu'ils ne le font entre eux, en raison de ma jeunesse, j'imagine, et ils me donnèrent même un surnom, « le petit pasteur », à cause de mon air sérieux. On s'amusa à faire courir le bruit que je m'étais mis en tête de réformer leurs mœurs, ce qui, évidemment, n'entrait pas du tout dans mes intentions, et même M. Charles, le directeur de la compagnie, s'amusa à jouer le jeu. « Vous n'avez toujours pas réussi à leur faire chanter des cantiques, monsieur Baines ? » me demandait-il quand il me rencontrait.*

*On me nomma assistant de M. Pierce, l'agronome de la compagnie. L'homme n'était pas très aimé dans le village, et les gardiens de troupeaux en particulier ne cherchèrent pas à me cacher que j'avais, selon leur expression, « tiré la courte paille », parlant de M. Pierce comme d'« un drôle de bonhomme », qui était « un peu maboule ». J'hésitai à accorder le moindre crédit à ces affirmations, considérant qu'il valait mieux que je me fisse une opinion sur l'homme par moi-même – façon de procéder que vous avez vous-même toujours recommandée –, quoique M. Pierce semblât être, je l'avoue, quelqu'un d'excessivement bizarre. Il arborait en* général un air déconcerté ou réprobateur comme si ses pensées ne lui laissaient aucun répit. Il ne paraissait pas plus indulgent envers les autres qu'ils ne l'étaient envers lui, même s'il avait toujours fait preuve à mon égard de bienveillance et de patience. Ma tâche consistait surtout à l'accompagner en tournées d'inspection et à traverser les terres appartenant à la compagnie pour rendre visite aux différents gardiens de bestiaux et soigner les animaux malades. Ces marches pouvaient être fatigantes, en particulier par mauvais temps – ce qui est très souvent le cas ici –, mais elles constituaient un moyen extrêmement efficace de connaître mon pays d'adoption, car, à mon avis, il n'existe pas de meilleure façon de découvrir un lieu que de le parcourir à pied, de sentir la terre sous ses pas et de percevoir ses odeurs.

C'est au cours de ma deuxième expédition de ce genre que nous tombâmes sur des indigènes de la terre de Van Diemen. Nous avancions dans une région de prairies ouvertes, quand nous aperçûmes une soixantaine d'entre eux réunis autour d'un feu de camp, et je dois vous dire que c'étaient sans conteste les créatures les plus étranges que j'aie jamais vues. Ils étaient grands, et d'aucuns eussent pu les considérer comme beaux à leur manière sauvage, bien que tous, mâles et femelles, fussent complètement nus. Quoique leur apparence fût déjà assez stupéfiante en soi, leur étrange coiffure la rendait encore plus insolite. Les hommes s'étaient teint les cheveux avec quelque substance rougeâtre, ce qui les faisait retomber en grosses mèches, telles des cordes écarlates, tandis que leurs compagnes s'étaient rasé la tête au point qu'elles avaient l'air chauves, ce qui ne sied guère à la gent féminine.

Je serais volontiers resté très à l'écart de telles créatures. Au contraire, M. Pierce me pressa pour que nous nous en approchions, arguant qu'il l'avait déjà fait moult fois, sans danger pour sa personne. Étant son assistant, je n'eus d'autre choix que de le suivre. Heureusement, ils se montrèrent en l'occurrence assez aimables, allant jusqu'à nous offrir des morceaux d'un wallaby qu'ils avaient tué et faisaient cuire sur leur feu et qui n'avait pas aussi mauvais goût qu'on eût pu le craindre. M. Pierce, qui connaissait certains de leurs noms grâce à de précédentes rencontres, insista pour que nous demeurions avec eux un long moment, au risque de négliger notre travail, car il s'efforçait d'apprendre des mots de leur langue. Au vrai, il me tardait de repartir. Il semblait difficile de deviner leurs véritables pensées, tandis qu'ils nous entouraient, étranges et fort nombreux, se hasardant parfois à toucher mes cheveux ou mes vêtements afin de satisfaire leur curiosité. Après tout, il n'était pas impossible qu'ils fussent en train de projeter de nous tuer avec leurs sagaies dont ils possédaient une grande quantité, de redoutables armes, fines et légères comme des aiguilles, mais aptes sans doute à transpercer le cuir le plus épais.

Lorsque nous rentrâmes enfin, sous la pluie, M. Pierce ne cessa pas de vanter les superbes qualités de ces individus. Je crois que je ne l'avais jamais vu à ce point surexcité, allant jusqu'à claquer ses larges mains l'une contre l'autre afin de marquer son enthousiasme. Son agitation me parut même quelque peu troublante. Ces indigènes avaient beau être étranges, ils n'eussent guère dû constituer la principale préoccupation d'un employé de la compagnie chargé d'effectuer des tâches précises. Son intérêt pour ces gens m'aurait, je pense, moins inquiété sans l'animosité existant entre lui et les gardiens de bestiaux. Sur le chemin du retour, il n'hésita pas à me confier qu'il les considérait comme des « voyous » qui « devraient être en prison ». En l'entendant dire tant de mal de ses congénères, je ne pus m'empêcher de me demander si, bizarrement, l'enthousiasme qu'il était seul à ressentir pour les indigènes ne constituait pas une autre expression de cette même antipathie. Mais je gardai cette pensée pour moi.

Peu après, une fièvre m'obligea à rester confiné dans ma cabane. M. Charles, le directeur, et son épouse n'auraient pu agir avec plus de bonté. Ils vinrent plusieurs fois me rendre visite pendant ma maladie, Mme Charles m'apportant de la soupe pour m'aider à garder des forces et insistant pour que je m'installe dans leur résidence, au siège de la compagnie, si je ne guérissais pas bientôt. C'était faire preuve d'une immense générosité. Père, aux yeux d'un homme gâté comme vous en matière d'architecture, ce bâtiment paraîtrait fort médiocre, mais plus mon séjour se prolongeait plus il me semblait beau, avec sa véranda, son vestibule et ses fenêtres, toutes dotées de carreaux. C'était, en vérité, la seule chose qui donnât un air civilisé à notre primitive colonie. En l'occurrence, ma santé s'améliorant bientôt, je n'eus pas à m'y installer, bien que je reste persuadé que la seule perspective de séjourner dans ce splendide et amical sanctuaire contribua grandement à mon rétablissement.

Un après-midi où, assis sur une bûche devant ma cabane, je me reposais, dans la chaleur du soleil printanier, j'entendis de grands cris et, levant les yeux, je découvris un très étrange spectacle. Précédé de Higgs et de Sutton, deux des gardiens de troupeaux, M. Pierce entrait dans le village d'un pas décidé. Blanc de colère, il les poussait devant lui tel un chien furieux escortant des moutons, tandis que les deux hommes juraient comme seuls savent le faire les gens de leur métier. En passant devant moi, M. Pierce me demanda d'un signe de les suivre, ce que je m'empressai de faire, ma curiosité ayant été fort piquée, jusqu'à la porte du siège de la compagnie. M. Charles en émergea et fut contraint d'arbitrer une discussion des plus animées. Bégayant de colère, M. Pierce déclara qu'il avait découvert les corps de deux aborigènes hâtivement enterrés à cinquante mètres de la cabane de ces gardiens. En examinant les cadavres, il avait conclu que les deux victimes avaient été tuées par balle. En outre, affirma-t-il, il avait vu à plusieurs reprises par le passé les deux gardiens

72

en question essayer d'attirer des femmes indigènes dans leur cabane d'une façon, selon M. Pierce, qui ne pouvait que provoquer leurs hommes.

« Ce sont des assassins, un point c'est tout, et il faut les emmener à Hobart. Ils doivent être pendus pour meurtre. »

Higgs et Sutton niaient avec la même véhémence, protestant qu'ils avaient aperçu plusieurs individus d'aspect farouche, sûrement des bagnards en cavale, et que c'étaient sans doute eux les coupables. Ces allégations ne semblaient guère plausibles. Certes, il existe bien une colonie pénitentiaire de ce côté-ci de l'île, au port de Macquarie, sur la côte sud, et, certes, des bagnards s'en étaient parfois échappés, mais la distance est très importante et le terrain notoirement difficile. D'ailleurs, autant qu'on pouvait en juger, tous les évadés avaient réintégré volontairement le pénitencier ou avaient péri de froid et de faim. Il était beaucoup plus probable que les Noirs avaient été tués par les gardiens de bestiaux. Malgré ma sympathie pour M. Pierce, je crains que ses propos délirants sur la potence n'aient guère aidé sa cause. Il fallait sans nul doute qu'ils reçoivent une bonne leçon, mais il s'agissait de deux hommes que nous connaissions tous.

M. Charles fit de son mieux pour calmer le jeu : « J'ai déjà clairement indiqué que je ne tolérerais pas qu'on traite la population indigène avec cruauté, affirma-t-il, et je vais procéder à une enquête approfondie à ce sujet. »

Cela paraissait une réponse tout à fait raisonnable. Cependant, M. Pierce ne semblait pas satisfait : « Ils vont être renvoyés ? » s'enquit-il.

M. Charles jugea la question plutôt intempestive : « Leur culpabilité n'ayant pas été établie, ils ont le droit d'être considérés comme innocents. »

À ces mots, les deux gardiens remercièrent le directeur par un petit hochement de tête.

Au vrai, je me doutais que les déclarations du directeur s'appuyaient moins sur des principes de justice que sur nos besoins en hommes, car dans l'état actuel des choses on avait déjà du mal à faire correctement fonctionner la compagnie. M. Pierce, lui, se souciait fort peu de ces questions pratiques. Il devint tout rouge et se mit à hurler sans raison, bafouillant que « mal permis ou mal commis, c'est du pareil au même ». C'étaient là des propos insolents, mais M. Charles ne se formalisa pas trop, lui rappelant que le prochain bateau en provenance de Hobart n'était prévu que dans plusieurs semaines et suggérant que nous tentions tous jusque-là d'oublier l'affaire.

Cela se révéla difficile en l'occurrence. Bien plus, à quelques jours de là, où les choses prirent un tout autre tour lorsque l'un des gardiens de bestiaux aperçut un groupe de Noirs en train de massacrer quelques moutons. Il essaya de les faire fuir, mais reçut pour sa peine un coup de sagaie qui lui occasionna une légère blessure à la jambe. Trente-cinq animaux furent tués ce jour-là, et dès la fin de la semaine nous en avions perdu soixante-quatre de plus. Notre troupeau ne comptait en tout que cinq cents bêtes, toutes apportées ici au prix des pires difficultés et à un coût très élevé. Qui plus est, sous deux mois, le Champion, venant en droite ligne d'Angleterre, devait nous apporter une cargaison de bêtes d'élevage d'une race encore inconnue sur la terre de Van Diemen. Nous ne pouvions envisager de les perdre.

S'ensuivit une période de grande tension. On apercevait souvent M. Charles parcourant le territoire, son beau et noble front plissé par les soucis. Il prit toutes les mesures possibles. On enjoignit à l'ensemble des résidents d'être constamment armés et l'on posta deux hommes pour garder la colonie jour et nuit. Les bêtes et leurs gardiens furent déplacés vers le nord, plus près du village, afin qu'ils pussent être plus aisément protégés, disposition qui ne pouvait être que temporaire, les prés n'y étant que d'une étendue limitée. Si ces précautions semblaient tout à fait élémentaires, il est cependant triste de dire qu'un employé au moins répétait avec force qu'elles étaient tout à fait malvenues, j'ai nommé M. Pierce. Tout se passait comme si cet homme cherchait à tout prix à s'enferrer dans une opinion de plus en plus extrême et à s'obstiner à plaisir dans l'erreur. Il s'opposa même à l'idée du port d'arme obligatoire, parce que, selon lui, il s'agissait en soi d'une forme de provocation. Il suggéra qu'au contraire nous cherchions à entrer en contact avec les indigènes pour les persuader que nous regrettions ce qui était arrivé, proposant de servir lui-même d'intermédiaire grâce aux quelques mots de leur langage qu'il avait appris. Il va sans dire que M. Charles ne se rendit pas à ses arguments, ayant la sagesse de considérer qu'une telle offre de paix aurait pour seule conséquence une pluie de sagaies.

Bientôt, tout parut rentrer dans l'ordre. Une semaine passa sans autre incident, et même sans apercevoir le moindre indigène, puis une autre, et je commençais à espérer que la prompte réaction de M. Charles avait porté ses fruits. M. Pierce et moi-même finîmes par reprendre nos tournées d'inspection que l'on avait beaucoup réduites, les animaux ayant été rapprochés. En route, M. Pierce se plaignait constamment de son arme, comme si être contraint de la porter constituait un châtiment injuste.

« Ça ne sert fichtrement à rien, ce truc-là », grommelait-il en clignant vivement les yeux selon son étrange habitude. Je m'en débarrasserais avec joie. Mais ça ne serait pas très bien vu, n'est-ce pas ? Non, ça ne plairait pas du tout à ce bon M. Charles. » Sur ce, il me regardait d'un air entendu, comme pour me faire partager son mécontentement. Même s'il ne s'attendait pas que je m'associe à ses récriminations, ses tirades me gênaient énormément, comme si le simple fait de les écouter signifiait mon approbation.

Un beau matin, nous découvrîmes que des moutons avaient franchi la nouvelle clôture pour retourner sur les terres d'où on les avait déplacés. Il n'y avait rien là de catastrophique. Cela ne concernait pas un grand nombre d'animaux. Nous trouvâmes bientôt la brèche par laquelle ils étaient passés et nous effectuâmes la réparation. Le plus surprenant, c'est que l'endroit où cela s'était produit était clairement visible de l'une des cabanes des gardiens. Celle de Sutton et de Higgs.

« Ils ne perdent rien pour attendre ! » s'exclama M. Pierce en se rengorgeant.

Il était si remonté que je me retrouvais souvent en train d'essayer de le calmer.

« Ils ne sont sûrement pas absents depuis longtemps. Ils sont peut-être allés chercher des matériaux dans la cabane de Smith et de Crane pour réparer la clôture.

— Eh bien ! allons les y rejoindre ! »

Lorsque nous parvînmes à la cabane suivante, nous fûmes cependant surpris de constater qu'elle était vide elle aussi. Même en montant sur une butte, juste à côté, nous ne vîmes absolument aucun gardien, alors que, leurs animaux étant à deux pas, plusieurs d'entre eux eussent dû se trouver dans les parages.

Soudain, je commençai à m'inquiéter.

« Qu'a-t-il pu se passer ? »

M. Pierce fut catégorique, mais je vis qu'il avait l'air troublé.

« Rien n'indique qu'il faille s'alarmer. Je dirais qu'il ne s'agit que d'une grave négligence. Il faut en aviser M. Charles de toute urgence. »

À peine venions-nous de reprendre le chemin du village qu'un bruit clairement reconnaissable se fit entendre : il ne pouvait s'agir que de coups de feu. Cela semblait venir du nord-ouest, du côté de la mer, et, à en juger par leur faible intensité, les coups étaient tirés assez loin de l'endroit où nous nous trouvions. Leur régularité indiquait qu'on avait affaire à une bataille réelle, et en entendant ces détonations j'eus l'horrible vision d'hommes cherchant à se protéger des attaques d'une bande d'indigènes assassins qui les criblaient de ces sagaies légères, fines et acérées comme des aiguilles. M. Pierce ne disait mot mais, brusquement livide, il fit demi-tour et commença à marcher en direction du vacarme. C'est ainsi que nous avançâmes d'un pas rapide, mon cœur cognant très fort, mon fusil prêt à faire feu, l'esprit très préoccupé par mon manque de pratique dans l'usage des armes.

Nous étions encore loin quand tout soudain les tirs cessèrent.

« J'espère que nous n'arrivons pas trop tard ! » m'écriai-je.

Pierce hocha la tête d'un air sombre.

Sans les détonations pour nous guider, il devenait plus difficile de se repérer, mais nous nous débrouillâmes tant bien que mal, traversant une étendue boisée et longeant un ruisseau jusqu'à un petit promontoire herbu dominant la mer. Tout était extrêmement calme, on n'entendait que le vent et les cris des oiseaux. J'en venais à me demander si nous ne nous étions pas trompés de direction, et même si les coups de feu n'avaient pas eu, après tout, une cause tout à fait anodine, lorsque Pierce, qui avait atteint un groupe de rochers près du bord de la falaise, poussa un cri : « Par ici ! » En m'approchant, je vis sur l'une des pierres une marque étrangement précise qui ressemblait à la silhouette d'une main humaine peinte d'un rouge brillant. Ce n'était pas encore sec.

Mais, déjà, Pierce escaladait les rochers un peu plus loin et je l'entendis pousser une sorte de grognement. Je le suivis et, d'un coup, je fus entouré de sang. Il rutilait sur les feuilles et sur les brins d'herbe. Il formait de petites mares écarlates dans les anfractuosités des rochers. Quelques instants plus tard, j'en étais recouvert comme d'un enduit poissant mes mains et mes vêtements. Ce n'est que lorsque je fus parvenu à l'extrémité de la falaise que j'en découvris la source. Ils gisaient tout en bas, au fond du précipice, léchés et ballottés par les vagues. Je n'avais jamais vu un tel spectacle. Membres fracassés. Têtes écrasées. Entrailles arrachées. Le tout d'un rouge lumineux, comme si les corps baignaient dans les eaux d'une source vermillon jaillissant du sol.

C'étaient des indigènes. Toutes ces victimes devaient correspondre à la moitié de la tribu que j'avais rencontrée.

Je dois avouer que, la première réaction d'horreur passée, j'éprouvai une sorte de léger soulagement en constatant qu'après tout ces hommes m'étaient inconnus. Cela peut paraître cynique, mais dans un pays lointain comme celui-ci on se sent très solidaire de ses compagnons. Ce sentiment ne dura pas, cependant. Il se mua vite en immense dégoût, lorsque je commençai à me rendre compte de ce qui s'était passé.

Il va sans dire que M. Pierce était absolument bouleversé. Il sanglotait à fendre l'âme tout en essayant de descendre le long de la falaise, bien que cela semblât désormais assez inutile puisqu'il n'y avait en bas aucun signe de vie. La marée montait et les vagues soulevaient déjà doucement quelques cadavres. Après plusieurs tentatives, écoutant mes appels angoissés et ayant fini par reconnaître que la pente était trop à pic, il revint s'asseoir près de moi. Il demeura très calme tout en se répétant plusieurs fois à lui-même, psalmodiant presque : « Ils seront châtiés pour ce crime ! »

Contrairement à moi, voilà précisément ce qu'il avait craint depuis le début, tandis que nous nous hâtions vers le lieu d'où partaient les coups. Il n'avait jamais supposé un seul instant que des employés de la compagnie fussent en danger. Je me sentis honteux. Vrai, à ce moment-là, je crois bien que j'étais aussi révolté que lui. Étrangement, leurs corps fracassés et couverts de sang rendaient ces malheureuses victimes tristement familières. Brisez un homme en morceaux et il ressemblera à tous les autres, quelles que soient sa couleur de peau ou sa manière de parler.

S'il subsistait encore le moindre doute dans mon esprit concernant les coupables, il fut vite dissipé. À peine avions-nous parcouru la moitié du chemin nous ramenant au village que nous croisâmes, rentrant paisiblement, sans se presser, dix gardiens de bestiaux, Sutton en tête, brandissant tous leur arme d'un air de bravade. Certains portaient des vêtements humides, à l'évidence hâtivement nettoyés des traces de leurs crimes. J'avais peine à croire que c'étaient là les mêmes hommes que je croyais connaître et avec qui j'avais plaisanté.

« Assassins ! hurla M. Pierce. Lâches meurtriers ! »

Ils nièrent être les auteurs du forfait, mais leur ton suggérait plutôt le contraire.

« Ce sont sûrement les bagnards qui ont remis ça ! rétorqua Sutton en lançant un clin d'œil à Higgs.

— Alors, pourriez-vous me dire pourquoi vous êtes tous là ? » s'enquit M. Pierce d'un ton ferme.

Pour toute réponse, Sutton haussa les épaules.

« On est juste allés faire une petite partie de chasse aux oiseaux. Tirer sur les corneilles, ce genre de truc. »

« Corneille » étant un terme d'argot pour désigner les aborigènes, les autres saluèrent la repartie d'un hideux ricanement.

« Vous serez punis pour votre forfait, et sévèrement châtiés ! les avertit M. Pierce. Je vais m'en assurer, vous pouvez m'en croire. »

Sutton lui lança un regard noir.

« Vous avez de la veine d'avoir le petit pasteur avec vous ! »

Entendre mon surnom dans de telles circonstances était particulièrement choquant.

« Je m'appelle George Baines, lui dis-je d'un ton glacial, et je refuse que quelqu'un de votre espèce m'appelle autrement. »

Sans doute était-il idiot de ma part de les provoquer. On me répondit par des regards menaçants, et l'un des hommes les plus calmes du groupe nous conseilla de regagner le village sur-le-champ, « pour notre bien », je cite. Même s'il était dur de repartir avec encore tant de rage au cœur, il ne semblait guère sage de s'attarder, ainsi que M. Pierce le reconnut lui-même.

« Il vaut mieux porter notre combat ailleurs », affirma-t-il.

Quand nous parvînmes au siège de la compagnie, nous apprîmes que M. Charles était absent, et sa femme nous expliqua qu'il était parti inspecter des propriétés. Ça tombait mal, et les heures qui suivirent furent très pénibles. Assis dans la salle à manger, toujours en proie à d'horribles pensées, nous écoutions le tic-tac de la pendule. Mme Charles nous apportait parfois du thé. Nous parlions à peine. Quand M. Charles arriva enfin, son visage s'assombrit en nous voyant, comme s'il avait tout de suite deviné notre humeur. Il écouta patiemment l'effrayant récit de M. Pierce.

« Il faut que nous nous rendions sur les lieux de toute urgence, déclara fébrilement M. Pierce, une fois parvenu à la conclusion de son récit. La marée était en train de monter mais il se peut qu'il en reste assez pour que vous puissiez vous rendre compte. »

M. Charles fit la grimace.

« Il va bientôt faire nuit.

— On peut prendre des lampes.

— John, fit M. Charles d'un ton pressant en levant la main pour le calmer, je sais que vous aimez beaucoup ces gens et je comprends que vous soyez extrêmement bouleversé. » Sa voix baissa pour ne plus devenir qu'un triste murmure. « Je vais pourtant vous prier d'essayer de chasser ces pensées de votre esprit, pour le moment, en tout cas. Il faut prendre en considération le bien de toute l'entreprise, qu'on ne peut gérer sans personnel. Croyez-moi, je vais m'assurer que l'affaire soit traitée avec le plus grand soin. »

Les yeux de M. Pierce se mirent à papilloter.

« Vous voulez dire que vous allez les laisser s'en tirer ? »

M. Charles le regarda d'un air grave.

« Je n'ai rien dit de tel. Tout ce que je vous demande, c'est de me laisser m'occuper de cette affaire à ma manière.

— Monsieur Charles, je crains que vous ne me donniez guère de choix. »

Il se leva en chancelant un peu, faisant crisser sa chaise sur le sol derrière lui, et comme il me tira par le bras, je fus forcé de me lever moi aussi.

« À compter de maintenant, je démissionne de mon poste à la Compagnie foncière du Nouveau Monde. Si vous refusez de faire respecter la justice, j'irai simplement la chercher ailleurs. George et moi allons nous rendre sur-le-champ à Hobart pour témoigner de tout ce que nous avons vu, y compris, monsieur Charles, votre refus d'accomplir votre devoir. »

Cette déclaration soudaine me prit de court, et je dois admettre qu'elle me mettait dans un immense embarras. Je partageais sans conteste sa colère et soutenais sa décision de ne pas rester les bras croisés, tout en étant plutôt déçu par les prudentes propositions de M. Charles. La démission de M. Pierce, cependant, semblait prématurée, voire inconsidérée. Il était très gênant que le simple fait de m'être levé en même temps que lui laissât à penser que nous agissions de concert. Même si les gardiens de troupeaux s'étaient comportés avec une extrême barbarie, n'avais-je pas parcouru la moitié du monde pour participer à cette entreprise ? Presque par accident, je donnais l'impression d'avoir en quelque sorte renoncé à cet espoir. Quel que fût mon respect envers M. Pierce, je ne pouvais m'empêcher de regretter qu'il n'eût pas au moins attendu quelque temps pour qu'on pût discuter de cette affaire.

Paraissant se rendre compte de la difficulté de ma position, M. Charles me jeta un bref coup d'œil compréhensif.

« J'espère qu'on pourra reparler de tout ça, dit-il, tandis que nous regagnions l'entrée, lorsque vous aurez eu tous les deux le temps de vous reposer et de réfléchir. »

Le repos et la réflexion n'étaient sûrement pas ce que M. Pierce avait en tête, et sans hésiter il s'éloigna bel et bien du village d'un pas martial.

« George, il nous faut quitter cet endroit au plus vite, insista-t-il. Quand un groupe d'hommes s'adonnent au mal, comme c'est le cas ici, rester en leur compagnie équivaut à s'associer à leurs méfaits, rien de moins. »

Je tentai de nuancer son opinion.

« Ils ne s'adonnent pas tous au mal. M. Charles n'est pas mauvais. »

Ma remarque ne fit apparemment que renforcer sa conviction.

« Est-ce qu'il ne protège pas les assassins ? C'est comme une maladie, et ils sont tous infectés. »

Il élaborait des projets, des projets complètement insensés.

« Nous devons créer notre propre colonie, tout à fait séparée de l'autre, et y demeurer jusqu'à ce que nous trouvions un moyen de transport pour partir d'ici. Si, comme vous le supposez, il y a encore des hommes qui ne sont pas contaminés, ce dont je doute, alors ils pourront nous y rejoindre. » Il s'arrêta brusquement et examina les environs. Nous étions arrivés sur un terrain vague impossible à voir depuis le siège de la compagnie ni depuis le reste du village. « Cet endroit fera l'affaire, affirma-t-il sèchement. Nous allons d'abord construire une cabane. »

D'affreuse, la journée était devenue irréelle. Je lançai des coups d'œil autour de moi pour examiner l'endroit choisi. Le sol était humide, ce qui expliquait à mes yeux pourquoi on ne l'avait pas exploité.

« Mais c'est impossible ! Nous n'avons pas d'outils. Et nous ne savons même pas comment nous y prendre pour en bâtir une !

— J'ai un couteau, déclara M. Pierce en brandissant un petit canif, normalement dévolu à peler des fruits plutôt qu'à bâtir une cabane. Allons, venez ! On va chercher du bois et on va le tailler. »

Nous trouvâmes des branches, mais la plupart étaient pourries, humides et couvertes de moisissures, et celles qui étaient saines avaient une forme bien trop irrégulière pour être aisément assemblées. En outre, nous ne possédions pas un seul clou. Quand je le lui fis remarquer, M. Pierce se mit à tailler une série de chevilles de bois à l'aide de son couteau – tout en sifflant avec une sorte d'allégresse désespérée –, bien que je ne visse pas l'usage qu'on pourrait en faire. La nuit commençait déjà à tomber et un vent glacial s'était levé.

« *On aurait dû d'abord préparer un feu* », dis-je, soudain furieux.

M. Pierce parut décontenancé.

« *On en fera un demain.* »

Je contemplai l'amas de branchages, qui semblaient davantage avoir été entassés pour allumer un feu de joie que pour bâtir une cabane, et soudain je laissai éclater mon agacement.

« *C'est de la folie pure !* »

Il sembla vexé.

« *Alors, que proposez-vous ?* »

D'un seul coup, je compris que j'avais pris une décision. Je ne pensais plus qu'à ma cabane, à sa chaleur, aux bons repas.

« *Je rentre.* »

La réaction de Pierce me stupéfia. Il me dévisagea d'un air profondément étonné. M'ayant si souvent pris comme confident — sans que je l'y encourage le moins du monde —, il imaginait probablement que mon soutien inconditionnel lui était acquis. Cela le mit hors de lui.

« *Eh bien ! rentrez ! Peu me chaut que vous partiez ou que vous restiez. Allez rejoindre les autres, et ne songez même pas à revenir !* »

Très déprimé, je retournai à ma cabane d'écorce. Comme j'avais également grand-faim, je fis un feu dans la petite cheminée pour me préparer du thé et confectionner des boulettes de farine afin de me restaurer. Je venais à peine de m'y mettre, lorsque M. Charles frappa à ma porte.

« *M. Pierce n'est toujours pas rentré ?* » demanda-t-il.

Je hochai la tête un peu froidement.

« *J'avais espéré vous inviter tous les deux chez moi*, expliqua-t-il. *Mme Charles a pensé que vous deviez avoir faim et elle a préparé un rôti d'agneau.* » Il jeta un coup d'œil sur mon piètre repas. « *Mais peut-être préférez-vous manger tout seul ici…* »

J'acceptai l'invitation. Si je ne savais pas alors exactement pourquoi, je le sais aujourd'hui. Je fus bientôt installé à la belle table de bois de leur salle à manger, l'estomac gavé de viande et de cognac. C'est moi, et non M. Charles, qui abordai le sujet de M. Pierce. Sans bouger de son siège, M. Charles, alternativement, approuvait d'un hochement de tête ou fronçait les sourcils. M. Pierce, soulignai-je, refusait simplement d'écouter quiconque. Son individualisme l'empêchait de collaborer avec ses collègues. Il était totalement dénué de mesure, tout autant que de loyauté. Je crois vraiment que je le détestais. Cela peut vous surprendre, père, vu qu'il n'avait rien fait de mal, et quand j'y réfléchis aujourd'hui je soupçonne l'origine de ma colère de se trouver justement là. Comme si je le haïssais parce que sa justesse de vues soulignait mes erreurs.

Me souriant d'un air compréhensif, M. Charles écouta tous mes propos en silence. Ce n'est que plus tard, une fois le repas terminé et la bouteille *de cognac presque vidée, qu'il prit une mine grave et me donna son propre avis.*

*« George, vous vous rendez compte, bien sûr, que si M. Pierce parvient à ses fins et que ces hommes sont jugés la seule victime sera la compagnie elle-même, qui disparaîtra. » Il alluma sa pipe. « Il ne fait aucun doute que ces hommes méritent un châtiment mais, au cours de la brève histoire de la terre de Van Diemen, jamais un homme blanc n'a été pendu pour avoir tué un Noir, quoi que stipulent les lois. Cela ne fera que susciter une énorme vague de protestation en Angleterre, surtout chez nos ennemis. Le dur labeur accompli ici ne comptera pour rien. Les journaux vont crier au scandale. Les actions perdront de leur valeur. Et alors, on sera à deux doigts de la faillite. Naturellement M. Pierce ne se soucie pas de cet aspect des choses. » Il tira sur sa pipe. « Comme il aurait mieux valu que ce soit moi qui m'en occupe ! En tant que directeur, je pourrais facilement amener ces hommes à résipiscence – presque autant que si on les emmenait à Hobart – avec l'avantage de la discrétion.*

*— C'est ce que vous envisagez ? demandai-je.*

*— Non. Pas pour le moment. Je vais attendre l'arrivée du* Champion *et qu'on ait de la main-d'œuvre en trop. »*

*En vérité, je doute qu'on ait eu besoin de me persuader. J'étais venu chercher une certaine complicité – un réconfort qui m'aurait fait oublier le regard méprisant que m'avait jeté M. Pierce au moment où je l'avais quitté – et je l'avais trouvée. C'est ainsi que ce même soir je signai une courte et mensongère déclaration. J'affirmai qu'autant que je pouvais en juger pas plus de six indigènes avaient été tués par des hommes qu'on avait soudain attaqués sans la moindre provocation de leur part.*

*Je ne revis pas M. Pierce pendant un certain temps. Au fil des jours, mon étrange rancœur disparut peu à peu, ne me laissant qu'un profond et désagréable sentiment de honte, qui suffisait amplement à me dissuader de me rendre en ce séjour humide juste à côté du village. Je ne changeai d'avis que le jour où j'entendis par hasard les gardiens bavarder entre eux.*

*« Je me demande bien ce qu'il peut manger, disait l'un d'eux, des rats, sans doute. »*

*L'autre éclata de rire.*

*« Et pas des masses, à en juger par son aspect. Qui sait ? avec un peu de chance il se peut qu'il ne nous ennuie plus très longtemps.*

*— Bon débarras, crois-moi. »*

*Je retournai à ma cabane sur-le-champ pour y prendre de la farine.*

*Je trouvai M. Pierce assis, tel un vagabond, l'air hagard, les cheveux et la barbe sales et emmêlés, sous une sorte de natte faite de branches et de feuilles, suspendue entre deux arbres. Je tentai plusieurs fois de lui parler. Il ne me répondit pas et, naturellement, refusa la farine. Je la laissai près de lui dans l'espoir qu'il en mangerait un peu après mon départ.*

À quelque temps de là, un baleinier américain mouilla dans le port pour se protéger de la tempête. Dès qu'il l'aperçut, M. Pierce se précipita sur le rivage et obtint bientôt une place à bord à ses frais pour se rendre à Launceston. Ce même jour, M. Charles invita le capitaine du bateau dans sa résidence, et je crains que, à l'insu de M. Pierce, ma propre déclaration écrite ne l'eût accompagné dans son voyage.

Environ une semaine plus tard, venant en droite ligne d'Angleterre, le Champion accosta enfin, et d'un seul coup notre univers changea du tout au tout. Notre population doubla du jour au lendemain et, bon nombre de nouveaux arrivants étant accompagnés de leurs épouses et même d'enfants, cela donna à la colonie une ambiance familiale qui manquait depuis trop longtemps. En dépit de ces agréables distractions, je n'oubliai pas de rappeler à M. Charles sa promesse concernant le châtiment des gardiens de troupeaux.

« Je m'en occuperai le moment venu, promit-il, pour l'instant, je ne peux rien faire. »

Ce n'était guère la réponse que j'attendais, mais on ne pouvait nier qu'il était très affairé, comme d'ailleurs tout le reste de notre société. Le bateau ayant amené quatre charpentiers, ainsi que du bois, de nouvelles habitations semblaient surgir du sol de tous côtés et il ne s'agissait plus de tentes ni de cabanes d'écorce mais de véritables maisons. On avait même projeté de construire une église. D'autres animaux étaient également arrivés, y compris la nouvelle race de moutons. À quoi s'ajoutaient de nombreux travaux pour rendre aux terres de la compagnie leurs anciennes frontières. Ce fut au milieu de tout cela que M. Charles m'annonça qu'il aimerait que je remplace M. Pierce en tant qu'agronome principal. Je mentirais si j'affirmais n'avoir éprouvé aucune appréhension. J'hésitais en effet. Le fait est, cependant, que ce n'était pas un mince honneur, vu mon jeune âge surtout. Je me dis, en outre, que cela accroîtrait mon influence au sein de l'entreprise et ma capacité à empêcher que ne se reproduisent les tragiques événements dont j'avais été témoin.

Ce ne fut qu'une quinzaine de jours après l'arrivée du bateau que survint l'attaque. Le village étant toujours soigneusement gardé, la manière dont les aborigènes s'y prirent pour atteindre le siège de la compagnie sans être aperçus demeura pour nous un mystère. La seule et unique personne à les avoir vus fut Mme Charles. Enthousiasmée par l'abondance des vivres apportés par le Champion, elle avait travaillé tard à la confection d'un gâteau, quand soudain elle découvrit une dizaine d'entre eux en train de pénétrer dans la maison en brandissant des torches enflammées. Elle eut si peur qu'elle ne put prononcer une seule parole. Par miracle, ils ne lui firent aucun mal, se contentant de mettre le feu aux rideaux et au mobilier avant de repartir en silence. Elle réussit alors à reprendre ses esprits et à avertir son mari, ainsi que les autres occupants de la maison, *bien que l'incendie se fût propagé trop rapidement pour qu'on pût l'éteindre... Une heure plus tard, il ne restait plus rien de la belle demeure. Le lendemain matin, Sutton et deux autres gardiens de bestiaux furent retrouvés morts près de leurs cabanes, transpercés par des sagaies.*

*Un détachement fut immédiatement constitué pour se lancer à la recherche des aborigènes. M. Charles donna l'ordre exprès de ne pas leur faire de mal, dans la mesure du possible, et de les ramener vivants à la colonie, d'où on les conduirait à Launceston afin de les remettre entre les mains des autorités. On ne les attrapa jamais, l'expédition eut pour seul résultat la découverte d'une vingtaine de Noirs marchant à grands pas sur une colline lointaine en direction du sud. On les poursuivit mais, le temps s'étant gâté, on perdit leur trace. En vérité, je fus loin d'en être chagriné.*

*Tout cela s'est passé il y a seulement deux semaines. Les nouvelles ne s'arrêtent pas là, cependant. En fait, je n'ai pas encore abordé, père, l'affaire qui m'a soudain donné envie de vous écrire.*

*Nous sommes maintenant à la fin décembre, le printemps austral cède la place à l'été et, par temps calme, nous avons d'agréables soirées, longues et chaudes. Après le travail, j'ai parfois plaisir à marcher jusqu'au rivage pour contempler l'océan. C'est ce que je fis il y a quatre jours, et j'y demeurai tandis que la lumière déclinait lentement, passant de l'écarlate au rose, puis au bleu profond du crépuscule. Pour rentrer, je dus traverser toute la colonie, en ce moment encombrée d'outils et de matériaux de construction. Parvenu à mi-chemin, j'entendis un son inarticulé. Il s'agissait, me sembla-t-il, d'un éclat de rire, rien de plus. Clair, sonore et serein. Je reconnus immédiatement la voix de M. Charles. Quand je levai les yeux, je vis dans la pénombre que l'homme avec qui il s'entretenait était Higgs, le gardien de bestiaux.*

*Il ne s'agit sans doute que d'une vétille. Mais, malgré tous mes efforts, je ne parviens pas à la chasser de mon esprit.*

*Par conséquent, père, j'ai écrit tout ce que j'avais sur le cœur, absolument tout. C'est pour cette raison précise, je le sais, que cette lettre ne sera jamais expédiée.*


## Peevay. 1828

Au lieu de viande en train de cuire sur le feu, ce dont j'avais le plus envie, j'ai eu une guerre. J'en avais jamais vu jusque-là, non, mais Tartoyen m'en avait raconté plusieurs, et il y a des choses qu'on comprend, même sans les connaître. C'était pas encore la bataille, mais presque, les miens d'un côté et les Roingins de l'autre. Un casse-tête à n'y rien comprendre, ça oui, puisque, comme chacun sait, les Roingins n'auraient jamais dû pouvoir entrer dans le monde, chez nous, mais devaient rester dans le leur. Et d'ailleurs, ils n'étaient pas assez nombreux. Les Roingins étaient connus pour être beaucoup, mais aujourd'hui ils étaient en plus petit nombre que les miens. Pourtant je voyais bien qu'ils étaient forts, car ils possédaient davantage de sagaies. Tartoyen, Gonar et d'autres des miens n'en possédaient que quelques-unes – certains pas du tout –, alors que les Roingins en avaient deux et même trois chacun. C'était un sacré tracas, ça oui, et je me demandais vraiment comment les miens pouvaient être d'aussi foutus crétins.

« Bandes de lâches ! chantaient les Roingins pour nous faire peur, on ne va pas tarder à vous tuer.

— Tas de menteurs et de filous ! répliquaient les miens sur le même ton, l'heure de votre mort a sonné ! »

J'ai vu qu'elle était très lente à démarrer, cette guerre. On a passé pas mal de temps à agiter les lances et à s'envoyer plein d'insultes sans se battre. Puis j'ai contourné le terrain en passant à travers les buissons pour aller rejoindre grand-mère et d'autres femmes de mon peuple. Grand-mère s'est réjouie de me voir, mais elle était aussi en colère. Grand-mère ne pouvait jamais être juste contente.

« Peevay, où est-ce que tu étais ? elle a dit. On t'a cherché partout. »

C'était agréable. Alors j'ai deviné qu'ils s'étaient fait du mauvais sang. Je lui ai demandé comment cette guerre était arrivée et elle a dit que ç'avait commencé la veille au matin, quand ils avaient rencontré des Roingins en train de traverser la forêt du monde – notre monde – comme s'ils étaient chez eux, au lieu que ce soit chez nous. C'était un motif de guerre, bien sûr, car c'est une loi suprême que chacun doit rester chez soi jusqu'à ce qu'on ait la permission d'en sortir.

« Il a failli y avoir la guerre à ce moment-là », a dit grand-mère, et elle m'a raconté comment ils s'étaient tous préparés, avaient pointé les lances, etc., mais les Roingins ont demandé la permission de raconter leur histoire. Gonar a répondu que non, mais Tartoyen n'a jamais beaucoup aimé se battre, alors il a été d'accord. L'histoire des Roingins était trop triste. Ils ont dit que des tas de fantômes étaient venus chez eux, un très grand nombre, avec aussi des animaux fantômes qui étaient petits et idiots, et de la couleur de la neige. D'abord, ces fantômes étaient gentils, mais ensuite ils ont essayé de voler des femmes et il y a eu de la bagarre, rien qu'un peu. Un jour où les Roingins cherchaient des phoques pour les chasser, des fantômes sont arrivés soudain avec des bâtons qui faisaient un bruit de tonnerre et ont tué le plus de monde possible, la moitié de tous les Roingins, des enfants et n'importe qui, et les ont jetés à la mer. Plus tard, les Roingins en ont tué quelques-uns à leur tour, mais maintenant les fantômes étaient trop nombreux, il y en avait de plus en plus, et quand ils sont venus leur tirer dessus, les Roingins ont décidé qu'ils devaient quitter leurs terres, sinon ils seraient tous tués. C'était une catastrophe, en vérité, car quitter son monde est réellement impossible, c'est comme mourir. En tout cas, voilà ce que j'ai supposé.

Gonar voulait tuer les Roingins, malgré leur récit, mais Tartoyen avait de la peine pour eux. Alors il a dit que les nôtres ne les tueraient pas, après tout, s'ils retournaient tous chez eux et ne revenaient jamais. Ils ont été d'accord, oui, mais le matin, quand les miens se sont réveillés, ils ont découvert que les sagaies avaient disparu, à part quelques-unes, et ils ont vu des Roingins guetter à travers les arbres et crier à Tartoyen qu'il devait finalement les laisser rester dans le monde. Bien sûr, Tartoyen ne pouvait pas accepter. En fait, il était maintenant le plus furieux de tous, même plus en colère que Gonar, puisque après la sale traîtrise des Roingins il avait vraiment l'air idiot.

« Retournez dans votre monde, psalmodiaient les miens. Retournez dans votre monde, ou vous mourrez tous ! »

Chaque camp avait un guerrier qui poussait à la guerre. Le nôtre, c'était Gonar, tandis que celui des Roingins était un petit homme avec des yeux qui lançaient des éclairs. Bientôt, l'un et l'autre couraient bravement vers le camp ennemi pour brandir, secouer sa lance et se remettre à psalmodier des insultes, ensuite, chacun se retournait vers les siens pour chercher à savoir s'ils suivaient, mais ce n'était jamais le cas. Et ça, plusieurs fois de suite. Je ne sais pas, non, si ç'aurait jamais commencé sans cet accident. Au début, c'était très drôle. Leur guerrier a fait une nouvelle sale provocation en agitant sa lance, etc., et quand les autres n'ont pas bougé il est reparti, à reculons pour pouvoir surveiller les miens. C'est cette marche en arrière qui a causé sa perte, car il n'a pas vu la racine plantée dans le sol et s'est cassé la figure. Certains des miens ont éclaté de rire, et moi aussi, il m'en souvient, mais pas Gonar. Il était tout heureux de cette très grande chance et il s'est précipité en avant en jetant sa lance, aussi rapide que le vent, pour transpercer le guerrier roingin. La déchirure a fait un petit *chhh*. Il avait reçu une sacrée blessure dans le ventre, suffisante pour n'importe quel wallaby, je me suis dit, et même s'il a crié et essayé de se relever, il n'a pas pu.

Naturellement, d'autres Roingins étaient en colère, maintenant, et ils se sont rués sur Gonar, qui a reçu deux lances au même moment, l'une dans le cou. C'était triste, oui, et ç'a remué au fond de ma poitrine des sentiments de tendresse, car c'était désolant de le voir transpercé ainsi. Tout le monde hurlait en brandissant les sagaies comme pour les lancer, ou bien s'embusquait derrière un arbre, et tout à coup j'ai eu peur que ce soit une guerre terrible où on allait tous mourir, même si je n'avais jamais entendu parler d'une telle chose.

C'est à ce moment-là qu'il y a eu le bruit. Vraiment, je n'avais jamais rien entendu de pareil. C'était plus fort que le tonnerre, mais très court, si bien que je m'en suis rendu compte qu'une fois que c'était déjà fini, et mes oreilles bourdonnaient comme le vent entre les rochers, comme si j'avais reçu un sale coup. Un moment, je me suis demandé si c'était le bruit de la mort et si j'étais un fantôme maintenant, mais j'ai remarqué que les autres étaient toujours vivants et avaient l'air aussi surpris que moi.

Alors j'ai vu les inconnus. Je pense qu'ils étaient là avant, oui, et que je ne les avais pas remarqués à cause de la bataille. Ils se tenaient à l'écart, près des arbres, pas en grand nombre – ils étaient même moins nombreux que les Roingins –, mais ils avaient l'air forts. Au premier rang il y avait une femme dont le visage était dur comme la pierre et qui portait à la main un drôle de bâton, long comme une lance mais épais comme une massue, avec un bout pointu qui était très beau et tout brillant. Je voyais de la fumée en sortir, même s'il ne brûlait pas, ce qui était intéressant et m'a fait penser que c'était quelque chose de magique. C'est la femme qui a hurlé :

« Je vous empêcherai de vous battre entre vous. Vous devez vous battre pour moi. »

La guerre était finie, maintenant, bien sûr, on était tous si étonnés. Certains se sont enfuis dans les arbres, d'autres sont restés cloués sur place, les yeux écarquillés. Là encore, c'était un casse-tête à n'y rien comprendre. Vous voyez, cette femme que je n'avais jamais vue avant, elle parlait la langue des miens !

Un autre mystère à n'y rien comprendre, c'était que grand-mère pleurait. Grand-mère ne pleurait jamais.

« Qui c'est ? » j'ai demandé.

Grand-mère m'a regardé et, pour la première fois, du plus loin que je pouvais m'en souvenir, il n'y avait pas de haine dans ses yeux.

« Ta mère. »

Je l'ai donc vue, finalement. Elle n'était pas du tout grande et belle comme je l'avais imaginée, non, mais assez petite, avec des bras et des jambes robustes et des yeux vifs comme si elle était prête pour le combat. Ça m'était égal. C'était un bonheur et une très grande chance. Une nouvelle merveilleuse à vous réjouir le cœur. Enfin, elle était venue me chercher. J'ai fait ni une ni deux. J'ai couru en passant devant les miens, devant les Roingins, et même devant des animaux que je n'avais jamais vus avant et qui ressemblaient au kanunnah mais en plus petits, et qu'on appelait les *bêtes chiens*, comme je l'ai appris plus tard. Elle ne m'a vu que lorsque j'ai été tout près d'elle. J'ai attrapé sa jambe et j'ai crié : « Maman ! »

Alors, j'ai reçu le pire sale coup de ma vie. Ses yeux qui étaient pleins de joie avant sont devenus froids comme la mer en hiver. Ensuite, elle m'a repoussé si fort que ça m'a fait mal au bras et elle est repartie. Là où elle est allée, c'était intéressant. Elle s'est approchée d'un gamin, plus petit que moi, avec de courtes jambes maigres, le genre qu'on a envie de rosser, et voilà qu'elle a pris l'horrible petit merdeux dans ses bras, comme si c'était la chose la plus magnifique du monde.

C'est comme ça que j'ai vu pour la première fois mon frère Tayaleah, ce petit salaud dont je n'avais pas soupçonné l'existence.

# 3

## Le capitaine Illiam Quillian Kewley. Juillet 1857

Après trois semaines entières coincés dans ce bassin hermétiquement clos comme des rats dans une boîte, tenez, même la Blackwater semblait le paradis, pas moins. Il mérite bien son nom de Blackwater, le fleuve qui mène au port de Maldon, car ses eaux sont très noires, et si vous voulez de la boue, eh bien ! ne cherchez pas plus loin... Toute la côte orientale de cette fichue Angleterre, plate, marécageuse, n'est rien d'autre qu'un grand vide plein de vent, d'oiseaux hurleurs et d'un surplus de ciel. Et de boue, bien sûr. À côté, la moindre parcelle crasseuse de Londres paraît d'une immense beauté.

Mais comme le dit l'adage : « Chaque dimanche d'été par un vent d'hiver se paie. » Et, en l'occurrence, la rançon de notre liberté sautait aux yeux, ou plutôt se pavanait dans tout le bateau comme chez elle. Cargaison totale : trois passagers. Pis : des Anglais, tous les trois. Je ne peux pas dire que la transaction me réjouissait. Je m'étais sans doute attendu que la *Sincérité* subisse quelques humiliations au cours de son existence – qu'elle soit grignotée par les bernaches, souillée par les fientes des mouettes, tâtée et palpée par les douaniers –, mais jamais, au grand jamais, je n'avais envisagé qu'elle souffrirait la honte d'avoir à transporter des passagers.

De drôles de passagers, par-dessus le marché ! En vérité, on n'avait jamais vu pareil trio de brillants enquiquineurs, jamais d'accord entre eux et promenant leurs brillantes cervelles sur le pont. Rien d'étonnant, remarquez, à ce qu'ils soient bizarres, vu le but de leur voyage : redécouvrir le jardin d'Éden. Le jardin d'Éden ! Comme si on ne pouvait pas le laisser à sa place, dans la Bible... Ils ne cherchaient même pas à le trouver à un endroit logique, mais à l'autre bout du monde, sur une île pourrie appelée la terre de Van Diemen, ou Tasmanie, vu qu'elle n'arrivait pas à se décider. Un endroit complètement insensé, si on en croit la rumeur, rien que des prisons, des cognes et j'en passe, pas le genre de lieu où oserait s'aventurer un type normal. On était censés emmener là-bas ces trois morveux, et même les ramener chez eux.

Toute une année d'Anglais… Belle perspective ! C'était déjà une vraie corvée de leur faire longer la côte jusqu'à Maldon.

Le pire, c'étaient les repas où je devais me les coltiner, au carré, avec leurs petits sourires mondains, leurs mercis, leurs « Pourriez-vous, je vous prie, me passer le sel, capitaine ? ». Le plus pénible, c'était le pasteur, le révérend Wilson, un bonhomme maigre qui n'arrêtait pas de jacasser, un large sourire constamment figé sur le visage, comme s'il ne se lassait pas de s'entendre parler. En vérité, on n'a jamais vu homme si imbu de lui-même et, à le regarder sourire et mastiquer ses aliments, il était difficile de ne pas imaginer la surprise qu'il causerait aux poissons si on le poussait par mégarde par-dessus bord. En plus, grigou comme lui, y en a pas deux. Sérieusement, même en passant tout Londres au peigne fin, je ne crois pas qu'on aurait pu trouver quelqu'un de plus méfiant et de plus près de ses sous. J'eus un mal fou à lui soutirer assez d'argent pour son passage afin de payer l'amende infligée par la douane, et après il insista même pour me suivre d'épicerie en épicerie, et autres magasins, me gardant à l'œil comme si je ne lui inspirais pas confiance. Était-ce vraiment là une quantité suffisante de barriques d'eau pour tenir jusqu'en Australie ? De biscuits de mer ? De poulets et de moutons ? Finalement, je fus contraint de remplir à moitié mon bateau de vivres, d'eau et d'animaux dont on n'avait pas besoin, comme si on devait réellement transporter ces quidams aux confins de la terre. Entre-temps, il fallait charger leurs propres provisions, des produits de grand luxe – du champagne, le meilleur cognac français, des viandes de première qualité –, et même des couverts en argent pour déguster les mets de choix… Ce qui prouvait que, malgré tous ses gémissements, le pasteur était aussi riche que l'homme qui avait changé les lapins en or.

Pas un jour ne se passait sans qu'il débarque dans le bassin pour faire de nouveaux embarras. Il râlait tellement quand on parlait du couchage que je suis persuadé qu'il lorgnait ma propre chambre. J'étais tenté de vider l'atelier de Chalse Christian, le menuisier, et de les fourrer dedans, mais comme je me dis que dans ce cas on n'arriverait jamais à leur soutirer un seul penny, ils obtinrent les cabines des maîtres. Je fis fabriquer par Chalse Christian une couchette au-dessus de celle de Brew, dont la cabine aurait dorénavant le grand honneur de recevoir le révérend Wilson et le Dr Potter. La cabine de Kinvig, le maître d'équipage – guère plus qu'un placard garni d'un hublot –, je l'attribuai à Renshaw, le petit spécialiste des plantes. Malgré ça, tous les trois se plaignirent à qui mieux mieux, exigeant quelque chose de plus élégant, comme s'il s'agissait d'un paquebot. Et ils n'étaient pas les seuls à faire la fine bouche : Brew et Kinvig gueulaient comme des putois d'être relégués sur le gaillard d'avant dans le poste d'équipage. Ne vous en faites pas, leur dis-je en manx, c'est seulement jusqu'à Maldon !

Enfin arriva ce bienheureux matin où l'on devait quitter le port de Londres. J'aurais certainement préféré appareiller discrètement, ayant pour principe qu'il n'est jamais avisé de partir en fanfare. Ce n'était pas, hélas ! la manière de faire de nos Anglais. Toute une foule vint les saluer en agitant les mouchoirs pour se féliciter de leur départ : pasteurs, journalistes élégants, et aussi Jonah Childs, le richard plein aux as qui avait signé le contrat d'affrètement et nous avait donné les pépètes. Il avait une drôle de dégaine, celui-là : grand comme un arbre avec une tête minuscule, on aurait dit une perche au bout de laquelle était fixée une bouteille. Jouant les personnages importants, il passait de l'un à l'autre, accordant à chacun une brève poignée de main. Et puis, il y avait les mioches du révérend – toute une ribambelle ! –, en plus de son épouse et de la sœur de celle-ci, deux bonnes grosses qui n'arrêtaient pas de sourire comme s'il leur tardait de voir le vieux filou mettre les voiles. On ne pouvait pas leur en vouloir, d'ailleurs. Renshaw, le petit gars des plantes, n'avait guère plus de chance, vu que son papa et son frangin avaient l'air aussi gais que des stèles funéraires, alors que la maman passait vers l'autre extrême, sanglotant et faisant des simagrées avant de lui offrir un petit cadeau qu'elle faisait semblant d'avoir oublié, « en vue des nuits froides dans les montagnes », en fait, une fine paire de gants parfaits pour prendre le thé avec la reine. Des trois, c'est le médecin, Potter, qui réussit le mieux ses adieux. Il avait rameuté assez de confrères pour fournir la moitié du contingent d'un hôpital. Ces messieurs se gratifiaient les uns les autres de petits discours en soulignant à quel point son départ était extraordinaire. Ils seraient fort surpris de le voir rappliquer dans moins d'une semaine.

Finalement, on largua les amarres, les canots nous tirèrent hors du bassin clos, puis un remorqueur nous fit descendre la Tamise jusqu'à l'estuaire. Même s'il était merveilleux de voir la *Sincérité* retrouver un petit bout d'océan, c'était bigrement ennuyeux d'avoir ces Anglais à bord, curieux de tout, fourrant leur nez partout, notant ceci ou cela. J'avais la frousse qu'ils remarquent trop de choses. Mon autre petit souci – auquel je n'avais pas prêté grande attention jusque-là, vu que j'en avais toujours eu un de bien plus grave – concernait le fret très spécial : comment diable le décharger sans attirer leur attention ? Déplacer des dizaines de fûts de cognac, des balles de tabac, ainsi que quelques plaques de verre françaises très particulières, ça risquait de causer un certain remue-ménage et pas mal de raffut. On serait quand même bien forcés d'en passer par là : pas moyen de leur rendre ce qu'ils avaient déboursé pour affréter le bateau avant d'avoir tout vendu.

« Peut-être qu'on devrait simplement les balancer tous les trois par-dessus bord », suggéra Brew, tout miel. J'avais parfois du mal à deviner s'il plaisantait ou non, celui-là. En l'occurrence, on n'eut pas à prendre

91

de décision... La brise soufflant du sud, ça nous évita d'avoir à tirer des bords. Maldon était fort peu éloigné ; dès le lendemain après-midi, on aperçut la Blackwater. Je donnai l'ordre aux hommes de mouiller l'ancre à l'embouchure du fleuve, pensant la distance suffisamment proche de la ville pour qu'on puisse mener nos petites affaires tout en demeurant à l'abri des regards indiscrets. Bien sûr, nos passagers n'apprécièrent pas du tout cette petite surprise, et, dès qu'il entendit le vacarme produit par la chaîne, le révérend commença à gémir et à se plaindre.

« Maldon ? Mais pourquoi donc ? Je vous avais bien dit qu'on ne pouvait pas prendre davantage de retard.

— C'est l'horloge marine, lui répondis-je, vu que ça paraissait une raison aussi bonne qu'une autre. On ne peut pas voyager de par le monde avec une horloge cassée, on serait incapables de se repérer. Vrai, par une nuit sombre, rien n'empêcherait le bateau de s'échouer sans crier gare dans un coin d'Afrique ou d'Australie qu'on n'aurait jamais cru trouver là. »

Ça lui cloua le bec. S'il y a une chose qui calme les passagers, croyez-moi, c'est de parler naufrage. De plus, c'était pas faux, à part deux ou trois petits détails de rien du tout que j'avais omis, à savoir qu'on n'avait pas la moindre intention d'aller plus loin que Peel, et que l'horloge marine marchait au poil.

Puis voilà que Potter, le médecin, ajoute son grain de sel.

« Si c'est tellement important, ne devrait-on pas retourner à Londres pour s'adresser à un horloger de qualité ? Nous n'en sommes pas encore très loin, après tout. »

Un instant, j'eus presque peur qu'il n'ait des soupçons. Ça ne semblait guère probable, mais sait-on jamais ? De toute façon, Londres était bien le dernier endroit que j'avais envie de revoir. Mais ce médecin, j'avais du mal à le définir. Il n'était pas du tout bâti sur le même modèle que notre ami le pasteur, aucun doute là-dessus. Si le révérend Wilson n'avait que la peau et les os, Potter était un paquet de chair, et de même, si Wilson passait son temps à bavasser et se trouvait toujours dans nos jambes, Potter, lui, était plutôt du genre taciturne, un gros margoulin auquel on ne pouvait pas faire confiance.

« Maldon est un bon petit port, dis-je à Potter, ne vous en faites pas, on n'aura aucune difficulté à trouver un horloger compétent. »

Quoi qu'il en soit, ils ne pouvaient pas faire grand-chose, puisqu'ils étaient sur mon bateau. Je fis mettre la chaloupe à l'eau pour partir à la recherche du cousin Rob. Ce ne fut d'ailleurs pas facile. Je savais qu'il habitait près de Maldon mais, comme vous le dira le premier imbécile venu, il y a près et près, et les deux sont aussi différents l'un de l'autre qu'un porc l'est d'un perroquet. « Tu ne peux pas te tromper, il m'avait dit, la dernière fois qu'il était venu à Peel. Ma maison est toute seule, près du rivage, juste en face de l'île de Northey. » À l'époque, ça m'avait paru assez clair, comme toutes les indications topographiques quand on est encore à des mois du moment et à des lieues de l'endroit où on en aura besoin. On s'était écrit une fois ou deux pour mettre au point nos petits arrangements, mais je n'avais jamais pensé à lui demander de nous envoyer une carte. Maintenant qu'on flottait sur la Black-water, avec l'île de Northey juste en face – un tas de boue de plus –, je regrettais cet oubli.

« Et qu'est-ce que c'est que ça, là, à bâbord ? crie Parrick Kinvig, le maître d'équipage. On dirait une maison. »

C'était vrai – plus ou moins. Étant donné la légère brume et la distance, on apercevait juste une petite tache blanche posée sur la boue.

« C'est bien possible, je lui réponds.

— Mais je suis sûr que c'est ça, capitaine ! » insiste Kinvig, très vexé que j'aie dit que c'était seulement possible. Kinvig prenait facilement la mouche, à faire se battre des montagnes. D'aucuns disaient que s'il avait mauvais caractère, c'était à cause de son père, un vieux bon à rien, célèbre pour boire à la taverne, en un seul été, et son cheval, et sa charrette, le genre de choses qu'on n'oublie pas. D'autres n'étaient pas d'accord, affirmant que sa rage était à la hauteur de sa taille – « hauteur », le mot était mal choisi, vu que c'était un minuscule nabot, haut comme trois pommes –, car les nains causent souvent des tracas, l'exemple le plus probant étant l'empereur Napoléon lui-même. À dire vrai, je m'en fichais comme de l'an quarante, puisque le boulot de maître d'équipage consiste justement à être toujours furibard, à agonir d'injures les matelots et à leur flanquer des coups s'ils s'avisent de tirer au flanc. Vrai, le signe qu'un maître d'équipage fait son travail, c'est qu'il est plus haï que le diable lui-même, et sur ce point Parrick Kinvig n'avait aucun rival.

Mais je m'égare… J'en étais à la maison qu'il était censé avoir aperçue. Jusque-là, j'avais prévu de contourner l'île de Northey par la droite, parce que le bras du fleuve y est plus large, mais une maison est une maison, et c'était la seule visible.

« Très bien ! À bâbord, donc ! » fis-je, en ajoutant, rien que pour l'empêcher de se rengorger : « Et si c'est une erreur, on saura à qui s'en prendre. »

Il y a des moyens de transport plus rapides que les canots à rames, m'est avis, et même avec un rameur comme Chine Clucas, le géant du bateau, on n'avançait pas plus vite qu'un escargot. Peu à peu, tandis que l'après-midi sombrait dans le crépuscule, la maison grossit : de tache, elle devint une tache dotée d'arêtes, puis une sorte de boîte d'allumettes ornée d'un toit, jusqu'à ce qu'enfin elle se dresse sous nos yeux grandeur nature et que l'enseigne qui se balançait dans le vent nous indique qu'il s'agissait en réalité d'une auberge. C'était loin d'être une excellente nouvelle, sans doute, mais ç'aurait pu être pire : y a-t-il meilleur endroit que l'auberge du coin pour apprendre où gîte un quidam ? On traîna la chaloupe sur la grève, Kinvig partit se renseigner, et quelques instants plus tard il revenait en pataugeant dans la boue. À sa mine, je devinai que les nouvelles n'étaient pas bonnes.

« Ils le connaissent, en effet, et sa maison se trouve juste un peu plus bas. Mais il n'y est pas. Il paraît qu'il est parti pour Colchester il y a seulement quelques jours et qu'il s'y est fait à moitié trucider dans une bagarre au couteau. Il est toujours là-bas. »

On aurait dit que la malchance nous poursuivait comme un vieux chien qu'on n'arrive pas à larguer. Je me retrouvais d'un seul coup sans acheteur et sans moyen d'en dégoter un. J'étais fauché et j'avais trois passagers qui voulaient que je les emmène à l'autre bout du monde. Le fait est que si j'avais compté sur quelque chose pendant cette aventure, c'était bien sur l'aide du cousin Rob. Non que je sois du genre à me défausser sur les autres, mais il ne nous facilitait vraiment pas la tâche. Il savait pourtant bien qu'on était en route, et si on était un peu en retard ce n'était guère notre faute. Il n'avait qu'à nous attendre bien sagement, mais non, il avait fallu qu'il aille faire une virée à Colchester pour s'offrir à la lame du couteau du premier voyou venu.

« Peut-être qu'on devrait filer à Colchester pour le chercher », suggéra Kinvig.

Je n'étais pas d'humeur à me lancer à la poursuite de quiconque. Pour me faire remarquer, merci bien !

« Même si on le trouvait, il serait bien capable de nous claquer entre les doigts. »

On pouvait continuer directement jusqu'à Maldon pour tenter notre chance en posant des questions dans l'espoir de tomber sur les individus qui, d'après Rob, étaient intéressés, mais je craignais de m'y attirer des ennuis. On ne connaissait pas le moindre nom – Rob avait été trop méfiant pour nous en révéler un seul, de peur, probablement, qu'on ne traite derrière son dos –, mais la douane, elle, sachant que Maldon était notre destination, était bien capable d'être à l'affût. Il y avait cependant au moins une chose qu'on pouvait faire.

« Où t'a-t-on dit que se trouvait la maison de Rob ? »
Kinvig eut l'air déconcerté.
« Juste un peu plus loin, de l'autre côté de l'île.
— Eh bien ! Allons-y ! »
Le cousin Rob n'étant pas du genre à s'embarrasser de domestiques et son Anglaise de femme devant se tenir à son chevet à Colchester, selon moi, sa maison ne pouvait être que vide. Je ne veux pas paraître

cynique, mais on avait un accord et, en le rompant, c'est lui qui nous avait fourrés dans ce fichu pétrin. Vrai, tout aurait marché comme sur des roulettes si ce fieffé crétin n'avait pas décidé de se faire poignarder. Non, il ne s'agissait que d'un simple dédommagement. Et s'il décidait de ne pas clamser, on pourrait même songer à lui octroyer quelques pennies.

Chine et les autres se remirent à ramer et on contourna l'île de Northey. J'étais soulagé d'avoir pris une décision. Même l'île semblait nous encourager, devenant de plus en plus riante au fur et à mesure que nous progressions. Bientôt, de belles rangées d'arbres commencèrent à border le rivage, et juste après apparut une maison, complètement isolée, comme prévu. Et plutôt de belle taille, d'ailleurs.

« Où est son bateau ? » s'étonna Kinvig.

Je répondis sans hésiter :

« Il a dû l'emmener à Colchester. »

Je laissai Vartin Clague dans le bateau pour monter la garde et nous traversâmes l'étendue boueuse. Je frappai un petit coup à la porte, au cas où, mais, ne recevant aucune réponse, nous contournâmes la maison, essayant les fenêtres l'une après l'autre jusqu'à ce que l'une d'entre elles s'ouvre facilement et nous donne accès au salon.

C'est étrange comme le simple fait de se retrouver dans la maison de quelqu'un d'autre pousse à baisser la voix, même si on sait pertinemment qu'il n'y a personne. « Y a des trucs pas mal, ici ! » chuchota Kinvig.

Lorsque mes yeux s'habituèrent à l'obscurité, je vis qu'il avait bigrement raison. Il y avait une belle table et des chaises. Accrochés aux murs, des tableaux imposants représentaient des bateaux étrangers gréés en carré et, grouillant partout, des quidams de type chinois, coiffés de chapeaux bizarres et transportant des paniers au bout de perches. Sur la cheminée trônaient deux maquettes de navires de guerre, plutôt bien faites, d'ailleurs. Tout ça ne pouvait pas être uniquement le fruit de la pêche aux anguilles… Rob avait dû traiter des affaires pour son propre compte, et plutôt bien se débrouiller par-dessus le marché. Il devait aussi y avoir des pépètes, pas de doute. On se mit au travail, ouvrant les tiroirs, etc., mais on trouva surtout des vieux papiers et d'autres trucs sans intérêt. Finalement, dans la cuisine je tombai sur une quantité de couverts en argent. Ça m'avait l'air d'excellente qualité, et il n'aurait plus guère besoin de ces machins luxueux, puisqu'il était en train de crever à Colchester.

« On va se contenter de ça, dis-je aux autres. Remplissez vos poches, et que l'un d'entre vous prenne cette pendule pendant que vous y êtes ! » Il s'agissait d'une jolie petite chose posée sur la cheminée à côté des bateaux.

« Regardez ! s'exclama Kinvig en prenant quelques cuillers de plus. Y a des sortes de lettres, dessus.

— Sur celles-ci aussi ! renchérit Clucas en brandissant une fourchette.

— "H. H.", je lus – ce que les autres étaient bien incapables de faire.

— Et il y a une petite marque au-dessous, fit observer Kinvig. On dirait une ancre. »

Ça ne semblait pas valoir le coup de s'attarder là-dessus. Pas moyen de savoir de toute façon où Rob avait déniché ces objets. « T'occupe pas de ça ! Ramène-les seulement au bateau ! »

Le fait est que, n'ayant pas encore abandonné l'espoir de découvrir des espèces sonnantes et trébuchantes, au moment où les autres repartaient en escaladant les fenêtres, les poches lourdes et cliquetantes, je gagnai le premier étage pour y jeter un coup d'œil. Il faisait bigrement sombre là-haut mais je réussis à discerner la forme d'une porte et à trouver la poignée. Je l'ouvris. Dans la pièce, je devinai un lit – guère plus qu'un gros tas de couvertures, comme s'il n'avait pas été refait depuis que Rob s'était tiré à Colchester. Hélas ! pas l'ombre d'un coffre, rien de ce genre ; ayant aperçu deux beaux chandeliers sur la cheminée, j'étais en train de contempler l'un des deux – pour déterminer s'il s'agissait d'argent massif ou simplement de plaqué, car dans ce cas ça n'aurait pas valu la peine de s'y intéresser –, quand tout à coup se produisit quelque chose de très bizarre. Du lit partit une voix. Et la voix, cassante comme celle d'un militaire, disait : « Mais, Phillips, qu'est-ce que tu fiches là ? »

Neuf mots en tout, mais on peut dire pas mal de choses en neuf mots ! D'abord, ces neuf-là révélaient que le lit n'était pas aussi vide qu'il le paraissait. Ensuite, ils m'apprenaient clairement l'existence d'un type du nom de Phillips, sans doute un minable larbin dont, autant que je pouvais en juger, ce devait être la soirée de sortie, à moins qu'il n'ait eu le sommeil très lourd. Enfin – la cerise sur le gâteau –, ça indiquait que je n'étais pas du tout chez Rob et que je ne m'y étais jamais trouvé.

Tout bien pesé, je jugeai plus prudent de laisser là le chandelier, qu'il soit en argent massif ou non. Je quittai la maison et, derrière moi, j'entendis un son n'ayant absolument rien d'une parole humaine ; plutôt une sorte de rugissement parfaitement intelligible. Les jours où je suis en forme, je peux avoir le pied assez agile. Je dévalai l'escalier quatre à quatre, passai par la fenêtre du salon comme un boulet de canon, avant de détaler à toutes jambes en direction du fleuve. Les autres n'avaient pas encore atteint la chaloupe et avançaient à tout petits pas pour éviter de glisser dans la boue. Ils s'arrêtèrent, se retournèrent en me voyant arriver ventre à terre et parurent sur le point de poser des questions grotesques – auxquelles je n'étais pas d'humeur à répondre –, mais heureusement, juste à ce moment-là, il y eut un éclair lumineux à la fenêtre du premier étage de la maison, accompagné d'une puissante déflagration, ce qui satisfit leur curiosité et leur cloua le bec. La boue et la vitesse ne faisant jamais bon ménage, comme chacun sait, on se ramassa quelques belles bûches – tout en semant plusieurs couverts –, mais finalement on regrimpa dans la chaloupe et on prit le large.

Ensuite, on rama comme de beaux diables, trop concentrés pour bavarder. Personne ne pipa mot lorsqu'un peu plus loin en contournant l'île on passa devant une minable chaumière isolée, un vieux canot retourné à côté et un filet pour attraper les anguilles suspendu à des poteaux. Mais je transperçai Kinvig du regard : c'était lui qui s'était renseigné à l'auberge.

Durant tout le temps qu'il nous fallut pour redescendre la Blackwater je restai à la barre, le regard fixé sur les matelots dont les poches bourrées cliquetaient tandis qu'ils ramaient. Plus je les regardais, moins j'étais satisfait. Avant même que le bateau n'apparaisse j'avais pris une décision, une demi-décision, en tout cas, mais ce furent les passagers qui décidèrent bientôt de l'autre moitié. J'avais espéré qu'ils seraient tous couchés, voyez-vous, plongés dans leurs rêves d'Anglais intelligents, et qu'on pourrait au moins remonter à bord en douce, mais non, ils refusaient d'être à ce point accommodants. Ils étaient là, penchés tous les trois à la rambarde pour nous voir accoster. C'est le révérend qui avait le regard le plus perçant.

« Une horloge ! s'écria-t-il alors que nous étions encore à cinquante mètres. Ils ont trouvé une horloge. Hourra ! Nos ennuis sont terminés. »

Renshaw, le petit gars des plantes, se montra plus sceptique.

« Êtes-vous certain que c'est bien la sorte dont on a besoin ? »

S'il y avait une qualité dont je me serais bien passé à ce moment-là, c'est d'être intéressant, c'est pourtant ce que nous étions. Tandis que nous grimpions sur le pont, ils nous dévoraient tous des yeux.

« Mais, capitaine, comment se fait-il que vous soyez à ce point couvert de boue ? » s'enquit le Dr Potter, l'œil inquisiteur, comme à son habitude.

Je répondis par un haussement d'épaules.

« Et vous avez trouvé de nouveaux couverts, nota le révérend. J'avoue que j'en suis vraiment ravi. Je ne voulais pas me plaindre, mais les autres sont plutôt médiocres. »

De la déveine ? Vrai, nous en avions assez pour remplir la moitié de l'océan. Bientôt, notre ami au fusil ne tarderait pas à ameuter tous ses voisins et, une fois qu'ils auraient trouvé nos empreintes dans la boue, ils allaient débouler sur la Blackwater à la vitesse de chiens de chasse ayant flairé un lapin. Même en faisant passer par-dessus bord la pendule, ainsi que tous les couteaux et toutes les fourchettes, il restait quand même trois témoins à charge, de surcroît tous aussi respectables que des membres de la famille royale. Plus j'y pensais, plus ça sentait mauvais. On ne trouverait même pas le salut dans la fuite, puisque cette sorte de folle entreprise ne manquerait pas d'attirer l'attention des gazettes. Ce n'est pas tous les jours, après tout, qu'une maison est nettoyée par des émules des Vikings sortis de l'océan. Il suffirait que l'un de nos passagers anglais jette un œil sur la mauvaise page du mauvais journal, et on se retrouverait grillés comme des harengs sur le feu. Se livrer à un brin de contrebande est une chose, cambrioler une maison en est une autre. C'était la prison assurée, et même la déportation au bagne. Ce serait un désastre, ça ne faisait pas un pli.

Mais on avait encore une chance de s'en tirer. Personne ne pouvait nous déclarer coupables si on n'était plus là, et un petit élément au moins jouait en notre faveur : le vent. Il soufflait une délicieuse brise marine qui nous pousserait prestement loin de Maldon en direction de l'océan. Si on restait absents assez longtemps, qui donc se souviendrait ou se soucierait de quelques cuillers à soupe ? Mais sur quoi allions-nous mettre le cap ? Eh bien ! je n'eus même pas à choisir, vu que le choix avait déjà été fait.

« Brew ! criai-je, on lève l'ancre.

— Direction Maldon ? demanda-t-il. Avec ce vent-là on ne pourra jamais remonter le fleuve…

— Direction la Tasmanie. »

Pour une fois, Brew perdit son air tranquille.

4

## Jack Harp. 1821-1824

Quand la saison de la chasse aux phoques a été terminée, je suis parti pour Georgetown dans le baleinier, exactement comme d'habitude, et pendant toute la traversée je me suis demandé si j'allais trouver un bon petit canot à rames aussi commode que celui que m'avait piqué l'indigène. Comme la marée se retirait gentiment au moment de mon arrivée, j'ai tiré le bateau sur la grève et je me suis rendu chez ce sale radin de Bill Haskins. Haskins m'a prêté sa charrette pour apporter les peaux car j'en avais besoin puisque Ned n'était plus là pour m'aider. Une fois qu'elles ont toutes été étalées sur le sol de sa boutique, on a commencé à discuter argent, ce qui d'ailleurs s'est plutôt bien passé. Il m'a dit qu'il connaissait un canot disponible, une chouette embarcation à laquelle on venait de donner un petit coup de vernis. Pour les peaux, il m'a offert davantage que ce que j'avais espéré. Assez pour acheter le canot et les provisions, et il me resterait encore un peu de monnaie. Il ne pourrait pas se procurer les pièces d'argent ni contacter le propriétaire du canot à vendre avant le lendemain, mais il m'a donné un dollar espagnol et deux pièces françaises pour me tenir à flot jusque-là, ce qui était normal.

Après avoir passé presque une année entière tout seul sur l'île, j'avais plus qu'envie d'un brin de compagnie. Dès le soir j'avais déjà éclusé pas mal de rhum à l'auberge, et lutiné la Lill, dans l'arrière-salle. Je dirais pas que Lill était exceptionnelle ; elle n'était plus de la première jeunesse, et avec ça, un sacré caractère, le genre à se fiche en boule si je la rudoyais un peu. Mais c'était un assez bon coup, et après tout ce temps j'étais pas d'humeur à me plaindre. En fait, j'étais en train de songer à remettre ça quand, bottés et armés de mousquetons, voilà que ces salauds de soldats anglais font irruption dans la pièce en me traitant de bagnard évadé. Je me suis débattu comme un beau diable, fêlant le crâne de l'un en le projetant contre le mur et ouvrant d'un coup de poing la lèvre d'un autre, mais ils étaient trop nombreux et ils ont quand même fini par m'arrêter.

99

Alors, j'ai commencé à réfléchir et on peut pas dire que mes pensées aient été réjouissantes. J'ai regardé Lill mais, comme elle avait l'air tout ébaubie, je me suis dit que ça ne venait pas d'elle. Au moment où ils m'ont entraîné, j'ai crié à l'officier anglais : « Qui c'est ? Quel est l'enfant de salaud qui vous a envoyé me cueillir ? » Il n'a rien dit, bien sûr, mais il a un peu cligné des yeux, ce qui m'a fait comprendre qu'on m'avait bien donné. Et, soudain, j'ai su qui c'était. Ça ne faisait pas un pli.

C'était dur de se retrouver en tenue de bagnard alors que j'avais cru m'en être débarrassé pour de bon. Parce que j'étais évadé, et violent par-dessus le marché, on m'a fait travailler sur les routes, c'est sacrément pénible, surtout par temps froid. Ç'a duré deux ans, et puis je me suis battu avec un gradé qui avait une trop grande gueule, et on m'a envoyé à Hobart sur le chantier des entrepôts qu'on construisait à l'époque, et ça aussi c'était dur. On racontait que les choses n'allaient pas s'arranger, vu qu'un nouveau gouverneur était arrivé, et que l'Alder en question avait la réputation d'être un vrai tyran qui voulait tous nous réduire au silence par le fouet. Pour sûr, c'était pas une bonne nouvelle. Non que ça m'ait beaucoup tracassé. Ce qui me faisait pas mal réfléchir, et très souvent, c'était mon vieux pote Bill Haskins, et la façon dont il s'était débrouillé pour s'approprier toute une cargaison de peaux de phoques pour seulement un dollar espagnol et deux pièces de monnaie françaises.

## Peevay. 1828

Le désir de maman au tréfonds de son cœur était qu'on quitte le monde pour aller tuer papa. Ça semblait malheureux, ça oui, et effrayant, en plus, de se rendre dans un endroit affreux et inconnu où les histoires des roches et des collines n'étaient pas les nôtres. Certains des miens, comme grand-mère et Tartoyen, ont déclaré qu'ils refusaient d'y aller. C'était un désastre, car ça voulait dire qu'on devait se séparer en deux, comme un arbre fendu par la foudre, et que chacun devait décider de demeurer là ou de partir. Mongana et sa mère restaient, et grand-mère a dit que moi aussi je devais rester puisque j'étais trop jeune pour combattre, et qu'elle et Tartoyen allaient s'occuper de moi. Pourtant j'ai voulu quand même partir avec maman. Je croyais vraiment, vous voyez, que je pourrais gagner sa tendresse puisque je la méritais. Est-ce que je n'avais pas attendu tous ces étés et rêvé qu'elle sortait de la mer dans toute sa beauté ? Pis, si je restais, je la laisserais à Taya-leah, mon minable avorton de frère dont j'avais jamais deviné l'existence.

Tayaleah veut dire « hibou » mais en vérité il n'en avait pas l'air : le hibou est un rapace costaud, et lui était malingre, avec des petites jambes, et semblait toujours effrayé. C'était un casse-tête à n'y rien comprendre que maman pouvait raffoler de lui, mais c'était pourtant le cas. Quand il essayait de fabriquer une sagaie, qu'elle était fichtrement mal taillée et qu'on n'arrivait pas à la lancer, maman disait qu'il n'y en avait pas de meilleure. Et aussi quand il grimpait à un arbre facile pour attraper un opossum – qui n'était probablement même pas là –, maman affirmait que c'était le garçon le plus brave de tous. Même le soir près du feu elle câlinait sa petite tête de pleurnichard et le protégeait du froid et du noir. Ça me rendait fou furieux, ça oui, car c'est moi qui méritais d'être câliné, pas lui. Je souhaitais que ce sale petit morveux disparaisse, qu'il soit tué et anéanti, et c'était mon rêve le plus cher tout au fond de ma poitrine de lui transpercer le cœur avec une sagaie. Il était si chétif, d'ailleurs, que je pensais que ç'aurait été facile s'il n'y avait pas eu maman. Elle restait toujours avec lui et me lançait des regards haineux si je m'approchais de lui. Tayaleah savait que je ne pouvais pas le sentir, et je voyais bien qu'il avait la frousse de moi, et pourtant il ne se revanchait jamais, ce qui était un casse-tête à n'y rien comprendre. Vrai, je ne l'ai même jamais entendu dire de sales mensonges sur moi à maman, alors qu'elle l'aurait cru sur parole. Non, je pense qu'il n'avait aucune colère en lui, même pour ses ennemis. Je crois que je l'aurais presque davantage aimé s'il avait fulminé, car alors on aurait été de bons ennemis.

Finalement, ce fut l'heure de s'en aller. Quelle tristesse ! C'était dur de quitter tant des miens, même ceux que je détestais, comme Mongana et sa mère. Les Roingins étaient eux aussi coupés en deux, et les adieux ont été longs et lents. Même les bêtes chiens que maman avait emmenées se sont tues comme si elles savaient que c'était un moment de douleur. Puis maman a dit qu'il était temps de partir et on a commencé à avancer, certains marchant presque à reculons de façon à avoir l'air de rester immobiles. Petit à petit, cette grande foule s'est fendue en deux, comme des doigts qui s'écartent. Les cris sont devenus plus sonores et les gestes d'adieu plus grands au fur et à mesure qu'on s'éloignait. Puis soudain on était au milieu des arbres, d'autres personnes disparaissaient et je ne voyais plus que cette nouvelle horde, c'est-à-dire celle de maman.

Bien sûr, maman avait déjà essayé de tuer papa, mais elle n'y avait pas réussi. Il y a des années, quand j'étais juste un petit bébé, elle était retournée sur le rivage, près de l'île de papa, mais elle n'avait pas pu retrouver le bateau de papa qu'elle avait caché là. Probablement, la mer l'avait emporté. C'était un sale coup pour maman car l'île de papa était loin, et même avec une barque elle ne pouvait pas s'y rendre toute seule.

Aussi elle s'était mise à marcher le long de la mer, à fabriquer des sagaies pour chasser du gibier, tout en cherchant un autre bateau, mais elle n'en a jamais trouvé. Une fois, elle avait été pourchassée par des sales Blancs, et plus tard elle avait glissé sur les pierres et s'était fait mal à une jambe, si bien qu'elle ne pouvait plus chasser et qu'elle avait eu faim et était tombée malade. À ce moment-là, elle était arrivée si loin qu'elle avait dépassé le monde des Roingins et atteint un endroit qu'on connaissait à peine, même par les histoires. Je pense qu'elle serait morte si elle n'avait pas rencontré une autre peuplade, appelée les *Tommeginers*, qui était en train de manger des oreilles de mer sur le rivage.

Les Tommeginers ont failli la transpercer de leurs lances parce qu'elle était différente, mais quand ils ont entendu son triste récit ils ont fini par la plaindre et lui ont donné à manger. Ils lui ont dit que des fantômes venaient parfois voler leurs femmes et tuer tout le monde sans aucune raison. C'est pourquoi ils étaient en guerre contre eux malgré que c'était dur. Maman n'avait pas du tout peur des fantômes, elle les connaissait. Elle a expliqué que ce n'étaient pas des morts revenus sur terre comme le croyaient les Tommeginers, mais seulement de sales morveux venus d'au-delà des mers. Elle a dit qu'on pouvait les tuer facilement et comment elle en avait tué un elle-même, rien qu'avec une pierre. Donc ils ne les ont plus appelés des fantômes, mais des *nommes*, leur mot pour désigner les Blancs.

Alors, maman a participé à leur guerre. Elle a découvert les bêtes chiens que les Tommeginers avaient prises aux hommes blancs et qui avaient beaucoup de flair mais qui avaient toujours envie de manger, de baiser, etc. Elle a même pris un Tommeginer comme mari, et c'est lui le père de ce petit merdeux de Tayaleah. Bientôt elle a appris à bien se battre – mieux que d'autres Tommeginers –, et quand leur type le plus malin a été tué, c'est elle qui a dirigé le groupe, ce qui était inouï, vu qu'elle était femme, et étrangère en plus. Un jour, ils ont transpercé deux sales Blancs dans leur cabane, et elle a pris leur bâton magique dont le bruit tuait et qu'on appelle *fusil*. Quand, ça faisait très longtemps, elle était sur l'île de papa, attachée au mur de sa cahute, elle l'avait vu préparer son fusil pour tuer les phoques, alors elle a essayé de s'en souvenir jusqu'à ce qu'elle réussisse à le faire fonctionner avec la poudre et les cailloux qui tuent. Les autres Tommeginers ont trouvé ça merveilleux et c'était un très grand bonheur, et une chose qui réjouit le cœur : ça voulait dire qu'elle pourrait retourner la magie des hommes blancs contre eux-mêmes. Elle en a très bien tué un dans la tête, et les Tommeginers pouvaient toujours voir la frayeur des sales Blancs quand ils l'apercevaient avec le fusil. Elle en prenait grand soin, plaçant du bois à l'extrémité pour empêcher la pluie de rentrer dedans.

Puis un jour, la maladie de la toux est survenue. Beaucoup de Tommeginers ont attrapé mal et sont morts, et parmi eux le nouveau mari de maman. Comme ils étaient si faibles, plus tard, les nommes sont venus la nuit et en ont tué des tas, tous ensemble, mais maman et quelques autres ont eu la chance de pouvoir s'enfuir. Ça, ç'a été le pire sale coup. Après ça, maman a dit aux Tommeginers qui étaient toujours en vie qu'ils devaient quitter leur monde tout de suite car rester devenait trop désolant et trop meurtrier, et c'est ce qu'ils ont fait. Ils ont marché durant de nombreux jours, chassant du gibier, etc., jusqu'à ce qu'ils finissent par tomber sur nos empreintes de pas et aussi sur celles des Roingins. C'était intéressant pour maman parce qu'elle voulait retrouver les gens de son ancien groupe et aussi parce qu'elle en cherchait de nouveaux pour se battre dans ses guerres.

J'étais donc là, dans sa horde. C'était des jours malheureux, il m'en souvient. Je regrettais grand-mère qui me donnait à manger avec ses longs doigts osseux, et elle me manquait encore plus quand j'étais fatigué de marcher et qu'il n'y avait personne pour me porter très haut sur ses épaules pendant un moment. Je regrettais les histoires de Tartoyen, ce qu'il m'apprenait, ses regards affectueux, car maman ne m'a jamais donné rien de tout ça, même après un certain temps, alors que j'espérais qu'elle finirait par devenir plus gentille avec moi. C'est pourquoi je me sentais très seul au milieu de tous ces étrangers, si bien que tout au fond de mon cœur j'ai même éprouvé des sentiments de tendresse pour papa qu'on allait tuer. Oui, les autres disaient que c'était un sale type, et tout ça, mais c'était quand même mon père, mon seul père, et parfois je me disais qu'après tout il était peut-être plus gentil que maman. Alors mes pensées se balançaient de-ci, de-là, comme une branche d'arbre agitée par la tempête. Tantôt je le plaignais et j'espérais qu'il pourrait finalement nous échapper, tantôt je me disais que ce serait très malin si j'arrivais à le tuer de mes propres mains. Quel beau rêve ! Je lui transperçais le ventre d'un seul coup, et clac ! tout le monde était stupéfait, émerveillé, et même maman était contente, et alors elle ne me méprisait plus, mais me donnait toutes ses tendresses, tandis qu'on laissait Tayaleah dans un endroit glacial et que tout le monde s'en fichait.

Bientôt on a atteint le bord extrême de notre monde et pénétré dans des endroits que je n'avais jamais vus avant, ce qui faisait tout drôle. Les Roingins étaient contents car c'était chez eux – ils désignaient toujours un lieu ou une colline qu'ils se rappelaient –, mais ils avaient peur aussi et guettaient l'apparition des sales Blancs qui avaient précipité les leurs depuis la falaise. Maman disait qu'on ne devait pas se battre contre eux maintenant, même s'ils étaient horribles, car ils étaient trop nombreux. « Choisis la guerre que tu vas gagner », voilà ce que pensait maman, et elle le répétait souvent. Mais elle nous laissait fabriquer des bâtons aussi pointus que des lances qu'on cachait dans de petits trous du chemin, la pointe en haut, pour bien les surprendre quand ils passeraient par là. On avançait toujours avec prudence, surveillant les lointains. Jour après jour, le temps était mauvais, il pleuvait toujours, mais maman disait que c'était le meilleur temps possible, parce que les nommes détestaient la pluie et restaient dans leurs cabanes à attendre sans même savoir qu'on était tout près. Elle avait d'ailleurs raison car on n'en a jamais vu aucun. Bientôt on a atteint la mer, tous encore vivants, et je pouvais apercevoir des îles, une très loin, plate et grise, un vrai nuage. Quand maman l'a regardée, son visage est devenu dur comme la pierre, alors j'ai su que ce devait être celle de papa.

La pluie tombait mais le vent était tranquille. C'était une chance, car ça voulait dire que la mer n'était pas trop en colère, et aussi que papa devait rester dans sa cabane comme les autres Blancs et qu'on pourrait donc le tuer plus facilement. On s'est mis à construire des barques, assez pour nous transporter tous, même les bébés, car maman a dit que c'était trop dangereux de laisser quelqu'un sur place. Seules les bêtes chiens sont restées et, quand les barques ont été terminées et qu'on les a poussées dans les hautes vagues, elles se sont agitées, hurlant et courant le long du rivage dans tous les sens. Je n'avais jamais encore voyagé sur la mer dans une barque et c'était effrayant, ça oui. Les vagues la faisaient sauter et tomber comme une feuille quand il y a beaucoup de vent, et je me suis accroché très fort en craignant tout le temps d'être jeté dans l'océan ou que la barque se brise en mille morceaux. Le ciel était sombre, la mer aussi, si bien qu'elle avait l'air profonde comme si elle n'avait pas de fond et que l'eau ne s'arrêtait jamais. Ça faisait peur de penser que cette barque et nous, on était comme un scarabée sur un grand lac. Et je craignais en plus les énormes baleines que j'avais vues jouer avant et qui pourraient bondir hors de l'eau et mordre mes pieds qui pendaient dans la mer. Mais ça n'est pas arrivé. Bientôt, l'île de papa s'est rapprochée, et on a fini par être assez près pour tout voir. Le bateau était là et de la fumée sortait du toit de la cabane, ce qui était bon signe puisque ça indiquait qu'il était dedans.

Maman nous a fait accoster sur un autre côté de l'île, même si c'était plus loin, pour que papa ne nous entende pas. Ensuite on a marché prudemment. Quand on s'est approchés, on a remarqué que deux femmes se trouvaient derrière la cabane, toutes les deux attachées avec des cordes brillantes qui d'après maman s'appelaient des *chaînes*, et elle a craché par terre d'un air furieux. Les Tommeginers ont été heureux quand ils ont vu ces femmes, ils ont chuchoté que c'étaient des Tommeginers qui avaient disparu il y avait si longtemps que tout le monde pensait qu'elles étaient mortes. Maman faisait de grosses grimaces pour que les Tommeginers se taisent, et les deux femmes aussi, parce que se revoir leur réjouissait le cœur. Alors on s'est avancés tout doucement, à pas de loup, jusqu'au moment où, armés de nos lances et du fusil de maman, on a ouvert la porte d'un seul coup et on s'est précipités à l'intérieur comme des fous.

C'était sombre, dedans, et enfumé aussi. Ça sentait le poisson et la graisse de phoque, mais le feu permettait de voir juste assez. À un endroit, il y avait des tas de peaux de phoques, en si grande quantité que j'avais du mal à croire qu'on pouvait tuer tant de phoques. J'ai aussi vu des choses utilisées par les Blancs qui étaient intéressantes, comme les objets en bois ressemblant à des souches d'arbres qu'on appelait *fûts*, et d'autres choses bizarres avec trois pieds posés sur le sol dont le nom était *tabourets*. Un nomme blanc était assis sur un de ceux-là. Il a été étonné de nous voir, bien sûr, complètement, et sa mâchoire est tombée comme une coquille cassée. Juste un instant, il a regardé vers le mur où était appuyé le fusil qui ressemblait à celui de maman, en plus petit, mais il était trop loin, alors il n'a pas bougé du tabouret. Comme ça on a gagné la guerre sans que personne soit tué. Oui, tout était un grand bonheur à réjouir le cœur, sauf une seule chose affreuse.

Maman s'est renfrognée.

« C'est pas lui. »

C'était dur à supporter, ça oui, et on a tous eu des sentiments de tendresse pour la pauvre maman, dont le plus cher désir avait toujours été de tuer papa. Et aussi, c'était un casse-tête à n'y rien comprendre puisque c'était l'île de papa où il aurait dû se trouver. Maman s'est mise à parler à ce type avec ses propres mots – qu'elle avait appris quand elle était sur cette île avec papa, attachée au mur extérieur –, et des fois on le piquait avec les sagaies pour le forcer à répondre plus vite. C'était intéressant d'entendre le parler des nommes, ça oui, car pour moi c'était la première fois, et j'ai observé qu'il n'était jamais prononcé claire-ment mais seulement murmuré, comme la toux d'un wombat. Aujourd'hui, évidemment, je peux utiliser ces mots moi-même, et mieux que n'a jamais pu le faire maman, si bien que ce ne sont plus vraiment des mots mais des pensées exprimées, mais à cette époque lointaine ils étaient nouveaux et étranges. Une autre chose intéressante, c'est qu'elle a dit le nom de papa, que je n'avais jamais entendu avant et qui parais-sait plus étrange que n'importe quel autre nom réel. Il s'appelait *Jack*.

« Où est Jack ? elle a demandé à plusieurs reprises. Où est le Blanc affreux avec une grosse cicatrice ? » Pour lui montrer, elle a tracé une ligne sur sa figure avec son doigt. Mais le nomme a juste baissé les yeux et a dit qu'il ne savait pas. Il a dit qu'il était venu sur l'île il y avait deux étés – pour échapper à un autre nomme –, et que même si la cabane était déjà construite, elle était vide, depuis longtemps, à son avis, et aucun autre homme blanc n'était jamais venu. Puis on a emmené les deux femmes tommeginers qu'il laissait dehors, et elles ont craché et lui ont tapé sur la figure pour le punir de toutes les choses odieuses et horribles qu'il avait commises, mais elles ont dit quand même qu'il avait dit la vérité et qu'elles n'avaient jamais vu d'autre homme blanc que lui. Maman était désolée, il m'en souvient. Même lorsque les autres ont fait sortir l'homme et l'ont tué à coups de lance pour lui faire plaisir, malgré ça, elle n'a pas souri du tout.

Le lendemain matin, on a pris le bateau de l'homme blanc, qui était plus grand que le nôtre, et alors mes jambes ont pu rester à l'intérieur. Les deux femmes tommeginers étaient si heureuses de s'être échappées qu'elles ont chanté pendant toute la traversée. Les chiens sur la falaise étaient contents eux aussi et ont aboyé en nous voyant approcher. Pourtant maman était toujours furieuse de ne pas avoir pu tuer papa. Quand certains des miens ont dit qu'on devrait retourner pour aller chercher Tartoyen, grand-mère et les autres, elle a pris un visage de pierre et a dit non. « On est venus ici pour se battre, non ? » elle a fait en agitant ses fusils – car elle en avait deux maintenant. Maman pouvait faire peur quand elle était en colère, ça oui, et même si quelques types ont échangé des regards, personne ne l'a contrée, ou même tenté de le faire. C'est pourquoi on n'est pas allés vers le sud mais vers l'est, en traversant le monde des Roingins, pour faire encore la guerre.

### Sir Charles Moray, ministre des Colonies, Londres, à George Alder, gouverneur de la terre de Van Diemen. 1828

*Monsieur, je vous écris car je m'inquiète du sort de la race aborigène de la colonie royale de la terre de Van Diemen. Je crois comprendre qu'à la suite de violences entre les indigènes et la population blanche, le nombre des Noirs a considérablement diminué, à tel point que dans bien des districts il n'en reste plus un seul. On m'a indiqué que si cela continue ainsi, la population aborigène sera sous peu totalement anéantie.*

*Il est impératif d'éviter une telle catastrophe. Il va sans dire que si les barbares agressions contre les colons ne sauraient être tolérées, il est cependant absolument capital que l'honneur du gouvernement de Sa Majesté soit sauvegardé. L'anéantissement de la nation aborigène, malgré sa nature sauvage et l'éloignement de son lieu de séjour, constituerait une tache indélébile sur la réputation de notre pays et serait, sans doute aucun, utilisé par les puissances étrangères pour mettre dans l'embarras Sa Majesté et ses représentants. En conséquence, nous vous prions de faire tout ce qui est en votre pouvoir pour tenter de protéger les Noirs et, à tout le moins, de les garder en nombre suffisant afin d'assurer leur perpétuation.*

## George Alder, gouverneur de la terre de Van Diemen, à sir Charles Moray, ministre des Colonies. Londres. 1828

*Monsieur, dans votre dernière missive – laquelle a mis près de cinq mois à me parvenir, le navire de transport* Aphrodite *ayant souffert d'un manque de vent –, vous avez exprimé votre inquiétude à propos du sort des indigènes de l'île. Soyez assuré qu'il s'agit là d'une question qui me préoccupe autant que vous ; je me suis penché sur la condition de cette malheureuse race depuis le tout début de mon séjour dans la colonie, il y a de cela quatre ans. Et j'ai tout fait pour la protéger et améliorer son sort, bien que, j'ai le regret de le dire, ce ne fût pas une tâche facile.*

*Il vous faut comprendre que les Noirs n'ont aucune idée de ce que j'appellerais l'ordre social. En dépit de leur incapacité à se fixer et de leurs mœurs mystérieuses, j'avais espéré qu'ils pourraient montrer quelque curiosité pour cette société puissante et civilisée qui est apparue si soudain parmi eux – pour notre agriculture et notre industrie, notre organisation et nos lois complexes –, mais je crains que mes espoirs n'aient été déçus. Ils ont de même opposé une farouche résistance à toute tentative de les faire progresser dans le domaine spirituel, quoiqu'il ne manque pas, dans la colonie, d'hommes qui se feraient un plaisir de les aider à sortir des ténèbres morales où ils se trouvent.*

*Malgré ces déceptions, je n'ai pas ménagé mes efforts pour assurer leur survie. Vous vous rappelez sans doute que j'ai mis sur pied une opération de très grande envergure pour appréhender les bagnards évadés, parmi lesquels se trouvaient les plus acharnés persécuteurs des indigènes (la plupart, je dois le dire, s'étaient échappés du temps de mes prédécesseurs). L'opération s'est révélée si efficace que presque tous ces individus, y compris certains à la réputation solidement établie, ont été capturés ou tués. Cependant, avant que cette opération parvienne à son terme, les aborigènes avaient décidé de se venger, passant leur rage sur tout Blanc qui leur tombait entre les mains, qu'il fût coupable ou innocent. Représailles qui eurent pour conséquence que certains colons libres répondirent à la violence par la violence. Là encore, je réagis aussitôt, faisant afficher plusieurs proclamations ordonnant aux Blancs de traiter avec bonté leurs voisins noirs et les avertissant que tout meurtre non justifié par une provocation serait puni avec la plus extrême sévérité. Hélas ! la vérité oblige à dire qu'il n'est pas aisé de tenir en main la population d'une île aussi vaste que l'Irlande et aussi montagneuse et inhospitalière que l'Écosse. Il appert que, malgré mes ordres, certains colons blancs ont continué leurs agressions, et qu'à l'évidence les Noirs n'ont jamais cessé les leurs. Le gouvernement territorial a dû se résoudre à envoyer des escouades de soldats à la poursuite des assaillants indigènes – même si on ne les retrouve que rarement –, tandis que certains colons ont eux-mêmes organisé des battues.*

*C'est ainsi que, malgré tous mes efforts, la colonie s'est enfoncée de plus en plus profondément dans un état de guerre.*

*La situation ne s'est guère améliorée par les activités d'un petit groupe de propriétaires, lesquels, devenus les ennemis du gouvernement colonial, se sont récemment employés à ternir la réputation des représentants de Sa Majesté en exploitant les craintes de la population libre, suggérant qu'elle n'était pas protégée contre les violences des Noirs. Ils ont tenu des réunions de protestation, et des attaques ont été lancées dans le* Colonial Times, *dont beaucoup, des plus venimeuses, étaient dirigées contre moi. Même si, en l'occurrence, je ne me soucie guère de ma réputation personnelle, cette mise en question de l'autorité du gouvernement de Sa Majesté m'inquiéta vivement. Tout territoire dont la population se compose en grande partie de bagnards et de bagnards libérés constitue, de par sa nature même, une véritable poudrière, et si les propriétaires entrent en conflit avec leur gouvernement, des mutineries sont à craindre. L'anarchie qui en résulterait serait absolument terrible et risquerait de dévaster la colonie.*

*Je puis vous assurer que je ne tolérerai pas que de tels événements se produisent. Il fallait agir immédiatement, et c'est ce qui a été fait. La semaine dernière j'ai tenu une réunion avec mes administrateurs les plus importants, y compris le secrétaire général du gouvernement et le préfet de police, et nous sommes tous convenus que, malheureusement, les deux races qui cohabitent sur l'île ne peuvent désormais plus se réconcilier. J'ai donc estimé que la seule solution au conflit qui les oppose consistait à diviser la colonie en deux parties complètement séparées. On a déjà commencé à mettre en œuvre cette importante décision. Une proclamation complète et détaillée a été rédigée, annonçant que les aborigènes doivent dorénavant quitter les régions colonisées pour aller s'installer dans l'ouest ainsi que dans le nord-est de l'île. Il s'agit là, à mon avis, d'un arrangement on ne peut plus juste. Ces deux régions constituent à elles seules presque la moitié de l'île et, s'il est vrai qu'il s'agit surtout de zones montagneuses et sauvages moins fertiles que les autres, les indigènes sont en tout état de cause si réduits en nombre que je suis persuadé qu'elles suffiront amplement à leur subsistance. Ces régions n'ayant guère subi d'incursions de la part des Blancs et restant encore vierges pour la plupart, il est certain que les Noirs n'y seront pas dérangés et qu'ils y demeureront en sécurité. Ainsi donc, leur survivance en tant que race – ce qui est pour moi, je le répète, une préoccupation majeure – sera assurée.*

*J'ai le plaisir d'annoncer qu'en l'espace de quelques jours seulement cette politique a déjà porté ses fruits. La colère grandissante des colons semble s'être apaisée, et la réputation du gouvernement de l'île – celle, donc, de votre serviteur – s'en est trouvée considérablement restaurée. Je ne nierai pas qu'il reste quelques difficultés à surmonter. Il ne sera pas* facile d'avertir les aborigènes des nouvelles dispositions, quoique, à ce sujet, je fasse également tout ce qui est en mon pouvoir. Malgré sa longueur, on imprime en grand nombre des exemplaires de la proclamation, lesquels seront distribués dans toute l'île afin qu'on puisse les clouer sur les gommiers situés à la périphérie des zones colonisées. Un ou deux de ces indigènes, capturés à un très jeune âge et à qui nous avions plus ou moins appris à lire – même s'ils se sont par la suite évadés –, pourront, nous l'espérons, expliquer ce document à leurs congénères. On va tenter d'en appréhender d'autres, à qui on fera part de la division de l'île et qu'on relâchera par la suite au milieu des forêts afin qu'ils répandent la nouvelle. Si certains des Noirs s'incrustent malgré tout dans les zones réservées aux Blancs et s'obstinent à lancer leurs attaques, nous les poursuivrons en application de la loi martiale jusqu'à ce qu'ils renoncent à leurs projets.

La mise en œuvre définitive de cet arrangement demandera sans doute quelque temps. J'espère et je crois cependant que cette mesure contribuera très efficacement à restaurer la paix dans la colonie. Il s'agit d'un changement radical, mais je demeure tout à fait optimiste, persuadé qu'il s'agit en fin de compte du seul moyen de protéger et de préserver durablement ces malheureux Noirs, précisément, comme vous l'avez demandé, monsieur, avec tant éloquence.


## Peevay. 1829

Le temps est resté triste, rien que du vent et de la pluie bruyante. C'est pourquoi, pendant qu'on allait chercher la guerre, on n'a jamais rencontré d'hommes blancs pour nous tuer. Donc, on est allés de-ci, de-là, jour après jour, chassant et marchant, si bien que j'avais mal aux pieds et que même les bêtes chiens étaient fatiguées. Bientôt, on a traversé de part en part le monde des Roingins pour entrer dans celui des Tommeginers, même s'il était tout vide maintenant, car les Tommeginers étaient ou avec nous, ou bien ils avaient été tués.

Puis, un matin, on a quitté les montagnes. Le perroquet et le cacatoès lançaient leurs appels, et les saletés des wombats jonchaient le sentier, ce qui nous annonçait de bonnes terres. Juste après, on est tombés sur un casse-tête à n'y rien comprendre. Plantée dans un acacia il y avait une lance minuscule fabriquée dans la matière brillante du fusil de maman, très jolie, et une chose drôlement bizarre y était accrochée. C'était pareil à de la peau séchée, mais mince et facile à déchirer comme une feuille, et quand le vent soufflait, ça bougeait comme les ailes d'un oiseau mort. Dessus, il y avait plein de lignes noires qui couvraient toute cette chose, comme des dessins qui ne montraient rien.

« C'est juste une merde d'homme blanc », a dit maman, comme si on était idiots d'être si curieux. On voulait tous brûler ce nouveau truc, mais maman a dit non. « Ça veut dire que les Blancs sont pas loin. Si on fait du feu, ils sauront qu'on arrive. »

Personne ne lui a tenu tête. Personne n'osait jamais. On était la horde de maman, maintenant, et elle en savait plus que nous autres sur les Blancs. Et aussi, elle nous faisait peur. Elle avait raison de dire qu'ils étaient tout près, ça oui. On a continué, avançant prudemment, essayant de calmer les bêtes chiens – ce qui était dur car elles étaient toujours très turbulentes –, et bientôt on a trouvé une autre merde de Blanc, exactement pareille, cette fois-ci attachée à un eucalyptus. Ensuite, il y avait des arbres abattus, et sur le sentier des empreintes de nommes sans doigts de pied. Après ça, il y a eu une clairière, très grande, avec un mur tout en bois et d'étranges animaux parqués à l'intérieur. Maman a dit que c'étaient des bêtes de Blancs qui s'appelaient *moutons*. J'en avais jamais vu, non, mais c'était intéressant. Ils étaient gros et stupides, courant tous ensemble, avec des pattes courtes qui les empêchaient de sauter, de grimper aux arbres ou de fouir le sol, et j'ai vu que l'homme blanc les avait faits tout blancs, juste comme lui. On a voulu les transpercer avec les sagaies, car d'après nous ç'aurait été aussi facile que de pisser sur une pierre, mais cette fois encore maman a dit non, qu'on devait progresser sans bruit. Et puis juste après, pendant qu'on marchait en silence parmi les arbres, on a vu cette cabane d'hommes blancs.

Ça, c'était même plus intéressant que les animaux. Elle était faite avec de l'écorce de bois, j'ai remarqué, et elle avait un trou spécial dans le toit, qui comme par magie tirait de la fumée comme une corde. Bien sûr, aujourd'hui je connais tous ces trucs des Blancs, et il y a rien de spécial là-dedans. Ce trou était simplement une *cheminée*. De même, la peau mince accrochée sur l'acacia, c'était seulement du *papier*, et les dessins qui ne montraient rien c'était *l'écriture*, que je sais faire moi-même, comme tout le monde peut le dire. Mais la première fois qu'on les voit, ces choses ont l'air curieuses. Ça plaît à l'homme blanc de penser qu'on est idiot si on ne connaît pas quelque chose qui lui appartient, mais en réalité c'est lui qui est stupide. Il refuse d'accepter que les nôtres sont capables de devenir malins aussi vite que lui, parce que tout au fond de lui, l'homme blanc veut que nous soyons idiots.

J'étais toujours en train de regarder la fumée en me demandant comment ça marchait, quand tout à coup un homme blanc très gros est sorti de la cabane et a marché vers un tas de bois pour aller faire son pipi.

« Celui-là, je l'ai déjà vu, a chuchoté, tout excité, un Tommeginer qui s'appelait Lacklay. Il a tué ma sœur. »

En vérité, maman aurait réglé son compte à n'importe quel sale Blanc, de toute façon, mais les paroles de Lacklay ont été utiles, elles voulaient dire qu'on avait une bonne raison d'être encore plus furieux, et la colère est importante quand on se bat. Alors on s'est préparés. J'avais très peur, il m'en souvient, car c'était ma première guerre contre les Blancs. À l'époque, j'étais encore un gamin trop petit pour faire des blessures graves. Pourtant, je voulais vraiment être un grand héros pour montrer à maman à quel point j'étais brave et que je valais mieux que ce Tayaleah avec ses jambes maigrichonnes de malade. C'est pourquoi je me suis forcé à être courageux.

Bientôt, ce gros cochon de Blanc est retourné à sa cabane et on s'est approchés de la lisière du bois. Vraiment cette guerre a été trop facile. Maman et Lacklay ont avancé avec prudence, se glissant derrière la cabane sans faire de bruit, puis ils ont appuyé leur brandon contre l'écorce jusqu'à ce qu'elle s'enflamme. Ensuite, on a tous attendu. Le feu a pris très vite, ça oui, et bientôt ça a fait du bruit comme des branches qui se cassent, et la fumée s'est agitée comme une folle dans le vent. Les Blancs savaient ce qui arrivait, évidemment. Ils ne se sont pas précipités dehors, mais les deux ont passé la tête par la porte pour voir. Le gros a tiré un coup avec son fusil, mais sans tuer personne, alors on n'a pas bougé, simplement regardé, pendant que maman leur hurlait des mots de leur parler pour les dérouter.

« Sortez, espèces de salauds, qu'on vous tue ! » Et tout ça.

Ces mots les ont effrayés, ça oui, et aussi le fusil de maman qu'elle a pointé sur eux. Alors ils sont restés dans leur cabane jusqu'à ce que le feu soit trop brûlant et que leur figure soit devenue toute noire. Soudain, ils sont sortis en courant sans faire attention, et le gros essayait de nous frapper avec son fusil comme si c'était une massue. Maman tirait avec son fusil, et Lacklay avec l'autre que maman lui avait donné. Même s'ils ont raté leur but, ça n'avait aucune importance parce que nous, on lançait des sagaies. Malgré que la mienne est passée à côté, d'autres ont atteint leur cible. Bientôt, ces morveux sont tombés et on les a achevés à coups de massue.

On a donc réussi. Le plus affreux, c'est que maman ne m'a jamais donné ses félicitations comme elle aurait dû. Non, elle a seulement dit à quel point Tayaleah avait été brave, alors qu'il n'avait fait que se cacher derrière les arbres pour regarder. Là, c'était dur à supporter. Pourtant, la guerre a été en gros une grande chance. Les sales Blancs ont été tués comme ça, sans qu'aucun des nôtres meure, et en plus on avait maintenant le fusil du gros, même si le bout en bois était cassé. Oui, on avait le cœur réjoui en s'éloignant de la cabane brûlée. Alors maman nous a permis de transpercer avec les sagaies les animaux des Blancs. Comme on l'avait deviné, c'était très facile, et bientôt on a regagné la forêt, dans laquelle on a marché à toute vitesse, des fois en chantant, des fois en tirant dans un buisson pour voir si du gibier en surgissait, jusqu'à ce qu'on attrape deux wallabies. Oui, ce jour-là, on était de joyeux héros.

Quand il a commencé à faire nuit, on s'est arrêtés près d'un cours d'eau, on a fait un grand feu pour faire cuire les wallabies et on s'est repus de viande. Ensuite, on a dansé une danse qu'on a appelée la danse des Blancs, ce qui était notre nouvelle invention, la première danse juste de la tribu de maman. D'abord on a dansé pour mimer le gros homme qui va faire pipi et qui ne sait pas qu'on est tout près. Puis notre approche prudente, et après maman et Lacklay en train de mettre le feu à la cabane. Puis les deux sales Blancs qui regardent dehors, très effrayés, et puis courant partout avant d'être transpercés par nos sagaies. C'était une belle danse, et on l'a dansée de nombreuses fois. Après, il s'est fait tard, et comme on était tous fatigués on s'est endormis.

Aujourd'hui, si longtemps après, quand cette époque semble trop lointaine, comme un rêve qui n'a jamais existé, je crois vraiment que je les ai entendus venir. J'ai sans doute entendu quelque chose, oui, car j'étais déjà réveillé et curieux, même avant que ça commence. C'était peut-être un petit bruit, genre une brindille qui se casse ou une bête chien qui grogne. En tout cas, c'était bien, ça m'a averti. Probablement que ce minuscule bruit m'a permis de vivre toutes ces années.

Le vacarme qui a suivi m'a rendu sourd comme si j'avais la tête sous l'eau. Je connaissais ce son, bien sûr, puisque j'avais entendu maman le produire et le gros Blanc aussi. Ensuite, pendant un tout petit instant, tout a été calme et j'ai espéré que c'était pas une affreuse chose après tout, mais qu'on s'amusait juste avec nos fusils. Mais alors il y a eu d'autres tirs, des tas d'autres, on entendait des cris et les bêtes chiens jappaient. C'était horrible. Notre feu s'était affaibli mais je pouvais quand même remarquer que Lacklay était blessé, très grièvement, et d'autres aussi. Des hommes blancs arrivaient, sortaient du noir lentement, formaient un grand cercle tout autour, regardant avec beaucoup d'attention, certains mettant une autre balle dans le bout de leur fusil, d'autres armés de bâtons ou de couteaux pour tuer.

Je crois vraiment que s'ils avaient tué maman tout de suite, on serait tous morts, sans doute. Oui, s'ils ont fait une grave erreur, c'est ça. Ils ont dû d'abord tirer sur les hommes, pensant que c'étaient les plus dangereux, mais c'était une grande bêtise. J'étais à côté de maman et je l'ai vue fixer un endroit dans ce cercle d'hommes blancs, là où il s'étirait et où il y avait un seul salaud, très grand. Elle a levé son fusil et le coup est parti. Soudain le nomme n'existait plus, et à la place il y avait un beau trou. Je me rappelle comment tout s'est ralenti après ça, presque comme si rien ne se passait plus, et pour toujours, mais malgré tout mes jambes ont petit à petit recommencé à bouger, ce qui était un grand bonheur. Alors j'ai détalé, pas debout, mais en utilisant mes mains comme des pieds, passant à côté de Lacklay qui était presque mort, puis d'un autre, avant d'entrer dans le bois. J'ai entendu qu'on me poursuivait, mais je ne m'en suis pas du tout préoccupé, filant comme le vent, sans faire attention si je butais contre un arbre ou si j'étais égratigné par des plantes, détalant simplement le plus vite possible. Ça a aidé que j'étais tout petit, ça oui, car je pouvais me couler par-dessous. J'ai continué à courir, toujours plus loin, jusqu'à ce que je sois obligé de m'arrêter à cause de la fatigue, et quand j'ai tendu l'oreille je n'ai pu entendre que ma respiration, très rapide et haletante à cause de la peur. Ensuite je me suis caché dans ce même endroit, me glissant dans le buisson, sans bouger, mais vivant.

Les bruits de la forêt étaient un casse-tête à n'y rien comprendre. Des fois des petites branches se cassaient ou des feuilles bruissaient, et il était difficile de deviner si ça venait des miens ou des sales Blancs, ou juste d'un wallaby qui allait de-ci, de-là. Finalement, le ciel s'est éclairci, et quand j'ai regardé tout autour de moi je n'ai vu aucun ennemi. Alors, j'ai tout de suite quitté ma cachette et j'ai continué à avancer en faisant bien attention. Bientôt, j'ai vu des empreintes de pieds avec des orteils et j'ai compris que c'étaient celles de ma tribu. C'était un grand bonheur. Je les ai suivies tout doucement, en silence, prudent comme un chasseur, jusqu'à ce que j'atteigne notre feu et l'endroit où on avait dormi la veille. Vraiment, j'avais l'impression que pas mal de temps avait passé depuis ce moment-là.

Le feu était maintenant éteint. Il n'y avait plus qu'un tout petit peu de fumée, et une odeur de cendres qui fait éternuer. Il y avait en plus une autre odeur, trop horrible. Oui, les miens étaient là, certains se lamentant et certains juste debout, en train de regarder. J'ai vu que par rapport à la veille il restait moins de la moitié de la horde de maman, ce qui était triste. Autour du feu il y avait des morts, des tas, tués par balle ou la tête fracassée, ou transpercés avec des couteaux pour tuer. Le pire, c'était le feu où des bébés avaient été jetés et brûlés. Pendant un bon moment j'ai juste fixé cet endroit en réfléchissant.

Mais je dois vous apprendre la vérité qui est une chose affreuse. Ce sentiment qui me remuait tout au fond de ma poitrine, vous voyez, c'était pas seulement de la douleur. Non, même à ce moment-là, une petite partie était un bonheur qui réjouissait mon cœur. Peut-être vous croyez que c'est impossible et que je dois être un méchant type horrible à voir. C'est peut-être vrai. Mais je vous supplie de me comprendre. Ce qui me donnait ce sentiment, c'était maman. Elle était là, cherchant et fouillant dans la poussière du feu, ou bien elle entrait dans la forêt, en hurlant un cri, toujours le même, comme un animal qui s'est laissé prendre dans un piège habile et qui ne réussit pas à se libérer.

« Tayaleah ! Tayaleah ! »

Ce petit merdeux avait disparu, vous voyez, et on n'arrivait pas à le retrouver.

# 5

## Le capitaine Illiam Quillian Kewley. Juillet 1857

Je me doutais bien que les hommes allaient rouspéter quand ils apprendraient qu'en fin de compte on ne rentrait pas à l'île de Man mais qu'on mettait le cap sur la lointaine Australie. Ceux qui étaient mariés à des mégères – heureusement, il y en avait pas mal – ne prirent pas trop mal la chose, mais les autres se mirent en boule, geignant et menaçant en manx, à tel point que je dus raconter aux Anglais qu'ils réclamaient une augmentation. Tenez, j'eus même peur qu'ils ne se mutinent pour de bon et me laissent dériver dans une chaloupe, nouveau commandant Bligh de Peel. Rien de tel, cependant, que la peur de la prison pour faire céder quelqu'un. Dès le lendemain ils se calmèrent, et bientôt ils firent seulement la gueule, ce qui ne changeait pas de leur humeur habituelle.

Après trois jours de route, on avait dépassé l'île de Wight et on ne voyait plus ni notre bon ami, le commandant Clarke, du cotre *Le Dauphin*, garde-côte de Sa Majesté, ni le moindre limier de mer sur la piste de marchandises en provenance de Maldon. Le vent était favorable, et, à la vitesse où il soufflait, on allait bientôt laisser derrière nous les îles Scilly et dire adieu à la gent anglaise, excepté, bien sûr, celle qu'on avait à bord. Ça faisait bizarre d'arpenter le gaillard d'arrière en sachant qu'il serait bientôt ballotté sous des cieux tropicaux inconnus, d'un genre qu'aucun d'entre nous n'avait jamais vu, ni vraiment cherché à voir, d'ailleurs. Mon seul souci était Ealisad. N'avais-je pas promis d'être de retour avant la fin du mois avec assez de pépètes pour qu'elle puisse avoir un train de vie aussi fastueux que la reine Victoria ? Des semaines s'écouleraient avant que je puisse ne serait-ce que lui envoyer une lettre pour l'avertir que je n'aurais qu'une année de retard. J'aurais du mal à me faire pardonner. Comme on n'y pouvait pas grand-chose, voyez-vous, j'essayai de ne pas trop y penser et de m'absorber dans les tâches du bateau. Le travail ne manquait pas de toute façon, car je devais m'assurer qu'on était prêts à jouer les capitaines Cook. Heureusement que la *Sincérité* était en bon état, vu qu'après avoir failli rendre l'âme à Peel elle avait subi maintes réparations : nouveaux mâts, nouvelle voilure, et assez de pièces de rechange pour braver un ouragan ou deux. Vrai, elle possédait même une coque supplémentaire pour l'aider à flotter. Grâce à notre chichiteux pasteur, on avait de l'eau potable et des vivres pour une longue traversée, ainsi que des documents en règle. Ce n'est qu'une fois en pleine mer, en fait, qu'ayant décidé d'établir un itinéraire pour le reste du voyage je me souvins qu'il nous manquait un seul accessoire…

Les cartes.

C'était la faute du révérend. Ce stupide grincheux nous avait forcés à parcourir Londres de long en large pour acheter des tas de fournitures, pourquoi n'aurait-il pas pu finir le boulot en me poussant, par ses gémissements, à entrer chez un cartographe ? C'était de la pure négligence. On allait avoir des problèmes, ça ne faisait pas un pli. Un capitaine de navire a besoin de cartes, comme un avocat du péché. Naviguer de par le globe sans cartes, c'est carrément revenir au temps de Christophe Colomb, lequel avait pris l'Amérique pour les Indes. Même Brew, mon second, assez flegmatique pour sourire à son propre enterrement, eut du mal à avaler la chose.

« Va falloir faire escale quelque part, déclara-t-il, l'air soucieux. Portsmouth n'est pas loin. »

Ce n'était pas si facile que ça, malgré tout. Portsmouth, ça signifiait des douaniers et aussi une petite balade en ville pour nos trois passagers, c'est-à-dire la lecture des journaux.

« Allons jeter un œil au coffre des cartes, fis-je. On ne sait jamais. Avec un peu de chance… »

Je n'en avais jamais fait un sérieux inventaire. J'avais seulement entassé là mes cartes personnelles de la mer d'Irlande, de la Manche, etc., au-dessus de celles qui s'y trouvaient déjà, mais, en y regardant de plus près, je m'aperçus que c'était un vrai foutoir qu'on n'avait pas dû mettre en ordre depuis le passage d'une demi-douzaine de capitaines. Il y avait d'abord une épaisse couche de dessins représentant tous un chat hargneux, alluvions, à mon avis, d'une forte crue d'ennui maritime. En dessous c'était pire, car on trouvait des liasses de poèmes en vers où il était question d'Espagnols passionnés, Alfonso et Esmeralda, qui passaient leur temps à se poignarder et à danser au clair de lune. Venaient ensuite des pages couvertes de chiffres gribouillés auxquelles était joint un interminable document vitupérant un officier en second dès longtemps oublié qui avait fait gaspiller des pennies. Enfin, sous ce document je trouvai quelques cartes.

L'une de celles-ci retint immédiatement mon attention, il s'agissait bel et bien d'une petite représentation fort claire de la colonie du Cap que l'on espérerait atteindre dans deux mois environ et où on pourrait peut-être vendre aux Africains traînant dans les parages quelques fûts

116

d'un certain liquide. La carte n'était ni récente, puisqu'elle considérait toujours le lieu comme hollandais – ce qui, d'après Brew, nous ramenait à Napoléon, ni plus ni moins –, ni exceptionnellement jolie, vu qu'on avait l'impression que son propriétaire l'avait une fois ou deux utilisée comme assiette ; enfin, une carte est une carte.

On eut moins de chance avec les Antilles. C'était fort ennuyeux, car elles constituaient notre première escale. Il nous fallait traverser l'Atlantique pour y attraper les vents qui nous pousseraient vers le sud en direction du Cap, et nos accords avec les Anglais – accords dont je ne m'étais pas beaucoup préoccupé à l'époque, puisque je pensais que l'Essex était notre destination finale – stipulaient qu'on devait s'arrêter à la Jamaïque. L'unique carte du coffre qui daignait indiquer l'île représentait le monde. C'était une Mercator, de surcroît... Cela signifiait que la Norvège avait la taille de ma main, tandis que toutes les Caraïbes n'étaient guère plus larges que deux pièces d'un penny.

« On n'arrivera jamais à trouver le port de Kingston avec ça », dit Brew en faisant la grimace.

Une vague pensée me traversa l'esprit.

« Ce ne sera peut-être pas nécessaire. »


## Le révérend Geoffrey Wilson. Juillet-août 1857

Trois jours après notre départ, le capitaine Kewley et Brew, son second, firent irruption dans la cabine sans prendre la peine de frapper. Avant même que j'eusse le temps de montrer mon mécontentement devant un tel sans-gêne, le capitaine chercha à me persuader que, contrairement à ce qui avait été prévu, nous devrions nous abstenir de faire escale en Jamaïque.

« Voyez-vous, révérend, je me suis rappelé la hâte avec laquelle vous vouliez gagner la Tasmanie et en fait nous n'avons pas besoin de nous y rendre. Nous avons assez de vivres pour atteindre l'Afrique sans encombre. »

Bien que je me considère comme un homme ouvert à toute suggestion, j'avoue que cette proposition ne m'enchantait guère. En premier lieu, je jugeais qu'un accord devait être respecté par les deux parties, ne serait-ce que par principe, et il avait été clairement stipulé qu'on devait jeter l'ancre à Kingston. Il y avait, en vérité, une autre raison. Depuis qu'elle avait gagné la pleine mer, la *Sincérité* était balancée par une forte houle et l'agréable perspective de notre première escale avait beaucoup – voire constamment – occupé mon esprit. La possibilité que cette perspective s'éloigne encore et que mon séjour à bord se prolonge sans relâche deux mois de plus, peut-être même davantage, était loin de me ravir.

« Je crois que nous devrions suivre l'itinéraire prévu, répliquai-je avec fermeté.

— C'est dans votre intérêt », insista Kewley.

Je ne m'attendais pas que le secours me vînt de ce côté-là. La tête de Potter émergea de sa couchette.

« Mais il faut que nous nous arrêtions à la Jamaïque, affirma-t-il simplement. Je ne crois pas, d'ailleurs, que ça allongerait notre voyage de beaucoup, puisque nous devons passer tout près. »

Je dois avouer que jusqu'à présent je n'avais guère trouvé le médecin de l'expédition d'un grand secours – je m'étendrai davantage sur ce point plus tard –, mais à ce moment-là j'appréciai plutôt son intervention. Kewley tenta de nous intimider en employant un jargon technique, toutefois, lorsque je l'avertis que je serais peut-être forcé de reconsidérer le montant de l'affrètement prévu, au lieu d'arborer son sourire benoît et patelin habituel, il se renfrogna visiblement.

« Je vais voir ce que je peux faire », promit-il d'un ton aigre et, sur ce, lui et Brew quittèrent brusquement la cabine en grommelant dans cette langue agaçante qu'ils employaient entre eux.

Croyez bien que je n'ai pas accoutumé de m'apitoyer sur mon sort ; j'ai remarqué qu'une telle propension peut être aussi néfaste que la boisson, plongeant peu à peu celui qui en est affligé dans le désarroi et l'abattement, mais force m'est d'avouer que les jours qui suivirent notre départ de la Blackwater furent loin d'être les plus heureux de ma vie. Mon malaise débuta, me semble-t-il, pendant le repas excessivement gras qui nous fut servi le soir du jour où nous levâmes l'ancre, et les choses ne s'arrangèrent pas quand, cette nuit-là, rentrant dans la cabine pour me coucher, je découvris qu'elle était envahie par une odeur extrêmement nauséabonde, pareille aux miasmes pestilentiels s'exhalant des eaux croupies d'un étang, odeur qui, appris-je par la suite, émanait de l'eau de cale agitée par les mouvements du bateau. Il est vrai que la *Sincérité* roulait et tanguait de plus en plus fort. Une heure plus tard, le vent soufflait quasiment en tempête, et, me sentant soudain indisposé, je ne pus que remonter sur le pont, un manteau enfilé par-dessus ma chemise de nuit. Frissonnant stoïquement, je m'accoudai au bastingage.

Hélas ! ce ne fut là que la première d'une longue série de remontées sur le pont. Loin de s'améliorer, le temps paraissait vouloir obstinément empirer, et, dès le matin, les lames déferlaient contre la proue avec une telle violence que tout le navire tremblait et qu'un homme doué de moins de courage que moi eût pu presque craindre que le bateau ne chavirât ou ne se brisât carrément en mille morceaux. À ma grande surprise, mes deux collègues ne semblaient pas affectés par la nourriture grasse des repas et ne laissaient jamais passer l'occasion de se précipiter voracement tous deux vers le carré. Bien sûr, malgré mon propre malaise je me réjouissais pour eux de leur grand appétit, quoique je fusse choqué par la façon dont le Dr Potter prenait un malin plaisir à décrire les mets qu'il venait de consommer, alors que mon état devait être évident.

Outre ces malaises, j'étais fort préoccupé par mon sommeil, ou plutôt par le manque de ce réconfort essentiel. Je crois sincèrement que, à part le champ de bataille, il n'y a guère d'endroit moins propice au sommeil qu'un bateau en pleine mer. Nuit après nuit, au moment où je me plongeais dans les rêves dont j'avais grand besoin, un appel en manx se faisait entendre, suivi d'un sonore martèlement de lourdes bottes qui ébranlait tout soudain le plafond de la cabine, comme si l'équipage passait ses nerfs sur de minuscules créatures en fuite. Puis les matelots s'employaient à quelque manœuvre, par exemple l'orientation des voiles pour modifier la direction du bateau, opération qui se répétait à plusieurs reprises au cours d'une même nuit. Les bois craquaient, les drisses et les palans crissaient, les maîtres hurlaient des ordres, les bottes claquaient sur le pont, et l'équipage se mettait à chanter à tue-tête, apparemment incapable de tirer sur le moindre cordage sans brailler quelque innommable chanson de marin.

C'est en pure perte que je tâchai de persuader ces Mannois d'avoir un peu plus d'égards. Lorsque je frappai contre le plafond de la cabine avec un bâton, ils firent semblant de ne pas entendre. Quand, de manière fort civile, je demandai au capitaine Kewley si ses matelots ne pourraient pas se livrer à leurs occupations nocturnes en faisant moins de tapage, il se montra des plus discourtois. Hélas ! le comportement des deux autres passagers ne fit rien pour arranger les choses. Même si je n'ai pas pour habitude de juger les autres avec une excessive sévérité et si ma plus grande joie est de découvrir le bien chez mon prochain, j'avoue que je perdais de plus en plus patience. Quoique Renshaw eût joui d'une petite cabine pour lui tout seul, la cloison de bois qui la séparait de la nôtre était si mal bâtie que les espaces entre les lattes permettaient de percevoir ses moindres mouvements, et chaque nuit j'étais plusieurs fois dérangé par l'agitation de son corps parcouru d'étranges tressaillements, exactement comme s'il souffrait de quelque maladie. Le Dr Potter était encore plus gênant car il s'obstinait à garder une lumière allumée jusque tard dans la nuit afin de griffonner des notes dans son carnet, et le grattement de sa plume m'agaçait prodigieusement.

« Je n'en ai que pour un petit moment, révérend », répétait-il constamment lorsque je le priais de ma voix la plus douce de vouloir bien s'arrêter.

En dépit de ses innombrables provocations, je m'efforçais d'être charitable envers lui. Quand il continua à étendre le linge qu'il venait de laver le long du bord de sa couchette – si bien que des gouttes d'eau de mer tombaient directement sur mon lit, créant ainsi de larges plaques d'humidité –, je me persuadai que cette attitude n'était pas celle d'un être sans foi ni loi, mais seulement que le médecin avait été privé des bénéfices d'une éducation raffinée. Je cherchai même à l'aider à s'améliorer en établissant quelques règles simples pour faciliter la vie en commun, règles que j'affichai sur le mur juste au-dessus de sa couchette afin qu'il puisse aisément les lire. On aurait pu penser qu'il m'aurait su gré de ma bonté ; il fit preuve au contraire d'une intolérable négligence envers mes petites suggestions – négligence si systématique que je fus obligé de mettre en doute sa bonne foi. Il appelait ces suggestions « les lois du pasteur », d'un ton qui ne laissait pas d'être insultant.

D'aucuns auraient réagi avec colère à un tel comportement, mais je préférai chercher le réconfort dans la foi. Je priai beaucoup durant cette période, et sur l'attitude à adopter envers mes deux collègues, c'est à Lui que je demandais de me guider – souvent même en leur présence – en citant l'un de leurs petits défauts susceptible peut-être, croyais-je, d'être corrigé grâce à Son aide. Par exemple, je priais pour que Potter trouve en son cœur une plus grande bienveillance envers son prochain, que Renshaw dorme d'un sommeil paisible, afin que son agitation ne dérange personne. Je nourrissais l'espoir que ces humbles efforts les aideraient tous les deux à mieux se comprendre eux-mêmes et qu'avec le temps ils pourraient même participer avec moi à ces petits exercices. À mon grand regret, hélas ! ils ne prêtèrent aucune attention à mes efforts, exactement comme s'ils ne m'avaient pas le moins du monde entendu.

Cependant, ces requêtes ne furent pas totalement vaines. On ne peut attribuer au hasard le fait que ma vie à bord me paraissait moins pénible à mesure que le nombre de mes prières augmentait. Peu à peu, mon malaise s'estompa, jusqu'au jour merveilleux où je me rendis au carré, orné de ses nombreuses gravures – charmantes, quoique bon marché – représentant la famille royale (on n'aurait pu trouver monarchiste plus convaincu que le capitaine Kewley), et où je dînai pour la première fois depuis que nous avions quitté l'Essex. De même, les mouvements désordonnés du bateau me semblèrent moins étranges, à tel point que je fus capable d'aller d'un lieu à un autre sans être contraint de me raccrocher brusquement à quelque chose. Même le vacarme nocturne causé par les manœuvres sur le pont me devint moins désagréable, finissant par ne pas davantage gêner mon sommeil que s'il se fût agi de chants d'oiseaux. Bientôt, je m'accoutumai à la vie à bord et je considérai ce bateau moins comme un mode de locomotion que comme ma maison. Alors, la perspective d'un long périple de plusieurs mois ne me pesa plus guère.

Notre progression en direction du sud-ouest avait dorénavant apporté des changements notables, pareils aux modifications dues aux saisons, mais étrangement entremêlées, comme si mai et septembre arrivaient en même temps. Le soleil se faisait plus chaud – il fallut bientôt prendre des précautions pour ne pas avoir le nez brûlé –, la nuit tombait de plus en plus vite. En fait, même le temps paraissait fluide dans ce bizarre univers liquide. Chaque jour, à midi, nous assistions à un curieux rituel au moment où le capitaine et ses deux assistants – l'impassible Brew, le petit et hargneux Kinvig – se tenaient côte à côte, leurs sextants pointés en direction du sud. Quand ils avaient abaissé ces appareils, le capitaine Kewley s'écriait : « Il est midi ! » Immédiatement, la cloche sonnait huit fois, et on réglait les sabliers mesurant une durée d'une heure ; alors commençait une nouvelle journée. Immanquablement, les aiguilles de ma montre devaient être déplacées d'une minute ou deux pour s'accorder avec ce nouveau midi.

J'étais fort intrigué par le grand nombre d'habitudes insolites de la vie à bord. À dire vrai, j'aurais réellement souhaité comprendre la curieuse langue celtique des matelots – bien que les sons en fussent disgracieux –, étant donné qu'ils la parlaient souvent à côté de moi et toujours en riant si gaîment que j'eusse volontiers donné un penny ou deux pour connaître le sujet de leurs joyeuses plaisanteries. Ils possédaient des traditions fortes, quoique incompréhensibles. Par exemple, suivant quelque protocole naval, ils insistaient pour qu'on ne désigne jamais les porcs du bateau par leur nom correct, mais qu'on les appelle uniquement des « gorets », malgré la totale absurdité de cette obligation, à tel point que j'en vins à me demander s'ils ne s'amusaient pas aux dépens de leurs nouveaux passagers. J'observai également que la *Sincérité* était soumise à une assez rigoureuse étiquette selon laquelle chaque marin avait son poste précis, comme dans une cour de justice. Le capitaine et son second, Brew, se tenaient sur le gaillard d'arrière, vers la poupe du vaisseau, Kewley occupant la place d'honneur, du côté du vent, ce qui lui permettait de jouir d'une vue dégagée tandis que les grandes voiles se gonflaient devant lui. Néanmoins, il donnait rarement un ordre directement ; c'était l'apanage de M. Brew. D'ordinaire, ce dernier devait se contenter du côté sous le vent, d'où il était difficile d'apercevoir autre chose que de vastes étendues de toile montant jusqu'au ciel. Cependant, si le capitaine descendait sous le pont, Brew s'empressait de prendre sa place.

Devant le gaillard d'arrière se trouvaient les matelots, et Kinvig, le maître d'équipage, qui lançait furieusement ses ordres. Son rang paraissait très inférieur à celui de Brew, puisqu'on lui demandait souvent de grimper dans la mâture avec les gabiers, alors que Brew ne bougeait pratiquement pas de son poste confortable. Plus loin vers l'avant était située la coquerie, sorte d'édifice en simples planches érigé sur le pont, et où œuvrait Quayle, le cuisinier, homme morose qui, d'après mes observations, n'avait pour amis que les animaux embarqués à bord. Je dois expliquer que ceux-ci étaient nombreux – au début du voyage à tout le moins – et qu'ils étaient logés dans les divers canots, solution qui ne me paraissait pas idéale, car en cas de malheur il ne serait pas aisé de faire sortir rapidement quatre bœufs de la grande chaloupe.

Mieux vaut prévenir que guérir, bien sûr, et je ne laissais pas d'être impressionné par le sérieux avec lequel était effectué l'entretien du bateau, tâche qui semblait occuper la majeure partie du temps de travail de l'équipage. Le pont était récuré à fond trois fois par jour, ce qui me paraissait relever de l'obsession de la propreté, jusqu'à ce que j'apprenne qu'il s'agissait d'empêcher les planches de rétrécir, phéno-mène qui aurait permis à l'eau de s'infiltrer. Dans le même dessein, on voyait souvent les hommes faire pénétrer à coups de marteau entre les planches des brins de vieux filins et verser dessus de la poix brû-lante pour les coller. Régulièrement, toutes les drisses du gréement du bateau, sans exception, étaient inspectées, enduites de goudron à l'occa-sion, et constamment réglées, afin d'en maintenir la tension. Travail ardu s'il en fut car, les cordages formant une véritable toile d'arai-gnée, le fait d'en resserrer un impliquait invariablement d'en rectifier une demi-douzaine d'autres. De fréquentes expéditions en haut des mâts étaient nécessaires pour graisser les palans par lesquels passaient les drisses, ou pour écailler et repeindre les parties en métal. J'avais l'impression qu'à peine un long et pénible travail venait-il d'être terminé que l'ordre de le recommencer entièrement était donné.

Quand ils n'étaient pas occupés à ces corvées, on pouvait voir les marins dans un état de demi-somnolence, sommeillant au soleil tout en fumant la pipe, ou au contraire déployant une agilité digne d'acrobates de cirque au sommet de la mâture. À tout moment, en moins de temps qu'il n'en faut pour le dire, ils grimpaient soudain jusqu'à des hau-teurs vertigineuses au-dessus du pont, et la manière dont ils arrivaient à s'accrocher demeurait à mes yeux un mystère. Une fois, le bateau fut pris dans une houle particulièrement forte : il oscilla comme une effrayante bascule et roula si violemment que l'extrémité supérieure des espars alla jusqu'à tremper dans l'océan, et, alors que j'avais beaucoup de mal à simplement rester debout sur le pont, l'équipage continua à vaquer comme d'habitude à ses occupations. L'un des hommes, dont le poste était tout au bout de la grand-vergue, se trouva à plusieurs reprises plongé jusqu'à la taille dans la mer, avant d'être propulsé vers les cieux et de dépasser presque le nid-de-pie au moment où le bateau se redressait, tandis que sous lui tout le navire roulait et tanguait comme un fou. Et, pendant tout ce temps, l'homme effectua tranquillement son travail, qui consistait à attacher un filin.

Ce fut justement ce jour-là, alors que je regardais ces marins exécuter leur périlleuse tâche, qu'une fort agréable pensée me traversa l'esprit. Je crois que la plupart des hommes doivent s'adonner à une activité essentielle pour eux, afin d'éprouver le sentiment que cette vie vaut la peine d'être vécue. Pour certains, c'est l'aventure ou la quête de la richesse. Pour d'autres, ce peut être la recherche du bonheur familial ou le désir de préserver son traintrain quotidien. Quant à moi, rien ne m'est plus plaisant que par un travail honnête d'apporter un peu de joie et de réconfort aux autres.

Ce même après-midi, je m'empressai de faire part de mon idée au capitaine Kewley. Le capitaine n'était jamais facile à convaincre car, à l'instar de tous ses compatriotes, il refusait obstinément d'être influencé par l'enthousiasme d'un autre. « Moyennement » était l'un des mots favoris des Mannois, et ils l'utilisaient pour montrer leur indifférence apparemment sans bornes envers toute chose. Essuyait-on un violent typhon menaçant d'engloutir le bateau ? ils le décrivaient seulement comme un « grain moyennement fort ». Un merveilleux coucher de soleil tropical aux éblouissantes couleurs ne leur semblait que « moyennement beau ». Vrai, si les quatre cavaliers de l'Apocalypse surgissaient devant les yeux d'un Mannois et renversaient des montagnes aussi aisément que des pots de fleurs, il est probable qu'il qualifierait leurs actions seulement de « moyennement gênantes ». Le sachant, je n'aurais sans doute pas dû être étonné de la réaction de Kewley à ma proposition.

« Des sermons dominicaux, hein ?

— Je pense que c'est absolument mon devoir. Des hommes qui affrontent chaque jour le danger trouveraient, j'en suis persuadé, un grand réconfort à être mis en contact avec la parole de Dieu. »

Kewley fronça les sourcils.

« Ça ne pourra pas faire de mal, je suppose. »

Il ne s'y opposait pas, en tout cas, et cela me suffisait. Je me mis au travail avec un joyeux entrain. Avant de pouvoir commencer à rédiger le sermon lui-même, j'avais un certain nombre de petites besognes à faire effectuer. Il paraissait tout à fait légitime, par exemple, de prier qu'on m'installât dans la cabine quelques simples planches sur lesquelles je pourrais ranger mes livres, mes papiers et les fournitures dont j'avais besoin pour écrire. De même, la table du carré étant irréparablement entaillée et couverte de taches de graisse, je suggérai qu'on fixât un minuscule bureau au mur de la pièce. Le capitaine accepta en bougonnant de demander au menuisier de construire ces éléments, et peu après il me vint à l'idée qu'il serait charmant de faire bâtir une petite estrade, peut-être sur le gaillard d'arrière, ainsi qu'un pupitre pour la bible, à la fois chaire et lutrin. En outre, il semblait tout à fait logique de faire fabriquer plusieurs bancs simples mais robustes afin que l'équipage pût écouter le sermon dans un minimum de confort. À ce sujet, néanmoins, le capitaine ne se montra pas le moins du monde coopératif.

« Je refuse qu'on transforme mon pont en chapelle flottante ! s'écria-t-il d'un ton qui, j'ai le regret de le dire, n'était guère courtois. Nous sommes sur un bateau, pas dans une église. »

Hélas ! en ce qui concerne ces petits détails, il ne fut pas seul à me refuser son concours. Le Dr Potter fit la tête quand on fixa mon bureau au mur du carré. Le petit meuble étant placé – par le plus grand hasard – juste derrière sa chaise, il se mit à pousser les hauts cris, se plaignant que cela nuisait à son confort. Son humeur ne s'améliora pas lorsqu'un peu plus tard je tentai de lui remonter le moral en m'asseyant près de lui sur sa couchette et en priant d'une voix douce que le Seigneur nous aide à trouver la bonté qui existe quelque part dans le cœur de chaque homme. De fait, son humeur sembla plutôt empirer. Ce fut d'ailleurs vers ce moment-là que je commençai à me demander si un tel homme était fait pour participer à une expédition d'une aussi grande importance que la nôtre.

### Le Dr Thomas Potter. Août 1857

#### *Le type celtique*

Le Celte (exemple : le Mannois) est physiquement tout à fait inférieur à l'Anglo-Saxon, car il est plus petit, plus brun et dépourvu de force. Le front fuyant évoque visiblement le « groin », caractéristique notée par Pearson comme signe d'une intelligence inférieure. Le crâne montre des orbites enfoncées, ce qui révèle une propension à la servitude. Type crânien : G.

En ce qui concerne les traits généraux du caractère, le Celte ne possède pas l'ardeur à la tâche ni la noblesse d'esprit de son voisin saxon, son trait dominant étant l'indolence. Il se contente d'attendre les événements au lieu de les susciter, et il fait preuve d'une patience fatale, espérant que la fortune finira par lui sourire. On peut observer en sa faveur que le Celte est doté d'un sens artistique primitif (exemple : le conte et le chant). Il possède également un courage physique naturel, ce qui lui a permis de jouer son rôle le plus habituel, celui de fantassin du Saxon.

Les caractéristiques morales du Celte sont médiocres, s'agissant essentiellement de l'apathie et de la résignation. Envers les étrangers il est sectaire et en général renfermé, préférant converser dans sa langue primitive (exemple : le manx) bien qu'il soit parfaitement capable de s'exprimer en anglais.

En conclusion, le Celte se trouve à l'échelon le plus bas de la hiérarchie des Européens. C'est ce qu'indiquent non seulement ses traits physiques et moraux, mais aussi sa funeste histoire caractérisée par le désordre, la désunion et le déclin. On peut supposer que dans la matrice la croissance de l'embryon du Celte s'arrête après seulement trente-six semaines, c'est-à-dire trois semaines entières avant celle du Saxon.

### Le type normand

Le Normand (exemple : le clergé, l'aristocratie et la monarchie d'Angleterre) ressemble physiquement au Saxon, même si quand on l'étudie de près on s'aperçoit qu'il est plus frêle et qu'il ne possède pas la vigoureuse robustesse de celui-ci. Il a le teint pâle et ses cheveux tirent souvent sur le roux. En général le visage est long et étroit, ce qui est une marque d'arrogance. Type crânien : D.

Il est de caractère décadent. Il a toujours compté sur les privilèges de l'héritage, situation de fait remontant à l'accident heureux de la conquête. Il est apathique et dépourvu du goût du travail, ainsi que du sens de l'effort. De même, il souffre de faiblesses que ne connaissent pas les hommes d'un type plus résistant (exemple : le mal de mer). Il ne possède absolument aucun sens artistique.

La moralité du Normand est médiocre et marquée par un égoisme dissimulé. Son trait de caractère dominant est la ruse. Il s'efforce de se maintenir dans une position sociale élevée par l'intrigue et la manipulation en s'associant aux autres personnes de sa race. Toute affirmation de but moral n'est qu'une invention mensongère. Avant tout la nature du Normand est celle d'un parasite qui se nourrit de la bonté spontanée des types plus nobles.

En conclusion, la place du Normand n'est guère plus élevée que celle du Celte dans la hiérarchie des Européens. On peut supposer que le développement de l'embryon normand cesse après trente-sept semaines, c'est-à-dire deux semaines avant celui du Saxon. On peut attribuer la domination qu'exerce toujours le Normand sur le triple fléau de l'aristocratie, du clergé et de la monarchie non pas à ses qualités mais à l'horreur qu'inspire à ses sujets saxons toute forme de désordre.

## Timothy Renshaw. Août 1857

Nous nous retrouvions donc sur le pont, debout sous le soleil brûlant, dans l'attente de la merveilleuse félicité que devait nous procurer le sermon de Wilson. Ma seule consolation était qu'au moins quelque chose m'occuperait les yeux pendant le laïus de cette vieille cruche. La vigie avait hurlé la nouvelle une heure ou deux seulement auparavant : « Terre ! » À cause de la brume, il fut difficile sur le moment de comprendre de quoi il parlait, et c'est uniquement en plissant fortement les paupières que je pus distinguer une mince ligne, juste au-dessus de l'endroit où devait se trouver l'horizon. Peu à peu, cependant, la ligne devint plus foncée et plus facile à discerner, jusqu'au moment où, tout à coup, elle se transforma en une bande de terre de bonne taille, avec falaises et collines, assez proche d'ailleurs.

Ça peut paraître bien maigre, sans doute, à quiconque possède son saoul de terre ferme, mais après toutes ces semaines sans rien à voir, à part le vent, l'eau et les oiseaux de mer, c'était un don du ciel. Si d'aucuns aiment peut-être l'idée de passer des mois entiers à bord d'un bateau, ce n'est pas mon cas, et j'aurais donné n'importe quoi pour être transporté comme par magie à Haymarket, boire un verre de bon alcool et passer un petit moment avec une femme légère.

La compagnie dans laquelle je me trouvais n'aurait guère pu être plus différente. Apparemment, j'étais voué à fréquenter des gens pensant connaître les réponses à tout. Mes parents, comme mon frère Jeremy, étaient toujours disposés à se lancer dans des discours sentencieux sur les vertus du travail ainsi que sur les progrès que je devais accomplir, et je tombais sur des compagnons d'expédition raffolant de ce même genre d'exercice. En fait, le seul point d'accord de ces derniers était, semblait-il, que j'étais paresseux et frivole, et qu'ils devaient me traiter en inférieur. Le pire des deux était Wilson, il passait son temps à commenter avec mépris mon manque d'empressement à me réveiller aux aurores.

Comme si j'avais jamais voulu m'embarquer dans cette expédition !

« Subir quelques privations, voilà qui devrait te mettre un peu de plomb dans la tête », m'avait aimablement promis mon père.

Ma mère ne voulait pas être en reste.

« Nous espérons aussi que cela te permettra d'acquérir un plus grand sens du spirituel. »

Jusqu'à présent, le seul sens qui se fût développé était celui de l'ennui. On naviguait depuis six semaines, le voyage n'en était qu'à son début. J'avais lu et relu depuis belle lurette les quelques livres que j'avais apportés. J'en aurais bien emprunté aux autres, mais Wilson ne possédait que des livres extrêmement ennuyeux, ayant trait soit à la

126

théologie, soit à la géologie, tandis que Potter n'en avait pas emporté un seul, paraissant se contenter de gribouiller ses éternelles notes. J'ai même essayé de passer le temps en devenant copain avec les Mannois, mais sans grand succès. S'ils acceptaient parfois de fumer une pipe ou deux en ma compagnie, ils gardaient toujours plus ou moins leurs distances et se mettaient soudain à jacasser en manx, comme pour me décourager de demeurer trop longtemps parmi eux.

Ça faisait du bien aux yeux de voir la terre, c'est certain. Je me demandais combien de jours il me faudrait encore attendre avant de débarquer à Kingston et d'être débarrassé de mes ennuyeux collègues.

« Et quelles sont donc ces Antilles-là ? » demandai-je au capitaine tandis que nous contemplions le nouveau rivage. J'espérais que c'était bien la Jamaïque.

À ma grande surprise, Kewley ne semblait pas très intéressé.

« Bah ! celles-ci ou celles-là...

— Pensez-vous qu'on va aborder aujourd'hui ? s'enquit le pasteur.

— Ça m'étonnerait beaucoup. »

Wilson, lui, était ravi. Il n'avait qu'un seul souci en tête : que rien ne gêne son sermon. Il avait passé toute la journée à inventer de nouvelles façons d'enquiquiner le monde, faisant mille embarras, caquetant à qui mieux mieux. Sa principale requête était qu'on construise sur le pont une estrade temporaire afin de faire son impressionnant en dominant tout le monde. Comme s'il n'était pas déjà assez ennuyeux comme ça !

« Mon unique souci, déclara-t-il à Kewley, en pressant ses mains l'une contre l'autre comme s'il s'efforçait d'en extraire quelque jus, c'est que les hommes puissent m'entendre clairement. »

Pour être juste, je dois dire que le capitaine ne se rendit pas sans combattre.

« Ils m'entendent bien, moi.

— Il ne serait guère convenable que la parole de Dieu fût hurlée comme un ordre, rétorqua Wilson en gloussant de sa petite plaisanterie. Il serait aisé à coup sûr de fabriquer un dispositif provisoire avec, pourquoi pas ? quelques caisses contenant nos provisions. » Sur ce, il gratifia le capitaine de son plus beau sourire. D'après mon expérience, ça signifiait qu'il s'apprêtait à assener le coup de grâce. Et je ne me trompais pas. « À moins, naturellement, que vous ne considériez que vos hommes ne doivent pas bénéficier d'un peu d'instruction religieuse... »

Le pasteur avait porté l'estocade. Kewley ne pouvait guère protester davantage sans créer l'impression qu'il était une sorte d'antéchrist. S'avouant battu, il regarda la mer en fronçant les sourcils et donna son assentiment en grommelant.

Wilson prit une mine radieuse.

« Je n'aurai besoin que de quatre de vos hommes. Ça ne leur prendra que quelques instants. »

Pour écrire ses notes, Potter s'était installé sur un rouleau de cordages, juste en dessous du gaillard d'arrière, et je supposais qu'il avait l'intention de rester là. L'endroit étant presque hors de vue par rapport à la chaire improvisée, Wilson serait incapable de vérifier s'il l'écoutait, mais le médecin ne pourrait absolument pas être accusé de se cacher et de se comporter en païen. Leurs rapports s'étaient tellement envenimés que je fus en vérité surpris de voir Potter faire même cette prudente concession. Certaines fois, j'avais espéré assister à un bel échange de coups de poing, notamment le matin où, au carré, Wilson s'était assis près du médecin et avait prié pour que « tous les hommes surmontent leurs petites rancœurs et écoutent les sages conseils de leurs frères ». Potter était devenu vert de rage. C'était un prêté pour un rendu, remarquez, surtout qu'au début, lorsque Wilson avait eu le mal de mer, Potter avait failli lui faire perdre la tête à force de le titiller. Du Potter tout craché. Si l'insistance et les gloussements de Wilson finissaient par vous taper sur les nerfs, avec Potter il fallait se méfier de l'eau qui dort.

« Oh, non ! je crains que celle-ci ne fasse pas du tout l'affaire. Et si on se servait d'une des caisses de champagne ? » déclara Wilson sur un ton de vague regret, exactement comme si c'était lui qui, suant et soufflant, allait monter les échelles en se coltinant les caisses. On apporta donc une caisse de champagne qu'on plaça à côté des autres sur le gaillard d'arrière, qui ne le satisfit encore pas. Il la regarda sous tous les angles, la fit déplacer d'un côté à l'autre, avant de secouer la tête. « Peut-être l'une de celles qui contiennent les couverts ? » Enfin, ne trouvant plus aucune raison de faire des chichis, il se résolut à déclarer que sa chaire était prête.

Les Mannois parurent divisés sur la question du sermon. Certains, et parmi eux le capitaine, ne semblaient guère ravis qu'on empiète ainsi sur leur dimanche, enclave protégée, jusque-là, où paresser et fumer la pipe. D'autres, néanmoins, l'air assez content, se regroupèrent sous le gaillard d'arrière, l'œil brillant et se léchant les babines à l'avance. Je n'avais jamais vu Wilson à l'œuvre et, à mon assez grande surprise, il présenta fort bien son spectacle et se montra très bon acteur. Il leva d'abord les mains pour faire taire son monde. Puis, une fois qu'on n'entendit plus que le vent, les oiseaux et le léger claquement des voiles, il changea soudain d'avis, secoua la tête et redescendit de son estrade. Pendant quelques instants, il se tint devant le bastingage, fixant l'océan, le menton dans la main et le front plissé, afin que nous puissions tous observer son état contemplatif, puis, au moment où certains des fidèles commençaient à s'agiter, il battit des mains comme s'il venait de trouver la réponse à la question qui le tracassait, et d'un bond remonta sur l'estrade.

« Vous n'êtes pas sans savoir, dit-il, qu'il n'y a rien de plus mystérieux que la mer. » Afin de mieux fixer son auditoire, il se pencha en avant et s'appuya sur son lutrin, une caisse de boîtes de soupe renversée. « La mer ! la mer ! cette vaste étendue sauvage qui… »

Vraiment, quel manque de chance ! Juste à l'instant où il venait de prendre si joliment son élan, un cri lancé du haut du mât de hune résonna clairement dans la brise légère : « Voile en vue ! Voile au nord-ouest ! »

Apparemment ravi d'avoir l'occasion de le remettre un peu à sa place, le capitaine se précipita sur l'estrade, le poussant presque sur le côté.

« Teare, apporte-moi ma longue vue ! »

Wilson dut sourire et faire semblant que cette intervention ne le dérangeait pas.

L'embarcation avait dû émerger de derrière un promontoire de l'île, car elle ne se trouvait qu'à quelques encablures, assez près pour qu'on puisse l'apercevoir du pont. Il s'agissait d'une grande goélette munie de deux voiles triangulaires, toutes deux de couleur grise. Quant à sa direction, elle était parallèle à la nôtre. Lorsqu'on lui apporta sa longue vue, le capitaine se retira vers l'arrière du gaillard pour mieux voir.

Cette fois-ci, Wilson ne nous infligea pas de pantomime, se contentant de se pencher en avant pour s'appuyer sur son lutrin.

« Vous n'êtes pas sans savoir qu'il n'y a rien de plus mystérieux que la mer. La mer ! la mer ! Cette vaste étendue sauvage qui semble posséder… »

Ce n'était vraiment pas son jour. Tout à coup, l'air farouche, le capitaine remonta sur l'estrade et, sans même s'excuser, se mit à hurler un ordre en manx. Quel qu'il fût, l'ordre n'aurait pu être mieux choisi pour couler la cérémonie. Les fidèles de Wilson se dispersèrent sur-le-champ, certains grimpant dans la voilure, d'autres se regroupant à la base du grand mât pour dénouer les écoutes. Je ne pus m'empêcher de me demander si on avait délibérément voulu gâcher l'office, ce qui était, de toute évidence, l'opinion de Wilson.

« Capitaine, est-ce réellement nécessaire ?

— Pt'êt' ben qu'oui, pt'êt' ben qu'non… Mais avec ce genre de bateau, je ne veux prendre aucun risque. » Sur cette réponse évasive, Kewley tendit sa longue vue au pasteur.

« Ce bâtiment me semble plutôt banal.

— Il serait encore plus banal, répliqua Kewley, avec une patience exagérée, si ses mâts arboraient un pavillon ou deux et si sur sa proue étaient peints son nom et celui de son port d'attache. »

Mettant ma main en visière, je pus constater que le mât était nu et que la proue était noire, vierge de tout nom.

Wilson ne paraissait toujours pas convaincu.

« Il y a probablement une explication toute simple. »

Kewley haussa les épaules.

« Espérons ! »

Entre-temps, les hommes avaient commencé à déplacer les espars, et Chine Clucas tournait la roue du gouvernail pour virer lentement de bord et s'éloigner de l'autre bateau. Les regards se portèrent vers l'arrière. Durant quelques instants, tout sembla bien se passer, mais ensuite les deux voiles grises changèrent peu à peu de forme, jusqu'à ce que la goélette se retrouve à nouveau derrière nous, filant dans la même direction, étroite bande de bois sombre surmontée d'une immense étendue de toile grise. Durant une ou deux secondes, nous restâmes tous silencieux. Puis Brew vociféra des ordres et les hommes s'activèrent sur-le-champ pour déployer encore plus de toile.

« Ça m'a tout l'air d'un triste rafiot, déclara Potter presque avec humeur. Je suis sûr qu'on va le semer ! »

Pensée réconfortante mais, comme on allait s'en apercevoir, beaucoup trop optimiste. Poussée par le vent léger lentement mais sûrement, de toute évidence, la goélette nous rattrapait. Ça faisait tout drôle d'être accoudé au bastingage, au milieu des odeurs de poix, de bois et d'embruns, désormais si familières, en sachant qu'à environ un mille de nous se trouvait un bateau bourré d'inconnus qui espéraient nous voler, ou peut-être même nous tuer jusqu'au dernier. Je ne m'étais pas attendu à cette sorte d'infortune. J'avais vu dans mes cauchemars des tempêtes, des naufrages mais n'avais pas imaginé qu'on serait poursuivis par des pirates. Tout en demeurant étrangement impavide, je sentis s'accélérer le rythme de mon pouls. Quelque peu étonné, je me demandais si j'étais simplement pétrifié, ou si je ne me souciais plus du sort qui m'était réservé. Quasiment affalé sur le plat-bord, Potter paraissait lui aussi calmé. Seul Wilson n'avait rien perdu de son ardeur.

« N'ayez aucune crainte ! lançait-il à quiconque voulait bien l'écouter, je vais utiliser tous mes pouvoirs pour intercéder auprès d'eux. Je vais les supplier de nous traiter avec compassion. Je leur ferai part de notre mission chrétienne. Dieu nous viendra en aide. »

À dire vrai, j'étais loin d'être certain que sa médiation allait améliorer notre situation. Le capitaine Kewley, lui, était occupé à des tâches plus concrètes. Il avait organisé en chaîne humaine les matelots, lesquels abaissaient des seaux par-dessus bord avant de les faire circuler le long du pont et monter dans la mâture pour asperger les voiles d'eau de mer.

« Ça permet à la toile de mieux prendre le vent, expliqua Brew. Dans ce genre de brise légère, ça pourrait faire la différence. »

Nous n'eûmes pas le loisir, hélas ! de vérifier l'efficacité de la méthode, car nous vîmes bientôt que nos poursuivants se livraient à la même opération. L'écart entre nos deux navires n'a pas l'air de diminuer. Ayant emprunté la longue vue du capitaine, je pus découvrir la goélette un peu plus en détail et m'apercevoir que son pont grouillait de silhouettes sombres, qui, à ma grande surprise, n'avaient pas du tout l'air de hurler ni de s'agiter frénétiquement : immobiles, elles affichaient un calme inquiétant. Des éclats lumineux jaillissaient à tout moment du groupe, le soleil faisant scintiller des dizaines de morceaux de métal. Des coutelas ?

« Croyez-vous qu'il puisse s'agir d'esclaves affranchis ? demandai-je.

— Jamais de la vie ! s'écria Potter, reprenant vie tout soudain. Des esclaves ne pourraient jamais faire preuve d'un tel esprit d'initiative. »

Le capitaine Kewley haussa les épaules d'un air lugubre.

« Je ne vois pas quelle importance peut bien avoir leur ancien métier.

— Peut-être qu'on devrait mettre deux canots à la mer pour tenter de se tirer de ce mauvais pas », suggéra Brew, le second.

Kewley secoua la tête.

« Ils nous rattraperaient avant même que nous ayons pu faire dégager les animaux. De plus, le vent semble avoir fraîchi. » En effet. Au moment où il prononçait ces mots, une nouvelle rafale agita fortement les voiles, leur redonnant vie. Kewley plissa le front.

« Si on faisait tirer le canon ?

— On n'a pas de boulets, répondit Brew d'un air piteux.

— Et qu'est-ce qu'on a comme armes ?

— Y a deux vieux mousquetons dans l'entrepôt, mais je ne suis pas sûr qu'ils soient en état de marche. »

Ce qui m'étonna surtout, c'est que personne n'y ait songé plus tôt. L'idée de leur échapper était si forte qu'on n'avait guère imaginé d'autre solution.

« Et les fusils ? » demandai-je.

Soudain, on se précipita tous. Étrangement, c'est seulement à ce moment-là, alors qu'on pouvait enfin faire quelque chose, que je ressentis une sorte de panique. Je fus tout d'un coup pris d'une curieuse maladresse, trébuchant en descendant les marches, tout à fait comme si j'étais ivre. La caisse était aussi lourde qu'un cercueil, mais finalement, entre Potter, deux Mannois et moi-même, on réussit à la remonter sur le pont. Kinvig, le petit maître d'équipage, arracha le couvercle à l'aide d'un grappin et nous découvrîmes six fusils étincelants, ainsi qu'un revolver.

Potter fronça les sourcils en contemplant une cartouche qui tremblait légèrement entre ses doigts.

« Je suis sûr qu'il y avait un truc avec ceux-là. Voyons un peu... » De la poudre noire s'échappa lorsqu'il déchira le papier graisseux d'un coup de dents. Quand il le déchira davantage, la pointe grise d'une balle apparut. « Il doit y avoir un défaut, la balle est pointée vers la charge !

— Peut-être y a-t-il eu un défaut de fabrication ? » hasardai-je.

Je pris moi aussi une cartouche, triturant le papier, mais c'était exactement la même chose. Si on la glissait dans le canon, la poudre en premier, comme on doit le faire pour tirer, la balle partirait la pointe en arrière, ce qui ne serait guère efficace. Il n'y a rien de pire, à mon avis, que de chercher à résoudre d'ingénieuses devinettes quand le temps presse et qu'on est obsédé par la peur d'être tué. Il était donc fort tentant de se laisser aller au désespoir et de s'en remettre à la Providence. Désormais, en jetant un coup d'œil en arrière, je voyais très nettement les hommes sur le pont du sloop, en train de nous observer avec un calme impressionnant. La plupart tenant des coutelas, certains munis, semblait-il, de grappins d'abordage.

C'est Wilson, qui l'eût cru ? qui fournit la réponse.

« Est-ce qu'il ne fallait pas commencer par vider la poudre avant de retourner la balle ?

— Fort juste ! »

Potter versa la poudre dans le canon de son fusil, puis essaya la balle, toujours enveloppée dans sa cartouche en papier. Elle s'emboîtait parfaitement. Utilisant la mince tige pour bien l'enfoncer, il leva ensuite le fusil et, pour une raison inconnue, visa le mât d'artimon. Une détonation retentit immédiatement, qui fit pousser des cris d'effroi aux porcs et aux moutons, tandis qu'un petit nuage de fumée se répandait dans l'atmosphère. Quant au mât d'artimon, il était maintenant percé d'un énorme trou, comme si un poing d'acier l'avait défoncé.

Le capitaine Kewley fusilla du regard le médecin.

« Je croyais que la cible, c'était le bateau adverse ?

— En tout cas, ça montre que ça marche, et superbement ! » Après un regard vers le bateau ennemi, Potter parut soudain déçu. « Ils se sont allongés par terre. Les lâches ! »

En effet, nos assaillants avaient maintenant disparu, même si leur bateau n'avait pas cessé d'avancer pour autant. L'instant d'après, on entendit une détonation, et une balle fendit l'air quelque part au-dessus de nos têtes, ce qui nous jeta à terre, nous aussi.

« Et si on se servait de la chaire du pasteur ? » lança Brew.

132

On ne pouvait en effet rêver rempart plus efficace que l'estrade... On s'empressa tous de s'abriter derrière. Mais on hésitait sur le parti à adopter.

« Peut-être devrions-nous simplement tirer sur leur bateau, suggéra Potter. La balle a apparemment causé pas mal de dégâts.

— Ça risque de les rendre plus violents à notre égard », souligna Wilson, semblant se réjouir à l'avance de l'occasion de les sermonner pour solliciter leur compassion.

Le capitaine Kewley réfléchit quelques instants.

« Je pense qu'on pourrait tirer sur la roue du gouvernail. Ce serait le plus efficace. »

Comme elle était assez visible – quoique le timonier eût disparu, la manœuvrant, supposai-je, d'en dessous –, nous nous mîmes à l'ouvrage. Wilson refusa de participer, arguant du fait que ce n'était pas le rôle d'un homme de Dieu. Moi, je saisis un fusil, tout comme Potter, le capitaine et six Mannois, alors que Kinvig s'emparait du revolver. Je n'avais jamais utilisé une arme à feu, et je ne peux pas dire que cela me fut très agréable. D'abord, il fallait mordre la cartouche, ce qui remplissait la bouche de graisse, avant de verser la poudre. Puis venait l'opération délicate consistant à introduire la tige dans l'extrémité du long canon afin de pousser à fond la cartouche et sa balle, celle-ci étant étonnamment grosse et lourde. Ensuite, il fallait viser droit, malgré les soubresauts du bateau, tout en faisant bien attention de ne pas tirer accidentellement sur notre propre homme de barre, l'énorme Clucas, lequel, à plat ventre, agrippait les rayons inférieurs de la roue du gouvernail. Enfin, le tir vous secouait l'épaule avec une violence inouïe, vous faisait bourdonner les oreilles et dégageait beaucoup de fumée. Comme ça valait quand même beaucoup mieux que d'être volés et tués, on se retrouva bientôt en pleine action. Nos fusils étaient aussi redoutables que l'avait promis Jonah Childs. Chaque fois que la fumée se dispersait, la boiserie autour de la barre de nos adversaires avait l'air de plus en plus défoncée, tandis que leurs tirs, clairsemés, ne semblaient guère atteindre leur cible. Nous tirâmes donc à qui mieux mieux, salve sur salve ; la caisse de munitions se vidait à vue d'œil. Cela ne les empêchait pas de se rapprocher, le vent, qui s'était renforcé, hâtant leur progression. Au moment où j'en étais venu à penser qu'on allait devoir leur tirer dessus pendant qu'ils sautaient à bord, Brew, le second, lança : « Y en a qui se relèvent ! »

C'était le cas d'un certain nombre de nos poursuivants, qui s'activaient vivement sur les bômes des voiles triangulaires.

« Faisons un carton ! s'écria Potter, en se penchant brusquement pour saisir une autre cartouche dans la caisse. Ça va être un jeu d'enfant.

— À quoi ça servirait ? demanda le capitaine. Il me semble qu'ils essayent de faire demi-tour. On a dû les effrayer. »

Il avait raison. L'autre navire commençait à virer de bord et à se mettre sous le vent, les hommes faisant pivoter les deux voiles. Les Mannois lancèrent des vivats, et nous les imitâmes, poussant tous en même temps un rugissement de joie.

« Il pourrait ne s'agir que d'un piège, déclara Potter. Ils sont toujours tout près. Je suggère qu'on tire une fois encore, par simple mesure de précaution.

— Bonne idée ! » renchérit Kinvig, qui semblait apprécier son baptême du feu. Ainsi donc, autant par habitude que de propos délibéré, nous rechargeâmes nos armes une fois de plus.

« Feu ! » hurla le médecin.

Nous tirâmes tous ensemble, quasiment comme un peloton d'exécution. C'est alors que survint quelque chose de fort curieux. La bôme arrière de nos poursuivants se détacha d'un seul coup, et si promptement qu'elle heurta deux matelots inattentifs, les projetant violemment par-dessus bord. L'instant d'après, elle revenait dans sa position initiale, la toile enverguée dessus claquant furieusement. Là-dessus, le pont du bateau fut plongé dans un chaos infernal, les matelots tentant d'attraper la drisse de la bôme, avant de s'en écarter d'un bond pour éviter d'être emportés par l'espar fou.

« J'ai l'impression, dit Kewley d'une voix sereine, que l'un d'entre nous a fait sauter la mâchoire de leur bôme. »

Soudain, je me sentis défaillir. Une manière de peur refoulée avait fini par refaire surface. J'étais en outre quelque peu écœuré à la pensée des dégâts que nous avions causés. Je ne pouvais m'empêcher de me demander si durant ces dernières minutes je n'avais pas tué quelqu'un sans le vouloir.

Le Dr Potter n'avait pas ce genre de scrupules.

« Nous les avons vaincus ! » déclara-t-il d'un ton triomphal.

Il va sans dire que Wilson ne voulut pas être en reste.

« Nous avons été libérés, corrigea-t-il. Je crois qu'il serait juste de célébrer un petit service d'action de grâces afin de... »

Avant qu'il n'ait eu le temps d'ajouter un seul mot, Kewley l'interrompit d'un geste.

« Mais dites-moi, vous ne voulez pas que je me dirige vers la colonie du Cap ? Après tout, il ne semble pas prudent de rester dans des eaux infestées de pirates et de pillards. »

Les lèvres de Potter s'entr'ouvrirent, mais il parut se raviser. Wilson se contenta de hausser les épaules, et moi, j'étais tellement choqué que ça ne me faisait ni chaud ni froid. C'est ainsi que, arborant un large sourire comme s'il venait de sortir un lapin blanc de sa casquette, le capitaine lança un ordre, et les hommes s'activèrent pour faire changer de cap au bateau, nous éloignant des joies qu'auraient pu nous réserver Kingston en Jamaïque et prendre la route du sud en direction de l'Afrique.

6

## John Harris, colon de la terre de Van Diemen et propriétaire. 1829

C'était une belle soirée d'été. J'avais fini mon travail de la journée et, assis sur la véranda, j'étais tranquillement en train de fumer lorsque j'entendis un étrange miaulement, suivi sur-le-champ de la brusque apparition de Peters, le cuisinier, traînant un petit négrillon derrière lui.

« Je l'ai trouvé dans l'entrepôt frais, caché derrière des sacs, expliqua Peters. Il était en train de mâcher tout cru un bout de viande volé. »

Son origine ne présentait aucun mystère. Quelques jours plus tôt, une horde de ses semblables avaient transpercé de leurs lances deux gardiens de bestiaux, là-bas, près de Black Bluff. Ayant rameuté quelques types pour les prendre en chasse, Heathcote avait réussi à rattraper les voyous cette nuit-là. Ils leur avaient infligé un châtiment exemplaire, mais j'avais appris que certains s'étaient échappés.

« Tu en as aperçu d'autres ? demandai-je.

— Juste celui-là. »

Je n'en avais jamais vu d'aussi près et c'était vraiment une affreuse petite créature. Je ne supporte ni les voleurs ni les sauvages, et je m'apprêtais à appeler l'un des ouvriers pour qu'il le chasse de mon domaine, quand la porte derrière moi s'ouvrit pour laisser passer Lucy. Il m'arrive parfois de penser que la stupidité des femmes n'a pas de bornes… Voilà qu'elle s'agenouille immédiatement à côté du petit bougre, roucoulant et l'appelant « pauvre petit bébé » – quoiqu'il ait eu l'air d'avoir au moins sept ans –, s'écriant qu'il semblait affamé, avec ses jambes toutes maigres, et qu'il fallait lui donner un bon bain. Quand j'essayai de lui faire entendre raison, elle prit de grands airs, en fille de baronnet qu'elle est, puis, le saisissant par la main, elle l'entraîna à l'intérieur de la maison sans autre forme de procès. J'espérais qu'il allait la mordre mais, sans doute terrorisé, il n'en fit rien, hélas ! Moins d'une heure après, elle avait déniché quelques-uns des vieux vêtements de Charlie pour l'habiller – le résultat était du dernier comique – et lui faisait avaler la moitié du garde-manger. J'étais sûr de le voir filer dès qu'il aurait un peu de nourriture dans le ventre, mais pas du tout, il paraissait s'être attaché à Lucy comme elle à lui, et ne voilà-t-il pas qu'elle insistait pour garder le petit chenapan !

C'en était trop ! Lucy étant Lucy, une vraie bagarre s'ensuivit et, bien qu'elle eût recours à tous les moyens possibles pour me faire céder, versant même des larmes à l'évocation de l'argent que son père nous avait prêté, je tins bon. Je lui dis carrément que la chose se ferait selon les formes, et si on le gardait, il devait être utile, c'est-à-dire, selon moi, apprendre à lire et à écrire. En vérité, mon idée était de l'éloigner – j'étais persuadé qu'elle l'oublierait vite, une fois qu'il aurait quitté les lieux –, et la seule solution à laquelle j'avais pensé était de l'expédier à l'École des orphelins de Hobart. Lucy refusa absolument cette suggestion, sous prétexte que dans un tel endroit il ne tiendrait pas plus d'une semaine – ce qui était probable. Après avoir essuyé force nouvelles crises de larmes, je finis par proposer qu'on l'envoie chez M. Grigson, à Bristol. Vu tout le négoce que je lui avais apporté, Grigson me devait une faveur ou deux, et cela ne paraissait pas trop abuser de sa bonté que de le prier de prendre un jour ou deux sur ses affaires afin de trouver un maître pour le gamin.

Cela réglé, je décidai qu'il fallait donner un nom à cette créature. Selon Lucy, il avait dit s'appeler Tayaley, ou quelque crétinerie semblable, qui n'avait rien de chrétien... C'est pourquoi je le baptisai George, en l'honneur du roi, à quoi j'ajoutai Vandiemen, eu égard à son lieu de naissance. Il devint donc George Vandiemen, ce qui me sembla plutôt bien trouvé. Ensuite, m'étant enquis des départs des bateaux, j'écrivis à Grigson afin de lui expliquer l'affaire, l'assurer que le gamin ne mordait pas et commander une nouvelle charrue en remplacement de l'ancienne, cassée juste avant Noël. Je joignis dix livres, somme suffisante pour couvrir deux années de pension et d'instruction : j'avais bien spécifié qu'il n'avait pas besoin du moindre luxe, mais seulement d'apprendre à lire et à écrire, tout le reste relevant du gaspillage, puisque cela dépasserait son entendement.

Vint enfin le jour où, installé sur une charrette, il s'apprêta à partir pour Hobart. Bien sûr, Lucy pleurait à chaudes larmes et lui faisait répéter les mots anglais qu'elle lui avait appris, jusqu'au moment où, le cocher ayant fait claquer son fouet, la charrette s'ébranla. Ma femme eut du chagrin pendant quelques jours, mais avec le temps elle reprit ses esprits. Si dépenser dix livres pour de telles bêtises était beaucoup, je supposai cependant que ce n'était pas trop pour se débarrasser du sauvageon. Et je dois avouer que j'étais un rien curieux de savoir ce qu'un poussiéreux maître d'école de Bristol allait pouvoir tirer de l'un des sauvages de notre inculte terre de Van Diemen.

**George Alder, gouverneur de la terre de Van Diemen,
à M. Smithson du Comité des prisons de la Société des amis.
Londres, 1829**

*J'ai été extrêmement heureux de recevoir votre demande de renseignements sur le système pénal de la colonie. J'ai en effet l'espoir que cela puisse un jour offrir un certain intérêt à ceux qui étudient la nature humaine, tant en Angleterre que sur le reste de la planète. Depuis des temps immémoriaux, les philosophes ont cherché à savoir pourquoi certains hommes s'adonnent au vice, et à trouver comment les remettre dans le droit chemin. Quoi de plus utile pour contribuer à gagner ce grand combat qu'une terre peuplée d'hommes dont le vice est avéré, et sur lesquels il est possible de pratiquer des expériences scientifiques ? C'est à ce projet que j'ai surtout consacré mes efforts et, depuis cinq ans que je suis gouverneur, je me suis efforcé d'élaborer une méthode efficace pour amender les hommes, un mécanisme sûr et infaillible pour corriger ceux qui ont quitté le chemin du bien et de l'honneur.*

*Bien des choses ont déjà été mises en chantier. S'il est attentif, le bagnard qui débarque sur la terre de Van Diemen ne tardera pas à constater qu'il est placé sur une sorte d'échiquier moral, et que sa progression dépend entièrement de sa conduite. S'il se comporte de manière vertueuse et honnête, il s'élèvera, lentement mais sûrement, et sa condition sera de moins en moins pénible, jusqu'à ce qu'il atteigne le plus élevé des sept niveaux de châtiment et reçoive son bon de sortie, premier élément de son passage à la liberté totale à l'intérieur de la colonie.*

*Un seul faux pas et il regrettera immédiatement son erreur. Voyez sa chute rapide à chaque nouveau délit ou acte d'insubordination ! D'abord, on lui retire son bon de sortie et on l'envoie travailler dans une ferme. Les fois suivantes, on le fait travailler sur des chantiers de travaux publics de plus en plus pénibles, de la construction de bâtiments à celle de routes, puis c'est la chaîne de forçats s'échinant sous le soleil et dans le vent. Un écart de conduite supplémentaire et il connaîtra la plus horrible existence qui soit dans une colonie pénitentiaire isolée, tel que le port de Macquarie sur la lointaine côte ouest, où il devra pousser d'énormes rondins, les pieds entravés, immergé jusqu'à la taille dans les eaux marines glaciales, exposé à la brûlure du fouet s'il relâche ses efforts ne serait-ce qu'un moment. C'est ainsi qu'il a atteint le septième et dernier niveau de châtiment. Nul ne peut descendre plus bas, sauf à subir la pendaison et à affronter Sa justice, celle du plus grand des juges. Même parvenu à ce point, notre bagnard peut encore être sauvé, si son aventure lui a appris quelque chose. S'il s'amende, il commencera à remonter la pente – quoique cela risque de lui prendre un certain temps –, repassant par les sept niveaux successifs jusqu'au jour où il recevra sa récompense : la liberté au sein de la colonie. Un acte d'une exceptionnelle valeur morale peut lui faire franchir plusieurs étapes à la fois, voire, dans certains cas rares, tous les niveaux d'un seul coup.*

*À première vue, ce système de punition peut paraître d'une excessive sévérité, mais en vérité il n'en est rien. Il n'est pas fondamentalement différent de celui existant dans une salle de classe, puisqu'il s'agit également d'une méthode destinée à modeler et à éclairer l'esprit humain, une puissante machine dont le but est l'amélioration des hommes, conçue pour créer le bonheur, fruit du progrès moral. Pour qu'un tel système soit efficace, il est capital, naturellement, qu'il soit universellement reconnu comme juste. À cette fin, j'ai fait tout ce qui était en mon pouvoir afin d'empêcher que les bagnards soient maltraités par les gardes-chiourme et les contremaîtres, et j'ai également pris des mesures draconiennes contre tout favoritisme et toute indulgence. Après tout, l'une des fonctions de cette colonie est de continuer à inspirer la terreur au-delà des mers, à Londres aussi bien qu'à Glasgow, de telle sorte que des hommes faibles d'esprit ne soient pas séduits par les attraits du crime. Il est important, d'autre part, qu'on sache à quel point le système de châtiment de l'île est implacable, afin que les bagnards ne nourrissent pas de vains espoirs susceptibles de leur faire négliger leur amendement moral. À cet effet, j'ai instauré ce que je crois être un régime policier extrêmement rigoureux, fondé sur de constantes vérifications d'identité et de permis de circuler dans toutes les zones colonisées. Je crois aussi avoir institué l'un des organismes les plus perfectionnés jamais inventés par un pays pour collecter des renseignements. Des dossiers exhaustifs sont établis concernant tous les habitants de la colonie, qu'ils soient libres ou enchaînés, dossiers qui sont gardés dans un ensemble d'impressionnants volumes connus sous l'appellation de « livres noirs ». Ils contiennent les descriptions physiques et le résumé extrêmement détaillé des progrès moraux des bagnards. Chaque modification, sans exception, de leur position sur l'échelle des sept niveaux de châtiment est soigneusement notée, ainsi que le motif l'ayant entraînée. Cette magnifique réserve de renseignements est constamment révisée et augmentée, et les forçats, tout comme les colons, sont encouragés à accroître le savoir du gouvernement en rapportant tout comportement étrange ou suspect qu'ils auraient pu observer de la part de leurs voisins. Si tout individu est perçu comme un informateur potentiel au service de l'administration coloniale, on peut espérer que même le criminel le plus endurci se montrera prudent et que la moralité régnera en tout lieu.*

*Ces dispositions ont, je le reconnais, causé quelques difficultés. Les colons libres n'ont pas du tout apprécié d'être traités comme des criminels, et certains des plus fortunés, gonflés d'orgueil par leur richesse, se sont déclarés mes ennemis jurés. Peu me chaut. Après tout, il est capital*

140

d'établir des fiches détaillées sur les colons libres, ne serait-ce que pour empêcher un bagnard évadé de se faire passer pour l'un d'eux. Il existe une autre raison, plus fondamentale, de les inclure dans cette grande expérience, car il y a beaucoup à apprendre de l'histoire de tous les résidents de la colonie. Je connais plus d'un individu ayant débarqué la tête haute sur la terre de Van Diemen en tant que sujet libre mais que l'on s'est empressé d'expédier sur l'île de Macquarie dès qu'on s'est aperçu de ses tares. C'est pure arrogance de la part des colons de se considérer comme foncièrement innocents. Depuis Adam et Ève, après tout, y a-t-il un seul être qui puisse se juger vierge de tout péché ?

Il m'est arrivé de me demander si un mécanisme judiciaire d'une puissance semblable ne pourrait pas un jour être étendu à une société libre dans laquelle existeraient non seulement des niveaux de châtiment mais également de récompense, à telle enseigne que le moindre aspect de la vie de chacun refléterait avec précision le degré de vertu de sa conduite. Si l'on parvenait à concevoir un système suffisamment ingénieux pour recueillir les renseignements, il serait possible de modifier régulièrement, voire tous les mois, le statut de chaque sujet, afin de le rendre conscient de ses progrès moraux. Ne serait-ce pas merveilleux que les hommes soient récompensés non pour leur cupidité ou leur roublardise, mais pour leurs actes vertueux ? Le dispositif pourrait être appliqué avec une telle subtilité que même ceux qui n'ont encore commis aucune infraction – menteurs, tricheurs et autres séducteurs – reçoivent la rançon de leur potentielle vilenie.

Ces pensées ne sont néanmoins que simples rêveries. Il est même encore trop tôt pour se prononcer sur la réussite ou l'échec du système actuel. Je dois dire, nonobstant, que les indications sont prometteuses, et je garde l'espoir que l'œuvre accomplie sur cette île lointaine pourra tant soit peu aider les hommes à construire un avenir meilleur, où l'infamie et la criminalité seront tout à fait et à jamais vaincues.

## Jack Harp. 1824-1825

Après que je me suis fait pincer à Georgetown, je suis resté quatre ans en tenue de bagnard puante sur les routes et dans ces foutus entrepôts de Hobart, puis un jour j'ai été traîné devant quelque gratte-papier à la petite moustache pommadée qui m'a annoncé que je m'étais « amendé ». Alors, on m'a placé dans une ferme près de Launceston pour traire les vaches et tondre les moutons. J'ai eu de la chance, d'ailleurs ; le propriétaire était une sacrée bonne pâte. Le jour de Noël, il nous a filé du pudding et il s'est même assis avec nous pour le manger, et c'est ça, paraît-il, qui n'a pas plu. Un enfant de salaud a dû rapporter qu'on était trop bien traités, parce que en moins d'un mois on était tous expédiés dans d'autres fermes. La mienne n'aurait pas été trop pénible, sans ce cochon de propriétaire qui s'était fichu dans la tête que tous les taulards qui y travaillaient pelotaient sa femme – on se demande pourquoi, vu que c'était une vieille bique affreuse – et qui trouvait toujours une bonne raison de vous flanquer une raclée. Un instant de relâchement ou un éclat de rire qu'il ne pigeait pas, et il sortait son fouet. J'ai supporté ça quelque temps, mais un jour il a surgi en criant comme un putois que j'avais rendu la vache malade en la trayant de travers, fichu mensonge que j'ai pas accepté, alors, au lieu d'attendre qu'il me batte, j'ai pris les devants, et il a reçu une réponse qu'il n'est pas près d'oublier. Après ça, on n'a pas trouvé que je m'étais amendé, mais qu'au contraire j'avais empiré, comme on me l'a fait savoir. C'est pour cette raison qu'on m'a fait travailler au pont.

Ce pont était pire que tout le reste mis ensemble. Le travail était pénible ; il consistait à déplacer et à tailler d'énormes blocs de pierre, et la nuit on devait dormir dans des boîtes empilées comme des cercueils, trop basses pour qu'on puisse simplement s'y redresser à l'aise. Par temps chaud, ça devenait une fournaise de tous les diables. Et en plus ce cochon de contremaître avait toujours le fouet à la main, et les autres bagnards étaient, tous sans exception, de minables lèche-cul. J'étais tellement en rogne que je ne pensais qu'à une chose : abîmer le portrait du contremaître comme il le méritait, ou alors me tirer. Et des fois, j'étais à deux doigts de me jeter dans la brousse, même avec mes chaînes. J'ai résisté à la tentation malgré tout. J'attendais mon heure.

Comme sur le chantier du pont on n'avait pas le droit de parler, c'était dur de connaître les nouvelles, mais on y réussissait, tôt ou tard. C'est par un fermier qui s'était arrêté pour faire boire son cheval que j'ai entendu pour la première fois parler de la Ligne. Rien qu'à sa manière de nous regarder, j'ai deviné qu'il avait jadis porté la tenue des bagnards, car les colons ne font guère attention à un gars qui a des chaînes aux pieds. Il nous a pas causé, sachant que ça pourrait nous attirer des ennuis, mais il a tout de même parlé assez fort au garde-chiourme pour qu'on l'entende d'un bout à l'autre de la rive.

« M'est avis que le gouverneur et son armée vont devoir traverser en bateau, il a dit en lançant un œil au bout du pont qui se projetait depuis la berge comme un moignon de manchot et qui représentait tout notre travail jusque-là, quand ils vont débouler ici à la poursuite des Noirs. »

Ça a suffi pour déclencher pas mal de parlotes à travers les portes des cercueils, cette nuit-là, agrémentées de plaisanteries sur le gouverneur Alder jouant les Napoléon contre les corneilles. Après ça, j'ai entendu les surveillants en discuter de temps en temps à voix basse, en l'appelant la Ligne noire. Il semblait que ça allait être, en plus, tout un tintouin avec des milliers de soldats et de colons traversant toute la terre de Van Diemen pour effrayer les Noirs et les forcer à entrer dans le piège qu'ils leur avaient tendu. Ça m'a fait réfléchir. Je me suis surtout dit qu'une telle armée aurait besoin de toute sorte de main-d'œuvre, et que n'importe quel boulot vaudrait mieux que de casser des pierres. En plus, au milieu d'une telle cohue, un type avait une chance de disparaître sans qu'on s'en aperçoive. Pour sûr, j'ai pas pipé mot de tout ça aux autres. Un bon petit projet comme ça, il fallait le garder enfoui au fond de sa cervelle, comme un dollar trouvé sur la chaussée, qu'on a cousu dans l'ourlet de son manteau. De toute façon, ces gars-là, ils méritaient aucune faveur de ma part.

C'est pour ça que, lorsque le contremaître a commencé à nous expliquer qu'on avait besoin de pas mal d'entre nous pour participer à une expédition, je m'y attendais, et j'ai crié mon nom sans hésiter. C'est grâce à cette rapidité que j'ai été pris.

Quel plaisir de dire adieu au pont, même avec une chaîne cliquetante autour de mes chevilles ! Ceux d'entre nous qui devaient partir ont été réveillés peu après l'aube, et ensuite on a dû attendre que les officiers prennent leur petit déjeuner. C'est à ce moment-là qu'un des bougres qui restaient s'est dit qu'il allait s'amuser à nos dépens en nous criant : « Faites gaffe à ne pas recevoir une sagaie dans les tripes ! » Ça les a fait rire aux éclats derrière la petite porte de leur cercueil, malgré que c'était seulement parce qu'ils rageaient de nous voir filer. Je n'allais pas me laisser faire. Je me suis mis à produire une sorte de « ck », j'ai poussé légèrement les lèche-cul qui se trouvaient devant moi jusqu'à ce qu'ils m'imitent, et bientôt ils s'y sont tous mis, au point que, « ck, ck, ck », on aurait vraiment dit des pauvres types en train de casser un tas de pierres, c'est-à-dire ce que les autres allaient faire pendant les heures et les mois à venir. Ça m'a bien fait rigoler. J'allais lancer un caillou ou deux pour faire bonne mesure, mais les officiers avaient terminé leur petit déjeuner et revenaient.

Après quelques cliquetis de chaîne, on a contourné la colline, et ce sale petit bout de rivière a disparu. On avançait lentement. Après plusieurs heures, on s'est arrêtés près de la rive pour que les officiers puissent se reposer un peu et fumer un brin. Ça faisait du bien. J'étais couché dans l'herbe en train de reprendre haleine et de me frotter les chevilles à l'endroit où la chaîne m'avait salement mordu quand j'ai levé les yeux… Il était là, chevauchant sur la route et se dirigeant vers nous, élégant et bien droit sur sa haute selle, un vrai gentleman. J'ai deviné qu'il allait à Launceston s'enrôler dans l'équipe de la Ligne noire, en fidèle sujet du roi. C'était mon vieil ami Bill Haskins.

Il m'a pas reconnu ; pour lui, on était juste un groupe d'hommes de plus en tenue de bagnard, et il a conduit son cheval à la rivière pour le faire boire. N'empêche, croyez-moi, il n'a pas tardé à me prêter attention : dès que je me suis levé de l'herbe, j'ai ramassé une pierre, je me suis tranquillement approché, je l'ai aidé à descendre de sa haute selle, puis je lui ai rendu la monnaie de son dollar espagnol et de ses deux pièces françaises. Je ne sais toujours pas à quel stade j'en étais, quand les militaires se sont emparés de moi, mais j'avais dû déjà faire un assez bon boulot, et j'aime imaginer que je lui ai bousillé l'œil, à cet enfant de salaud. Je suppose que ça peut avoir l'air d'une idiotie et ça ne montrait certainement pas que je m'étais amendé, mais malgré tout je peux pas dire que j'aie eu des regrets, même si ça signifiait que j'avais raté la Ligne.

Évidemment, à l'époque, je ne savais pas où ce prêté pour un rendu allait me mener.


### Ben Hayes, fermier de la terre de Van Diemen. 1830

Pour quiconque avait envie de renifler une bonne odeur bien épaisse d'huile de fusil, c'était l'endroit idéal. De ma vie je n'avais vu un si grand nombre de mousquetons à la fois. Alignés contre les murs et appuyés contre les caisses dont ils étaient sortis, ils emplissaient l'atmosphère d'une senteur de graisse toute fraîche.

C'est à Oatlands qu'on avait installé le dépôt, sur la route principale menant à Launceston. J'étais déjà passé par là et l'endroit m'avait paru plutôt calme, une auberge au bord de la route flanquée de quelques maisons, mais ce jour-là c'était bigrement animé. En plus des soldats et des bagnards, il y avait des dizaines et des dizaines de volontaires comme moi, et en voyant cette foule de gens j'avais véritablement l'impression de me trouver à Norwich un jour de marché. Des « holà ! » fusaient de toute part, plus nombreux que des pétards la nuit de Guy Fawkes, lorsque des gars découvraient un visage qu'ils n'avaient pas vu depuis un mois ou toute une année. J'étais venu à cheval avec Sam Ferris, Sam étant un de nos voisins, un gars de Norfolk qui plus est – la meilleure référence possible à mon avis –, et on a eu une belle matinée pleine de saluts et de nouvelles. Ensuite, on est allés chercher notre arme et on a dû faire le pied de grue un bon bout de temps. J'ai finalement reçu mon mousqueton, un truc assez primitif, alors je me suis félicité d'avoir apporté deux de mes pistolets. On nous a aussi fourni une paire de menottes, et un petit tas de munitions que j'ai comptées.

« J'ai droit qu'à ça ? j'ai demandé à l'employé de l'armée, même si j'ai dit ça plutôt à l'intention de Sam, vu qu'il était toujours très blagueur.

— Trente recharges, c'est la norme », a répondu le gars d'un air vexé.

J'ai tendu les menottes.

« Et si je vous les rends, puisque je ne vais pas en avoir besoin, de toute façon, en échange de trente recharges supplémentaires ? De cette manière, si je rate ma cible une fois, je pourrai toujours me faire cinquante-neuf de ces sales bougres. »

Ça a bien fait rigoler Sam. Alors qu'on ressortait dans la lumière du soleil printanier, voilà qu'on aperçoit le gouverneur lui-même jouant au général, malgré qu'il était trop pâle et trop maigrichon pour le rôle et qu'il avait plus l'air d'un fichu pasteur monté par hasard sur un cheval. Deux des officiers qui l'accompagnaient nous ont dit de nous taire, et alors il nous a fait un petit discours, nous remerciant pour notre aide, qu'on lui fournissait volontiers de toute manière, même s'il a tout gâché avec sa tirade sur les Noirs, à savoir qu'on ne devait pas toucher à un seul cheveu de leur tête, mais les amadouer avec des paroles aimables. « Considérez-vous comme des rabatteurs dans une chasse à la grouse », qu'il a dit, je crois. Eh bien ! s'il espérait une salve d'applaudissements, il n'a obtenu que quelques maigres battements de mains, et il n'en méritait pas tant. D'ailleurs, il n'aurait jamais bougé le petit doigt si des gens comme moi n'avaient pas commencé à faire un tel tintouin qu'il a pris peur.

Le soir, Sam et moi, on est allés à l'auberge. On n'était pas les seuls, bien sûr ; il y avait une sacrée ambiance, la salle était bondée et débordait jusqu'à sur la route. On savait tous que c'était notre dernière occasion de boire avant d'entamer notre grande balade dans la brousse.

« Je propose, j'ai dit à Sam, qu'on avale un verre de rhum pour chaque sale corneille qu'on va se faire. »

Ça l'a fait marrer.

« Ça serait pas juste ; il n'en resterait plus une seule goutte dans l'auberge. »

Quand on s'est mis en route le lendemain, j'avais un fichu mal de crâne. L'ennui, lorsqu'on avance difficilement, pas à pas, c'est que ça endort et qu'on se met à rêver. Malgré tous mes efforts, j'avais beaucoup de mal à scruter le terrain devant moi et à me méfier de ce que pouvait cacher le moindre buisson, car ma pensée vagabondait, se tournant par exemple vers le magasin que j'envisageais de construire ou vers la valse du prix de la laine. Puis, tout à coup, j'étais brusquement tiré de ma torpeur par le mouvement de quelque chose devant moi, et ma respiration devenait aussi forte qu'un soufflet de forge. Alors, je m'accroupissais tout près du sol et faisais glisser l'arme de mon épaule, tout en regardant alentour pour voir si Sam était dans les parages, ou Pete Tanner, qui se trouvait vers la gauche. Parfois ils avaient tous les deux disparu, le terrain nous ayant séparés ou des arbres s'étant interposés entre nous, ce qui était inquiétant. Ensuite, je regardais à nouveau pour vérifier si c'était rien de grave, juste un kangourou, ou une branche agitée par le vent. Je n'avais pas la frousse, bien sûr, mais à force d'être tout le temps fatigué on devient nerveux.

C'était la faute à ce foutu gouverneur. On ne pouvait imaginer une expédition plus mal organisée. Pour commencer, on n'avait même pas de tentes. On était censés être une véritable armée, comme il nous l'avait dit dans son laïus, mais on nous laissait passer la nuit à même le sol, des vrais mendiants. Je n'ai jamais bien dormi : il y avait toujours une pierre ou une racine qui vous meurtrissait les côtes, ou bien la pluie se mettait à tomber à verse, réussissant à traverser l'amas de feuilles et de branchages qu'on avait enchevêtrés pour servir d'abri. En plus, c'était dur de ne pas rester éveillé pour tendre l'oreille. Plus les jours passaient et plus on couvrait de kilomètres, plus on se demandait si quelques centaines de sauvages n'étaient pas agglutinés juste devant nous, avec peut-être même cette chienne d'amazone cinglée dont j'avais entendu parler qui jurait comme un troupier et pouvait écharper un gars d'une façon à laquelle il valait mieux éviter de penser. C'était pas une manière correcte de faire la guerre, mais de la boucherie pure et simple. Ce genre de pensées vous traversaient quelquefois l'esprit, surtout en pleine nuit.

J'étais pas le seul à faire le guet dans le noir, d'ailleurs. Une nuit, alors qu'il y avait des nuages et pas plus de lumière qu'au fond d'un cercueil, je commençais à m'assoupir quand soudain un coup de feu a claqué vers l'est. Ça nous a fait bondir comme un seul homme, Sam et moi. Puis le silence a régné à nouveau pendant quelques instants, mais brusquement il y a eu des détonations, comme s'il s'agissait d'une vraie bataille, et de la colline où on était, aussi loin que portait le regard, la nuit crachait des éclairs. Dans ce genre de moment, il n'est pas facile de continuer à scruter tranquillement un mur noir où il n'y a rien. Je n'entendais aucun bruit de pas, mais ça ne voulait pas dire qu'il n'y avait personne, et ça ne m'aurait pas étonné que cinq cents foutus sauvages soient en train de s'approcher sournoisement en nous prenant pour une trouée dans la ligne. Il était donc logique que Sam et moi on lâche quelques salves, histoire de les pousser à rebrousser chemin. Finalement, tout s'est calmé. Malgré ça, je peux pas dire que j'aie beaucoup dormi cette nuit-là.

Le lendemain matin, je m'attendais à apprendre qu'une bonne vingtaine de Noirs avaient été abattus, mais il n'en était rien. Peu après l'aube, la nouvelle a circulé le long de la ligne que tout ce qu'on avait trouvé, c'étaient quelques empreintes d'opossums, ce qui semblait un vrai mystère.

Comme il n'y avait pas grand-chose d'autre à faire, voyez-vous, on a ramassé nos effets et on s'est remis en marche, une fois de plus.

## Peevay. 1830

Pour chercher Tayaleah, maman nous a fait circuler des jours entiers tout autour du feu où on avait tous été tellement tués, même si c'était un fichu danger, puisque à n'importe quel moment des nommes pouvaient revenir pour nous tuer encore plus. Pendant tout ce temps, elle n'arrêtait pas de se lamenter en criant le nom de Tayaleah. J'avais peur qu'il sorte de derrière un arbre et que finalement je ne sois plus jamais débarrassé de ce petit salaud, mais heureusement ça n'est pas arrivé, et maman a fini par nous laisser partir de cet horrible endroit. J'espérais que maintenant qu'il avait disparu elle me donnerait ses tendresses comme elle aurait dû le faire, mais c'était juste un fol espoir. Non, elle m'a seulement envoyé ses regards haineux, presque comme si c'était moi qui l'avais fait disparaître, et lui, il a été encore plus adoré que lorsqu'il était là. Elle rappelait toujours à quel point il était intelligent et brave, et personne ne disait que c'était juste des idioties, parce qu'ils avaient trop peur de la mettre en rogne.

Alors on a continué notre guerre, allant vers l'est ou le sud, de-ci, de-là, plus loin, encore plus loin, si bien que même la forêt était bizarre, avec des arbres que j'avais jamais vus jusque-là. C'était triste, et souvent, la nuit, je rêvais du monde où je connaissais tous les parfums des fleurs, où je pouvais raconter l'histoire qui se trouvait dans chaque rocher, dans chaque rivière, et où Tartoyen et grand-mère habitaient tranquillement, s'ils n'étaient pas déjà tués. Des fois, on disait qu'on voulait y retourner, mais maman affirmait que ça n'avait aucune importance où on allait maintenant, parce que toutes les terres du monde entier étaient pareilles, pleines de guerre et de sales Blancs. Elle avait raison, ça oui, parce qu'il y avait des sales Blancs partout. Pas un jour ou presque ne se passait sans qu'on en voie un, au loin peut-être, courant après des moutons ou assis sur son grand animal riant qui s'appelait *cheval*. S'ils étaient dans un petit endroit et qu'ils n'étaient pas nombreux, on se battait contre eux. Des fois, on les tuait, et des fois, c'est eux qui nous tuaient. Quelques fois, on a trouvé d'autres comme nous qui avaient perdu les leurs et qui parlaient bizarrement, alors on est devenus plus nombreux, mais surtout moins nombreux.

Après chaque guerre, maman nous faisait marcher très vite et très loin, pour qu'ils ne nous attrapent pas tous comme avant. Elle a aussi dit qu'on ne pouvait plus faire de grands feux, parce que ça indiquerait où on était aux sales nommes et qu'on ne pouvait faire qu'un petit feu dans un trou du sol, si bien que ça ne nous réchauffait pas beaucoup. Il faisait froid à cette époque, et on avait faim. Des fois, pendant des jours entiers on mangeait seulement des racines qui ne rassasiaient jamais. Pourtant, comme les nommes ne nous tuaient plus la nuit, je suppose que les idées de maman étaient bonnes.

Puis un jour j'ai été chasser avec Heedeek sans brandon, ce qui voulait dire qu'il fallait entrer dans la forêt très tôt, au moment où le jour venait à peine de se lever, et puis rester dans un buisson sans bouger en guettant le bruit que fait le wallaby avec ses longues pattes quand il saute. Heedeek était grand, mais tout juste, et il n'avait pas encore de femme. Il avait beaucoup de cheveux, colorés en rouge sauf si on n'avait pas d'ocre, et qui tombaient tout autour comme de l'eau qui dégouline sur une grosse pierre. Il était un peu maladroit, butant contre des racines d'arbres ou faisant tomber des branches du feu avec son pied quand il passait à côté, mais il était toujours gentil avec moi et ne m'appelait jamais de noms méchants comme le faisait maman. Alors, il est devenu comme mon grand frère.

Heedeek n'était pas un chasseur malin, ça non, et souvent chasser avec lui, c'était juste attendre, et on ne tuait rien avec la lance. Mais ce matin-là, je me suis dit que c'était différent. Oui, je suis resté immobile pendant juste un petit moment. J'avais froid, car je ne devais faire aucun mouvement ni aucun bruit, quand soudain les feuilles se sont mises à bruisser et une branche s'est cassée. Une sacrée chance, j'ai pensé, car les autres qui attendaient près du feu avaient faim de viande, et peut-être que j'allais être leur magnifique héros. D'après le craquement très bruyant qu'il faisait, j'ai deviné que ça devait être un gros wallaby, ou même un kanunnah un peu effrayant, mais ça ne nous empêcherait pas de le manger quand même. Sans dire un mot, Heedeek m'a lancé un coup d'œil pour m'indiquer d'où venait cet animal, de l'autre côté de la clairière, et je lui en ai envoyé un moi aussi pour dire d'accord. Ensuite, je me suis accroupi derrière les buissons et j'ai préparé ma sagaie. Et, à coup sûr, les feuilles ont bougé, juste à l'endroit qu'on avait deviné. Mais alors, au lieu d'un wallaby ou d'un kanunnah, un sale Blanc est apparu avec son fusil et son couteau pour tuer.

Ça, c'était un casse-tête à n'y rien comprendre, puisque les sales Blancs ne venaient jamais dans la forêt. J'ai pensé que peut-être il était en train de chasser du gibier comme nous-mêmes, mais c'était idiot, puisque n'importe quel wallaby pourrait entendre le bruit qu'il faisait et aussi renifler sa puanteur, qui était très forte puisque je la sentais de cet endroit éloigné. Bientôt il y a eu un autre mystère à n'y rien comprendre. Il ne marchait pas dans les lieux dégagés, comme on fait quand on est malin, mais il avançait tout droit, comme s'il se trouvait sur une colline nue. Bientôt il s'est battu très fort contre les arbres, balançant son couteau pour tuer de droite à gauche pour essayer de se frayer un chemin. En plus, je savais que ça devait faire pas mal de temps qu'il faisait ça car sa peau morte, qui était rouge comme le sang, était toute déchirée et claquait comme des feuilles, si bien qu'on pouvait voir sa vraie peau en dessous, et même elle était tout égratignée, on aurait cru que des opossums avaient grimpé dessus.

Heedeek m'a fait un signe avec sa lance pour dire : Je vais aller par là et le transpercer si c'est possible, mais toi, tu bouges pas, ce qui était intéressant mais effrayant en même temps, car le sale Blanc avait son fusil. Finalement, ça ne s'est pas passé comme ça. Juste au moment où Heedeek se faufilait pour se préparer à tuer, on a commencé à entendre de nouveaux craquements d'arbres, d'un autre côté cette fois-là. Et, en effet, quand j'ai regardé à travers les feuilles, j'ai aperçu un nouveau sale Blanc, lui aussi coloré en rouge, et puis j'ai entendu encore d'autres bruits, venant de très loin. Ça annonçait de foutus ennuis, ça c'était sûr. Heedeek m'a regardé en pointant sa lance vers l'endroit où maman et les autres attendaient, alors on est rentrés en faisant très attention.

Maman a été intéressée. « Montons là-haut où on peut voir », elle a dit à Heedeek, car même à ce moment-là elle ne voulait pas me parler à moi qu'elle détestait trop, et tout en agitant ses bras forts et courts elle a mené la marche pour sortir de la forêt et grimper sur une colline qui était juste derrière. Là, on s'est couchés à plat ventre pour que les sales Blancs ne puissent pas nous voir, et on a aussi essayé de faire s'aplatir les bêtes chiens. Pas mal d'arbres se sont mis à trembler, et un nomme est sorti, s'est secoué et a fait tomber les feuilles, etc., de ses cheveux et de sa peau morte, hurlant de colère comme s'il avait été mordu par quelque chose. Puis d'autres arbres ont bougé et un autre est sorti, et encore un autre, si bien que tout à coup c'était comme si toute la forêt s'agitait et crachait des sales Blancs, tous armés de fusils, aussi loin qu'on pouvait voir. Alors, on s'est lancé des coups d'œil. Vous voyez, on savait ce que c'était. Ces sales Blancs ne chassaient pas seulement des wallabies, c'est nous qu'ils chassaient. Alors on a commencé à fuir.

La bonne chose, c'est que ces nommes avançaient aussi lentement que la boue, alors que nous on était rapides. On a filé comme le vent et, quand la nuit est tombée, on était si loin que leurs feux n'étaient pas plus gros que des étincelles dans le noir. Ils étaient nombreux, ces feux, malgré tout, alors on a compris qu'il y avait davantage de Blancs que ceux qui étaient sortis de la forêt, ce qui était un horrible casse-tête à n'y rien comprendre. Oui, c'était un énorme grouillement de sales Blancs sur tout le pays.

Pourtant, maman n'était pas désespérée. « Il faudra juste qu'on les contourne », elle a dit pendant qu'on était assis près du petit feu sans chaleur caché dans son trou.

149

Toute la journée suivante, on a marché très vite, les bêtes chiens courant autour de nos pieds comme si c'était un jeu très amusant. Bientôt, on a eu faim et on s'est sentis très crevés, mais on a continué quand même à avancer pour s'éloigner des sales bougres blancs tout en les contournant. Petit à petit je me suis senti plus en sécurité, parce qu'on était si loin qu'on avait dû les dépasser à mon avis. Puis, horrible découverte, on a escaladé une colline et ils étaient encore là, en masse, en train de marcher vers nous, l'un derrière l'autre et lents comme des fourmis.

« C'est peut-être juste les mêmes, a dit Heedeek, plein d'espoir. Peut-être qu'ils nous ont juste suivis. »

Mais maman était plus maligne.

« Non. Les autres étaient rouges comme le sang. Ceux-ci sont marron. »

C'était pas de chance. Jusqu'alors, je ne m'étais jamais demandé combien de sales Blancs il y avait dans le monde, puisqu'on n'en voyait jamais beaucoup à la fois, mais là je pouvais deviner que le nombre de ces affreux bougres était sans limites, et je savais qu'on ne s'en débarrasserait jamais, même si on se battait toujours et toujours et qu'on ne mourait jamais. Cette fois-ci, même maman a eu l'air triste. Non pas qu'on ait eu le temps de se désespérer, non, car ces salauds approchaient de plus en plus. Du coup, on s'est dépêchés de déguerpir à toute allure, malgré que cette terre n'était faite que de roches pelées et que je me suis douté qu'ils pouvaient nous voir. La pluie tombait et on avait faim et froid, j'avais mal aux pieds, ma tête me tournait, et j'étais tout étourdi. Finalement, on s'est arrêtés, on s'est tous écroulés par terre en haletant, simplement trop fatigués pour faire un pas de plus. Maman a posté deux hommes pour guetter, au cas où des sales Blancs arriveraient, et alors on a eu notre discussion.

Heedeek, qui était toujours prudent, a dit qu'on devrait les contourner une fois de plus.

« Peut-être qu'ils sont pas aussi nombreux qu'ils en ont l'air.

— Tu as vu leurs feux, lui a répondu maman, en croisant les bras et en le regardant comme s'il était un fichu imbécile. On va juste être encore plus fatigués et avoir encore plus faim, mais ça ne les empêchera pas de venir. Non, il vaut mieux se battre contre eux maintenant. »

Personne ne voulait se battre contre ces Blancs, car ils étaient si nombreux qu'on savait que ça voulait dire mourir, ce qui était horrible, mais elle avait raison, je le devinais bien. En plus, maman faisait peur, surtout quand elle était en colère, si bien qu'être tué paraissait plus facile que dire non. Maman nous a laissés nous reposer un petit moment, et ensuite elle a saisi sa lance et s'est remise sur pied. Alors elle a commencé à se diriger directement vers les sales Blancs, d'abord lentement, puis plus vite, et nous, pendant tout ce temps, on la suivait.

# Ben Hayes, fermier de la terre de Van Diemen. 1830

Pendant deux jours on a parcouru des terres agricoles et c'était agréable. Une nuit, j'ai dormi dans une grange bien sèche, et des fois, lorsque les femmes nous voyaient arriver, elles accouraient avec du lait chaud et du pain frais qui avait meilleur goût que l'oie de Noël. Ça n'a pas duré, hélas ! Peu après, on est tombés sur d'épaisses broussailles comme il n'y en a que sur la terre de Van Diemen, pleines d'épines qui vous déchirent les vêtements et les chairs, à tel point que bientôt on était tous pratiquement en loques et couverts de cicatrices comme si on avait fait la sieste sur de foutues baïonnettes. C'est mes brodequins qui m'inquiétaient surtout car ils étaient en si piteux état que je devais les attacher avec des bandes de tissu arrachées à ma chemise pour que les semelles ne se débinent pas. J'en avais maintenant par-dessus la tête de mon barda. C'est bien connu que ce qui la première minute semble léger comme une plume devient lourd comme du plomb quand on le trimbale kilomètre après kilomètre. À chaque instant j'avais envie de foutre en l'air ces menottes et je regrettais d'avoir apporté mes deux pistolets.

Une nuit, on a dormi dans la forêt, et la suivante on a grimpé sur un haut plateau dégagé, ce qui était chouette, à part le vent. C'est ce même après-midi que je les ai vus. Je m'étais arrêté un petit moment pour déplacer mon paquetage et tenter d'être plus à l'aise – même si ça ne servait jamais à rien – et quand j'ai relevé la tête, ils étaient là, ces bougres, une bonne vingtaine au moins, en train de filer sur la colline d'après. Je me suis figé. J'ai jeté un coup d'œil à Sam et il avait eu la même réaction. Puis on s'est regardés et on a ricané un peu. Non pas que c'était drôle.

On a fait circuler la nouvelle et puis on a continué à marcher comme avant. Juste après, il s'est mis à pleuvoir, ce qui était ennuyeux, car mes vêtements avaient à peine eu le temps de sécher depuis la dernière saucée. On était presque au crépuscule quand l'ordre de faire halte a descendu la colonne. Jusque-là on campait seulement par deux, mais cette fois-ci, après avoir aperçu ces Noirs, et en si grand nombre de plus, ça paraissait un peu dangereux, alors on a fini par se mettre par six. Je suppose que ça laissait une grande trouée à l'est, mais l'idée était que s'ils causaient du grabuge au moins on serait assez nombreux pour les combattre. Pete Tanner étant l'un de ces gars qui pourraient utiliser même l'eau d'un lac pour allumer un feu, bientôt on a eu un joyeux petit brasier malgré la flotte qui tombait toujours autour de nous. Voyez-vous, rien ne vaut un bon feu pour vous réchauffer les os. On a fait des galettes de farine et Sam a sorti un petit opossum qu'il avait tiré avec son mousqueton ce matin-là, et une fois qu'on l'a eu débarrassé de sa fourrure il a bientôt pris un bel aspect en dégageant un sacré fumet.

Quand j'y repense aujourd'hui, je me dis que c'était la faute à la pluie, car on était au crépuscule et elle empêchait de voir très loin. En plus, il faisait si froid qu'il aurait fallu être idiot pour s'éloigner de notre bon feu. On avait posté une sentinelle, bien sûr, mais ces Noirs devaient avoir un truc pour se rendre presque invisibles, car elle ne les a vus qu'au moment où c'était quasiment trop tard. Tout à coup, ils étaient là, courant comme le vent dans la petite vallée en contrebas. Et du grabuge, ils avaient bien l'air de vouloir en causer. En tête, il y avait une femme qui ne pouvait être que cette amazone dont j'avais entendu parler. Nue comme un ver, elle brandissait un fusil de chasse. Ça nous a vraiment fait un choc, personne ne nous ayant dit que certains avaient des fusils. Sacrebleu, on aurait dû nous prévenir ! Derrière elle, il y en avait un autre aussi bizarre, un gamin aussi noir que les autres, mais avec des cheveux clairs comme de la paille.

Croyez-moi, on a saisi nos fusils vite fait, même si c'était dur de bien les viser, puisqu'ils couraient en s'agitant dans tous les sens. Pour sûr, j'étais prêt à faire feu, et j'aurais tiré, si l'un des autres avait seulement poussé un cri comme je m'y attendais. Mais aucun ne l'a fait. En réalité, on avait peur de rater la cible, surtout que les Noirs sont si invisibles au crépuscule, car alors ils auraient pu revenir sur nous, y compris l'amazone au fusil. Tout s'est calmé, on n'entendait que la pluie et les grésillements de l'opossum en train de rôtir sur le feu ; en un rien de temps ils avaient déguerpi et se trouvaient pratiquement hors de portée de nos mousquetons.

C'est Sam qui a rompu le premier le silence :

« Je suppose qu'on devrait les prendre en chasse. »

Son ton donnait l'impression qu'il posait une question.

Personne n'a répondu, mais personne n'a bougé non plus. On est juste restés à regarder. L'instant d'après, ils avaient atteint les arbres et quitté notre champ de vision.

« Si on les prend en chasse, ça va créer un trou dans la ligne », a dit Pete Tanner.

Sam a mâchonné sa joue, c'était un tic chez lui.

« De plus, on n'est pas sûrs que nos fusils fonctionneront par cette humidité. »

Peu après, on est retournés s'asseoir autour du feu, là où il faisait chaud. Les galettes et l'opossum étaient vraiment fameux, et plus tard on a fait du thé dans la gamelle. Cette nuit-là, on a installé un vrai poste de veille avec des gars montant tour à tour la garde comme dans une vraie armée. Personne n'a rien vu, remarquez.

Ce n'est pas qu'on avait pris la décision de ne rien dire sur ce qui était arrivé, c'est juste que personne n'a pipé mot. On ne voyait guère ce que ç'aurait apporté.

## George Alder, gouverneur de la terre de Van Diemen. 1830

Une fois le petit déjeuner terminé et les bagages refaits, notre troupe reprit sa vaillante marche, au milieu d'un grand tintamarre de gamelles, de gourdes pleines d'eau et de mousquetons. Ce n'est qu'au moment où nous parvenions au terme de cette magnifique campagne, l'étroitesse du terrain les faisant se regrouper, que ces deux mille hommes, dispersés jusque-là sur la moitié de l'île, finirent par ressembler à une véritable armée. Et elle avait l'air courageuse, cette petite armée en loques et en brodequins lacérés ! Quelle noble tâche ç'avait été de traverser cette âpre terre sans subir la moindre perte, mis à part les rares victimes d'accident, ou les hommes qui s'étaient tirés dessus par mégarde. Leur splendide mission était presque accomplie. Mon principal souci désormais était qu'ils n'oublient pas de traiter les aborigènes avec fermeté et douceur à la fois, comme je les en avais priés.

Ned, mon chef de la police, qui se fait du mauvais sang pour un rien, craignait qu'on n'ait pas assez de paires de menottes.

« D'après les rapports reçus, il se pourrait que quatre tribus entières aient été prises au piège.

— Si on en manque, on pourra toujours utiliser les cordes des tentes », suggérai-je. À ce moment-là, mon attention étant attirée par des cris dans mon dos, je jetai un coup d'œil derrière moi et aperçus un homme qui n'aurait pu avoir l'air plus insolite dans cet endroit sauvage s'il l'avait fait exprès. Il n'avait aucune arme et, loin d'être en vêtements de brousse, il portait une veste et un chapeau haut de forme qui eussent été plus appropriés pour se rendre à l'église. Quand il s'approcha, je reconnus John Pierce. Je ne fus d'ailleurs pas surpris, l'homme étant un agitateur notoire. Il avait jadis été employé par la Compagnie foncière du Nouveau Monde en temps qu'ingénieur agronome, mais avait quitté son poste et débarqué à Hobart en portant des allégations insensées contre ses collègues à propos de cruautés qu'ils auraient infligées aux Noirs. Heureusement, son employeur, M. Charles, un fort brave homme, m'avait écrit au préalable pour m'avertir et m'expliquer que, devenu complètement fou, l'homme s'était mis à errer dans la brousse comme un sauvage. Pierce vint plusieurs fois au gouvernement afin de lancer ses accusations et il avait même essayé, une fois, de m'accoster dans la rue, à telle enseigne que j'avais eu grande envie de le faire arrêter.

Quand il me vit, il éperonna son cheval en hurlant d'une voix hystérique : « Monsieur le gouverneur Alder, j'exige que soit mis immédiatement fin à cette opération. Vous êtes en train de perpétrer un massacre, rien de moins. »

Quel étrange bonhomme il faisait, avec ses yeux qui n'arrêtaient pas de cligner, et son air blessé qui lui donnait presque l'impression d'être près de fondre en larmes ! Malgré sa folie il avait droit à une réponse, me semblait-il.

« Monsieur Pierce, vous avez totalement tort. Il n'y aura aucun massacre. » Je me mis alors à lui parler des trois cents paires de menottes que nous avions préparées et des instructions précises que j'avais données aux hommes, mais en pure perte. Je suppose qu'on ne peut pas discuter avec un dément.

« Vos menottes ne sont que de la poudre aux yeux, reprit-il. Le but que vous poursuivez, sous le couvert d'un prétendu processus légal, n'est que trop évident. On ne se débarrassera pas de moi de la sorte... Je vais témoigner sur ce massacre afin qu'on ne puisse jamais nier son existence. »

Je perdais de plus en plus patience.

« Monsieur Pierce, rétorquai-je, je n'ai jamais suggéré qu'on se débarrasse de vous, mais si vous continuez à causer des ennuis et à entraver cette très importante opération militaire, c'est ce qui va se passer. »

Ce fut à ce moment-là qu'à ma grande surprise je m'aperçus qu'il s'était tu et qu'il regardait devant lui, médusé. Je suivis son regard. Pendant que je discutais avec lui tout en chevauchant, nous avions dû franchir une crête, car sous nos yeux un magnifique panorama se déployait désormais. Sublime spectacle ! Des mouettes planaient haut dans le vent et des vagues déferlaient à perte de vue. La mer s'étendait sur la gauche et également sur notre droite, tandis qu'en rangs serrés, lançant des éclats de lumière, les hommes avançaient d'un pas martial dans les deux sens jusqu'au rivage. Devant nous s'étalait une immense prairie descendant en pente douce jusqu'à la mer et qui n'était pas sans rappeler quelque partie sauvage de la côte du Devonshire. Nous avions atteint l'extrémité de la péninsule et la fin de notre magnifique expédition.

« C'est un miracle », murmura Pierce.

Le plus remarquable est qu'il n'y avait pas le moindre aborigène à l'horizon.

# Peevay. 1830-1831

Le temps est passé, l'été est arrivé et on a continué à fuir et à se battre comme avant. Puis un jour on a trouvé un gommier à cidre. C'était une bonne nouvelle, ça oui, car on n'en rencontre pas souvent, et si on fait des trous en bas, tout près du sol, avec des petites pierres, et qu'on met une paille dedans, on peut boire le jus, qui est sucré et qui rend bête et fait tourner la tête. Et celui-là était un bon qui avait assez à boire pour tout le monde, et on a commencé bientôt à rire et tout. Tout le monde sauf maman. La vérité, c'est que maman n'était plus la même depuis l'énorme grouillement des sales nommes blancs. Même si rien ne s'était passé, qu'ils étaient juste restés près de leur feu à regarder et ne nous avaient pas tués finalement, maman était quand même affectée, plus que je l'avais jamais vue, et longtemps après ses yeux étaient toujours pareils à des pierres. J'ai pensé que c'était parce qu'elle savait qu'on ne pourrait plus gagner maintenant et qu'elle aurait voulu qu'on meure tous à ce moment-là. Comme ça, tout serait terminé.

On était encore tous assis autour du gommier à cidre quand Cordeve, dont c'était le tour de monter la garde, s'est écrié : « Regardez ! C'est ma sœur ! »

Cordeve était un Tommeginer, et je ne savais même pas qu'il avait une sœur, et voilà, elle était là, marchant parmi les arbres avec deux femmes que je n'avais jamais vues. C'était un grand bonheur, vraiment, car ça réjouissait toujours le cœur de découvrir que d'autres comme nous étaient encore en vie. D'habitude, Cordeve était très calme, mais maintenant il était gai et tout joyeux, et il a couru vers les nouvelles venues. Il était tout près d'elles quand soudain son empressement s'est transformé en course d'attaque, la lance brandie. « Attention ! il a crié. Derrière vous ! »

Derrière sa sœur, vous voyez, il y avait un homme blanc. Oui, c'était un casse-tête à n'y rien comprendre que ce nomme. Il n'avait pas de fusil ni de couteau pour tuer et il restait là, tout souriant, petit, gros et facile à frapper. J'ai cru que Cordeve allait le transpercer avec sa lance, mais sa sœur ne s'est pas éloignée comme on l'aurait imaginé, au contraire, elle a couru se placer devant le Blanc pour le protéger.

« Arrête ! elle a crié. C'est mon ami. »

Ça, c'était bizarre, mais la chose la plus bizarre s'est passée après. Tout à coup le sale Blanc nous a crié quelque chose, et savez-vous que ce qu'il nous a crié n'était pas du tout en langage d'homme blanc mais en tommeginer. Il ne le savait pas très bien, c'est vrai, car ses mots étaient faux et bêtes comme ceux d'un bébé mais, quand même, qui a jamais entendu parler d'un Blanc qui connaît notre langue ?

« N'ayez pas peur ! il nous a dit. Je veux seulement vous aider. Je m'appelle Robson.

— Vous devez l'écouter, a fait la sœur de Cordeve d'une voix très suppliante. Il peut nous sauver. »

Il souriait, maintenant, ce Robson, comme si on était des enfants stupides. Je crois qu'on le regardait bouche bée en l'entendant utiliser nos mots à nous.

« Elle a raison. Je connais un endroit où vous serez tous en sécurité. Un bon endroit où il y a plein de kangourous à chasser et où aucun méchant Blanc ne pourra vous faire du mal. Je peux vous y conduire. » Il a fouillé dans sa peau morte, qui était sale, et en a sorti des objets ronds et brillants de différentes couleurs, comme des cailloux plats. « C'est pour vous. On les appelle des boutons. »

Ses paroles étaient intéressantes, oui, parce que en vérité j'étais trop fatigué de toujours courir, de me battre, d'avoir froid et faim. En plus, on n'était plus nombreux maintenant et très bientôt on serait tous tués. Cordeve s'approchait pour prendre l'une des choses appelées boutons, et j'ai pensé que j'allais l'imiter car elles étaient jolies, mais maman a lancé son regard haineux.

« Ne vous approchez pas de lui ! elle a dit. Aucun salaud de Blanc n'apporte autre chose que la mort. » Alors elle s'est tournée vers Robson, l'homme blanc. « Partez et fichez-nous la paix ! Ou je vous tue. »

Robson n'a pas du tout eu l'air d'entendre ses paroles et a continué à sourire comme s'il ne la croyait pas. Je suppose qu'il ne connaissait pas maman.

« Nous avons de la viande pour vous si vous avez faim, il a dit en souriant. Des tas de viande. Et vous pourrez vous asseoir à côté d'un bon feu.

— Et il y en a plein d'autres avec nous que vous connaissez déjà », a dit la sœur de Cordeve.

Tout à coup, maman a levé son fusil et a tiré. Je n'ai jamais su si elle avait voulu le rater ou si elle était juste troublée. Elle était probablement troublée. Même s'il n'avait pas été tué, il a eu une fichue peur et je me rappelle qu'il est parti en marchant comme une araignée, accroupi, s'enfuyant en levant les mains comme pour empêcher qu'on le frappe – même si personne n'en avait envie –, tout en même temps. La sœur de Cordeve et les deux autres femmes sont parties avec lui, s'enfonçant dans les buissons, et puis Cordeve les a suivies en criant le nom de sa sœur. Je pense qu'il était triste de la perdre si vite après l'avoir retrouvée.

« On doit partir d'ici », a dit maman.

Alors on est partis. En marchant, je me disais que peut-être l'homme blanc aurait pu nous sauver comme il l'avait dit. D'autres ont dû penser comme moi. Pourtant, personne n'a rien dit à maman, car personne n'osait jamais. Et tout ce temps elle avait l'air en colère et nous criait d'aller plus vite, comme si elle avait beaucoup plus peur de ce Blanc souriant et qui parlait la langue des Tommeginers que de tous les autres qui avaient pullulé partout avec leurs fusils et leurs couteaux pour tuer. Bientôt on a atteint un haut plateau, et quand on s'est arrêtés et qu'on a regardé en arrière il y avait des traînées de fumée venant des brandons, alors on a compris que ça ne lui avait pas fait peur d'être presque tué mais qu'il voulait nous rattraper. En plus, ces fumées étaient nombreuses, ce qui nous a fait deviner que beaucoup des nôtres devaient être avec lui, comme l'avait dit la sœur de Cordeve.

Donc on avait recommencé à fuir, une fois de plus, mais cette fois-ci c'étaient aussi les nôtres qu'on fuyait et pas seulement les nommes. C'était beaucoup plus dur. Quand on se retournait on voyait qu'ils ne nous lâchaient pas. Par conséquent, les nôtres suivaient nos empreintes de pas malgré qu'on faisait très attention, alors que les nommes n'auraient jamais pu les voir. Je pense que même alors on aurait pu facilement leur échapper, sauf que la maladie de la toux nous est tombée dessus. C'était la première fois que je voyais ça, même si j'en avais entendu parler comme d'une chose affreuse qui tuait davantage que les sales Blancs. Le deuxième jour de notre fuite, le cousin de Cordeve, qui s'appelait Lawerick, l'a attrapée. Quelques jours plus tard il était brûlant et étouffait. Le soir il crachait un truc blanc qui ressemblait à de la merde d'oiseau et il était si crevé qu'il pouvait à peine parler. Cette nuit-là, deux autres personnes ont attrapé le mal elles aussi. L'une des deux était maman.

Une caractéristique de maman, c'est qu'elle ne voulait jamais céder. Si j'avais le don de survivre, le sien était de continuer coûte que coûte. D'autres auraient su qu'on devait s'arrêter maintenant parce que c'était un vrai désastre, pas maman. Le lendemain matin, ses yeux étaient faibles et elle avait du mal à marcher, mais malgré tout elle refusait de s'en préoccuper.

« On doit aller jusqu'à la rivière », elle a déclaré.

J'ai bientôt compris son intention hardie. Quand on est arrivés à la rivière, on a d'abord éteint tous nos brandons sauf un, on les a mis dans les buissons et on a effacé nos traces en les brossant avec des feuillages. Puis on est entrés dans l'eau, même si elle était froide, et on a commencé à marcher en engueulant les bêtes chiens pour les forcer à rester dans l'eau elles aussi. Toute la journée on a suivi ce cours d'eau malgré que nos pieds étaient tout engourdis et qu'ils étaient souvent coupés par des pierres tranchantes et que Lawerick, maman et les autres étaient de plus en plus mal fichus. Finalement on est arrivés à un endroit où il n'y avait que des gros rochers, lisses et plats comme

157

d'énormes coquilles, et maman a dit qu'on pouvait marcher dessus puisqu'ils ne gardaient pas les empreintes. Derrière on a trouvé une petite forêt et c'est là qu'on est allés en effaçant nos traces pour que nos ennemis ne les voient pas.

Je me disais qu'on était maintenant en sécurité mais on était de plus en plus malades. Maman a dit qu'on ne pouvait pas allumer un feu de camp, même dans un trou, car les ennemis sentiraient sa fumée, et il a fait froid cette nuit-là. Le matin, Lawerick était très mal, geignant et tout, et même s'il avait les yeux ouverts il ne reconnaissait personne. Il est mort juste après, et sa mort a entraîné une grande bagarre, il m'en souvient, car son frère a dit qu'on devait brûler le corps, ce qui était correct, mais maman a dit non, pas de feu, même pour ça.

« On va le mettre dans la forêt et on le brûlera plus tard, quand ils seront très loin », elle a dit. Le frère de Lawerick était vraiment furieux et disait que des animaux pourraient le trouver et le manger, mais il était le seul à parler ainsi, si bien que Lawerick a été laissé dans la forêt comme le voulait maman.

Plus tard ce jour-là, les nuages sont partis et le soleil chaud a brillé, ce qui était mieux, et tous ceux qui n'étaient pas mal fichus à cause de la maladie de la toux sont partis chercher des racines pas très loin pour qu'on mange. J'y suis allé avec Heedeek. On en a trouvé quelques-unes, et même si on n'en a pas ramassé des tas, c'était plus de nourriture que depuis qu'on avait recommencé à fuir. On a mangé avec grand appétit et on en a donné un peu à ceux qui étaient malades, c'est-à-dire six maintenant. C'est agréable de manger quand on a faim, et après tout le monde s'est couché pour se reposer.

Tout le monde sauf moi.

Je réfléchissais, vous voyez, au bon feu de l'homme blanc, à sa viande qu'on pourrait manger et à la joie que ce serait. Et puis j'ai pensé à l'endroit qu'il avait promis où il y aurait des kangourous à chasser et où on serait à l'abri. Pendant un moment j'ai regardé les autres dormir et puis je me suis éloigné sans faire de bruit. Tout près il y avait un arbre très grand, et j'ai grimpé tout en haut jusqu'à ce que j'atteigne les branches si fines qu'elles se pliaient quand je les agrippais. De là-haut je pouvais voir la moitié de partout, alors j'ai regardé. À l'ouest, il y avait des montagnes pointues comme des pierres tranchantes. À l'est, pas loin, je voyais la rivière froide où on avait marché pour qu'on ne nous repère pas. Et là-bas, vers le sud, des fumées minces comme des cordes montaient dans l'air. Elles n'étaient plus aussi près qu'avant, et pendant que je regardais, si accroché à ces branches que j'avais mal aux bras, j'ai vu que maintenant ils s'éloignaient de nous. Oui, je devinais que l'idée de maman d'avancer dans la rivière avait été bonne et qu'ils nous avaient ratés. Quand je suis redescendu, je suis allé près de maman qui avait chaud et toussait dans son sommeil. J'ai pris une grosse racine que j'avais trouvée et qu'on pouvait manger et je l'ai placée près de sa main, comme un gentil cadeau. Ensuite, je me suis approché du petit brandon, qui était le seul feu que maman nous permettait d'avoir maintenant.

C'était trop facile. Le brandon était planté dans la terre, mais bêtement, car les feuilles d'un gommier n'étaient pas très haut au-dessus. J'ai regardé, mais les autres ne surveillaient pas. Pendant un moment je suis resté là à réfléchir. Puis doucement j'ai bougé la branche jusqu'à ce que le feu l'attrape.

Ça a suffi.

## 7

## Timothy Renshaw. Août-septembre 1857

Le choc d'avoir failli être tués par des pirates a eu un effet calmant sur tout le monde à bord de la *Sincérité*, moi y compris, et, pendant un certain temps, même le Dr Potter et M. Wilson se sont traités presque avec courtoisie. Il va sans dire que ça ne dura pas. Une fois que nous eûmes franchi l'équateur, notre pasteur commença à paraître agité et, dès lors, il se mit à prier à haute voix dès potron-minet, ou plus précisément à « la sainteté de l'aube », selon son expression. Ça me rendait à moitié fou, ses jérémiades passant directement par les trous de la cloison. Quant à Potter, il n'avait pas du tout l'air content. Juste après, il y eut l'affaire de la tasse de thé trouvée sur la bible du pasteur, incident qui entraîna de la part de ce dernier la rédaction d'une liste de lois encore plus longue. Ce qui ne lui fut pas suffisant. Au cours de son sermon du dimanche suivant, il se fit un devoir de nous inviter à scruter le fond de nos cœurs afin d'en expulser envie et méchanceté. Discours qui s'accompagna de petits sourires pieux en direction du médecin. Quand le sermon exalta ensuite la vertu du respect et précisa que le devoir sacré des « subalternes » était d'obéir à leurs « supérieurs naturels », le visage de Potter se crispa.

Ce sermon décida de l'étape suivante de leur guéguerre. Dès qu'il fut terminé, le médecin se précipita vers le capitaine Kewley, Wilson – qui avait remarqué sa fureur – sur ses talons. Je les suivis par curiosité. À bord de la *Sincérité*, leur conflit tenait lieu d'action, et, tout en les trouvant aussi ennuyeux l'un que l'autre, je m'amusais de leurs empoignades.

« J'ai pensé, commença Potter, que cela pourrait intéresser l'équipage si je donnais quelques conférences éducatives, par exemple sur des sujets scientifiques. »

Avant que Kewley n'ait le temps de répondre, Wilson s'interposa :

« Quelle généreuse pensée, docteur ! Bien que je doute que cela soit convenable le jour du Seigneur, où nous préférons nous consacrer aux choses spirituelles. »

Le pasteur se disait sans doute que Kewley refuserait que les confé-rences aient lieu les jours ouvrables ; ainsi, ne trouvant pas sa place sur le tableau de service à la mer, la proposition de Potter finirait par être gentiment oubliée. Il avait probablement raison, d'ailleurs. Son erreur fut d'avoir l'air de se mêler de ce qui ne le regardait pas. La lassitude se peignit sur le visage de Kewley.

« Je ne vois pas pourquoi on ne pourrait pas trouver un moment pour son laïus comme pour le vôtre, révérend. Après tout, la science du médecin fait elle aussi partie du monde créé par le bon Dieu, non ? »

Wilson s'agita tant et plus, mais je fus ravi de constater que le capi-taine refusa de se laisser houspiller. Le bateau devint donc un véritable cabinet d'écriture, mes deux collègues travaillant à leurs exposés tels deux escrimeurs affûtant leurs épées. C'était à qui prendrait la mine la plus grave, comme pour démontrer la supériorité de son travail sur celui de l'autre.

Au début de cette même semaine, le temps se mit à changer. Ayant soufflé très fort jusque-là, le vent nous avait poussés rapidement vers le sud, et déjà le soleil avait commencé à perdre un peu de son inten-sité, sa lumière pâlissant délicatement, signe qu'on s'aventurait dans une région du monde où l'on était encore à la fin de l'hiver. Le jeudi, virant pour souffler du sud-ouest, le vent devint brusquement plutôt fris-quet et contraignit l'équipage à beaucoup s'occuper des voiles. Puis, le samedi matin, il tomba presque complètement et on se retrouva encalminés. Cette nuit-là, le brouillard fit son apparition. Le dimanche matin, le bateau y était plus étroitement enserré qu'une main dans un gant. La lumière était si blême et l'air si calme qu'on n'avait pas du tout l'impression de se trouver en pleine mer, mais plutôt à l'intérieur d'une pièce sombre. En regardant par-dessus le plat-bord, on n'aper-cevait l'eau que sur quelques mètres en contrebas, tandis qu'en haut les mâts et les voiles disparaissaient dans la blancheur.

Soudain, vers midi, au milieu du silence, on entendit un grand *floc* inquiétant par bâbord devant. Nous courûmes tous vers le bastingage. À cause du brouillard, nous ne pûmes rien voir. Le capitaine Kewley hurla même : « Ohé ! là-bas ! » ; il n'y eut aucune réponse. Ce fut seu-lement en tendant l'oreille sans bouger qu'on perçut un son venant de la même direction, faible et rythmé, bas et profond.

« Des animaux marins », souffla Kewley.

Il semblait y en avoir un grand nombre. Pendant qu'on les écoutait, leur respiration se fit graduellement plus sonore, se propageant tout autour du bateau, comme si on se trouvait au milieu d'un immense dor-toir maritime. Puisque aucune de ces créatures ne s'approchait assez près pour être vue, je devinai aisément qu'on avait affaire à des sortes de baleines ou d'orques. Cela peut paraître stupide, mais leur présence invisible m'angoissait. Même les Mannois, que j'aurais crus habitués à ces bizarreries, vaquaient à leurs tâches avec des regards furtifs et des chuchotements suggérant qu'ils craignaient d'être entendus par ces énormes bêtes.

Mais cela ne semblait guère préoccuper nos deux conférenciers, lesquels, bien plus intéressés par leur exposé du dimanche suivant, passaient leur temps à compulser fébrilement leurs notes ou à se quereller sur la construction de la chaire de fortune. Le Dr Potter devait parler le premier. S'abstenant du préambule théâtral de Wilson, il monta tout de suite d'un pas ferme sur l'estrade et planta sur nous un regard grave.

« Aujourd'hui, ma conférence traitera du magnétisme animal, également connu sous le nom de mesmérisme, déclara-t-il d'un ton solennel, s'arrêtant un instant au moment où l'une des créatures marines émettait un soufflement, faible mais inquiétant, dans le brouillard, et sera suivie d'une démonstration pratique de cette technique capitale par laquelle j'espère révéler certains grands secrets de l'âme humaine. »

Je supposais que son intention était de faire de l'ombre au sermon de Wilson, et peut-être de lancer quelques piques au pasteur en passant. À cet égard, le choix de son sujet était assez astucieux. Le mesmérisme constituait un phénomène très en vogue qui avait rempli plus d'une salle de café-concert de spectateurs passionnés, enchantés de voir quelque malheureux nigaud se prendre pour un âne ou un cul-de-jatte. J'étais moi-même fort intrigué, n'ayant jamais deviné que le médecin était un adepte de cet art. À ma grande surprise, néanmoins, les Mannois ne parurent pas très emballés. Je les crus un moment encore troublés par la présence des créatures marines, mais leur mine indiquait plutôt une réelle antipathie à l'égard de Potter. Ils devaient craindre quelque mauvais tour de sa part. Assis sur un rouleau de cordages, très loin de l'estrade – ayant déclaré qu'il ne pouvait « malheureusement » pas écouter le médecin à cause de la préparation de son sermon –, Wilson avait remarqué lui aussi le mécontentement de l'équipage et ricanait visiblement.

Quant au docteur, il ne se laissait pas démonter. La première partie de son exposé traitait de ce qu'il appelait « la géographie de l'esprit ». Ne connaissant pas grand-chose à la question, j'y trouvai un assez grand intérêt. Il affirma que le cerveau était divisé en de nombreuses tranches, quasiment comme une orange, contenant chacune un « instinct ». Plusieurs correspondaient à des caractéristiques mentales, lesquelles étaient aussi diverses que le tempérament humain, allant de la sagesse au goût pour les douceurs et de la colère à la tendance au vertige. La vigueur de chaque instinct variait d'un individu à l'autre, et l'association de leur force et de leur faiblesse respectives déterminait le caractère de chaque individu. Ainsi, un homme doué de puissants instincts de bravoure et de loyauté ferait un excellent soldat, tandis qu'un autre, chez lequel la cupidité l'emportait sur l'honnêteté, risquait fort de devenir voleur. Entre les races d'hommes, poursuivit le médecin, les écarts étaient plus grands encore, vu que la structure même du cerveau différait. Ainsi, nous apprîmes que les Chinois possédaient un instinct exceptionnellement vigoureux les portant à aimer les couleurs vives, tandis que les sauvages d'Afrique étaient totalement dénués de l'instinct de la civilisation.

« Le mesmérisme permet de libérer ces merveilles de l'esprit, expliqua Potter. Chaque instinct du cerveau se propageant jusqu'au crâne, dès qu'une personne est plongée dans l'état de transe approprié, le praticien peut, par simple pression des doigts, révéler de manière spectaculaire les divers éléments de son cerveau. Tout se passe, en fait, comme si l'on jouait sur le clavier d'un orgue. Appuyez sur la touche de la peur, et le sujet montrera immédiatement des signes de frayeur, s'imaginant peut-être qu'un horrible gouffre s'est ouvert sous ses pieds. Essayez celle de la fourberie, et ses paroles ne seront que mensonges. Pressez celle de l'aveu, et il confessera toutes sortes de secrets. Dix minutes de mesmérisme peuvent révéler un homme plus complètement que des mois passés à étudier sa nature apparente. »

Je remarquai que certains membres de l'équipage montraient des signes de nervosité, tapotant des pieds sur le pont.

« Le mesmérisme permet de voir au-delà des titres et des pompes. Hypnotisez un miséreux, et vous vous apercevrez peut-être qu'il possède davantage de sagesse qu'un grand seigneur », continua Potter sans se laisser démonter. Jetant un bref coup d'œil sur le pasteur, il ajouta : « Et un simple garçon boucher peut se révéler plus vertueux qu'un prêtre. »

Voilà donc la première pique. Le sourire ironique de Wilson disparut et il se plongea dans ses notes.

Tout content de sa petite attaque, Potter s'avança vers le bord de la chaire improvisée et scruta l'auditoire à travers le brouillard.

« J'espère que mes propos ont expliqué la théorie sur laquelle s'appuie ce très important phénomène. Le moment est venu de la mettre en pratique, afin que vous jugiez par vous-mêmes. Pour ce faire, il me faudrait un volontaire. »

Je me doutais que ce ne serait pas facile, en quoi je ne me trompais pas. Potter attendit en souriant, mais sa requête se heurta à un mur de silence. Bientôt, le grincement du bois et le claquement des vagues contre la coque parurent assourdissants. Le médecin semblait stupéfait.

« Il doit bien y avoir un volontaire, quand même ? »

Juste au moment où son visage commençait à montrer une certaine inquiétude, le second leva le doigt. Potter le regarda d'un air radieux.

« Merci, monsieur Brew !

— Oh ! je ne me propose pas, répliqua Brew avec un large et inquiétant sourire. Je voudrais seulement savoir ce qui va arriver à l'heureux volontaire. Allez-vous le faire se mettre à poil et se prendre pour Jeannot Lapin ? »

Des ricanements parcoururent l'assistance.

Potter parut se troubler. Il ne voulait surtout pas que sa conférence tourne à la farce. Il s'efforça de rétablir l'atmosphère de sérieux en nous lançant avec un sourire gêné : « Je ne m'intéresse pas le moins du monde aux pantomimes. Le mesmérisme est non seulement un outil scientifique d'une valeur inestimable, mais également une méthode tout à fait naturelle pour calmer merveilleusement les nerfs. Quoique certains y soient plus sensibles que d'autres, je crois sincèrement que tous, hommes et femmes, peuvent s'y soumettre sans le moindre risque. »

Si les Mannois ne se gaussèrent pas de cette petite tirade, aucun d'entre eux ne se porta volontaire non plus. Le médecin commit alors l'erreur de vouloir nous rassurer davantage :

« En vérité, il s'agit là d'un phénomène aussi sain et normal que le sommeil. En effet, on a relevé de nombreux exemples d'animaux mesmérisés, et dans certains cas que j'ai… »

Il ne put aller plus loin. Le bras de Brew se dressa, tel celui d'un sémaphore.

« Vous avez dit "animaux" ? » Il pencha la tête sur le côté. On lui aurait donné le bon Dieu sans confession. « Ça alors, c'est extraordinaire !… Est-ce que vous pourriez, docteur, hypnotiser l'un de nos gorets ? Vous savez, juste pour qu'on voie comment on fait. »

Cette question ne suscita pas seulement des mimiques et des ricanements. Mylchreest, le commis aux vivres, poussa un drôle de couinement qui suffit à déchaîner l'hilarité générale. J'avoue que, moi-même, j'éclatai de rire, tandis que Wilson se retournait sur son rouleau de cordages, à l'évidence enchanté. Quant à Potter, il commençait à paraître grandement décontenancé. Ayant envisagé son intervention comme l'occasion de se venger de son ennemi, il se voyait au contraire humilié devant tout le bateau, pris entre le marteau et l'enclume, entre l'ironie pince-sans-rire et la franche moquerie. Étrange spectacle… Surtout de la part de quelqu'un que je n'avais jamais vu jusqu'à présent perdre la maîtrise de soi.

« Je ne suis pas certain que cela serait utile », répondit-il avec un sourire des plus contraints.

Il aurait été plus avisé de refuser carrément. En l'occurrence, Brew, hochant la tête, feignit de prendre ses paroles pour un début d'assentiment.

« Ça nous plairait tellement à tous d'assister à une telle expérience, vous comprenez, docteur ? » D'un regard circulaire, il encouragea les autres à le soutenir.

« Je n'ai aucune expérience en ce domaine, déclara Potter d'un ton piteux.

— Oh ! vous vous sous-estimez, répliqua Brew, feignant de flatter Potter, afin de mieux l'enfoncer. Pour un type intelligent comme vous, ce sera un jeu d'enfant. »

Sans l'intervention de Kewley, je pense que le médecin aurait pu encore habilement se tirer de cette mauvaise passe. Jusqu'alors, le capitaine ne s'était pas mêlé de l'affaire, mais, lui décochant soudain un clin d'œil perfide, il s'écria d'un ton enjoué :

« Allons, docteur, vous nous avez tellement mis l'eau à la bouche que vous ne pouvez plus reculer. Allons ! soyez gentil, hypnotisez-nous un goret… »

Potter implora le capitaine du regard, dans l'espoir, j'imagine, qu'il se montre charitable, en tournant sa suggestion en plaisanterie, mais en vain. Les autres marins l'encourageaient déjà à cor et à cri, et, avec l'empressement d'un homme se dirigeant vers le gibet, il se mit en marche dans le brouillard. Wilson quitta son rouleau de cordages pour le suivre, comme je le fis moi-même. Lorsqu'il atteignit le canot-porcherie, le médecin paraissait totalement défait. Vrai, je l'aurais beaucoup plaint si je n'avais dû le supporter pendant ces longues semaines.

La raison pour laquelle le choix s'était porté sur le cochon, plutôt qu'un autre animal, était assez simple. Nous avions déjà mangé presque toutes les autres bêtes. Tous les bœufs avaient disparu, ainsi que les poulets, et il ne restait plus qu'un malheureux mouton. Les porcs étaient en général les derniers à partir, car on les considérait comme ayant davantage le pied marin que les autres, et sur les quatre embarqués dans la grande chaloupe il en demeurait trois. Au moment où Potter et son auditoire entourèrent celle-ci, les pauvres animaux montrèrent quelque inquiétude, renâclant et reculant peureusement, réaction fort peu surprenante puisqu'ils avaient vu et entendu tant de leurs congénères se faire emporter l'un après l'autre vers l'arrière du bâtiment et envoyer bruyamment dans l'autre monde.

« Ne les bousculez surtout pas ! protesta Quayle, le cuisinier, le seul à déplorer, semblait-il, le tour qu'avaient pris les choses, je ne veux pas qu'on les ennuie… »

Des trois bêtes, deux étaient des truies. La troisième, un mâle, énorme et lourdaud, possédait des yeux extrêmement inquiétants, vifs et tristes, comme s'il ne comprenait que trop bien le provisoire de sa condition. Potter se caressa la barbe, apparemment résigné à tenter de mener à bien la tâche qui lui avait été imposée.

« La méthode que je vais utiliser, annonça-t-il prudemment, est celle-là même que j'ai employée sur des humains, bien que son efficacité sur des animaux ne soit pas avérée. »

Il choisit le mâle, sans doute parce que, des trois, il avait l'air le plus humain. Potter tendit le bras vers lui, le regardant droit dans les yeux, puis lui passa la main au-dessus de la tête comme s'il le caressait, mais sans vraiment jamais toucher la peau. Cela faisait-il partie de sa technique ou souhaitait-il seulement éviter le contact avec la boue (ou pire) dont la bête était couverte ? il n'était pas facile de trancher. Quant au porc, il se déroba au début, mais finit peu à peu par se calmer et, après un certain temps, son regard endormi plongé dans celui du magnétiseur parut prendre tout à fait plaisir à l'opération. Les mouvements de la main de Potter, penché désormais à l'intérieur du canot, se firent de plus en plus amples, descendant jusqu'à mi-dos. Puis, fixant la bête d'un air décidé, il se retira.

« L'animal, annonça-t-il, avec une soudaine fierté, est maintenant en état de torpeur. »

Les spectateurs étaient muets de respect, mais aussi de surprise. Toutefois, avant que le médecin n'ait le temps de continuer, le porc renâcla avec force et se mit à renifler les saletés et les restes d'aliments jonchant le fond du canot. Faisant fi des ricanements qui saluèrent cette réaction, Potter prit alors un air plus concentré. L'exercice semblait avoir éveillé sa curiosité et l'inciter à oublier ses premières réticences.

« Il existe une autre méthode qui peut se révéler plus efficace sur les animaux, affirma-t-il. Dans ce cas, le sujet doit fixer intensément un objet jusqu'à ce qu'il tombe en léthargie. »

J'étais curieux d'apprendre comment le cochon allait savoir qu'il était censé fixer quelque chose mais je ne l'appris jamais, en l'occurrence. Je comprends aujourd'hui que l'erreur de Potter fut de ne pas organiser les choses au préalable. Trop pressé de replacer le porc en état de réceptivité – en le caressant et en plongeant derechef son regard dans le sien –, il ne se soucia de choisir l'instrument nécessaire à l'opération qu'au moment où l'animal commença à réagir en ayant l'air de s'endormir.

« Ce qu'il me faut maintenant, dit-il d'une voix douce, sans cesser de fixer les petits yeux dolents du porc, c'est quelque chose de brillant et de réfléchissant. Tout objet de métal poli fera l'affaire. »

Les Mannois se regardèrent l'un l'autre quelques instants sans trop savoir que faire. Puis Brew, le second, porta la main à sa ceinture. Il est possible, bien sûr, que son choix ne fût dû qu'au hasard, mais, vu le caractère de l'homme, cela ne semble guère probable. Il déposa l'objet dans la main tendue et, au moment où Potter le plaça sous les yeux du cochon, celui-ci et le médecin contemplèrent ensemble un long couteau étincelant.

Ayant immédiatement compris le danger, le médecin s'empressa de dissimuler la lame au regard de l'animal, mais c'était trop tard. Je n'aurais jamais imaginé qu'un porc pût faire autant de bruit. Tout à coup, des cris atroces déchirèrent le silence, exprimant la terreur primitive la plus profonde. Et, en même temps, à la vitesse d'une locomotive à vapeur, les truies sur les talons, le porc se mit à faire d'irrépressibles embardées dans la chaloupe, tandis que leur abri roulait violemment d'un côté à l'autre. La paille se trouva propulsée dans les airs comme de la poussière de charbon, les auges de métal pleines de nourriture s'entrechoquèrent en faisant un raffut de tous les diables. Se penchant en avant, bras tendus, les Mannois s'efforcèrent de rétablir l'ordre, mais il n'est pas aisé de maîtriser trois porcs déchaînés, surtout lorsque la boue et le fumier qui leur recouvrent le corps les font glisser entre vos doigts. Sans doute eût-il été plus sage de fiche la paix à ces malheureuses créatures car leur panique augmentait à chaque nouvelle main qui les attrapait. Enfin, on réussit à arrêter les truies, et Chine Clucas, le géant du bateau, parvint à saisir par la queue le chef du groupe. Si les animaux hurlaient à fendre l'âme, le tumulte dans la chaloupe n'en commença pas moins à s'apaiser.

Quant à ce qui arriva juste ensuite, aujourd'hui encore je ne saurais dire s'il s'agissait d'un effet de ce qui venait de se passer, ou d'une simple coïncidence. À l'époque, les faits semblaient liés, mais dans l'excitation du moment l'esprit nous joue parfois des tours et nous fait prendre des événements distincts pour des maillons d'une même chaîne. En vérité, je ne savais même pas si les créatures marines possédaient le sens de l'ouïe, encore moins si elles se souciaient des sons provenant de la zone extérieure à leur domaine aquatique. Quoi qu'il en soit, cependant, à peine les cochons s'étaient-ils calmés qu'un grand bruit d'eau nous parvint depuis bâbord devant. Si le brouillard nous empêcha de voir à quelles acrobaties maritimes se livra l'animal, les conséquences s'en firent immédiatement sentir. Le navire, jusqu'à présent aussi stable que la terre ferme, commença soudain à rouler furieusement.

Je n'y prêtai pas trop attention : un bateau, après tout, on a l'habitude que ça secoue un peu. J'entendis alors à tribord une discussion très animée en manx et vis tous les marins regarder Clucas. Celui-ci se tenait le bras d'une drôle de façon, du sang coulait entre ses doigts. Quand le porc qu'il avait attrapé s'était affalé en plein sur lui au moment où le bateau avait roulé, Clucas avait dû se blesser le poignet sur le coin déchiqueté du bac à eau des animaux. Le marin était pâle comme un fantôme.

C'est étrange avec quelle vitesse une ambiance peut changer. L'instant d'avant, on était tous occupés, pour être franc, à jouer un sale tour. À présent, les mines étaient graves. C'est Potter qui connut le plus grand changement de fortune. D'un coup, de dupe il se métamorphosa en héros.

« Apportez-moi ma trousse ! » ordonna-t-il. Et il se mit au travail.

Les créatures marines ne s'attardèrent pas et le brouillard disparut dès le lendemain matin. Quant à Clucas, en un ou deux jours il était assez remis pour se reposer sur le pont dans le frais soleil et saluer respectueusement son sauveur chaque fois que celui-ci passait près de lui. Il n'est guère surprenant qu'à partir de cet après-midi-là personne – pas même Brew – n'ait plus essayé de se moquer du médecin. Le dimanche suivant, Potter nous offrit même une nouvelle conférence – cette fois-là sur les avantages du végétarisme –, et, au grand dam de Wilson, ses auditeurs l'écoutèrent sans broncher d'un bout à l'autre, tels des enfants sages.

## Le révérend Geoffrey Wilson. Octobre 1857

Finalement, après presque trois mois entiers passés en mer, nous touchâmes terre pour la première fois à la colonie du Cap, la pointe la plus méridionale de l'Afrique. Cet endroit, situé sous le vaste massif de la montagne de la Table, est on ne peut plus charmant, avec ses rues larges, ses maisons peintes en blanc joliment décorées de vigne vierge et de plantes en pots dont les fleurs aux vives couleurs éblouissent les yeux. Quant à la population, quoique les indigènes africains aient paru un peu timides et les Boers plutôt mal dégrossis, les colons d'origine anglaise faisaient montre, vu l'éloignement du lieu, d'une bonne éducation et d'un raffinement tout à fait remarquable.

L'une de mes premières démarches fut de me rendre à la poste. Ayant découvert avant notre départ de Londres que les bateaux à vapeur atteignaient cette destination avec en général plusieurs semaines d'avance sur les bateaux à voiles, j'avais dit à ma chère épouse de m'y adresser son courrier. Je pensais que m'écrire contribuerait à alléger sa solitude. M'étant attendu à trouver un monceau de lettres, je fus, je l'avoue, un rien surpris de ne reconnaître son écriture que sur une seule enveloppe, alors que Jonah Childs m'en avait expédié quatre, tout occupé qu'il était. Des missives pleines de renseignements utiles. Ainsi, il avait eu des nouvelles d'un de ses vieux amis, du nom de Rider, aujourd'hui colonel dans la milice de la colonie du Cap, lequel avait insisté pour que nous lui rendions visite. Il était agréable de savoir que j'allais être reçu par l'une des notabilités du lieu. Je fus d'autre part flatté d'apprendre que le gouverneur de l'île en personne, une connaissance de l'un des nombreux cousins de M. Childs, semblait-il, attendait avec impatience notre arrivée en Tasmanie. Quant à la lettre de ma femme, elle était plutôt brève et parlait surtout du nouveau magasin de mode de Highgate qu'elle venait de découvrir. La légère déception que j'éprouvai fut vite dissipée. Je compris que, en courageuse petite femme qu'elle était, elle s'efforçait de ne pas me causer du souci en me décrivant son chagrin.

C'est au moment où j'allais quitter le bureau de poste que je vis le Dr Potter y entrer de son pas assuré. La rencontre ne fut guère plaisante. Il répondit plutôt sèchement à mes salutations, et je ne pus éviter de voir la lettre qu'il tenait en main et dont il paraissait vouloir cacher l'adresse : je pus clairement apercevoir entre ses doigts les mots : « M. Jonah Ch… » Bien sûr, il avait le droit de communiquer avec qui bon lui semblait, cependant, je pensai qu'avant d'écrire à notre mécène il aurait dû, par simple courtoisie, me consulter, moi, le chef de l'expédition. En l'occurrence, je ne pus que me demander ce que pouvait bien signifier une telle dissimulation.

Dès le lendemain matin, j'envoyai ma carte au colonel Rider. Par retour du courrier, un mot me parvint à l'auberge, invitant « le révérend Geoffrey Wilson et tout membre de l'expédition à la terre de Van Diemen qui le souhaitait » à dîner au château, lieu où était stationnée la milice de la colonie. Quand il émergea finalement de son sommeil, je fis part de l'invitation à Renshaw et, si je n'en parlai pas à Potter, c'est uniquement parce qu'il avait complètement disparu pour régler quelque affaire mystérieuse, comme c'était souvent le cas depuis notre arrivée. Les termes du colonel : « et tout membre de l'expédition à la terre de Van Diemen qui le souhaitait » ne semblaient guère, en outre, requérir la présence de tout le monde, et je ne voulais pas lui imposer un trop grand nombre d'invités. L'affaire en serait restée là, si Renshaw – sans aucune nécessité – n'en avait parlé le soir au médecin. La réaction de Potter fut peu digne. Il geignit d'abord comme un enfant gâté, puis se mit en rogne comme une petite brute, déclarant qu'il aurait dû lui aussi être invité et insinuant que j'avais plus ou moins comploté pour qu'il fût exclu. J'avais tout à fait bonne conscience, bien sûr, mais, confronté à cette quasi-crise de nerfs, je considérai comme plus sage qu'il se joignît à nous. J'écrivis donc au colonel pour l'informer qu'en fait nous serions trois.

Je ne tardai pas à regretter cette bonne action. Accueillis par le colonel et ses officiers, nous venions à peine de nous installer à table que Potter se mit à se comporter d'une façon que je ne peux décrire que comme délibérément provocante. Quand le colonel Rider, homme guindé mais gentil, nous posa des questions sur notre voyage depuis

Londres, il se plut à raconter d'un ton de commisération feinte que j'avais beaucoup souffert du mal de mer, déclarant même qu'il avait craint pour ma vie. Alors qu'il savait fort bien que seule la mauvaise nourriture avait été cause de mon indisposition. De même, lorsqu'on se mit à discuter de la Tasmanie, il insista fortement sur le caractère inhospitalier de la brousse, selon lui « déjà une région très dure à explorer pour un type jeune et en pleine forme comme moi, alors ne parlons pas des autres ». Je le contrai avec une certaine vigueur et suggérai, tout en dégustant le gigot d'agneau accommodé de sauce à la menthe, qu'il était fort dommage qu'il connût si mal la géologie et la théologie, car dès que commencerait l'exploration il serait dans le noir le plus total. Je racontai aussi mes randonnées à pied dans les collines du Yorkshire, sous-entendant avec subtilité que j'étais au moins aussi bien préparé pour cette entreprise que le médecin, lequel n'avait jusque-là connu que des salles d'hôpital humides.

Une fois rentré à l'auberge – j'étais déjà couché –, je compris soudain, en réfléchissant aux événements de la soirée, le véritable dessein de Potter. À quel point sont lentes les forces du bien, lesquelles par leur nature même ont du mal à deviner les mauvaises intentions ! Plus que m'insulter, cet homme, je m'en rendais compte désormais avec effroi, cherchait à me ravir ma légitime fonction de chef de l'expédition. Son discours ne s'adressait pas au colonel Rider mais à Jonah Childs : il était évident que le colonel allait s'empresser de décrire en détail à son vieil ami l'impression que nous lui avions faite. Et si les allusions venimeuses de Potter l'avaient convaincu ? Il y avait également la lettre que je l'avais vu sur le point de poster et dont il avait tenté de dissimuler l'adresse. J'étais attaqué sur deux fronts, Potter s'efforçant de monter contre moi notre mécène, même depuis ce lieu très éloigné. Ce qui m'inquiétait, surtout, c'était le caractère très influençable de M. Childs. N'avait-il pas déjà été à deux doigts de choisir le médecin, me dis-je tristement, alors que nous nous trouvions au milieu de notre équipement, dans le salon de ma belle-sœur ?

Je dormis peu cette nuit-là, le cerveau sillonné par les bateaux à vapeur. Entre la colonie du Cap et l'Angleterre, le courrier ne mettait que cinq semaines. Si ma mémoire était bonne, une lettre envoyée directement de Londres à Melbourne, au Victoria, en mettait dix. La dernière étape, de Melbourne à Hobart, ne prendrait, à mon avis, que quelques jours. Seize semaines en tout. J'espérais qu'avant que cette durée ne fût écoulée nous aurions déjà pénétré dans les régions sauvages de Tasmanie, mais rien n'était moins sûr. Si la *Sincérité* subissait un retard imprévu, ce qui n'était pas exclu, ou si nous rencontrions des difficultés dans l'organisation de l'expédition, M. Childs – l'esprit empoisonné par de perfides mensonges – aurait amplement le temps de m'écrire pour m'ordonner de me démettre de mes fonctions et me remplacer par Potter. C'était une décision que je ne pourrais accepter et à laquelle j'étais résolu à m'opposer.

### Le Dr Thomas Potter. Octobre 1857

*Colonie du Cap*

Ville = du plus grand intérêt pour théories car possède remarquable variété de types. Un des plus extraordinaires exemples au monde ? Ai passé nombreuses heures à observer avec soin. Suis bientôt arrivé à conclusions nouvelles + inattendues. Ex. : regardé Boers venus fermes environs et remarqué = vantards + étonnamment nonchalants : montés dans chariots énormes (bœufs) qui = tr. lents. Cf. colons anglais = vifs et énergiques, pleins assurance de gagneurs. Nouvelle théorie : Hollandais pas type saxon comme supposai ; en fait = Celtes belges. Expliquerait absence force morale + passé de déclin.

Races présentes dans colonie du Cap = comme suit et selon ordre de préséance :

1. Britanniques : type = Saxon. Statut = dirigeants naturels de colonie.
2. Boers : type = Belge. Statut = assistants des Britanniques.
3. Malais : type = Oriental. Statut = ouvriers agricoles + domestiques.
4. Hindous : type = Indien asiatique. Statut = comme Malais mais inférieur.
5. Indigènes africains : type = Noir. Statut = inférieur.
6. Hottentots : type = noir inférieur. Statut = inférieur et quasi animal.

*11 octobre*

Journée fort satisfaisante. Commencée avec nouvelles des Indes. Comptes rendus dans journal local indiquent que combats tr. violents continuent mais révolte = pas étendue au-delà Delhi + autres régions du nord. Forces britanniques réagissent tr. bien. Suis certain que rébellion va échouer, même s'il faut temps, si souffrances, etc. Exactement comme avais prévu.

Rendu visite à Dr Louis Clive (lui = confrère médecin, lettre introduction Dr P.). Clive = excellent homme + tr. intéressant sur Hottentots. M'a dit = parmi types inférieurs les plus bas, à peine humains. Suis resté dîner. Beaucoup de plaisanteries. Clive tr. intéressé à propos mes théories et tr. encourageant. M'a aussi bcp aidé à trouver spécimens.

Wilson dans salon quand rentré à l'auberge. M'a lancé regard étrange + tr. dur. Me demande si en fait perd la tête, surtout après son complot pour empêcher que me joigne à lui + Renshaw pour dîner chez col. Rider (en fait, dîner tr. ennuyeux). Démence = principale caractéristique type normand, indiquant décadence et dépravation ? Question = tr. pertinente pour théories. Pour le moment, cependant, ai peu temps pour étudier Wilson, car principal but = spécimens.

## Le capitaine Illiam Quillian Kewley. Octobre 1857

Nous apprîmes la mauvaise nouvelle avant même d'avoir foulé la terre ferme. Une fois que nous fûmes soulagés d'avoir le pilote à bord et qu'il eut commencé à nous guider vers le port de cette colonie du Cap – endroit un peu tape-à-l'œil, blotti sous une vaste montagne, plate comme un piano –, je pensai pouvoir me hasarder à poser quelques petites questions discrètes.

« Alors, côté pépètes, quelle est la situation ici ? Est-ce qu'on sera des richards ou des miséreux par rapport à là d'où on vient ? »

Il haussa les épaules.

« Ça dépend de ce que vous achetez.

— Eh bien ! disons une nuit d'auberge. Ou peut-être une bouteille de cognac français ?

— La chambre ne sera pas bon marché, répondit-il d'un ton joyeux, mais, pour le cognac, vous vous en tirerez joliment bien. Vous n'êtes pas sans savoir que nous sommes dans un port franc. »

Un port franc ? C'était là une sale nouvelle sans intérêt dont je me serais bien passé. Vrai, il n'y a que les Anglais pour trouver de nouveaux trucs pour empêcher un type de gagner sa vie. À quoi sert, je vous le demande, d'enquiquiner le monde avec des douaniers, des cotres garde-côtes et autres embêtements si on laisse un énorme trou béant au beau milieu sans exiger un seul penny de droit sur rien ? Je ne dis pas qu'ils me manquaient, ces petits gars du fisc, mais si on les avait subis là-bas, on aurait dû les subir ici aussi, comme on s'y attendait. Ça alors, c'était une sacrée catastrophe… Après tout le boulot qu'on s'était tapé pour réaménager la *Sincérité* et la remplir à ras bord discrètement d'une certaine cargaison, découvrir que cette dernière ne valait guère plus ici que si on avait, comme le premier stupide marchand venu, empilé tous les fûts dans la soute principale, au vu et au su de tous ! Où était la justice là-dedans ?

Voilà bien un fichu contretemps ! J'avais imaginé qu'on pourrait conduire en douce la *Sincérité* dans quelque petite crique bien calme afin qu'elle déballe gentiment ses trésors et reçoive sa récompense. J'avais cru que ce serait un endroit commode, puisqu'il s'agissait d'une région du monde très animée, alors qu'à en juger par notre carte ce Hobart des Anglais, aux confins du néant, signifiait le fiasco total de mes plans. Et je découvrais qu'on nous avait fourvoyés et fait accoster une terre absolument minable.

Mais comme le dit l'adage : « Sur le hareng qu'on n'a même pas repéré, il est absurde de pleurer. » Je m'efforçai d'oublier l'affaire, me concentrant sur mes tâches portuaires, d'ailleurs assez nombreuses pour m'occuper l'esprit. D'abord régler la question des documents, puis commander les vivres dont nous avions besoin et de nouvelles barriques d'eau douce. Il y fallut plusieurs jours. Pendant tout ce temps, les hommes réclamaient à cor et à cri leur salaire et voulaient qu'on les autorise à descendre à terre pour tirer une bordée. Je les retins aussi longtemps que possible, mais je dus finalement céder, leur donner quelques pennies et les laisser dévaler la passerelle, l'air avide. J'en gardai deux à bord, en plus de Chine Clucas, dont le bras était pratiquement guéri après l'incident du cochon, afin de charger les dernières barriques d'eau, et les animaux achetés pour nous nourrir pendant l'étape suivante du voyage. Agacés de n'avoir pu descendre à terre, c'est de mauvaise grâce et en traînant les pieds qu'ils exécutèrent ces corvées.

Je ne restai pas pour les surveiller. Laissant Kinvig à bord pour les engueuler de temps en temps, Brew et moi on partit à la recherche de cartes suffisamment bonnes pour nous apprendre au moins quelle région d'Australie on avait sous le nez. Pour ça, en tout cas, on eut de la chance. Les premières qu'on trouva se vendaient à des prix exorbitants, aussi chères que si elles avaient été dessinées à l'or fin, mais ensuite on tomba sur une minuscule échoppe où je dénichai une bonne petite carte de la terre de Van Diemen – ou Tasmanie, comme on l'appelait désormais – quatre fois moins chère que les autres. Elle était peut-être un peu ancienne, l'année 1830 étant inscrite en haut, mais ça ne semblait pas grave. Le littoral était assez net, et même si de nouvelles routes ou agglomérations étaient apparues à l'intérieur des terres, quelle importance pour des Mannois sur un bateau ? Le marchand en avait une autre représentant toute l'Australie, un peu ancienne, elle aussi, qui pourrait se révéler utile, ne serait-ce que pour nous empêcher de buter dedans par une nuit sombre. En marchandant habilement, je réussis à obtenir les deux en échange d'une somme honnête.

Rien de tel qu'une bonne affaire pour vous mettre du baume au cœur. Après toute cette duperie du port franc, mon moral à zéro remontait agréablement. Je me dis même que, puisqu'on était là, autant jeter un coup d'œil sur cette Afrique… Alors on alla faire un petit tour en ville. J'avais déjà remarqué que dans cette contrée le temps était assez capricieux. À notre arrivée, il avait fait un froid de canard, avec une bise glaciale n'ayant rien à envier à celle qui souffle en janvier à Ramsey mais qui surprenait en Afrique, censée être une véritable fournaise, puis, le vent ayant soudain viré au nord, l'été était arrivé d'un seul coup, torride et lumineux. Et maintenant, il faisait à nouveau froid. L'embonpoint des autochtones constituait une autre curiosité. Vrai, c'était la première fois que je visitais un lieu où les habitants transportaient sur eux leur saindoux. D'abord, je me demandai s'il s'agissait d'une manière commode d'avoir chaud lorsque soufflait ce vent glacial en se faisant pousser des manteaux à l'intérieur, mais j'eus la réponse quand ensuite on se rendit dans une gargote pour goûter la cuisine africaine. On prit du poisson, mais la malheureuse créature était noyée dans un océan de graisse pure. Quand je posai la question à l'aubergiste – l'un de ces Hollandais d'Afrique aussi gros et gras que ses congénères –, il m'annonça fièrement que c'était de la graisse de queue de mouton. Quelques mois de ce régime rembourreraient joliment le premier quidam venu.

Les Indiens et les « hommes bleus » africains devaient se nourrir autrement, car la plupart d'entre eux étaient minces comme des fils. Ils étaient également fort discrets, comme s'ils cherchaient à se faire oublier. Rien d'étonnant à ça, vu que les Hollandais et les Anglais d'Afrique les traitaient pire que du poisson pourri, se fichant de leur tête et leur criant dessus d'une façon révoltante. L'île de Man possède son lot de snobs, bien sûr – surtout des Anglais et des Écossais gâtés par le prétendu titre de noblesse ridicule qui précède leur nom –, mais là, c'était dix fois pire. Il ne s'agissait pas de quelques vieilles baderness se croyant supérieures à tout le monde, on avait l'impression que la moitié de la ville raillait et tourmentait l'autre.

Brew s'intéressait davantage aux boutiques. « Avez-vous remarqué tout cet équipement de prospecteur qu'on vend partout ? » demanda-t-il comme on furetait dans l'une d'entre elles, comme si ç'avait pu m'échapper alors que ça remplissait la moitié d'une salle, des soufflets aux tentes, en passant par les seaux et les forges portatives. Accroché tout en haut du mur du fond se trouvait un large écriteau :

« Et alors ? »

Brew prit l'un de ses airs malins et entendus.

« Peut-être qu'on devrait en acheter. Ça pourrait nous rapporter une jolie petite somme. En plus, c'est un vrai gâchis de faire tout ce voyage avec dans la cale que du lest et tout.

— Sauf, lui répondis-je, étonné par sa sottise, qu'on n'a pas de sous pour s'offrir ces trucs, et qu'on ne va pas au Victoria, mais en Tasmanie. »

Mais Brew était le genre de type qui ne dit rien à la légère et il était rare de le surprendre en flagrant délit de bêtise.

« Et pourquoi ne pas aller au Victoria ? On pourrait raconter une belle histoire aux Anglais et ils n'y verraient que du feu. Il paraît qu'au Victoria l'or surgit du sol comme les lapins au printemps, ce serait donc l'endroit idéal pour vendre notre cargaison à bon prix.

— Et avec quel argent on ferait ces achats ? Une fois qu'on aura payé les vivres et les droits portuaires et donné quelques pennies à l'équipage, il ne restera plus rien pour s'offrir la panoplie du chercheur d'or.

— Facile. Il suffit de revendre les fourchettes et tout ce qu'on a pris à Maldon. Ça devrait très bien se vendre, dans une ville comme celle-ci. »

L'atroce vérité, c'est qu'elle n'était pas mauvaise, son idée. Je fis moult haussements d'épaules et mines dubitatives juste pour l'empêcher de prendre des airs, mais finalement j'acquiesçai. Alors on retourna au bateau pour quérir quelques pièces d'argenterie comme échantillons, et ensuite on chercha une boutique. Si pour les cartes on s'était mis en quête d'une échoppe bon marché, cette fois-ci il nous fallait un magasin vraiment rupin. On en choisit un plein de chandeliers en argent et de jolies petites tables dans la vitrine et où un type vous regardait de haut en bas de derrière son comptoir. Je vis bien que ça l'intéressait quand je lui montrai la marchandise, même s'il s'efforçait de jouer les indifférents.

« Ces couverts-ci pourraient à la rigueur m'intéresser, dit-il en scrutant la cuiller et la fourchette que je lui avais présentées. Vous avez tout le service ?

— Il ne manque qu'une pièce ou deux, répondis-je, me souvenant de celles tombées dans la vase de la Blackwater quand leur propriétaire avait commencé à nous tirer dessus. Mais il y en a tant que ça devrait passer inaperçu. Dame ! on en a une demi-caisse à bord du bateau…

— Vraiment ? » Il étudia à nouveau les couverts, et c'est à ce moment-là qu'il plissa les yeux. « D'où viennent-ils ? »

176

S'il y a quelque chose qui met un Mannois sur ses gardes, c'est les questions.

« De l'un des marchés de Londres.

— Lequel ? »

Je haussai les épaules comme si je ne me souciais pas de ces détails superflus.

« Ça a de l'importance ?

— Ce n'est pas impossible. » Tout d'un coup, l'œil perçant, il se rengorgea. « Ce n'est peut-être que pure coïncidence, mais j'ai lu l'autre jour dans le journal anglais qu'on avait dérobé son argenterie à un malheureux propriétaire. Il s'appelait Howarth, si je ne m'abuse, l'amiral Henry Howarth. » Il brandit la cuiller, montrant du doigt les initiales HH. « Il n'habitait pas très loin de Londres, me semble-t-il, quelque part au bord de la mer. »

Je réussis à garder aux lèvres un charmant sourire.

« Pas possible ? »

Je me perdais en conjectures. Comment avait-il pu lire ça ? Puis le mystère s'éclaircit. Les bateaux à vapeur. Ne les avais-je pas vus moi-même, encombrant le port, crachant leur fumée nauséabonde ? Durant toutes ces semaines, ils avaient dû nous dépasser à toute vitesse, pressés d'apporter leur courrier et leurs journaux et de causer du tracas.

« Naturellement, il doit y avoir des milliers, voire des millions de types qui ont HH pour initiales.

— Bien sûr, il doit y en avoir quelques-uns. » Le marchand eut un regard circonspect. « C'est une affaire lamentable, autant qu'il m'en souvienne. Selon le *Times*, il avait été capitaine de vaisseau pendant la dernière guerre de Chine, et les couverts dérobés avaient été fabriqués avec l'argent saisi sur un navire chinois capturé. Cela a constitué une grande perte pour lui. »

Comme si on n'avait pas connu assez de déboires comme ça, voilà qu'on avait eu la malchance de voler un héros...

« Avez-vous un document attestant l'origine des couverts ? Un certificat de vente indiquant le nom du précédent propriétaire, peut-être ? »

Il y a des moments pour s'attarder, et celui-là n'en était pas un. Je jetai un regard à Brew.

« On a ça ? »

Brew s'en voulait d'être si tête en l'air.

« Savez-vous que j'ai complètement oublié de l'apporter ! »

Je lui pardonnai volontiers.

« Bon ! On ferait mieux d'aller le chercher. » Je décochai au marchand un large sourire mannois en tendant le bras pour reprendre la fourchette et le couteau qu'il avait en main. « On revient tout de suite. »

L'espace d'un instant – instant fort désagréable au demeurant –, il parut vouloir tenter de les garder, mais il finit par les lâcher.

« Elle était drôlement futée, ton idée ! » grommelai-je en ressortant dans la rue.

Finaud comme il était, c'était rare qu'on arrive à lui tirer des paroles de regret, pourtant cette fois-là il ne la ramena pas.

« On n'a pas eu de chance, c'est tout, gémit-il, tout penaud. En plus, il va rien faire. »

Mon incertitude à ce sujet me fit jeter un coup d'œil en arrière, ce que je regrettai immédiatement. Le marchand se dressait sur le seuil de sa porte, le regard braqué sur nous comme un mouchard. Je fis semblant de regarder quelque chose d'autre, au-delà de sa personne, bien que pour le moment il n'y ait pas eu grand-chose d'intéressant à voir dans la rue, à part un vieux cabot levant la patte contre une clôture.

Nous reprîmes notre marche d'un bon pas.

« Même s'il en parle à quelqu'un, que veux-tu qu'ils fassent ? ajouta Brew, point trop sûr de lui. Vous parlez, il ne sait même pas qui on est ! »

Il en savait assez sur nous, remarquez.

« On lui a dit qu'on avait un bateau et que l'argenterie était à bord. »

Brew courba la tête.

« Mais il ne sait pas comment il s'appelle. Aucun policier ne va vouloir fouiller au petit bonheur tous les bateaux qui mouillent dans le port. »

Et pourquoi pas ? Le marchand pourrait nous décrire, et ça n'arrangeait pas les choses que l'affaire ait fait la manchette des journaux, avec ses amiraux héros des guerres de Chine. Cette sorte de sottise était tout à fait susceptible de tenter un policier, même en Afrique. D'un seul coup, je ne pensai qu'au vent. Il avait viré au sud, justement, nous donnant ainsi l'occasion de mettre les voiles. S'il revirait au nord en ramenant le temps chaud, ce qu'il était bien capable de faire à tout moment, alors on serait pris au piège comme l'ours qui avait voulu grimper dans la cheminée. Vrai, on pourrait se retrouver coincés là pendant des jours, voire des semaines. J'avais pris une décision avant même d'atteindre le bateau.

« Je ne veux courir aucun risque. » Je fis signe à Kinvig d'approcher. « On lève l'ancre aujourd'hui même. »

L'ennui, c'est que rien n'est jamais facile. D'une part, il y avait encore sur le quai une vingtaine de tonneaux remplis d'eau attendant d'être chargés, ainsi qu'une petite ménagerie. À l'aide d'un palan, Chine Clucas et les deux autres matelots étaient en train de hisser un goret ligoté, opération qu'ils exécutaient avec une lenteur de limace, toujours furieux d'avoir été forcés de rester à bord. D'autre part, et bien pire, il y avait la difficulté de trouver l'équipage.

« Ils doivent être en train de se saouler la gueule, déclara Brew.

— Ou de s'envoyer une pute, ajouta Kinvig.

— Ou les deux à la fois. »

Je doutais de leur avoir donné assez de sous pour faire les deux. Non que ça nous ait beaucoup aidés.

« Va donc les chercher, dis-je à Kinvig. Les endroits où ils peuvent se trouver ne doivent pas être légion. »

Il s'apprêtait à partir quand Brew pensa à un nouveau problème.

« Et les passagers ? »

En effet. Leur auberge étant située de l'autre côté du quai, juste en face du bateau, je les avais vus ce matin-là s'éloigner d'un pas guilleret. En bons Anglais, ils ne feraient jamais rien de logique, comme passer un agréable moment avec une jolie catin pour oublier les soucis de la journée ; ils étaient capables de n'importe quelle folie. Je haussai les épaules.

« Je vais envoyer Kinvig demander à leur auberge. Si on n'arrive pas à mettre la main dessus, on risque de devoir abandonner leurs affaires sur le quai et de partir sans eux. » Ils n'apprécieraient sûrement pas cette décision et feraient sans doute un beau raffut, poussant les hauts cris et nous traitant de tous les noms, mais ça me paraissait malgré tout plus agréable que de risquer de moisir le reste de mes jours dans un cachot africain. « Bon, il vaut mieux maintenant que j'aille payer les droits portuaires, car autrement on ne nous laissera jamais sortir. »

Juste au moment où j'allais descendre sur le quai, voilà que Chine Clucas s'écrie : « Je vous ai entendu. Vous voulez filer en douce sans les Anglais. »

Pour un gars pas très futé, il n'y a pas grand-chose de pire que le désir de jouer au plus malin. Il me regarda d'un air inquisiteur et têtu. Je fixai sur lui un regard sévère.

« Je ne t'ai pas ordonné de bouger ces tonneaux ? Qu'est-ce que tu attends pour te mettre au boulot ! »

Il eut un regard peiné.

« C'est pas juste d'abandonner le docteur. Non, c'est vraiment pas juste… »

## Le révérend Geoffrey Wilson. Octobre 1857

Cela faisait déjà près d'une heure que j'attendais d'être reçu par le colonel Rider. Bien que ce retard fût excessivement agaçant, il m'avait au moins permis de répéter mentalement la déclaration que j'allais lui faire. Tout d'abord, je m'efforcerais de le gagner à mes vues en lui affirmant que j'espérais me servir de ses grandes compétences de meneur d'hommes. Ensuite, je prendrais l'air soucieux en lui faisant part de mes doutes concernant la santé mentale du Dr Potter et en relatant les plus étranges exemples de son humeur atrabilaire depuis notre départ de Londres – j'insisterais particulièrement sur sa tentative de magnétiser un porc. Enfin, j'avouerais ma crainte que le médecin ne fût vexé de ne pas avoir été choisi comme chef de l'expédition. Après ces explications, je ne ferais plus aucun commentaire, me contentant de requérir l'avis du colonel. Bien que, naturellement, je n'aie aucun goût pour les stratégies retorses, je sais d'expérience qu'il est important de présenter son opinion sous une forme susceptible de séduire son interlocuteur.

Entendant des bruits de pas et de voix, je supposai que j'allais finalement être introduit auprès du colonel. Il n'en fut rien, hélas !

« Monsieur Brew ? En voilà une surprise !

— Ah ! Dieu soit loué ! révérend. Votre logeuse m'a indiqué que je vous trouverais ici. Le capitaine dit qu'on doit appareiller aujourd'hui même. Il faut que vous veniez séance tenante. »

Il s'agissait là d'une requête à la fois inattendue et déraisonnable. Le matin même, le capitaine avait annoncé qu'on resterait à la colonie du Cap au moins plusieurs jours de plus.

« Mais pourquoi ?

— On ne peut pas laisser passer un vent comme celui-ci, reprit Brew. S'il rechange de direction, on risque d'être coincés ici pendant des semaines, des mois, et même davantage. Vous n'aimeriez pas être bloqué ici jusqu'à Noël, pas vrai, révérend ?

— Le capitaine n'avait jamais signalé ce danger…

— D'accord, mais c'était avant que le vent tourne. »

Même si cette nouvelle était extrêmement contrariante, il ne semblait pas qu'on pût y faire grand-chose. Je présentai mes excuses au sergent en faction devant la porte et quittai le château, regrettant amèrement d'avoir indiqué à ma logeuse où j'allais. Je l'avais mise au courant parce que j'avais pensé qu'elle éprouverait un certain plaisir à apprendre qu'elle logeait des gens très distingués.

Un fiacre nous attendait. Ce ne fut qu'au moment où le véhicule s'ébranlait que Brew posa la question suivante.

« Est-ce que par hasard vous sauriez où sont les deux autres ? »

Cela dépassait les bornes ! Il avait donc contrecarré mon urgente démarche, quoiqu'il ne sût toujours pas où se trouvaient Renshaw et le médecin… Je risquais d'attendre leur retour durant des heures, alors que j'aurais pu pendant tout ce temps m'entretenir avec le colonel Rider.

« Je n'en ai pas la moindre idée », rétorquai-je avec une certaine froideur.

Il se renfrogna.

« Dommage ! »

En fait, on découvrit assez vite où se trouvait l'un de mes deux collègues. Au moment où le fiacre entra dans le port, j'aperçus devant nous une file désordonnée d'individus que je reconnus comme des membres de l'équipage. En réalité, le bateau était loin d'appareiller. Les matelots n'auraient pu avoir l'air moins capables de reprendre leur poste. Dépeignés, débraillés, ils paraissaient sortir du lit. À l'évidence ivres, certains titubaient en marchant. J'avais donc de bonnes raisons de me plaindre haut et fort auprès du capitaine. Ce ne fut que lorsque le fiacre parvint à la hauteur de la bande que je découvris Renshaw marchant à leurs côtés. Comme il boitillait, je crus un instant qu'il s'était blessé à la jambe, avant de me rendre compte qu'il avait perdu l'un de ses souliers.

« Que vous est-il donc arrivé ? » lui lançai-je par la fenêtre du fiacre.

Il me répondit d'un haussement d'épaules, mais l'un des matelots me cria en me regardant d'un air bizarre : « Ça lui est arrivé à la pêche, révérend, et sur la jolie rive du fleuve où on était tous. C'est là qu'il a perdu sa grolle. »

Bien trop irrité par la façon désinvolte dont j'avais été traité, je ne me souciai guère du sens de ces paroles incompréhensibles. Lorsque nous arrivâmes à notre auberge, je constatai que nos bagages avaient déjà été faits et nous attendaient dans le vestibule. Une fois la note réglée, je demandai au cocher du fiacre de me transporter jusqu'à la *Sincérité*. Kewley se tenait sur le pont principal.

« Capitaine, je crois que vous me devez une explication au sujet de ce départ précipité, pour ne pas dire intempestif. »

Cet homme avait un toupet ! Au lieu de me répondre, il détourna la tête en mettant sa main en visière afin de scruter le quai.

« Ah ! le voici. C'est pas trop tôt ! »

Suivant son regard, je vis apparaître un autre fiacre à travers la vitre duquel on devinait le visage buté du Dr Potter. Après sa conduite récente, je n'aurais pas été trop chagriné qu'il eût réussi à rester en rade. Apercevant les signes frénétiques de l'équipage, il indiqua au cocher le quai où était amarré le bateau et sauta à terre, puis, avec l'aide du cocher et de Clucas, le costaud du bord, descendu en toute hâte pour l'accueillir, il commença à débarquer une série de caisses. Quel agacement de voir que, espérant utiliser cette diversion pour s'échapper, Kewley se dirigeait à grandes enjambées vers le gaillard d'arrière ! N'ayant pas l'intention de me laisser faire, je lui emboîtai le pas.

181

« Capitaine, vous ne m'avez toujours pas expliqué ce départ brusqué. »

La chance n'était pas de mon côté. Il tournait vers moi son visage grincheux lorsque nous fûmes de nouveau interrompus, cette fois par de violents aboiements. Le port était le rendez-vous favori des chiens errants qu'on voyait souvent fouiller dans les ordures à la recherche de nourriture, et une meute d'entre eux s'intéressaient énormément aux nouveaux bagages de Potter.

« Fichez-moi le camp ! » vociférait l'intéressé en agitant sa canne. Les bêtes déguerpirent mais s'arrêtèrent seulement à quelques mètres, sans cesser de pousser de violents aboiements en direction des caisses.

« Qu'avez-vous donc là-dedans, docteur ? » lança Renshaw au moment où la première caisse était déposée sur le pont.

Potter le toisa.

« Des spécimens. Des spécimens pour mes recherches.

— Pas des chats, hein ? » lança l'un des marins, déclenchant quelques rires.

Je m'adressai une fois encore à Kewley.

« Capitaine, pourrais-je vous demander à nouveau d'expliquer... »

Il est injuste qu'ici-bas toute protestation, même la mieux fondée, tende à perdre de sa force lorsqu'on la réitère. Comme s'il avait perdu tout savoir-vivre, Kewley me repoussa sans ménagement.

« Pas maintenant, révérend. Il faut que je dirige la manœuvre. Veuillez m'excuser, mais je dois vous prier de débarrasser le gaillard d'arrière de votre présence. »

Fort irrité, je fus bien obligé de redescendre sur le pont principal et de patienter jusqu'à ce que le bateau eût appareillé. Je m'assis sur un rouleau de cordages mais j'en fus sur-le-champ expulsé par Kinvig, le maître d'équipage. Je n'avais jamais vu les Mannois, en général d'une nonchalance extrême, s'activer aussi énergiquement. Certains, juchés dans la mâture, s'empressaient de détacher les voiles, tandis que d'autres avaient déjà descendu un canot pour remorquer le bateau. En deux temps trois mouvements, la *Sincérité* fut traînée hors de la rade et placée dans le sens du vent. Peu après, on remonta le canot et les trois huniers furent déferlés et fixés sur les vergues, manœuvre qui donna une petite impulsion au bateau. Les matelots du pont firent pivoter les espars jusqu'à la position permettant aux voiles d'attraper le vent, et bientôt nous avancions vers la haute mer. Ce n'est qu'à ce moment-là que je remarquai un étrange spectacle derrière nous. Sur le quai, à l'endroit où la *Sincérité* avait été amarrée, se tenaient deux hommes agitant énergiquement les bras dans notre direction.

Potter les avait vus, lui aussi.

« Qui sont-ils donc ? lança-t-il à Kewley.

— Eux ? » Le capitaine se frotta le menton de la main, regardant les deux hommes en plissant les yeux. « Oh ! ils nous souhaitent sans doute bon voyage. »

Leurs gesticulations ne semblaient guère avoir cette signification.

« Vous en êtes sûr ? »

Au lieu de me répondre, il se retourna en hurlant :

« Allons, les gars ! Saluez donc ceux qui nous souhaitent bon voyage ! »

Après un instant d'hésitation tout le navire, du pont au sommet de la mâture, s'empanacha de bras en mouvement. Curieusement, l'effet produit fut plutôt un amoindrissement qu'un accroissement de l'enthousiasme des deux hommes postés sur le quai.

C'est ainsi que nous débutâmes notre voyage vers l'est pour traverser l'océan Austral et gagner la Tasmanie.

## 8

## Nathaniel Stebbings, Bristol, maître d'école, à John Harris, colon de la terre de Van Diemen et propriétaire terrien

*Rose House, Bristol*                    *Le 12 octobre 1832*

*Monsieur Harris,*

*C'est avec une certaine tristesse que je dois dire adieu au jeune George au moment où il rentre dans son pays natal. Il semble difficile de croire qu'il y a déjà deux années entières qu'il habite avec ma mère et moi, tant le temps a passé vite.*

*Le jour où M. Grigson vint nous rendre visite à Rose House pour la première fois afin de nous entretenir de cette affaire, je dois avouer que j'hésitai quelque peu. En dépit de toute mon expérience de pédagogue, je ne pouvais guère me targuer d'être spécialiste de l'éducation des jeunes sauvages noirs originaires des lointains antipodes, et je ne nierai pas que je fus à deux doigts de décliner une aussi curieuse proposition. Aujourd'hui, je suis absolument ravi d'y avoir répondu favorablement, car les choses se sont passées bien mieux que j'eusse pu l'imaginer. En vérité, le gamin ne fut pas du tout facile à vivre au début. Il avait du mal à demeurer assis tranquillement, défaut qui fut difficile à corriger, à tel point qu'il lui arrivait de se lever d'un bond même au milieu d'un repas, et ce n'est qu'à force de réprimandes qu'on parvint à lui faire perdre cette habitude. Il était également agité durant la nuit et se mettait souvent à proférer des paroles incompréhensibles dans sa propre langue. Mystérieux cauchemars qui finissaient par réveiller toute la maisonnée. Avec le temps, cependant, il s'habitua à son nouveau foyer, et c'est désormais un très aimable enfant fort bien élevé. Il s'est pris d'une grande affection pour la servante de ma mère, Mme Cleghorn – une Galloise extrêmement chaleureuse –, à la taille de laquelle il se cramponne comme à un arbre au milieu de la tempête, rechignant si péremptoirement à lâcher prise qu'il la gêne beaucoup dans l'accomplissement de ses tâches.*

En ce qui concerne ses études, là aussi, j'ai été surpris, car il s'est bien appliqué et a accompli de rapides progrès. Vous allez pouvoir constater qu'il parle couramment l'anglais, même s'il éprouve quelques difficultés dans l'emploi des prépositions et de certains temps du passé. Il possède une écriture très bien formée, quoique son orthographe laisse encore à désirer. Sa mémoire est bonne dans l'ensemble, et il récite les psaumes à la perfection.

Ce qui m'a fait le plus grand plaisir, cependant, ce sont ses résultats en arithmétique. Alors que dans les autres matières il est bon sans être brillant, dans celle-là il a fait preuve d'un remarquable don. À mon grand étonnement, il a retenu ses tables de multiplication presque plus facilement que l'alphabet, et a progressé si vite dans l'apprentissage des multiplications et des divisions à plusieurs chiffres que nous sommes passés à la géométrie. Les nombres semblent lui procurer le même enchantement qu'un jeu. Je l'ai trouvé plus d'une fois en train de résoudre des problèmes pendant ses moments de loisir, presque en cachette, comme s'il s'agissait d'une jouissance secrète. Cette aptitude m'a d'autant plus surpris que c'était dans cette matière, plus que dans toute autre, qu'on aurait pu s'attendre qu'il rencontrât le plus de difficulté.

Si j'ai parlé assez longuement du don de George pour l'arithmétique, ce n'est pas par hasard. Le fait est que je souhaite vous convaincre de l'intérêt qu'il y a à lui faire poursuivre ses études. Vous n'allez pas me trouver outrecuidant, je l'espère, mais je ne peux m'empêcher de vous demander s'il vous serait possible de reconsidérer votre décision – si j'en crois M. Grigson – de lui fournir un petit emploi dans votre ferme. Je redoute qu'en fréquentant des personnes beaucoup moins instruites que lui il finisse par oublier ce qu'il a appris. Vu les immenses progrès qu'il a effectués, ce serait un véritable gâchis. S'il est soutenu et s'il poursuit ses études, je suis persuadé que George pourrait parfaitement occuper quelque poste officiel, peut-être dans l'administration du gouvernement de la colonie. En outre, un travail de bureau serait meilleur pour sa santé, car je me suis aperçu que sa constitution est rien moins que robuste. Je lui ai remis tous ses cahiers d'écriture et de calcul qui témoignent sans conteste de son niveau de connaissances ; il m'apparaît, par ailleurs, qu'ils seraient susceptibles d'intéresser le gouverneur de l'île.

Il me reste seulement à espérer qu'il vous sera loisible de nous écrire de temps en temps afin de nous tenir au courant des progrès du jeune garçon. Je crains que Mme Cleghorn ne laissera pas de nous harceler si on ne lui donne pas des nouvelles de « mon George », comme elle l'appelle. S'il vous arrivait de découvrir de pareils malheureux qui pourraient profiter de cours chez nous, je serais bien sûr absolument ravi d'offrir mes services dans ce domaine.

# Jack Harp. 1830-1837

On était dix-huit, assis dans cette cale de bateau puante, à écouter le vacarme de la chaîne au moment où l'ancre était jetée, signe qu'on avait sûrement dû arriver quelque part. C'était bien agréable de remonter sur le pont et de sentir la brise, car en bas c'était aussi aéré que dans une tombe. J'ai vu qu'on mouillait dans une baie étroite, que le rivage était couvert d'arbres sauvages et qu'il n'y avait pas âme qui vive à l'horizon. Rien d'étonnant à ça, remarquez, puisque c'étaient nous, pauvres crétins, qui avions eu la chance d'être choisis pour faire démarrer ce nouveau trou. L'endroit était protégé par des collines et possédait une petite plage jaune, et je l'ai trouvé plutôt joli à sa manière, ce Port Arthur, comme on devait l'appeler. D'ailleurs, j'aurais bien le temps, évidemment, de réfléchir à cette beauté.

Deux jours plus tard, on avait construit cabanes et entrepôts et on s'était bâti un beau petit village-prison. Après ça, on a commencé le boulot qui consistait à abattre des arbres gigantesques, à les scier en rondins ou à les transporter à travers le port – où il faisait un froid glacial –, et bientôt d'autres pauvres cons se sont amenés pour partager nos joies. Je n'avais jamais été enfermé dans une colonie pénitentiaire auparavant mais j'avais entendu parler de ce qui se passait à Macquarie Harbour – des histoires à terroriser le diable lui-même – et je n'étais pas du genre à attendre que ça m'arrive à moi. Je me suis dit que la meilleure façon d'éloigner les ennuis était d'en causer soi-même, et j'ai fait ce qu'il fallait pour me tailler une réputation, c'est-à-dire lancer des regards noirs et casser la gueule à quiconque me rendait mon regard. Il fallait faire gaffe aux matons : s'ils m'avaient vu, j'aurais reçu le fouet, mais on arrivait, des fois, à régler ses comptes dans le calme de la forêt, ou la nuit dans les cabanes, et même si une fois ou deux j'ai été attrapé et fouetté, ça valait le coup, à mon avis. Je faisais bien attention à ne pas oublier la moindre insolence, si bien que ma réputation s'est consolidée, vu que je me vengeais tôt ou tard, même si c'étaient des semaines après. Je n'ai eu qu'à me féliciter de cette manière d'agir, d'ailleurs, au moins durant la première année en gros, jusqu'à ce que débarquent les gars de Macquarie Harbour.

On a eu droit à tout le lot, Macquarie Harbour étant définitivement fermé. Je suppose que quelque gratte-papier a dû se dire qu'on pourrait rendre encore plus pénible notre Port Arthur. C'étaient vraiment des irrécupérables, ces types, avec leurs regards de tueur, le genre qui préférerait être pendu que de supporter le moindre sarcasme ou le moindre affront, et dès qu'ils se sont pointés dans la colonie – désormais une vraie petite ville faite de cabanes et de fosses de scieur de long – ils se sont mis à diriger l'endroit comme s'ils étaient chez eux. Et ils y ont réussi plutôt pas mal car, comme ils leur fichaient autant la trouille qu'à tout le monde, le commandant du pénitencier et ses lèche-bottes de soldats ne levaient guère le petit doigt si un pauvre gars se faisait tabasser et manquait d'y laisser la vie, et même s'il lui arrivait malheur. J'ai tout essayé, me tenir à l'écart ou avoir l'air d'un cinglé à qui il ne fallait pas chercher noise, mais ça n'a servi à rien, vu qu'ils avaient décidé que j'étais un type à qui il fallait rabaisser le caquet. En général, je ne tiens pas vraiment à me souvenir de ce qui s'est passé à cette époque.

La seule bonne chose à propos de ces gars de Macquarie, c'est qu'on a pu pêcher grâce à eux. Au bout d'un moment, comme les vivres sont venus à manquer, on a réduit nos rations. Alors ils se sont mis en rogne et ont prédit toutes sortes de douceurs si on ne leur donnait pas assez à manger, à tel point que, pris de peur, le commandant nous a annoncé qu'on devait chercher nous-mêmes notre nourriture. On a réduit le nombre d'heures de travail et on nous a dit d'aller à la pêche et de commencer à cultiver des légumes. C'était agréable, car on oubliait un peu ses misères quand on s'installait au bord de l'eau avec une canne à pêche ou qu'on plantait des pommes de terre. J'étais pas le seul à éprouver ça, d'ailleurs, et même les gars de Macquarie se sont un tantinet amadoués. Au point que le commandant a dû autoriser ses soldats à aller pêcher, car ils en venaient à envier leurs propres prisonniers.

Même les bonnes choses ont une fin, comme on dit, et à Port Arthur les bonnes choses se sont arrêtées au moment où on a reçu un petit cadeau de Noël sous la forme d'une visite de George Alder, le gouverneur de la terre de Van Diemen en personne. J'avais beaucoup entendu parler de ce type par les autres, car il était souvent le sujet des discussions, la nuit, dans les cabanes du pénitencier, quand les gars imaginaient tous les graves dangers que devait tenter d'éviter un grand homme comme lui. Le voilà donc, descendant de son canot à rames, choyé par une petite troupe de gardes du corps et de lèche-cul. Le teint livide, presque comme s'il était malade, il avait des yeux qui ne devaient jamais rire, semblables à ceux d'un pasteur puritain ou d'un serpent fixant une souris. Furetant partout, il ne semblait pas très content de ce qu'il voyait, mais gardait un air sinistre comme le sabbat, tout en fronçant les sourcils, à croire qu'on le trahissait.

Après cette petite visite, les changements se sont mis à pleuvoir. On a eu un nouveau commandant, l'un de ces militaires irlandais qui se fichent des boulets de canon, et c'est lui qui a mis le holà aux parties de pêche et au jardinage. Nos plantes ont toutes été ramassées et replacées dans un seul grand champ, ce qui signifiait qu'elles ne nous appartenaient plus, et que seuls un petit nombre de lèche-bottes ont eu la chance de s'en occuper. Et puis, on a reçu les nouveaux uniformes, différents selon notre degré d'amendement. Ceux censés être sur le chemin du salut étaient en gris, tandis que les autres, dont je faisais partie, portaient une tenue jaune vif. Quant aux pauvres bougres dont la conduite avait, on ne sait comment, réussi à empirer, ils arboraient un costume encore différent, jaune et orné du mot « félon » joliment dessiné, avec en sus une belle paire d'entraves aux pieds.

Un autre changement concernait la mise hors la loi du tabac. En vérité, cela a causé plus d'ennuis que tout le reste, vu que ça a rendu à moitié fous les gars de Macquarie, à tel point qu'ils étaient tout le temps à la recherche de quelqu'un sur qui passer leurs nerfs. Si on se rebiffait – ce qui était mon cas –, ça déplaisait au commandant et à ses sbires, car ça montrait qu'on ne s'était toujours pas amendé. C'est pourquoi je suis resté en jaune canari du début à la fin. C'était une vraie plaie, et plus le temps passait plus j'en avais par-dessus la tête d'abattre des arbres, de recevoir des coups de fouet et de contempler tout le temps la petite plage jaune. En plus, je ne rajeunissais pas, et j'avais peur que si je restais coincé là quatre ans encore, je ne serais plus capable de défendre mon territoire et deviendrais une proie facile pour n'importe lequel de mes ennemis – et je n'en manquais pas.

Port Arthur vieillissait lui aussi. Des centaines de bagnards y vivaient maintenant, et il en arrivait constamment. Après avoir été une simple agglomération de cabanes au bord de l'eau, c'était devenu un véritable Manchester, plein d'ateliers produisant toutes sortes d'articles, des chaussures aux lampadaires. Il y avait un chantier naval où on construisait des bateaux, extrêmement bien gardé par ailleurs, tandis que vers le nord on trouvait une petite mine de charbon avec des cellules en soussol, si agréables, disait-on, que même les gars de Macquarie essayaient de ne pas y aller. Si pour une raison ou pour une autre un quidam se lassait de tous ces plaisirs et décidait de faire une petite balade tout seul dans la brousse, grâce au tout nouveau sémaphore installé sur la colline derrière la maison du commandant, quelques instants après toute la terre de Van Diemen pouvait être au courant de sa promenade. S'il était rattrapé – ce qui était généralement le cas – et que sa randonnée l'avait épuisé ou qu'il avait reçu une balle dans le ventre, pour le ramener, il existait un petit train dont les wagons n'étaient pas tirés par des locomotives à vapeur mais par des bagnards, ceux-ci étant en plus grand nombre que celles-là. Et si son aventure l'avait rendu trop nerveux, on avait même une île des morts où le malheureux bougre pouvait être enterré dans un bon cercueil de Port Arthur qu'il avait peut-être luimême aidé à fabriquer.

Ça peut sembler sans doute déjà assez grandiose, mais notre militaire irlandais rêvait à des projets encore plus magnifiques, mécontent que son petit royaume soit tout en bois, ce qui ne convenait pas à des mecs de notre acabit. Alors, celui qui avait eu la chance de travailler la pierre – par exemple, quelqu'un s'étant amusé à construire un pont – voyait ses services soudain requis. Je n'avais jamais pensé que j'aurais le plaisir de me retrouver en train de casser des pierres une fois de plus, mais après toutes ces années à scier des arbres avec des salauds de l'engeance des gars de Macquarie, ça semblait un boulot vraiment peinard. On m'a d'abord employé à bâtir un poste de garde pour la caserne, rond comme une foutue tour de château, et après ça il y a eu la nouvelle église dont on avait besoin pour qu'un pasteur puisse nous répéter, dimanche après dimanche, à quel point on était mauvais, au cas où on l'aurait oublié. Cette église était une fichue bâtisse, et il nous a fallu une année entière de blessures aux mains pour la terminer. À ce moment-là, je me prenais à espérer que j'allais bientôt dire adieu à Port Arthur. Les casseurs de pierres étant pour la plupart des lèche-bottes que je pouvais effrayer d'une parole ou d'un simple regard, j'ai pas eu beaucoup de mal à m'amender, et quelques mois plus tard seulement j'échangeais mon jaune canari contre ma toute première tenue grise. Je me suis dit que si je me tenais à carreau en attendant mon heure, je partirais bientôt construire des routes, des trucs comme ça, du gâteau, après mon séjour dans ce pénitencier.

Après le chantier de l'église, le boulot suivant m'a paru de tout repos : il s'agissait de construire une fontaine et autres babioles pour un jardin d'agrément, le joujou de la femme de notre commandant irlandais. Mariée à la vieille brute depuis quelques mois seulement, c'était un beau brin de femme, sacrément fraîche et appétissante, avec une vague tristesse dans les yeux, due à ce qu'elle se retrouvait coincée dans ce trou du bout du monde avec pour toute compagnie des soldats et des forçats. On racontait que ce jardin, c'était la façon qu'avait son époux d'essayer de la distraire, et ça avait l'air de marcher, puisque pas un jour ne passait sans qu'elle sorte de chez elle pour venir nous parler d'un petit changement qu'elle avait en tête, car elle était très minutieuse. Ça ne nous déplaisait d'ailleurs pas de recevoir ses ordres, vu que son joli corps nous faisait monter l'eau à la bouche. Elle ne s'aventurait jamais toute seule nulle part, mais toujours une petite troupe de soldats l'entourait, au cas où il aurait pris une envie à quelqu'un, ce qui n'aurait rien eu d'étonnant. C'était dur de détacher le regard de ses formes alléchantes, même habillée de pied en cap, et les jours de grande chaleur je suis sûr que je reniflais une légère bouffée de son odeur capiteuse de femme prête à tout. Après tout ce temps de pénitencier, ça me faisait tourner la tête d'imaginer le reste du tableau et de penser à la façon dont elle couinerait si on la besognait comme il fallait. Mais c'est discrètement que je la lorgnais, pour ne pas risquer de perdre ma tenue grise.

Elle s'adressait peu à nous, les casseurs de pierres, parlant uniquement à un gars nommé Sheppard qui sculptait les angelots. En réalité, il n'était pas très doué dans ce domaine, n'ayant été choisi que parce que son métier avait jadis été de construire des tombes – ce qui n'est guère la même chose –, et ses chérubins ne ressemblaient pas du tout à des bébés volants mais plutôt à de gros gamins avec des appendices affreux dans leur dos. La femme du commandant prenait ce travail très au sérieux, cependant, et passait son temps à les étudier pour donner des conseils, même si ça ne changeait pas grand-chose en fait. En un sens, tous mes ennuis sont venus de ces angelots. On était au mois de janvier, il faisait une chaleur à crever, et casser des pierres donne soif. Il y avait pas mal d'heures que je trimais en plein soleil, taillant des blocs de pierre pour construire le pavillon d'été et, pour me rafraîchir le gosier, j'avais avalé de nombreuses rasades du seau d'eau. Ç'a produit l'effet habituel et, puisque tout était tranquille, je me suis dirigé vers des taillis qui se trouvaient à deux pas.

J'avais à peine commencé que j'ai entendu une sorte de cri étouffé. Elle était là, juste de l'autre côté du buisson, la petite chérie du commandant, moite de chaleur dans son corset et tout son accoutrement. Elle avait dû reculer jusque-là pour pouvoir contempler ses angelots de loin. Elle écarquillait les yeux, presque comme si c'était la première fois qu'elle en voyait une. Moi, je ne pensais pas à mal. J'ai seulement été pris au dépourvu, et au lieu de la ranger vite fait, comme ça aurait été futé, je suppose, je lui ai simplement rendu son regard. C'est là que j'ai eu tort. Elle a tout à coup poussé un cri si puissant qu'on aurait pu l'entendre jusqu'à Hobart, et ça a fait rappliquer les soldats.

Pour être juste, je dois reconnaître qu'elle n'a pas insisté pour que je sois puni. J'ai même entendu dire qu'elle avait demandé à son mari de laisser tomber l'affaire. Non pas que ça ait servi à grand-chose. Il n'aimait sans doute pas beaucoup l'idée qu'elle en voie une autre que la sienne, de peur qu'elle se mette à trop s'intéresser à la chose. En cinq sec, j'ai troqué ma tenue grise pour une jaune où s'étalait l'inscription de « félon », avec, pour faire bonne mesure, une belle paire d'entraves aux pieds. Et les remerciements du commandant ne s'arrêtèrent pas là. La cerise sur le gâteau, ce fut l'équipe de travail à laquelle on m'a affecté, et surtout Ferguson, le contremaître, qui avait la réputation d'être le plus énergique fouetteur de toute la terre de Van Diemen.

Il était particulièrement doué pour détecter votre point faible et s'y acharner jour après jour jusqu'à ce qu'on perde la tête et qu'on fasse une folie, punie par une bonne petite séance, attaché sur le trépied. Son procédé favori, c'était de poser des questions.

« T'as l'air épuisé ! qu'il disait, l'air tout triste, si bien qu'on se demandait un instant si votre état l'inquiétait pour de bon. Peut-être que tu devrais te reposer un brin ? »

Le règlement imposant le silence le plus strict dans les équipes de travail, si vous aviez la bêtise de lui répondre, son sourire disparaissait illico, et il tapait du pied en vous agonissant d'injures, avant d'appeler les soldats pour qu'ils vous traînent vers le trépied pour la peine. Non qu'on s'en tirât mieux en ne l'ouvrant pas ; dans ce cas, le salaud secouait la tête, l'air surpris.

« Eh bien ! si t'es pas fatigué, j'ai justement un petit boulot pour toi ! »

Et c'était tout ce qu'il pouvait imaginer de pire : par exemple, traîner des rondins deux fois plus gros que les autres, rester debout jusqu'à la taille dans l'eau glacée du port ou pousser du bois de charpente jusqu'à un bateau. Et, même après ça, il n'en avait pas terminé. Lorsque vous étiez à moitié mort d'épuisement, il s'approchait de vous tranquillement.

« Quelque chose ne va pas ? il demandait avec beaucoup de compassion. Je sais ce que c'est. T'as peur de devoir quitter un jour ce charmant endroit et d'avoir à rentrer dans le monde extérieur plein d'horribles tentations. Tout ce rhum à boire, tout ce tabac à fumer et toutes ces poulettes appétissantes qui soulèvent leurs jupes. » Puis il vous scrutait de si près que les traits de son visage se brouillaient et que sa mauvaise haleine vous prenait à la gorge. « Te bile pas, Jack, ton vieux copain Ferguson te protège. Je vais m'arranger pour que tu n'aies pas à partir avant que tu sois si vieux et décrépit que ces jolies poules ne te jetteront pas un regard. » Ensuite, il vous tapotait l'épaule comme s'il était vraiment votre ami, ce qui était pire que tout. « Ton vieux pote Ferguson te laissera pas tomber. »

Ses victimes avaient toutes été à deux doigts de lui flanquer un gnon. Si ça arrivait, il n'était jamais pris au dépourvu – il était très observateur, notre Ferguson –, et d'un bond de côté il échappait au coup : il n'est pas très dur de se mettre hors de portée d'un type qui a des chaînes aux pieds. Il appelait alors des soldats pour qu'ils vous embarquent, tandis qu'il souriait de toutes ses dents, car rien ne lui plaisait davantage que de voir l'un de ses gars se faire caresser les côtes par le chat à neuf queues de Port Arthur.

Je dois ouvrir ici une parenthèse, parce qu'il ne s'agissait pas là d'un fouet ordinaire. Parmi tous ceux utilisés sur la terre de Van Diemen, celui-là s'était forgé une réputation bien méritée. Il possédait neuf lanières et quatre-vingt-un nœuds, imbibés d'eau salée et séchés au soleil jusqu'à devenir blancs. Cent coups de ce fouet suffisaient à donner au dos de n'importe quel pauvre bougre l'allure d'un foie de porc. Mais j'insiste sur le fait – et je parle d'expérience – que ce qui marquait l'esprit, ce n'était pas la douleur infligée par le fouet, mais tout à fait autre chose. Ce sentiment d'impuissance en attendant les coups. Être solidement attaché à un trépied de bois et attendre sans broncher que le fouetteur souffle un peu – il n'aime pas se presser – avant de reprendre son élan, alors qu'on ne peut rien faire pour le retenir, je ne connais pas pire supplice. Même des semaines plus tard, ce seul souvenir suffit à faire bouillir et déborder la cervelle, comme du lait sur le feu ; la plus petite contrariété, par exemple un idiot qui vous bloquait le passage, pouvait vous inciter à flanquer des gnons ou des coups de pied.

C'était justement le but recherché par Ferguson ; rien de plus facile alors que de railler ses hommes et quelle meilleure raison de leur donner à nouveau le fouet. Un cercle vicieux, le serpent qui se mord la queue. J'étais sa proie favorite – je suppose qu'il voulait plaire à son commandant –, et après quelques mois et plusieurs séances sur le trépied j'étais à point. Je ne voyais guère mes yeux, alors, n'ayant pas mon beau miroir sous la main, mais je parierais qu'ils avaient l'air plus hagards qu'à l'époque où je simulais la folie.

Pas une heure ne passait sans que j'imagine des moyens de me tirer, et bientôt je ne me souciais plus guère de leur caractère insensé ou irréalisable. Quand on ne connaît pas la terre de Van Diemen, on peut croire qu'il n'y a pas beaucoup de façons de se faire la malle, à Port Arthur. En fait, on en connaissait quelques-unes. La première, qui marchait le plus souvent, consistait à se tenir à carreau et à filer doux pendant des mois, voire des années entières, jusqu'à ce qu'on vous relâche. Bien sûr, l'ennui, avec cette foutue méthode, c'est que je l'avais déjà essayée mais qu'elle ne m'avait rien rapporté, et j'étais maintenant trop à cran pour être capable de prendre mon mal en patience. Une deuxième manière, c'était d'accomplir un exploit témoignant d'un progrès moral incontestable, par exemple trahir un petit secret de ses copains bagnards. Mais, dans ce cas-là, la difficulté venait du fait que le cafardage était une pratique si commune à Port Arthur que tout le monde la bouclait, et si on inventait – procédé assez fréquent –, on risquait d'être découvert et de recevoir le fouet au lieu d'être libéré. Le troisième moyen – le meilleur –, était de jouer les héros, par exemple de sauver de la noyade un imbécile de soldat ou de l'empêcher de se faire écraser par la chute d'un arbre. Ça pouvait marcher impeccable, et on racontait que de cette façon certains étaient d'un seul coup passés des chaînes à la libération sans condition. Mais malheureusement on ne pouvait guère compter sur ce genre d'accident, à moins d'organiser soi-même la noyade ou la chute de l'arbre, ce qui était compliqué. De plus, le commandant ayant fait de moi son ennemi personnel, pour obtenir son pardon, des miracles, il m'aurait fallu en accomplir des pelletées.

Ce qui me conduit à parler du quatrième moyen – dont on discutait beaucoup à voix basse –, lequel consistait tout simplement à prendre ses jambes à son cou et à se tirer dans la brousse. Il était d'ailleurs régulièrement employé, mais sans grand succès, vu le nombre de difficultés à surmonter. Même si on parvenait à rompre ses chaînes à la hache et à éviter les soldats les plus proches, les bras du sémaphore du commandant se mettaient à s'agiter séance tenante, et des détachements étaient envoyés à la poursuite du fuyard. Difficile d'aller très loin, à cause de la mer. Le bout de terre crasseux où se trouvait Port Arthur ressemblait autant à une île qu'il est possible pour un morceau de terre ferme, puisqu'il n'était relié au reste de la terre de Van Diemen que par une bande large de quelques mètres seulement, appelée le Cou de l'aigle, et même si je n'avais jamais vu cet endroit, chacun savait qu'il était plus jalousement gardé que les secrets planqués sous les jupons de la femme du commandant. Toute une troupe de soldats y était postée, accompagnée d'une meute d'énormes chiens en laisse, et on disait qu'on jetait des détritus dans la mer le long des côtes pour attirer les requins. Même si un pauvre bougre réussissait à franchir le barrage, il devait parcourir des kilomètres de brousse – bourrée de ronces, de boue, sans rien à se mettre sous la dent – avant de parvenir à une terre agricole. Les fuyards se rendaient souvent sans résister, car après seulement quelques jours d'errance Port Arthur leur paraissait un séjour luxueux. Malgré tout, ce moyen m'intéressait, surtout parce que c'était une tentation toujours présente et que j'avais atteint un tel état de désespoir que je me fichais de savoir si ça marcherait ou non. À cette époque, on travaillait tout près de la voie ferrée et, quand je voyais les wagonnets glisser dessus, chacun tiré par son bagnard, je regardais à l'entour pour voir s'il y avait des soldats dans les parages et m'amuser à imaginer ce que je pourrais faire.

Mais je n'ai pas encore indiqué le cinquième et dernier procédé pour quitter Port Arthur, auquel j'aimais aussi réfléchir. Évidemment, il avait des inconvénients, mais aussi un avantage : la garantie du résultat. Vrai, j'ai vu pas mal de pauvres mecs l'emprunter, faire des signes d'adieu en parcourant la colonie d'un pas allègre, s'écriant d'un ton de bravade qu'il leur tardait de traverser Hobart en voiture avant de griller la dernière. La méthode était simple comme bonjour. Il suffisait de choisir un gars – n'importe lequel, même si moi j'avais jeté mon dévolu sur l'ami Ferguson – et d'attendre qu'il regarde ailleurs. Puis on se dirigeait vers lui comme si de rien n'était, on soulevait une pierre ou sa hache d'abattage si on en avait une et on lui ouvrait le crâne en douceur. Quelques jours après seulement, on disait adieu pour toujours à Port Arthur, on s'embarquait pour un grand voyage jusqu'à Hobart, où on effectuait un joyeux séjour dans une cellule de prison et au tribunal, et on se retrouvait finalement la corde au cou. D'accord, ce n'était pas la manière la plus agréable de quitter les lieux. Pourtant, après quelques mois de navette entre l'équipe de Ferguson et le trépied, n'étant plus d'humeur à faire la fine bouche, j'étais prêt à saisir la première occasion qui se présenterait.

### Julius Crane, inspecteur itinérant du Comité des prisons de Londres. 1837

Le bateau était secoué par les vagues comme une feuille dans la tempête et alors que, m'étant brièvement enhardi à quitter le refuge de ma cabine, je me tenais sur le pont, je perçus, filtrant par les écoutilles, de faibles cris et des gémissements qui montaient des étages inférieurs, ainsi qu'une odeur absolument nauséabonde : la puanteur de l'humanité quasiment réduite à l'état animal. Cela me fendait le cœur de penser à ces bagnards entassés et attachés en bas, pas tant en raison des conditions matérielles que de la chimie que celles-ci produisaient entre eux. Par osmose, les plus corrompus communiquaient à ceux qui gardaient encore un soupçon d'innocence les ferments de la criminalité et de l'anarchie. Encore quelques jours et j'étais persuadé que tous auraient atteint le même degré de dépravation.

« On devrait les faire monter sur le pont pour qu'ils puissent respirer un peu d'air frais ! » m'exclamai-je.

Knowles, ce compagnon de voyage que je n'avais pas choisi, resta de marbre.

« Moi, je préfère qu'on les garde bien entravés, professeur... »

Cela l'amusait de me donner ce titre, bien que je lui eusse souvent précisé que je n'y avais pas droit. Knowles, envoyé à Port Arthur pour dresser l'état des lieux en matière d'approvisionnement en eau de la colonie, était l'un de ces êtres qui adorent exprimer leur opinion impitoyable sur l'humanité, qu'il observait de la même manière qu'il l'eût fait d'une tuyauterie défectueuse. Depuis notre départ de Hobart, j'avais appris à traiter ses commentaires avec une certaine froideur, puisque montrer de la compassion ne faisait apparemment qu'attiser son cynisme.

« Vous n'avez aucune pitié pour vos semblables, lui dis-je, davantage pour marquer ma réprobation que dans l'espoir qu'il en tiendrait compte.

— Vous vous trompez, professeur ! rétorqua-t-il en se frappant joyeusement la poitrine, comme pour indiquer le siège précis de ce sentiment, elle se trouve là, juste au-dessous de mon désir de ne pas avoir la gorge tranchée. »

C'était typique du personnage.

« S'ils vous entendaient parler, lui répondis-je, on ne pourrait guère leur reprocher de vouloir passer à l'acte. »

Autre trait curieux chez cet homme : les yeux. Il plissait tellement les paupières que, parfois, on devinait qu'il ne dormait pas profondément simplement parce qu'il se déplaçait. Cette habitude, ajoutée à son absence d'expression habituelle, lui donnait l'air d'un ours vous toisant avec dédain. Tout au plus, par exemple ce matin-là sur le pont du bateau, arrivait-il qu'un léger tressaillement semblable à un tic parcourût son visage, indiquant, comme je finis par le comprendre, qu'il riait.

« Je ne crois pas que c'est moi qu'ils choisiraient, déclara-t-il d'un ton enjoué. Je ne pense pas qu'ils aient lu les mêmes livres que vous, professeur. Ils ont dû se contenter des leurs, qui portent au pinacle l'acte de trancher la gorge d'un bon philanthrope chrétien tel que vous. »

Je fus contraint de supporter sa présence quatre jours de plus, car nous dûmes demeurer dans la baie des Pirates en attendant la fin de la tempête. J'aurais pu occuper ces quatre jours à inspecter la ville de Port Arthur, au lieu d'avoir à souffrir ses intolérables piques. J'avais déjà été beaucoup retardé depuis mon départ d'Angleterre, et après cette colonie pénitentiaire, il me fallait en inspecter plusieurs autres sur le continent. Le plus absurde, c'est que nous étions pendant tout ce temps à deux pas du but de notre voyage. Le bateau s'était mis en panne tout près du Cou de l'aigle, l'isthme étroit qui relie Port Arthur au reste de la terre de Van Diemen. Au bout de quelques jours j'appris, hélas ! à bien connaître la physionomie du lieu, son corps de garde, sa meute de molosses hargneux retenus par des chaînes et dont l'un était à quelques encablures de la côte, sur une étrange petite plate-forme dotée d'un chenil, sans doute pour décourager les forçats de traverser à gué les hauts-fonds. Sachant que nous étions à seulement quelques heures de trajet sur la terre ferme de la principale colonie pénitentiaire, il était particulièrement agaçant de contempler cette langue de terre dont nous étions si proches que je pouvais aisément entendre les aboiements des chiens, et de se trouver cependant bloqués.

C'était le commandant du bateau qui s'opposait à notre débarquement. « Le temps ne se prête pas à l'utilisation des chaloupes », affirmait-il chaque fois que je lui en parlais, étant aussi têtu en cela que dans son refus de laisser remonter de la soute les malheureux forçats. Même lorsque, ayant fini par tourner, le vent prit une direction plus favorable, il refusa malgré tout de nous laisser débarquer, sous le nouveau prétexte que le temps passé à descendre un canot risquait de lui faire perdre l'occasion de mettre à la voile. À cause de son obstination, il s'écoula encore deux jours et deux nuits de pénible cabotage le long de la côte avant d'entr'apercevoir enfin Port Arthur, le but de mon voyage, dans la lumière de l'aube.

Je ne m'étais pas du tout attendu que la colonie eût une telle ampleur. De loin, la grande quantité d'entrepôts donnait l'impression d'une ville industrielle sans attrait, à quoi le son du clairon et les ordres hurlés ajoutaient une touche militaire. Plus le bateau s'approchait de la côte, plus évidente se faisait la triste destination de la colonie, avec l'apparition de plus en plus nette de files de forçats se déplaçant en tous sens, fers aux pieds. Knowles s'esquiva prestement pour s'occuper de ses tâches aquatiques, et je dois avouer que je n'étais pas mécontent d'être débarrassé de sa présence. On me conduisit chez l'un des fonctionnaires de la colonie. Celui-ci, à ma grande satisfaction, me traita avec une courtoisie empressée – tel n'est pas toujours le cas quand un inspecteur se présente dans un établissement qu'il aura peut-être plus tard des raisons de critiquer. On me mena à mes appartements, puis on me fit rencontrer un second fonctionnaire qui devait me servir de guide et on me présenta même une invitation à dîner le soir même de la part du commandant de la colonie pénitentiaire et de son épouse. Je fus donc enfin prêt à commencer mon travail.

Si le fait d'être beaucoup retardé comporte un avantage, c'est qu'on bout d'impatience de s'atteler à la tâche, et j'abattis plus de travail en cette première journée que je n'aurais jamais pu l'imaginer. J'inspectai presque tous les bâtiments fréquentés par les bagnards, tous les ateliers, dortoirs, la cuisine et le mitard. J'accompagnai également une équipe de forçats enchaînés se rendant dans la forêt proche pour couper des arbres. Mais, surtout, je pus parler avec certains de ces criminels, et évaluer l'effet produit sur eux par le châtiment. Même si la plupart étaient trop endurcis pour coopérer, se refusant à fournir des réponses de plus d'un mot, d'autres se montrèrent plus loquaces et, malgré leur prudence, ils m'apportèrent à leur manière un témoignage des plus utiles.

Pour ce qui est de mes impressions, je trouvai la colonie dirigée avec efficacité, et elle me parut dans l'ensemble exempte de ces cruelles pratiques de vengeance qui constituent la caractéristique la plus odieuse de ce genre d'institution. Faisait défaut à celle-ci néanmoins un élément essentiel : un système d'instruction morale. La minuscule école de la colonie n'offrait qu'un petit nombre de classes par semaine, tandis que la bibliothèque – bien pauvre – n'était apparemment utilisée que par les rares bagnards déjà instruits et qui, par conséquent, avaient le moins besoin d'apprendre. Quant à l'église, édifice de pierre extrêmement impressionnant d'aspect, ma conversation avec les forçats me révéla que l'influence du pasteur était, hélas ! tout à fait négligeable, beaucoup de condamnés ne cherchant guère à dissimuler leur mépris envers celui qu'ils avaient surnommé « l'enquiquineur de Dieu ».

Ainsi donc, ne profitant d'aucune influence bénéfique, les malfaiteurs étaient maîtrisés par la seule menace de punitions très sévères, distribuées pour la moindre peccadille. Un tel système paraissait à la fois primitif et cruel, car il ne visait pas à l'amendement des hommes mais ressemblait davantage aux méthodes brutales employées, par exemple, pour dresser les chiens sauvages. Il était tout aussi effarant qu'on n'empêchât pas les mauvaises influences des uns de contaminer les autres. Il n'y avait que dans les équipes de travail qu'on imposait un silence sans faille, alors que dans les cabanes-dortoirs les lits n'étaient même pas séparés par des cloisons, ce qui la nuit permettait l'échange de propos malfaisants, voire pis.

On était bien loin des idées modernes sur le système carcéral qui en ce moment gagnent du terrain, tant en Angleterre qu'aux États-Unis d'Amérique. Ces nouvelles théories admirables ne se fondent pas sur l'usage des chaînes et du fouet, mais ont à la place recours au joug léger du silence. Toujours séparés les uns des autres, les bagnards sont ainsi soustraits à toutes les influences, sauf celles du dur labeur et de l'éducation chrétienne, jusqu'à ce que peu à peu leur esprit en soit ennobli. Une colonie pénitentiaire telle que Port Arthur, où les criminels pouvaient se mêler librement les uns aux autres, loin d'être un lieu d'amendement moral constituait au contraire une école du crime, où les voleurs à la tire apprenaient la manière de cambrioler une maison, les cambrioleurs comment assassiner, jusqu'à ce que tous fussent pour ainsi dire repus de malfaisance.

Ces réflexions ne constituaient pas du tout le prélude idéal à des mondanités – surtout chez l'homme que je considérais comme le premier responsable, le commandant de l'institution –, et, tout en faisant ma toilette et en m'habillant, je me disais que j'aurais volontiers échangé ce dîner en ville même contre le plus frugal des repas. Notre humeur est cependant imprévisible, et, lorsque j'empruntai les chemins boueux de la colonie en direction de cette très belle bâtisse dont la longue véranda donnait sur l'eau, je fus surpris de découvrir que mon moral commençait déjà de remonter. Après tout ce temps passé à bord d'un bateau, dans la triste compagnie de bagnards qui plus est, le spectacle du confort domestique n'était pas pour me déplaire. Il me fut en effet très difficile de résister au charme de l'intérieur propre et bien tenu dans lequel j'entrais, et dont la décoration révélait le goût délicat d'une femme.

Mes hôtes me réservèrent un excellent accueil. La femme du commandant était jeune et charmante et montrait un émoi désarmant à la perspective d'offrir cette petite réception. Il est probable que la vie dans cet endroit rude et éloigné ne lui procurait guère de distractions. Son mari – que j'avais imaginé comme un tyran à l'esprit aussi simpliste que ses théories – se révéla, à sa façon bourrue, très hospitalier, me fourrant un grand verre de punch dans la main dès qu'on m'introduisit dans le salon. Ma seule et unique contrariété fut causée par la découverte de Knowles qui, le regard étroit, se tenait dans un coin, d'où il me fit un clin d'œil à peine perceptible. Sans doute aurais-je dû m'attendre qu'il fût invité.

C'est Knowles, il va sans dire, qui s'ingénia à me pousser à parler du sujet que j'avais précisément décidé d'éviter : mon opinion sur la colonie pénitentiaire. À ce moment-là, on était déjà assis autour de la table de la salle à manger, où trois bagnards – l'un d'entre eux énorme, au visage aussi abrupt que l'à-pic d'une falaise – s'efforçaient sans grand succès de jouer le rôle de serviteurs.

« Alors, comment trouvez-vous Port Arthur ? demanda-t-il en me fixant de ses yeux mi-clos d'un air de défi. Les voleurs et les coupe-jarrets sont-ils assez choyés à votre goût ? »

Je pensai que le plus sage était d'en dire le moins possible.

« Je n'ai guère eu le temps de bien réfléchir à tout ce que j'ai vu. »

À ma grande surprise, ce fut la femme du commandant qui insista.

« Mais, monsieur Crane, nous sommes tous extrêmement curieux de connaître votre avis. Vous êtes sans nul doute déjà parvenu à certaines conclusions ? »

Quelque chose dans le regard qu'elle lança à son mari me fit me demander si je m'étais aventuré sur un terrain de désaccord entre eux. Une tension était clairement perceptible. Répugnant à critiquer mon hôte dans sa propre maison, je choisis mes mots avec soin.

« J'ai été extrêmement impressionné par l'efficacité qui caractérise l'organisation de la colonie. Je dois avouer cependant mon étonnement qu'on ne s'occupe pas davantage de l'amendement moral des forçats. »

Le commandant ébaucha un sourire prudent.

« Que suggéreriez-vous en ce domaine ?

— Parlez franchement, monsieur Crane, renchérit son épouse en souriant d'un air un peu triste. Nous aimerions vraiment beaucoup avoir votre opinion là-dessus. »

Mes pensées non formulées pendant toute cette longue journée devaient peser sur mon esprit et exiger d'être exprimées, car il n'en fallut pas plus pour que, oubliant toute circonspection, je me misse à décrire avec chaleur quelques-unes des théories les plus récentes en ce domaine. Je parlai des visionnaires que j'admirais en Angleterre aussi bien qu'en Amérique, m'évertuai à expliquer les avantages de la séparation sur les châtiments corporels et du silence sur les fers. Pendant tout ce temps, Knowles contemplait sa serviette d'un air moqueur.

Quant au commandant, il écouta avec une certaine patience, quoiqu'il parût plutôt sceptique. Sa femme, me plus-je à noter, rayonnait de plaisir.

« Mais c'est absolument fascinant ! s'exclama-t-elle, avec un regard à son mari. Je suis persuadée qu'on pourrait mettre ces théories en pratique ici même, n'est-ce pas ?

— Je crains que les choses ne soient pas tout à fait aussi simples, ma chère, affirma le commandant. D'abord, ces questions ne dépendent guère de moi, mais du gouverneur et du ministère des Colonies, à Londres. En ce moment, ils me poussent tous les deux à rendre de plus en plus pénible la vie des bagnards afin de conserver à Port Arthur sa terrible réputation. »

Cette réponse permit à Knowles d'entrer dans le débat.

« Ce que ne comprend pas notre aimable ami, c'est que la colonie de la terre de Van Diemen n'est pas destinée à réformer les criminels mais simplement à les entasser comme des gravats afin de débarrasser une fois pour toutes l'Angleterre de ses délinquants. » Il se cala sur son siège, tout fier de la bassesse de son point de vue. « Je ne prétends pas que cette organisation soit la meilleure, elle a cependant le mérite d'exister et, personnellement, je ne vois guère l'intérêt de gaspiller de l'argent et du temps et de se poser des questions sur la vie morale d'un tas de fumiers. »

Le commandant lui décocha un coup d'œil amusé. Pour ma part, je fus incapable de réagir avec désinvolture.

« Si le seul but du système est de vider l'Angleterre de ses délinquants, comme vous dites, alors on ne peut guère affirmer que la réussite soit parfaite. Après des décennies de déportation à l'autre bout du monde, on risque autant de se faire faire les poches à Londres ou à Glasgow qu'auparavant. Personnellement, je me sens davantage en sécurité ici, en terre de Van Diemen. En réalité, Knowles, vous considérez la question sous l'angle le plus mauvais qui soit. Il ne s'agit pas d'exiler les délinquants, mais de trouver le moyen de corriger leurs mœurs. Tout homme n'est-il pas capable de s'amender ?

— C'est facile à dire ! riposta Knowles en riant. Mais, quoi qu'on fasse, un tigre aura toujours un pelage noir et jaune. »

L'épouse du commandant secoua la tête.

« Je suis entièrement de l'avis de M. Crane. Je suis certaine qu'ici même on peut trouver des forçats capables d'une grande bonté. »

J'étais ravi de recevoir du soutien. Knowles, néanmoins, ne semblait pas du tout gêné par le renforcement de la résistance à ses vues.

« Peut-être devrions-nous faire une petite expérience, déclara-t-il en se tournant vers l'énorme bagnard au visage en à-pic occupé à placer sur la table un plat de champignons farcis disposés en forme de fleur. Dis donc, l'ami, pourrais-tu nous dire ce qui t'a amené ici ? »

L'homme se troubla beaucoup, jetant des regards tout autour de la table, dans l'espoir sans doute de détecter les dangers que recelait la question. Un hochement de tête de la part du commandant contribua à le rassurer.

« J'ai été arrêté pour avoir cambriolé une boulangerie dans la grand-rue de Great Yarmouth. »

Tel un juge, Knowles s'appuya au dossier de sa chaise.

« Et est-ce que tu recommencerais ? »

Le bagnard fronça les sourcils quelques instants, cherchant ses mots.

« Comment est-ce que je ferais ? Pas en ce moment. D'ici, je ne pourrais jamais rentrer à Yarmouth. »

Il n'eût pu donner plus malheureuse réponse. Elle était si maladroite que, bien que de façon absurde, elle confirmait totalement le point de vue de Knowles. Même l'épouse du commandant, ma nouvelle alliée, ne put dissimuler son amusement, tandis que son mari riait à gorge déployée. Knowles, bien sûr, se montra insupportable.

« Qu'est-ce que je vous avais dit, monsieur Crane ? » rugit-il.

En vérité, la formulation de la question avait été fort insidieuse. On aurait dû demander au bagnard si aujourd'hui il reconnaissait avoir mal agi, non s'il commettrait à nouveau son méfait. Hélas ! rien ne nuit à une discussion rigoureuse comme le rire, et malgré tous mes efforts il s'avéra absolument impossible de revenir à la grave question qui nous occupait. Sur le chemin de mes appartements ce soir-là, je ressentais une profonde frustration. Ayant eu l'occasion de défendre des théories de la plus grande importance, j'avais été mis en échec par la frivolité de mes contradicteurs.

Comble de malchance, j'appris le lendemain que je devrais souffrir la compagnie de mon persécuteur pendant le voyage de retour à Hobart. Knowles ayant apparemment terminé son travail aussi vite que moi, on avait cru que nous souhaitions voyager ensemble. Le temps s'étant gâté une fois de plus, le commandant nous conseilla de regagner Hobart par voie de terre, et non par mer.

« Vous pouvez prendre notre train, déclara-t-il avec une certaine fierté. Il paraît que c'est le seul chemin de fer de l'hémisphère Sud. »

Ce ne fut pas l'appellation de « train » qui me vint à l'esprit quand, le lendemain matin, dans le vent et sous la pluie, je contemplai ladite machine. Bien qu'elle avançât sur des rails, avec ses deux seuls sièges, l'un derrière l'autre, elle ressemblait davantage aux wagonnets utilisés dans les mines. Elle n'avait même pas l'honneur d'être tirée par un poney de chantier, mais par quatre forçats à la mine patibulaire poussant des barres placées de chaque côté.

201

« Alors, pourquoi donc es-tu ici ? demanda Knowles à l'un des bagnards en s'installant sur son siège, tout en me lançant un coup d'œil goguenard. Pour avoir parlé pendant l'office, c'est ça ? »

L'homme se contenta de froncer légèrement les sourcils de manière éloquente. Peu après, lui et ses collègues commencèrent à pousser la petite voiture le long de la voie, d'abord au pas, puis au trot, et finalement à si vive allure qu'elle se mit à filer allègrement. Aucune protection n'ayant été prévue contre les éléments, je compris que ce voyage allait être copieusement arrosé. La sécurité du véhicule me préoccupait cependant davantage. J'avais plusieurs fois emprunté des trains à vapeur sans la moindre inquiétude, mais cet engin ne possédait ni leur poids ni leur stabilité. Les rails en bois étant de fabrication fort grossière, tandis qu'il dévalait les pentes à une vitesse affolante, le wagon subissait moult à-coups et soubresauts. À un tournant, on faillit dérailler complètement.

« Croyez-vous qu'on soit en sécurité ? » demandai-je à Knowles qui avait l'avantage d'occuper le siège arrière.

Je suppose que je n'aurais pas dû espérer de lui une réponse sérieuse.

« En sécurité ? répliqua-t-il d'un ton narquois. Comment pourrait-il en être autrement, puisque nous sommes entre les mains de ces anges ? » Il lorgna vers les quatre hommes ahanant qui nous faisaient gravir une longue pente. « Que pensez-vous d'eux, professeur ? s'enquit-il, exactement comme s'ils étaient hors de portée de voix. De vrais maîtres d'école, n'est-ce pas ? Et tous victimes d'une erreur judiciaire. »

Il ne semblait guère prudent de provoquer ces hommes – après tout, nous étions à leur merci –, et je m'apprêtais à le lui dire quand je m'aperçus que nous avions atteint le sommet d'une petite crête. Devant nous se trouvait une abrupte et très profonde déclivité, et je voyais au loin une équipe de forçats entravés occupés à abattre des arbres au bord de la voie. Nos opérateurs ayant donné une forte impulsion au chariot, nous nous mîmes à dévaler la pente de plus en plus rapidement. Comme les quatre hommes continuaient à pousser sur les barres avec la plus grande détermination, vint le moment où ils eurent beaucoup de mal à suivre le véhicule, et ce ne fut qu'au dernier instant qu'ils sautèrent d'un bond sur les rebords, leur poids paraissant accélérer notre vitesse. Un terrible accident me semblait absolument inéluctable.

« Le frein ! » m'écriai-je.

L'un des forçats, au front zébré d'une énorme cicatrice, indiqua d'un air maussade une sorte de levier en bois fixé au-dessus de l'une des roues puis détourna le regard sans même chercher à y toucher. Sans doute en voulait-il toujours à Knowles de ses moqueries. Je n'avais absolument pas l'intention de sacrifier ma vie au cruel cynisme de celui-ci, et comme personne ne semblait disposé à agir je décidai de prendre les choses en main. Me redressant tant bien que mal, je me penchai en avant et tendis le bras vers le levier du frein. Hélas ! j'avais apparemment sous-estimé l'effet que mon mouvement produirait sur l'équilibre du petit véhicule, lequel se mit tout de suite à donner de la gîte. Je suis sûr que tout aurait pu marcher si seulement les autres s'étaient tenus tranquilles. Knowles lui-même poussa un brusque jappement, tandis que le visage des bagnards, jusqu'alors si dur, blêmissait soudain, et tous se penchèrent dans le sens opposé. Bien qu'il eût pu sembler tout à fait logique, leur mouvement, grandement exagéré, déséquilibra encore plus le wagonnet, mais de l'autre côté. Il se mit à tanguer de plus en plus violemment, et ce qui devait arriver arriva.

Le véhicule se renversa-t-il de côté, s'élança-t-il d'un seul coup dans les airs, se dressa-t-il sur ses roues avant, ou fit-il les trois à la fois ? Je ne le saurai jamais... Je me rappelle que les roues émirent un crissement désespéré, puis tout ne fut plus que dégringolade désordonnée, chute vertigineuse. Je dus perdre conscience un bref instant. Quand je repris mes esprits, je me trouvais près des racines d'un arbre immense. Je n'entendais que le bruit du vent dans les arbres, le crépitement de la pluie sur les feuilles et le ronronnement des roues du véhicule renversé. À mes côtés gisait le corps de Knowles, et, près de lui, les membres entremêlés aux siens, celui d'un homme qui n'appartenait pas à notre groupe. Apparemment, Knowles ayant été projeté contre lui, ils avaient tous deux perdu connaissance. L'un et l'autre saignaient, mais je fus soulagé de constater qu'ils respiraient encore. Quant à moi, lorsque je tentai de me redresser, je découvris que j'étais blessé à la jambe, et qu'elle était en fait probablement cassée. À ce moment-là, jetant un regard à l'entour, je m'aperçus que nous n'étions pas seuls. Une équipe de forçats – sans doute ceux que j'avais vus abattre les arbres – se tenait à deux pas, les yeux fixés sur nous.

Il me parut essentiel d'affirmer une certaine autorité sur ces hommes.

« Où est votre contremaître ? m'enquis-je.

— Là. »

Celui qui m'avait répondu était un homme corpulent au crâne chauve très bombé. Une de ses joues s'ornait d'une impressionnante cicatrice, et des cernes noirs soulignaient des yeux fort inquiétants, hagards comme ceux d'un dément. Je vis qu'il désignait l'homme affalé sur Knowles. Ce n'était guère une heureuse nouvelle. Je fus plus rassuré d'apercevoir nos quatre opérateurs étendus sur le sol de l'autre côté des rails de bois. Ils ne semblaient pas grièvement blessés, et en tout cas, eux, je les connaissais.

« Il faut de toute urgence ramener ces hommes à la ville, m'exclamai-je, ils ont besoin de soins.

— Est-ce que ce n'est pas notre cas à tous ? » rétorqua l'un des bagnards. Sa réponse fut saluée par un léger mais sinistre ricanement.

Comme si tout ça n'était pas déjà assez angoissant, le bûcheron chauve à la mine patibulaire s'approcha d'une roche plate sur laquelle il étala soigneusement ses fers. Soudain, il leva la hache avec laquelle il coupait les arbres et assena dessus un nombre considérable de coups puissants qui résonnèrent dans toute la forêt. Les fers ne tardèrent pas à se fendre en deux, et, dans un cliquetis de chaînes, l'homme s'avança vers nous d'un pas lent et ferme.

Je jugeai plus sage d'essayer de lui parler.

« Épargnez-nous, je vous prie. Nous ne vous avons fait aucun mal. Nous avons besoin d'aide. »

Il ne parut pas m'entendre. Ses camarades suivant chacun de ses mouvements, il passa devant moi et continua à marcher jusqu'à se trouver à l'aplomb de Knowles et du contremaître. Il leva alors sa hache. Horrifié, je détournai les yeux. Il y eut quelques instants de silence et, quand j'osai regarder à nouveau, il était figé telle une statue diabolique, dans la même posture, le front plissé, fixant les deux formes allongées à ses pieds. Il lança un coup d'œil en direction du chariot, bien que celui-ci fût cassé et inutilisable. Puis, à ma grande surprise et à mon immense soulagement, il jeta sa hache au loin, au milieu des arbres. Enfin, se penchant brusquement en avant, il ramassa Knowles et le souleva aussi aisément que s'il se fût agi d'un enfant.

« Ne vous en faites pas. Je vais le tirer d'affaire. »

## Jack Harp. 1837

C'était une sacrée trotte pour regagner Port Arthur, surtout en portant ce gros lard. Finalement, j'ai pas été forcé d'aller tout à fait jusque-là, étant donné que j'ai été arrêté tout près de la ville par une troupe de soldats. En voyant mes chaînes brisées et la blessure à la tête du type que je transportais, ils ont bien failli m'assommer sur place. Après ça, je me suis retrouvé en cabane à me demander si j'avais bien joué ou si j'étais le plus grand imbécile de la terre de Van Diemen. Mais, finalement, un officier a rappliqué et a dit que je devais aller à l'hosto.

J'ai repris espoir dès que j'y suis entré. Couché dans un lit, il y avait le gros gars que j'avais porté. Le commandant du pénitencier était là en personne, et aussi le gentil crétin qui m'avait crié de les aider. Celui-ci m'a accueilli comme un fichu héros, se redressant dans son lit et me tendant la main pour que je la lui serre, mais je ne savais pas si j'avais le droit. Vrai, j'aurais pas pu recruter un meilleur avocat si c'était moi qui l'avais choisi. Il n'arrêtait pas de raconter mes exploits aux autres et de répéter que je n'aurais jamais dû être remis aux fers et qu'on devait me récompenser au contraire. Le commandant n'avait pas l'air très content, ni d'ailleurs le gros type que j'avais transporté – ça manquait un peu de gratitude –, mais ça n'avait aucune importance puisque mon nouvel ami chantait mes louanges à qui mieux mieux. Savez-vous qu'il a harcelé le commandant jusqu'à ce qu'il me file la quille sur-le-champ ? Donc, j'étais assez satisfait du tour qu'avaient pris les choses, même si j'avais raté l'occasion de fendre le crâne à Ferguson.

Pour sûr, un certificat de libération n'est jamais l'équivalent d'une grâce définitive, mais c'est tout comme. Du moment que je me tenais à carreau et que je restais en terre de Van Diemen, je pourrais faire ce que bon me semblait. Après toutes ces années, c'était dur à croire, surtout que ç'avait été complètement inattendu. Je n'ai pas tardé, malgré tout, à décider ce que je voulais faire. Je n'ai jamais beaucoup aimé les villes, ni les fermes, d'ailleurs, et j'en avais par-dessus la tête de tailler des pierres et de couper des arbres. J'allais retourner sur une de ces petites îles où j'avais passé mes jours de cavale. Ça n'avait pas été une vie si désagréable, d'écorcher des phoques et de manger des puffins, sans personne pour vous surveiller ou vous donner des ordres. Et je pourrais peut-être – pourquoi pas ? – m'attraper une autre petite demoiselle noire s'il en restait encore.

## 9

## Le Dr Thomas Potter. Novembre 1857

*Le 29 novembre*

Terre finalement aperçue ce matin après quarante-six jours + beaucoup de mauvais temps. Sonores vivats, chants, etc. de la part équipage. Wilson leur a tous fait rendre grâce au Seigneur.

Hélas ! découvert ensuite que n'était pas en fait côte imaginée. Capitaine et second ont étudié soleil avec sextants, puis annoncé que ce n'était pas terre de Van Diemen mais continent australien : la *Sincérité* avait dévié de sa course, direction nord, de plusieurs centaines de milles. Kewley a expliqué raison : courants marins difficiles (n'avais aucune idée que courants marins pouvaient causer tant d'ennuis). Ont dit qu'on devait faire relâche à Melbourne, province de Port Phillip, pour s'approvisionner eau douce (heureusement tout près). Wilson tr. contrarié car impatient commencer expédition : renfrogné + m'a lancé regards noirs comme si moi = coupable, donc montrant tous les signes de dérangement mental normand. En fait, changement plan = utile pour moi = possibilité recueillir nouveaux échantillons. Crois aussi que vieux collègue Dr G., vivant aujourd'hui à Melbourne, susceptible m'aider beaucoup. Et ai besoin aussi coffres pour les entreposer.

Regrette avoir négligé journal depuis colonie Cap car ai été tr. occupé par travail sur théories. Vraiment, cette période = merveilleusement fructueuse. Crois réellement avoir perçu étincelle de l'inspiration, rien de moins : idées se formant & s'éclaircissant d'heure en heure. Intérêt passant de description à déduction. Progression surtout due à événement tout à fait inattendu et utile rapport à études, à savoir : équipage mannois de la *Sincérité*. Me suis soudain aperçu qu'étude fort éclairante = ici, devant moi, tout ce temps.

A commencé par découverte due au hasard. Assis sur pont quand entends second, Brew, morigénant matelot récalcitrant en le traitant de « Viking ». Moi = curieux et demande pourquoi. Brew = taciturne comme d'habitude, mais répond avec réticence qu'autrefois île de Man

= dirigée par Scandinaves (type saxon). Mal informé, lui croyait que domination viking = plusieurs centaines d'années avec beaucoup colonies. Tr. intéressant. Ai commencé à questionner autres marins sur île. Réponses souvent prudentes ou insolentes, mais néanmoins = éclairantes. Est apparu qu'île, malgré tr. petite taille = divisée à cause rivalités régionales. En particulier, hommes d'équipage (tous originaires de Peel) méprisent tous les Mannois des autres régions. Exemples :

Habitants de la ville de Ramsey appelés « Fanfarons » car censés = vantards.

Habitants de la ville de Douglas appelés « Govags » (manx pour « chiens de mer » : raison obscure).

Habitants du village de Sulby appelés « Cosaques » (raison tr. obscure).

Habitants du village de Cregneish appelés « Espagnols » car censés tous descendre des marins Invincible Armada ayant gagné rivage à la nage (peu probable). N. B. Village de Cregneish aussi appelé Chine (raison obscure) + matelot tr. grand « Chine » Clucas, ainsi surnommé parce qu'on prétend qu'il a jadis eu petite amie (très grosse) originaire de Cregneish/Chine (ce que dément avec véhémence).

Conclusion : situation peut apparaître confuse mais en vérité = tr. simple : Mannois ne forment pas une seule nation mais deux : type celtique et type saxon (Vikings). Événements historiques + langue norroise des Saxons peuvent = oubliés mais, de façon remarquable, divisions restent grandes – même si ne s'en rendent pas compte – dans tête des gens. Celtes et Saxons mannois continuant à se faire guerre sans du tout s'en apercevoir. Maintenant que m'en suis rendu compte, ai observé moult exemples antagonisme entre les deux races de Mannois, par ex. disputes fréquentes entre marins, hostilité entre capitaine (rusé + indolent, cf. type celte) + Chine Clucas (robuste + ouvert, cf. type saxon).

Cela = de la plus grande importance. Ici = preuve incontestable que races différentes ne peuvent pas et ne veulent pas se mélanger. Découverte = fondamentale pour théories. Suis de plus en plus convaincu que types pas seulement importants pour comprendre humanité, mais en vérité = clef pour saisir sens de toute l'histoire humaine + aussi destinée future des hommes. Révolutions nationales de 1848 = claire indication du cours inévitable des événements. Peux prévoir futur violent embrasement des nations (expression de moi) lorsque monde ravagé par années de conflit, guerre + destruction, etc. Impassible Saxon perdra finalement patience. Mollesse et parasitisme des Normands seront révélés et sévèrement punis. Peuples plus faibles (par ex. Noirs, Orientaux, Normands, etc.) balayés. Aube ère nouvelle. Peut même advenir d'un jour à l'autre.

Ai décidé réviser ces notes + rédiger véritable <u>texte</u> en vue <u>publication</u>. Titre provisoire : *La Destinée des nations : Considérations sur les diverses forces et caractéristiques des nombreux types d'hommes et races et les conséquences probables des luttes futures.* Pense que cela s'avérera d'une grande importance pour mieux comprendre l'humanité dans son ensemble.

## Le capitaine Illiam Quillian Kewley.
### Novembre-décembre 1857

Quel étrange endroit que la baie de Port Phillip ! Si vaste qu'on ne pouvait même pas apercevoir le rivage opposé, bien qu'elle fût bourrée à craquer, après l'étroit petit goulet y donnant accès. Tout à fait le genre de lieu où on s'attendait à trouver des pilotes en train d'attendre le chaland, ou pire. D'ailleurs, comme on passait entre les promontoires, je vis apparaître une petite maison, bien cachée et invisible du large. Encore plus intéressant que la maison, cependant, était le cotre. Ayant déjà déployé ses voiles sur l'eau, juste au-dessous, il se dirigeait à vive allure vers un certain point de l'océan qu'on allait bientôt atteindre. C'était un bâtiment, joliment armé, de plus, doté de deux canons à la proue, de six soldats vêtus du plus beau rouge sur le pont, sans compter l'Anglais de Port Phillip en uniforme, lequel, dès qu'on fut assez prêt, demanda en hurlant si nous aurions la bonté de nous mettre en panne sur-le-champ afin qu'il puisse monter à bord pour nous dire un petit bonjour.

Non, je n'avais pas besoin qu'on me fasse un dessin pour deviner qui il était. N'est-il pas merveilleux de pouvoir amener sans encombre un bateau de l'autre bout de la Terre, de le faire tant naviguer que sa coque était débarrassée des bernaches et des algues qui y étaient incrustées quatre mois auparavant, et de recevoir le même chaleureux accueil que celui qu'on lui avait réservé de l'autre côté de la planète ! Je craignais seulement que la colonie du Cap ait annoncé notre arrivée. Par mesure de précaution, j'avais songé à balancer à la mer les pièces d'argenterie de Maldon, mais ça semblait dommage de jeter par-dessus bord ces espèces sonnantes et trébuchantes, si bien qu'elles n'avaient pas quitté le bord. Il était trop tard maintenant pour m'en débarrasser.

« Vos documents, capitaine ? »

Ces paroles étaient prononcées par notre envahisseur, M. Robins, douanier du port de la colonie de Victoria, avec toute l'amabilité que j'avais appris à attendre d'un fonctionnaire de Sa Majesté, c'est-à-dire celle d'une porte de prison. C'était un gamin boudeur – probablement parce qu'on l'avait nommé dans ce trou perdu – et, à en juger par son air renfrogné, on aurait dit qu'on était venus tout exprès de l'île de Man dans le seul dessein de lui gâcher l'après-midi.

« Dans la cale on ne transporte que des vivres et du lest, lui dis-je. Le bateau a été affrété par ces messieurs pour leur expédition. » Je désignai alors le révérend – rayonnant tel un véritable missionnaire – et le Dr Potter. Si j'avais sans doute noté que l'inspecteur des douanes Robins s'exprimait de la même façon arrogante et hautaine que nos passagers – j'allai jusqu'à me demander quels ennuis avaient bien pu lui arriver pour se trouver exilé si loin –, je n'avais jamais imaginé qu'il changerait à ce point d'attitude en apercevant certains de ses congénères. Tenez, pour une fois je fus presque content d'avoir à bord ces Anglais... Le visage de Robins s'illumina d'un seul coup, et voilà que lui et le révérend se mettent à jacasser à qui mieux mieux, de vrais moulins à paroles, se découvrant des cousins éloignés qui étaient peut-être voisins, ou se rappelant un type merveilleux que ni l'un ni l'autre ne connaissait vraiment. Ensuite ils se lancèrent dans un papotage typiquement anglais – auquel participa également Potter –, où il était question des dernières tribulations des pauvres ducs et princes régnants. On avait vraiment l'impression qu'ils se connaissaient depuis des lustres.

« Désirez-vous donc jeter un coup d'œil sur le bateau ? proposai-je, profitant d'une courte trêve, car ça me semblait finaud. En vérité, je n'aurais pas dû prendre cette peine. M. Robins se fendit d'un bref regard par l'une des écoutilles avant de retourner s'adonner aux délices de la conversation. Enfin, gavé, il s'arracha à la compagnie de ses nouveaux amis, leur dit adieu, rappela ses six soldats et nous ficha la paix. Voilà exactement le genre d'inspection douanière que je pourrais finir par apprécier.

Robins avait laissé un pilote à bord. Heureusement, car la carte que j'avais achetée si bon marché à la colonie du Cap n'indiquait ni ville ni village. Je ne pouvais que supposer qu'il n'y avait rien eu à cet endroit lorsqu'elle avait été établie, une vingtaine d'années auparavant. Quand, deux jours plus tard, on aperçut finalement Melbourne, je fus étonné de la taille de l'agglomération, vu qu'elle venait de naître. Elle se répandait de tous côtés sur cette étendue plate comme si on l'avait déversée à flots sur quelque terrain vague, ponctuée de loin en loin par une flèche de clocher ou de quelque chose du genre bâtiment noble. Vrai, à côté d'elle, Peel avait l'air d'un mouchoir de poche, ce qui ne me sembla vraiment pas juste, puisque Peel attendait patiemment près de l'île de Saint-Patrick depuis des temps immémoriaux. D'un autre côté, pour nous, c'était bon signe. Là où il y avait assez de pépètes pour construire toute une ville en cinq sec et à partir de rien, on devrait pouvoir vendre à bon prix notre chargement très spécial.

Ce n'est que lorsqu'on approcha de plus près que je remarquai les bateaux. Il y en avait tout un tas, pourrissant le long des quais de ce petit port fluvial, et avec leur peinture écaillée, leurs voiles flasques et leurs cordages pendants, ils offraient un bien triste et mystérieux spectacle. Il se trouva pourtant que même cet endroit sinistre recelait un certain espoir. Tandis que nos passagers traversaient en gémissant l'épave à laquelle on était amarrés, sur le chemin de l'hôtellerie, où ils pourraient se plonger dans le tub – une préoccupation constante chez eux –, je vis un vieux type sur le rivage en train d'empiler des tonneaux sur une charrette. C'est à lui que je demandai ce qui avait causé l'abandon des bateaux.

« L'or, gloussa-t-il, ou plutôt des rêves dorés ! » Il raconta comment tous les équipages, officiers compris, avaient abandonné leur navire pour participer à la ruée vers l'or et faire fortune. « Ça se passait, remarquez, lorsque la folie était à son comble et que la moitié des habitants avaient quitté la ville. Au point que les rupins n'arrivaient plus à trouver de larbins et en étaient réduits à se faire eux-mêmes la tambouille et à laver eux-mêmes leur linge. Et ça ne leur plaisait pas beaucoup, du reste.

— On trouve encore de l'or ? » demanda Brew.

Le vieux haussa les épaules.

« Les placers sont épuisés depuis longtemps, mais ça ne veut pas dire que de nouveaux gisements ne seront pas découverts ailleurs. Les rumeurs vont bon train. »

Je hochai la tête à l'intention de Brew – évoquant lèchement de babines et pépètes à foison –, et il me répondit par un hochement tout aussi significatif. Un Eldorado... J'étais même content, voyez-vous, que la colonie du Cap, port franc, ne nous ait offert ce que l'on en attendait, car grâce à cela on avait toujours la marchandise à vendre. Ici, on pourrait peut-être ramasser l'équivalent en or de sept cargaisons.

Mais, d'abord, on avait quelques tâches à accomplir. « Nouveau port, nouvel effort », comme on dit, et ce Melbourne ne faisait pas exception à la règle. Pour les occuper et les empêcher de se plaindre et de réclamer de l'argent pour tirer une bordée à terre, j'ordonnai aux hommes de remonter de la soute les barriques à eau vides, pendant que je remplissais les formulaires du port, ce qui, bien sûr, nous amena une autre petite visite de la douane. Heureusement, celle-ci fut aussi inoffensive que la précédente, le douanier étant une grosse limace dénommée Bowles dont la barbe noire et fournie mangeait tout le visage, presque jusqu'aux yeux, comme s'il se cachait derrière une haie sombre. Bowles nous demanda seulement si nous étions mannois – ce que je ne pouvais guère nier – et si nous avions acheté quelque chose à la colonie du Cap, question à laquelle je pus répondre négativement sans avoir besoin de raconter des bobards, puisque c'était la stricte vérité. Sur ce, il nous ficha la paix, sans insister. Dans l'ensemble, je commençais à bien aimer ces gabelous de Victoria et pensai que certains d'entre eux auraient dû être rapatriés en Angleterre afin d'apprendre les bonnes manières au commandant Clarke et à ses comparses.

Peu après avoir vu Bowles tourner les talons, on eut un autre visiteur. Une sorte d'avorton trop souriant pour être honnête. Comme il n'est pas rare qu'un margoulin de port grimpe sur le pont pour vous offrir des chambres infestées de puces, de l'alcool ou des femmes à bon prix, je ne lui prêtai guère attention lorsqu'il monta à bord.

« Harry Fields. » Il tendit une main étonnamment grosse comparée au reste de son anatomie, comme si toute sa croissance s'était portée sur cette partie du corps. « Vous venez d'arriver, n'est-ce pas ? Du Cap, je parie.

— Et alors ? »

Ma réticence sembla presque lui plaire.

« Je suis intermédiaire. Si vous avez quelque chose à vendre, je suis votre homme.

— Quel genre de choses vous intéresse ? »

Il prit un air futé et matois.

« Qui peut le dire ? »

Tiens, tiens ! Le fait est qu'on avait besoin d'un acheteur idoine. Jusqu'alors, j'avais projeté de m'enquérir auprès des habitants si des Mannois résidaient à Port Phillip – ce qui n'était pas impossible, les Mannois étant des voyageurs aventureux – au cas où l'un d'entre nous se découvrirait à Melbourne un cousin susceptible de nous mettre sur la bonne voie. Outre le temps que ça prendrait, il n'était pas certain qu'on en trouve un seul. Bien sûr, c'était peut-être risqué de s'adresser au petit Fields, mais rien n'indiquait qu'il ne fût pas justement le gars qu'il nous fallait. Je jetai un coup d'œil sur Brew et il me rendit mon regard. Or, ce qui est commode quand on est mannois, c'est qu'on n'a pas à craindre d'être compris si on a quelque chose à se dire en secret. Alors que les Anglais sont obligés de prendre la peine de sortir de la pièce ou de faire des messes basses comme des comploteurs, les Mannois peuvent sans se gêner bavarder dans leur douce langue, sûrs et certains de n'être compris que par un concitoyen. Les Irlandais et les habitants des Highlands peuvent en piger un brin, c'est vrai, mais avec du mal. Pour un Anglais, c'est du chinois. Voilà pourquoi Brew et moi, on ne fit même pas l'effort de baisser la voix et on discuta de ce type par-dessus sa tête.

« Il a l'air d'un minable filou, dis-je, en lui décochant un sourire, politesse qu'il me rendit avec un certain empressement.

— Remarquez, est-ce que ce n'est pas justement le genre de gars qu'on cherche ?

— Soit ! Mais n'est-il simplement pas en train de lever le lièvre pour la douane ? »

Brew haussa les épaules.

« Ça risque d'être le cas de tous les quidams qu'on abordera. »

C'était assez vrai. Mais ce Fields méritait qu'on le surveille.

« Il est trop tôt pour savoir si on a quelque chose à vendre, étant donné qu'on vient d'arriver, lui répondis-je, mais peut-on vous trouver quelque part si jamais on change d'avis ? »

Il parut se contenter de cette réponse, le petit Harry Fields, et me donna le nom d'une taverne où il passait ses soirées. Comme il s'en allait d'un pas allègre, j'appelai Kinvig – la personne idéale pour se faufiler dans une foule, vu qu'il était lui-même un vrai nabot – et l'envoyai suivre l'individu.

Un peu plus tard cet après-midi-là, Brew et moi, on descendit à terre, et ainsi on posa pour la première fois le regard sur une ville australienne. Il était fatigant, ce Melbourne, avec ses longues rues toutes droites et le parfum de folie dans l'air. C'est le genre d'endroit qui vide un homme de son jus, lui donne soif et le rend trop faible pour se battre. On aurait dit un étrange patchwork, presque comme si son or était tombé du ciel en minuscules averses, détrempant un endroit en laissant l'autre sec comme un os. Ici se dressait un bâtiment aussi haut que la forteresse de Rushen Castle, construit dans la plus belle pierre, si bien taillée que seulement passer devant vous donnait l'impression d'être crasseux. Mais juste à côté on voyait une vieille palissade couverte d'affiches décollées, ou bien un énorme tas d'ordures nauséabondes puant sous le soleil. Un quartier où on s'aventura par hasard, mais pas pour longtemps, avait totalement raté le bain d'or : il n'y avait là que des cabanes bâties avec des caisses d'emballage et de l'indienne, ou simplement du papier de couleur, si bien qu'on pouvait sans difficulté voir la personne qui se trouvait à l'intérieur – en général une femme tenant un bébé dans ses bras –, laquelle se retournait et vous lançait un regard noir pour marquer sa désapprobation devant votre indiscrétion.

L'or paraissait choisir les habitants avec autant de soin que les habitations. Bon nombre d'entre eux avaient eu de la chance : des prospecteurs, sans aucun doute, me dis-je, car ils avaient l'air farouches, les cheveux hirsutes et des bagues d'or à tous les doigts, tels des coups-de-poing américains. À en juger par leur parler, ils venaient d'un peu partout. J'entendis de l'irlandais, de l'américain, et toutes sortes de langues étrangères européennes. Il y avait même des Chinois portant des queues-de-cheval. Les seuls qui manquaient à l'appel, c'étaient les

« Hommes bleus » d'Australie, ce qui m'étonna aussi beaucoup. Je m'étais attendu à en trouver des flopées, puisque c'est de là qu'ils sont originaires.

Attendant de recueillir quelques gouttes d'or tombées de la main des prospecteurs, les filles de joie pullulaient. Certaines d'entre elles semblaient avoir plutôt bien réussi, se baladant de par la ville comme en terrain conquis et vêtues de si beaux atours qu'on aurait presque pu les prendre pour de vraies dames si elles n'avaient traîné sur les trottoirs en vous décochant des œillades. Vrai, à cause d'elles les dames bien avaient l'air fort marries. À la tombée de la nuit, je voyais celles-ci rentrer prestement chez elles pour leur laisser le champ libre, et d'un seul coup la ville se mettait à boire et à hurler à tue-tête, dans l'espoir, apparemment, d'oublier ses soucis jusqu'à l'aube. À l'évidence, l'endroit n'était pas de tout repos, et je ne fus pas mécontent d'apercevoir la taverne qu'on cherchait – un véritable palais, avec une façade en bois haute de trois étages –, et Kinvig qui faisait le pied de grue au coin, sur le trottoir d'en face.

« J'ai gardé Fields à l'œil toute la journée, annonça-t-il fièrement.

— Et alors ?

— Je ne l'ai vu parler à personne ayant l'air de porter un uniforme. Il a surtout été dans les tavernes et dans les magasins de vins et spiritueux. J'ai essayé une fois d'avoir des renseignements sur lui auprès d'un vieux type avec qui je l'avais vu bavarder, mais je n'ai obtenu que des grognements, des menaces et un "Qu'est-ce que ça peut te faire ?" »

Tout ça avait l'air assez normal.

« T'as appris s'il y avait des Mannois dans les parages ?

— Y avait un type qui croyait en avoir rencontré, mais il n'était pas sûr que c'étaient pas des Irlandais. De toute façon, il pense qu'ils sont partis prospecter. »

Ça nous faisait une belle jambe, les placers se trouvant à des kilomètres de là. Jetant un coup d'œil à travers la vitre de la taverne, j'aperçus Fields assis dans un coin. Il n'avait pas la touche d'un indic du service des douanes.

« D'accord. Allons voir quel prix il propose. »

Son offre n'était pas mauvaise du tout. Au point que j'eus du mal à en croire mes oreilles. Quand Fields affirma que la colonie avait vraiment soif de bon cognac français, les chercheurs d'or ayant acquis des goûts de luxe, je réprimai un large sourire. Il ne parlait pas de pennies mais d'un joli paquet de pépètes sonnantes et trébuchantes, une véritable pluie d'or étincelant, une somme suffisante pour empêcher Ealisad de faire la tête pendant toute une année. Je faillis en oublier de réclamer un petit complément, lequel me fut si aisément accordé que je m'en voulus terriblement d'avoir été si modeste. Encore quelques parlotes, un verre ou deux du breuvage local, et l'affaire fut conclue.

« On s'est bien débrouillés, déclara Brew au moment où on se replongeait dans le vacarme de la rue, souriant comme s'il avait trouvé par terre un sac bourré de souverains. Ça fait pas un pli. »

Je ne peux pas dire que j'étais d'un avis contraire. Cependant, quelque chose dans l'esprit des Mannois les empêche de trop se réjouir.

« On n'a pas encore vu le moindre sou, lui fis-je remarquer. Comme dit l'adage : "Il y a loin de la coupe aux lèvres." »

Se redressant vivement pour être à la hauteur, il prit une mine de circonstance :

« Bien vu ! Et comme dit le vieux sage : "De loin, colline herbue. De près, nue, toute nue." »

Kinvig apporta son grain de sel.

« "Après la grande marée, morte-eau." »

Je pense que cet échange nous soulagea un peu.

« Mais c'est un prix moyennement acceptable, pas vrai ? fis-je pour revenir à un meilleur état d'esprit.

— Ah ! ça c'est bien vrai, répondit Brew, souriant à nouveau.

— Un prix défiant toute concurrence ! renchérit Kinvig.

— Auriez-vous un penny ou deux ? »

Cette dernière question, dois-je préciser, n'émanait pas de l'un d'entre nous, mais d'un grand gars affalé contre un mur juste en face. On ne pouvait pas se tromper sur l'accent de l'homme – aviné, qui plus est –, typique des bas-fonds de Dublin. J'aurais sans doute dû lui donner un quart de penny pour m'en débarrasser, mais je n'étais pas d'humeur à supporter les mendiants.

« Justement, non ! » rétorquai-je sans m'arrêter en lui décochant un regard narquois.

C'est ce regard qui dut le mettre en verve.

« Vous êtes mannois, hein ? s'écria-t-il. Je reconnais ce parler. De quelle ville de l'île venez-vous, dites donc ? »

Kinvig fit alors la gaffe.

« De Peel, répondit-il, tout fier.

— Peel ? hurla l'autre, ravi de l'aubaine. J'y ai été. Rien que des prétentieux, et des prétentieux fauchés, sans un sou vaillant à se voler entre eux. Sans parler de l'odeur… ça puait le poisson avarié. (Une lueur d'ironie luisit dans ses yeux.) À moins que ce soit l'odeur des Mannoises ? »

À ces mots, Kinvig fronça les sourcils. À cause de sa très petite taille il était toujours prêt à se battre.

« Je vais lui remonter les bretelles. Allez, capitaine, permettez-moi de lui régler son compte ! »

Quand on prend de grandes libertés avec la loi, il vaut mieux ne pas jouer les redresseurs de torts.

« Laisse-le tranquille ! lui conseillai-je, ça vaut pas le coup de te salir les mains sur un *yernee yeirk* – expression fort peu courtoise pour désigner un Irlandais qui fait la manche, et que je m'appliquai à prononcer clairement afin d'être bien entendu, histoire de répondre aux propos concernant l'odeur de poisson. D'ailleurs, on ferait mieux de rentrer à bord. »

Je regrettai d'avoir tant parlé.

« Des petits Mannois en bateau, vraiment ? s'écria alors le Dublinois, ravi d'avoir recueilli ce nouvel indice. Et sur quoi mettez-vous le cap, maintenant ? Je parie que ça va se passer en pleine nuit et qu'il s'agit de quelque petit coin tranquille de la baie de Port Phillip. »

Il n'y a qu'un Irlandais pour deviner immédiatement ce que vous cherchez à lui dissimuler. J'étais content qu'on se trouve à l'extrémité de la ville et qu'il n'y ait pas un chat dans les parages. Aucun de nous n'ouvrit la bouche, ce qui ne servit à rien, car le mendiant poussa un cri de joie, comprenant que qui ne dit mot consent.

« Allez donc vendre votre sale rhum de contrebande frelaté, pour ce que ça me fait ! cria-t-il à tue-tête. (Comme si on se serait permis de mettre de l'eau dans l'alcool !) Et faites gaffe qu'un broussard, un bagnard ou un sauvage ne tire pas une balle dans vos petites têtes de fraudeurs, vu qu'ils grouillent sur la côte et qu'ils ne feront qu'une bouchée de petits Mannois merdiques comme vous. »

Des broussards ? Je n'avais aucune idée de ce que c'était, mais ça ne me disait rien qui vaille. Pas plus d'ailleurs que les bagnards et les sauvages.

« Ce sont des bobards pour nous faire peur », grommela Brew quand on fut hors de portée de voix.

L'ennui, c'est que ce genre de déclaration vous reste dans la cervelle. Lorsqu'on finit par lever l'ancre, en pleine nuit, deux jours plus tard seulement, personne, parmi nous, n'était tranquille, et Kinvig s'entraîna tout seul pour le combat sur le pont principal, prenant la position du boxeur et décochant des coups de poing dans l'obscurité. Harry Fields, notre nouvel ami, nous avait gribouillé une petite carte pour indiquer où on devait se rendre. C'était pas loin : une plage à quelques kilomètres de la ville. Le signal serait la lumière d'une lampe. Un balancement de droite à gauche signifierait que tout allait bien, de haut en bas ça voudrait dire que ça sentait le roussi et qu'on devrait filer toutes voiles dehors. Cette histoire de lampe m'avait émoustillé, je dois le reconnaître ; ça me rappelait l'âge d'or de l'île de Man. Au moment où, dans la pâle lumière de la lune montante, on quitta le fleuve pour entrer dans la baie de Port Phillip, je ne pus m'empêcher de songer que mon arrière-grand-père, le « grand » Juan Kewley, avait souvent dû naviguer dans la nuit exactement de la même manière. Tenez, je me plaisais à croire qu'il était peut-être en train de me regarder du haut du ciel, fier comme Artaban que son arrière-petit-fils, le cas difficile, ait décidé de suivre sa trace.

La brise était légère mais égale, et à peine deux heures plus tard j'aperçus sur le rivage la lueur rougeâtre d'une seule lampe qui s'agitait d'un côté à l'autre comme il le fallait. J'ordonnai aux hommes de jeter l'ancre, de mettre une chaloupe à la mer, et nous voilà partis. Je laissai Brew à bord pour s'occuper du bateau, lui enjoignant de sortir les fusils des Anglais, par mesure de précaution, tandis que Kinvig m'accompagnait à terre, ainsi que deux autres marins chargés de ramer. La nuit n'était guère lumineuse, deux jours seulement s'étant écoulés depuis la nouvelle lune, laquelle, de plus, était voilée. On y voyait assez, cependant, pour discerner l'écume des vagues déferlant sur le rivage et les ombres floues de ceux qui nous attendaient. Ils étaient deux, en comptant celui qui tenait la lampe – pas assez pour jouer les assassins. Au moment où je débarquai, l'un des deux s'avança ; quand il pénétra dans le faisceau de lumière je reconnus Harry Fields.

« Capitaine Kewley. Vous n'avez pas traîné.

— À ce qu'il paraît… » Je lui tendis un tonnelet que j'avais apporté. Arrachant le bouchon, il huma le cognac, puis en avala une gorgée.

« Ç'a assez bon goût. » Le tabac ne lui plut pas autant – il se plaignit qu'il avait chopé un peu d'humidité –, mais il décida de le prendre quand même.

« Et tout le reste se trouve sur le bateau ?

— En effet.

— Où est-ce que vous l'avez caché ? »

Il y a question et question, et celle-là était pour l'instant bigrement indiscrète. Je lui repris le cognac et le tabac et les jetai dans la chaloupe.

« Et vous, où cachez-vous votre or ?

— Là, tout près… »

Sur ce, il se mit à retraverser la plage. Son assistant éclaira le sable devant leurs pieds et ils avancèrent dans la nuit noire.

Je ne le croyais qu'à demi.

« Je préférerais que vous l'apportiez ici. »

Sa voix se fit soupçonneuse.

« Vous voulez l'or, oui ou non ? »

En voilà une question ! Puisqu'il fallait en passer par là, je criai en manx à Kinvig, toujours assis dans le canot, de rester aux aguets, puis leur emboîtai le pas, le sable crissant sous mes pieds. Leur lampe se balança vers le haut une fois ou deux, illuminant une longue rangée d'arbres qui bruissaient dans le vent, et en dessous j'aperçus une sorte d'abri devant lequel je devinai un type à la mine patibulaire, un sac sur l'épaule, si lourd que l'homme se tenait tout de travers. Tout ça paraissant assez normal, je continuai à marcher. C'est seulement une fois parvenu à l'abri que je vis l'autre gars sortir des arbres. Ça ne m'aurait pas gêné si le clair de lune ne m'avait permis de distinguer la forme d'un canon de pistolet gentiment pointé vers ma poitrine. Il y avait pire : l'homme ne semblait guère avoir de tête. Mais je me rendis bientôt compte que c'était une illusion d'optique à cause des ténèbres, son visage étant mangé par une barbe noire lui montant presque jusqu'aux yeux.

« Le capitaine Kewley qui ne transporte que du lest et des vivres, si je ne m'abuse ? s'écria le douanier du port de Melbourne. »

Quel foutu manque de chance ! J'aurais presque préféré des broussards et des sauvages à ce roublard de gabelou qui, en bon Anglais, était tout fier de s'être payé ma tête. Ayant dû avoir des soupçons dès qu'il avait mis le pied à bord, il nous avait envoyé son petit indic, le Fields en question, pour nous faire tomber dans un traquenard, ce qu'il avait réussi à merveille. Avoir parcouru tous ces milles, pendant tous ces mois, et finir comme ça… Vrai, on aurait eu intérêt à se faire prendre par le commandant Clarke, là-bas dans la Manche, au lieu de braver pour rien les périls d'un voyage jusqu'à l'autre bout du monde.

Mais était-ce vraiment pour rien ? Ce qui me fit d'abord hésiter, ce fut Bowles lui-même. Ayant si adroitement surgi des arbres, il ne sortit pas une paire de menottes et ne cria pas les mots d'usage, à savoir : « arrestation » ou « confiscation ». Non, il resta planté là à me regarder.

« Sachez que personne ne débarque impunément de la contrebande sous mon nez ! » grogna-t-il enfin.

Ça ne ressemblait pas vraiment au langage douanier. Je reconnais qu'il n'y a rien comme la peur de tout perdre pour pousser quelqu'un à espérer en une dernière chance, mais mon raisonnement paraissait logique. Je me rendis compte que Bowles ne portait même pas son uniforme, simplement une vieille veste. Kinvig n'avait-il pas suivi Harry Fields toute la journée sans le voir en d'autre compagnie que celle de toutes sortes de racaille et gibiers de potence ? Il fallait malgré tout rester prudent. C'était à Bowles de mener la danse.

« Ah ! monsieur Bowles, on est entre vos mains, maintenant, fis-je d'un air penaud.

— Je devrais confisquer votre bateau et sa cargaison comme appartenant à Sa Majesté. »

En dépit du ton sévère, le mot le plus frappant fut « devrais », qui me fut fort doux à l'oreille.

« Vous avez bigrement raison, répondis-je. Même si ça semble dommage, vu que Sa Majesté a sûrement assez de cognac et de tabac pour un bon bout de temps. »

Au lieu de me tancer vertement pour cette insolence, il se radoucit quelque peu.

« C'est la première fois que vous venez à Port Phillip ?

— En effet.

— Hum… » Le canon du pistolet s'abaissa, pointé vers le sable tandis que l'homme feignait de réfléchir un brin. « Je devrais vous coffrer séance tenante, aucun doute là-dessus. Mais le fait est que je n'aime pas être trop dur avec les gars, quand c'est leur première faute. Vous ne paraissez pas irrécupérable. »

J'entrai dans son jeu.

« Vous avez entièrement raison, monsieur Bowles. Vrai, aucun de nous n'aurait songé à se livrer à ce genre d'activité si nos familles ne mouraient pas de faim. »

Était-ce de l'argent qu'il voulait ? J'espérais que non, vu qu'on n'avait pas un radis.

« Même si je pouvais vous traiter avec générosité, resterait le problème concernant votre chargement. Je dois faire mon devoir. »

C'était donc ça qu'il voulait ! Ce serait plus facile.

« Ah ! que la vie est dure !

— C'est trop tard pour le déclarer maintenant ; les documents ont tous été rédigés et signés. » Il fronça les sourcils. « J'aimerais cependant vous aider, dans la mesure du possible.

— Les nôtres vous seraient si reconnaissants. Vrai, ils souriraient tous à travers leurs larmes, même le plus petit bambin. »

Il s'était mis à secouer la tête, fatiguant sa pauvre caboche d'Anglais roublard en la faisant travailler.

« Peut-être une certaine personne de ma connaissance aurait-elle la bonté de vous débarrasser de votre cargaison en douce – dans le seul but de vous éviter la prison. Ce serait un grand service qu'on vous rendrait, avec pas mal de risques pour moi. »

Le prix. C'était ce à quoi il faisait allusion. On était passés d'un seul coup des marécages à la terre ferme. Peu après, il lança un chiffre, c'est-à-dire – pure coïncidence – la somme qui faisait pencher d'un côté notre copain au sac. Le montant n'avait aucune commune mesure avec la somme mirobolante dont Fields s'était servi comme appât, mais elle n'était pas affreusement dérisoire, puisqu'elle dépassait un petit peu celle que j'avais espéré obtenir à Maldon, et en tout cas c'était mille fois mieux que le sac vide auquel je m'étais attendu deux minutes plus tôt. Le cognac et le tabac devaient atteindre des prix astronomiques dans cette partie du monde.

« Je me dois de vous avertir, cette personne n'acceptera aucun marchandage », grommela Bowles.

Je n'étais pas d'humeur à me montrer gourmand.

« Votre prix sera le mien, monsieur Bowles. »

Marché conclu. Tandis qu'on revenait tous les cinq vers le canot, la lumière de la lampe jouant sur le sable à nos pieds, mes pensées étaient tournées vers l'avenir. Ébloui par cette quantité d'or sur le point de nous échoir – même si elle avait diminué –, je cherchais à calculer rapidement jusqu'où elle nous mènerait. Elle maintiendrait le bateau à flot et paierait la nourriture de l'équipage pendant pas mal de temps, tout en nous permettant, à coup sûr, de nous constituer un bon bas de laine. Évidemment, sans chargement, un bateau ne sert pas à grand-chose. Ce qui m'amena à penser au genre de fret – même légal – qu'on pourrait rapporter au pays de cette colonie de Victoria ou de cette Tasmanie. Du grain, peut-être ? Il y aurait des dettes à payer, bien sûr, mais si j'ajoutais le solde de l'affrètement que nous devaient encore les Anglais, alors les choses ne se présentaient pas si mal.

Je n'allai pas plus avant dans mes élucubrations. Tout à coup, plusieurs gars surgirent des ténèbres, et un objet tout en longueur – une rame – s'abattit sur ma droite, atteignant Bowles à la tête et éjectant de sa main le pistolet. Au même moment, à ma gauche, Fields était assommé. La lampe ayant été soudain jetée par terre, nous nous trouvions plongés dans une demi-obscurité. J'entendais des gens détaler à toutes jambes.

« Ça va, capitaine ? » Impossible de ne pas reconnaître la voix geignarde de Kinvig qui paraissait toute contente d'elle.

Son sourire disparut vite, remarquez.

« Espèce de crétin ! De quoi je me mêle ? »

Il ne comprenait pas ce qui lui arrivait, comme le chien qui reçoit un coup de pied pour avoir rapporté le bâton.

« C'étaient des douaniers, non ? Ce gars barbu, et qui en plus avait un flingue… »

Quel petit crétin ! Je scrutai la pénombre.

« Où se sont tirés les deux autres ? »

Vartin Clague, l'aide de Kinvig dans cette fine entreprise, eut un vague haussement d'épaules.

« Ils ont fichu le camp. »

On avait vraiment beaucoup de chance.

« Ah ! fis-je, comme si je trouvais la plaisanterie très drôle. Pas possible, ils ont fichu le camp ? Le type à la lampe, et aussi celui qui portait le sac plein d'or à ras bord ? »

Kinvig fut stupéfait.

« De l'or ?

— C'est ça. L'or que l'ami Bowles allait nous filer avant que tu aies la bonne idée de lui assener un coup sur la caboche ! »

Ramassant la lampe, je regardai vers la plage, mais il n'y avait aucun signe des deux fuyards. Ils devaient être très loin désormais.

« J'essayais de nous protéger. » Kinvig paraissait malheureux comme un enfant grondé alors que c'est le bébé qui a cassé l'objet. « Vous nous aviez bien dit de rester aux aguets ? »

Je jetai un œil sur Bowles et Fields. Quoique dans les pommes, ils respiraient tous les deux – ce qui était déjà quelque chose. Mais s'ils reprenaient connaissance, je doute qu'ils aient désormais envie de faire des affaires avec nous. Je pensais malgré tout qu'il fallait leur dire que ce n'était pas nous qui avions leurs pépètes.

« Va chercher de l'eau ! »

Kinvig remplit d'eau de mer le seau de la chaloupe et la leur déversa dessus. Non que ça produisît le moindre effet. À part qu'ils étaient dorénavant trempés, leur état n'avait pas changé.

« On pourrait toujours attendre », suggéra Clague.

Plus je les contemplais, plus j'apercevais de nouveaux ennuis à l'horizon. Et si Bowles se mettait en rogne – à juste titre – et essayait de nous arrêter ? Il faudrait l'assommer une fois de plus.

« Peut-être qu'on devrait simplement se tirer, dit Kinvig, apeuré. Lever l'ancre et ficher le camp d'ici. »

Même ça n'était pas si facile.

« Et M. Robins qui nous attend de pied ferme à l'embouchure du fleuve avec son cotre, ses soldats et son canon ? Est-ce qu'il ne va pas trouver bizarre qu'on arrive sans nos Anglais à bord ? Assez bizarre pour qu'il nous retienne afin de nous fouiller, et peut-être qu'il demande des instructions à son chef. »

Le petit empoté n'avait pas pensé à ça, évidemment. Plus je réfléchissais à la question, moins ça me plaisait. Quoi qu'on fasse, on prenait des risques, mais il y avait au moins une certitude, c'est qu'on ne pouvait pas rester là. Si on arrivait à rentrer à Melbourne pour ramasser les Anglais, ce serait déjà quelque chose. Et même ça, ça prendrait du temps.

« Allez chercher des cordages ! » leur ordonnai-je.

Ils furent bientôt joliment ligotés. Ne souhaitant pas monter Bowles contre nous plus qu'il ne l'était déjà, j'ordonnai donc qu'on les traîne jusqu'à l'abri et qu'on les appuie contre un mur pour qu'ils ne demeurent pas en plein soleil. Mais même ça ne me parut pas suffisant.

« Retournez à la chaloupe pour leur chercher un tonnelet d'eau et des biscuits de mer. »

On disposa ces vivres bien proprement devant eux comme un pique-nique de pauvre, j'écrivis un petit mot – non signé – leur expliquant que

221

ce n'étaient pas nous qui avions leur or, mais le quidam qui s'était enfui, puis je glissai la missive dans la poche de Bowles. Ensuite on regrimpa dans la chaloupe et on se mit à souquer ferme. Au moment où nous approchâmes du bateau, nous découvrîmes Brew et les autres penchés par-dessus le bastingage avec leurs fusils.

« Vous avez mis beaucoup de temps, capitaine. Qu'est-ce qui s'est passé ?

— On lève l'ancre. »

J'espérais que Bowles n'oserait pas faire des histoires, puisqu'il avait lui-même enfreint la loi. Mais je craignais qu'il ne soit si furieux contre nous qu'il se fiche complètement d'être découvert. (Je regrettais beaucoup de les avoir fait asperger d'eau de mer.) Dans les deux cas, on avait intérêt à mettre quelques centaines de milles entre lui et nous, et le plus vite possible. Sans doute, quand on sait qu'une poignée de minutes peuvent faire la différence entre la prison et la liberté, à quelque allure qu'on aille, on a l'impression de traîner, mais il semblait bien cependant que nous collectionnions les contretemps. Relever l'ancre peut être difficile, même quand tout va pour le mieux, mais cette fois-là c'était comme si on l'avait jetée dans un trou quasiment sans fond et, tirant sur le cabestan tout en hurlant comme de beaux diables, cela nous prit une éternité pour parvenir à libérer la *Sincérité*. Ensuite, on dut lutter contre le vent qui, sur le chemin du retour, nous était moins favorable. Finalement, même la lune nous laissa tomber et se dissimula derrière un nuage. Il fit si noir qu'on fut forcés d'utiliser des sondes pour éviter de s'échouer. Le jour s'était presque levé lorsque les canots nous remorquèrent à nouveau le long du fleuve. Heureusement, Melbourne semblait encore endormie, et je ne vis personne en train de nous observer au moment où l'on mouilla au même endroit que la veille. Je n'aurais pas été surpris d'être chaleureusement accueilli par une foule de policiers et autres douaniers.

J'appelai Kinvig. Après son coup d'éclat, à lui de se taper tout le sale boulot : courir chercher les passagers, nettoyer le cul des porcs, et j'en passe.

« Cours à l'hôtellerie des Anglais et ramène-les ici. Tire-les du lit si nécessaire ! »

Il partit sans se faire prier, la queue basse.

Après ça, il ne restait plus qu'à attendre. N'ayant pas dormi de la nuit, j'aurais eu intérêt à descendre faire un petit somme. Non que ce fût facile. Le soleil brillait maintenant et chauffait l'atmosphère au point que mes vêtements me collaient à la peau, et rien n'empêche de dormir comme d'avoir besoin de sommeil. Je passai le plus clair de mon temps à me retourner dans tous les sens, semblable à un hareng remonté sur le pont. Mais je dus finalement m'assoupir, car je fus réveillé par un violent tintamarre comme si on hissait quelque chose de lourd, à l'autre bout du bateau, sur le gaillard d'avant. Un fort bruit de voix sur le pont filtrait jusqu'à moi par les écoutilles. Je fus d'abord très satisfait, supposant que les Anglais et leurs bagages se réinstallaient à bord. Ce n'est qu'une fois debout, en m'étirant, que je me mis à me poser des questions. Le raffut n'aurait pas dû venir de cette direction-là, voyez-vous. Je me dis alors que je ferais bien d'aller jeter un coup d'œil. Bien m'en prit ! La première chose que je vis en débouchant sur le pont ce fut Ritchie Moore, le voilier, et trois autres hommes d'équipage, debout sur la vieille épave à laquelle on était amarrés, leur cantine posée devant eux, prêts à partir. Pas besoin d'être grand clerc pour deviner ce qui se passait. À cause de la petite difficulté qu'on avait rencontrée, ils quittaient le navire comme des rats. Le pire, c'est que d'une voix mielleuse ils invitaient les autres marins à les imiter.

« N'ayez pas peur ! Venez avec nous ! Pourquoi hésiter ? On va ramasser des tonnes d'or !

— Revenez ici ! » hurlai-je.

Ritchie Moore me rit au nez.

À ce moment, j'eus une nouvelle petite surprise. Brew, mon second, campé, impassible, sur le gaillard d'avant, contemplait la scène avec un calme olympien, sans broncher ni lever le petit doigt pour m'aider.

« Pourquoi ne m'as-tu pas réveillé, grands dieux ? » m'écriai-je.

Il n'eut même pas l'air gêné.

« J'allais le faire, capitaine. »

J'ai bien deviné ce qu'il pensait, d'ailleurs. Le petit hypocrite était en train de peser le pour et le contre : allait-il détaler avec les autres ? Jolie perspective… Si je ne faisais pas attention, ils allaient tous me filer entre les doigts, et je me retrouverais comme deux ronds de flanc. Les Anglais d'Australie allaient me fiche en taule, et pendant ce temps-là la *Sincérité* pourrirait lentement, comme toutes les épaves qui nous entouraient.

Mais je n'étais pas homme à me rendre sans combattre.


## Le révérend Geoffrey Wilson. Décembre 1857

Le capitaine prenait la très désagréable habitude d'exiger qu'on quittât le port sans le moindre préavis. Cette fois-là, son messager était Kinvig, le petit maître d'équipage, messager extrêmement discourtois, d'ailleurs, qui nous réveilla en tambourinant sans ménagement contre notre porte. C'était peut-être nécessaire dans le cas de Potter – et à n'en pas douter dans celui de Renshaw –, mais inutile dans le mien car, étant très matinal, j'étais déjà habillé, et même en train d'écrire dans mon journal.

« Il s'agit encore, j'imagine, d'un vent qu'on ne peut pas laisser passer », dis-je à cet homme avec une certaine froideur, en réponse à sa demande pressante que je fasse mes bagages séance tenante.

« C'est ça. Il faut que vous reveniez tous sur-le-champ.

— Et le petit déjeuner ?

— On n'a pas le temps ! »

Je suis sans doute un homme affable, mais il y a certaines choses à propos desquelles je refuse tout simplement d'être bousculé, et l'une d'entre elles est justement le petit déjeuner, surtout quand, comme c'était le cas en l'occurrence, on allait me faire payer le repas, que je le prisse ou non. Je tins tête à Kinvig, l'informant que je n'étais pas prêt à jeter mon argent par les fenêtres pour un simple caprice du capitaine, et lorsqu'il continua à protester je réglai l'affaire – assez finement, à mon avis – en m'installant tranquillement à la table de la salle à manger et en l'avertissant que s'il ne me laissait pas en paix, je recommanderais des œufs.

À vrai dire, ce départ, malgré sa précipitation, ne me déplaisait pas outre mesure. Bien que nous ne fussions dans le port que depuis trois jours, j'étais déjà impatient de reprendre la mer. Le détour causé par les courants marins contraires n'avait pas été négligeable et, vu les manigances du Dr Potter, je me faisais beaucoup de souci : que de jours, voire de semaines, déjà perdus peut-être ! En outre, notre escale était totalement dénuée de charme. Je ne crois pas m'être jamais trouvé dans un endroit si dépourvu de spiritualité que la ville de Melbourne, où un seul sujet semblait passionner les hommes. Lorsque, au cours d'un dîner à l'auberge où nous résidions, je crus que nos commensaux pourraient s'intéresser à notre expédition, leur unique réaction fut de me demander pourquoi je ne restais pas au Victoria afin d'utiliser mes connaissances en géologie pour chercher de l'or. Comme s'il n'existait pas une richesse supérieure à celle que procure ce vil minerai... Quand je m'efforçai de leur expliquer que mon but était vraiment beaucoup plus noble, ils se montrèrent quasiment grossiers et, cessant de m'adresser la parole, reprirent leurs sordides discussions sur les prix et les placers.

À mon grand étonnement, mes deux collègues paraissaient aimer la ville. Ainsi qu'il avait accoutumé, Renshaw disparut dès le premier soir, et également le suivant. (J'essayai de lui dire deux mots, mais il affirma qu'il avait seulement visité les endroits typiques de la ville et je ne possédais que des soupçons sans preuve.) Quant à Potter, on ne le voyait pas souvent non plus, sauf quand il entrait ou sortait, l'air fort affairé. Je ne savais guère réellement à quoi il occupait son temps, jusqu'audit matin où le maître d'équipage vint frapper à notre porte pour exiger que nous regagnions au plus vite le bateau. On venait de me servir mon petit déjeuner lorsque Potter et Renshaw descendirent bruyamment l'escalier, pâles et mécontents l'un et l'autre d'avoir été tirés du lit (alors que moi, je me sentais fort dispos). Le médecin argumentait avec Kinvig :

« Mais c'est tout à fait impossible. J'ai encore une demi-douzaine de caisses déjà payées à faire prendre. Il y a également Hooper, mon valet, qu'il faudra au moins une heure pour trouver et ramener ici.

— Votre quoi ? » J'avoue que je fus passablement agacé. C'était typique de lui de prendre ce genre de décision sans même me consulter, moi, le responsable de l'expédition. À Londres, nous étions tous tombés clairement d'accord pour renoncer aux services d'un domestique pendant le voyage en mer, ni la taille du bateau ni les fonds disponibles pour financer l'expédition ne le permettant. Or, quand je lui rappelai cet accord, il me répondit sans la moindre vergogne :

« Nous avons atteint l'Australie, n'est-ce pas ? Le voyage maritime est presque terminé. N'ayez aucune crainte, révérend. Je paierai les gages de Hooper sur mes propres deniers. »

Si j'avais su qu'il nourrissait un tel projet, nul doute que j'aurais moi-même engagé un domestique, ne serait-ce que pour garder ma dignité de chef. Il était trop tard, désormais.

« De toute façon, répliquai-je d'un ton ferme, il n'y aura peut-être pas de place pour lui à bord. Je vais certes devoir en discuter avec le capitaine Kewley. »

Il se renfrogna. Mais que pouvait-il faire, étant si manifestement dans son tort ? Entre-temps, on avait envoyé un fiacre chercher le valet et les caisses du médecin, ce qui prit un bon moment et énerva énormément M. Kinvig. J'avais supposé que les caisses ne seraient que des coffres où ranger plus aisément ses effets, mais en fait pas moins de six caisses en bois firent leur apparition, toutes extrêmement volumineuses.

« À quoi vont-elles donc servir ? demandai-je.

— Ce sont mes échantillons médicaux. »

J'étais à bout de patience.

« Vous auriez dû me demander l'autorisation de les acheter. Il se peut que la soute du bateau soit déjà pleine. »

Savez-vous qu'il alla jusqu'à taper du pied ? Il n'avait aucun sens du respect.

« Nous savons tous qu'elle est vide. »

Je refusai de me laisser intimider.

« Alors, on devra attendre de pouvoir vérifier si tel est bien le cas. »

Sur ces entrefaites arriva enfin Hooper, son valet. Bien que Potter tentât de chanter ses louanges et prétendît qu'il avait été jadis au service de l'un de ses éminents confrères médecins, à Melbourne, je trouvai que l'homme n'inspirait guère confiance. Il était pauvrement vêtu, et son air mal dégrossi et frustré me conduisit à penser que, attiré par l'appât du gain, il était venu dans cette ville pour chercher de l'or, mais n'avait pas connu le succès escompté. J'avais trouvé un chariot pour nous transporter jusqu'au bateau, cependant, avec ces énormes caisses, le véhicule ne s'avérait pas répondre à nos besoins. Hooper, le conducteur et Kinvig, le maître d'équipage, s'évertuèrent à arrimer tout le chargement, mais le résultat fut médiocre et, l'une des caisses me rentrant dans le dos, je souffris beaucoup pendant tout le trajet. Quand nous nous rangeâmes enfin près de la *Sincérité*, j'étais passablement ankylosé.

À ma grande surprise, le bateau était fin prêt à appareiller, deux canots avaient déjà été descendus, attendant de le tirer hors du mouillage. Curieusement, le vent, qu'il ne fallait surtout pas manquer, selon Kinvig, était loin d'être puissant et soufflait en petites rafales. J'en fus réduit à supposer que le capitaine craignait qu'il ne tombe complètement. Très agité, Kewley avait d'ailleurs l'air de bouillir d'impatience. Lorsque je tentai de soulever la question du valet et des caisses de Potter en exprimant clairement mes réserves, il parut quasiment incapable de me prêter attention, m'écartant d'un simple geste et ordonnant à ses hommes de charger les caisses, ce qui semblait peu raisonnable. Il va sans dire que Potter rayonnait.

La matinée avait été plutôt fatigante dans l'ensemble. Comme la *Sincérité* commençait son lent voyage sur le petit fleuve, n'ayant aucune envie de rester sur le pont où Potter expliquait l'organisation du bateau à son nouveau domestique avec un luxe de détails inutiles, je descendis dans la cabine pour me reposer. Quand je remontai, le bateau se trouvait déjà à plusieurs milles du port, lequel n'apparaissait plus que comme un fouillis indistinct sur la côte. Debout sur le pont, je me demandais combien de temps il nous faudrait pour atteindre la Tasmanie, lorsque je notai une chose curieuse. L'équipage effectuait un réglage des voiles, une routine, l'insolite résidant dans la méthode utilisée. Jetant un coup d'œil sur la voilure, je m'aperçus que là où il aurait dû y avoir dix gabiers au travail, ou même davantage, je n'en comptais pas plus de cinq, l'un d'entre eux étant le second, Brew, lequel normalement ne s'aventurait jamais dans la mâture. Plus surprenant encore, quand je tournai mon regard vers le gaillard d'arrière, je découvris que la barre n'était pas tenue par un matelot, mais par le capitaine lui-même.

« Que s'est-il passé ? lui demandai-je. Certains des hommes sont-ils tombés malades ?

— Personne n'est tombé malade, répondit Kewley, très agacé. On en a laissé à terre un certain nombre. »

Déclaration extrêmement surprenante et fort peu satisfaisante.

« Que voulez-vous dire ? »

Il regarda l'horizon derrière moi.

« On n'avait plus besoin d'eux.

— Et pourquoi donc ? »

Il haussa les épaules.

« Le bateau transporte bien des cordages, des vergues et des voiles de rechange, n'est-ce pas ? Eh bien, ces hommes étaient des matelots de rechange... »

## 10

### Peevay. 1831-1835

La première fois que j'ai entendu parler du dieu des Blancs, qu'on appelait *Dieu*, c'est quand on marchait dans la forêt, avec Robson. C'était intéressant, ça oui, d'être à côté d'un Blanc, si près que je pouvais même le toucher avec mes doigts, alors qu'avant les seuls nommes que j'avais vus, c'étaient ceux qu'on transperçait avec nos sagaies ou qui étaient en train de nous tuer. Alors que Robson, il était là, menant la marche. Il était un peu gros et crasseux, dans ses vêtements de Blanc en peau morte, mais il riait tout en nous conduisant ici et là, sans s'arrêter, rapide comme s'il était toujours pressé. Et pendant tout ce temps, il nous parlait de Dieu.

« Qui t'a créé ? » il demandait, en plongeant son regard dans le mien. Si je répondais pas il le faisait à ma place, l'air un peu chagriné, ce qui me donnait l'impression que j'étais un vaurien et un sale type. « C'est Dieu qui t'a créé ! » Mais ça ne lui suffisait pas. Encore quelques pas et il remettait ça : « Qui t'a créé, Peevay ? » Cette fois-ci, je donnais la réponse, et vite, rien que pour l'empêcher de devenir triste.

« C'est Dieu qui m'a créé. »

Et là, il souriait.

Pour sûr, je savais bien que c'était pas ce type nommé Dieu qui nous avait créés. C'étaient d'autres êtres secrets, comme on le savait tous. Mais ça, je ne l'ai jamais dit à Robson, pour ne pas lui faire de la peine, puisqu'il avait la gentillesse de nous sauver. En plus, c'était pas le genre de chose qu'on pouvait dire à un inconnu étranger. Le Dieu de Robson était réellement un mystère à n'y rien comprendre. Chacun savait où étaient nos vrais dieux, puisqu'on pouvait les voir briller toutes les nuits dans le ciel, mais quand j'ai demandé à Robson où était Dieu, il m'a juste répondu : « Il est partout. » Il a même dit qu'il était trois personnes, ce qui semblait un fichu casse-tête à n'y rien comprendre. Il a ajouté que si on ne croyait pas que Dieu était partout, alors Dieu se mettrait en colère et nous enverrait dans une saleté d'endroit où on brûlerait, ce qui était salaud, je me suis dit. Nos vrais dieux, eux, s'en fichaient pas mal si on savait ou pas qu'ils étaient dans le ciel. Ils étaient dans le ciel, un point c'est tout.

À part Dieu, la vie était plus facile pourtant. Trois sont morts de la maladie de la toux, ce qui était affreux, mais après les morts se sont arrêtées, et la plupart d'entre nous sont restés en vie. Et surtout, maman était toujours vivante, même si elle était encore très faible et avait quelquefois besoin de s'appuyer sur quelqu'un pour marcher, si bien qu'on devait avancer lentement. Elle continuait à détester Robson, ce qui était dommage. Elle nous poussait à le tuer à coups de sagaie aussi souvent qu'elle demandait de l'eau pour boire. Sans doute elle l'aurait tué elle-même si elle avait été plus forte et si on ne l'avait pas surveillée de près, en faisant bien attention qu'elle n'ait pas de lance.

À part elle, on était tous contents qu'il soit là, car il n'était pas vraiment comme un nomme blanc. Il avait une drôle d'odeur, ça oui, et ses vêtements aussi étaient bizarres, comme son « Qui t'a créé ? », mais autrement il était presque comme nous. Il savait parler le langage normal et même si quand il faisait des fautes idiotes, c'était dur de ne pas rire, c'était le premier sale Blanc qu'on avait rencontré qui le connaissait. Il dansait même avec nous le soir et jouait de son sifflet, qu'il appelait *flûte*. Il nous a dit qu'il avait marché deux étés entiers pour sauver les nôtres et qu'il en avait déjà des tas dans son bel endroit où ils étaient en sécurité. Le plus étrange, c'est que quand il parlait des nommes, il se fichait souvent en rogne, comme si c'étaient pas les siens, mais ses pires horribles ennemis. Il disait qu'ils étaient cruels et haineux, qu'ils avaient la rage de tuer dans le cœur – ce qui était vrai –, et j'ai pensé que ça voulait dire que lui était de notre côté.

Oui, j'aimais beaucoup Robson pendant ces jours de marche vers la mer, plus peut-être même que Heedeek, malgré qu'il était comme mon grand frère. Robson me tapotait le crâne – je n'étais encore qu'un gamin à l'époque – et me disait : « Holà, petit ! », et bientôt ça m'a plu de penser qu'il y avait peut-être eu une grande erreur, dans le temps, et qu'il était mon vrai père, ce qui me réjouissait le cœur. Je rêvais même que maman cesserait de vouloir le tuer et qu'ils se tiendraient côte à côte et me donneraient leurs tendresses tous les deux ensemble.

Pendant qu'on avançait, il nous disait parfois : « Plus vite ! » ou demandait : « Comment vous appelez cet arbre ? », ou éclatait de rire après avoir manqué se casser la figure en glissant dans la boue, juste pour montrer que ça n'avait pas d'importance. Tout ça pour nous sauver. Vraiment, il nous réjouissait le cœur. Quelquefois, j'étais si content que j'avais envie de dire aux autres que c'était grâce à moi que c'était arrivé, quand j'avais brûlé la forêt pour qu'il puisse nous trouver.

Heureusement que je ne l'ai pas fait, évidemment !

Les premiers ennuis ont commencé dans la ville des Blancs. Aucun de nous n'avait été dans ce genre d'endroit jusque-là, sauf ceux qui étaient déjà avec Robson, comme la sœur de Cordeve, et même eux semblaient avoir peur au moment où du haut d'une colline on a regardé les maisons géantes des hommes blancs, et il y en avait des tas.

« Et s'ils ne vous reconnaissent pas ? » a demandé Heedeek.

Robson a éclaté de rire, comme si c'était une plaisanterie vraiment très drôle.

« Ils se souviendront de moi ! »

Alors on est entrés dans la ville. Eh bien ! si ces sales Blancs reconnaissaient Robson, ils ne savaient pas qui on était, nous. Ils sont restés devant leurs maisons à nous regarder comme si on était d'affreux crétins, même si en réalité c'étaient eux qui l'étaient, avec leurs yeux vides pleins de haine et leurs jacassements d'oiseaux. Même Robson semblait avoir peur d'eux, je l'ai bien vu, et j'étais content d'entrer dans une grande maison fabriquée avec des pierres appelée *prison* où on serait protégés de ces salauds qui nous dévisageaient. Robson n'est pas resté, nous laissant avec un autre nomme qu'on ne connaissait pas, mais il est revenu bientôt, tout content, et c'est à ce moment-là qu'il a dit une chose bizarre.

« Je regrette, mais vous devrez attentre ici pendant quelques jours car le bateau n'est pas encore tout à fait prêt. »

Ce qui était étrange, comme on l'a tous remarqué, c'était ce « vous ». Où est passé le « nous » ? je me suis demandé. Heedeek a tout de suite posé la question : « Vous ne venez pas avec nous ?

— Mais bien sûr que non ! » a répondu Robson. Il nous a fixés comme si c'était incompréhensible qu'on ne le sache pas déjà. « Il y a tous vos frères et sœurs à sauver, et il en reste des tas ! » Ensuite, il nous a regardés de son air gentil. « Ne vous en faites pas. Je vais revenir dès que possible. Alors, tous nos cœurs seront joyeux. »

Puis il est parti, ce qui était inquiétant, surtout dans cette ville de nommes. On ne pouvait rien faire, parce que notre salle qui avait des murs comme des bâtons minces était robuste et que la porte ne voulait pas s'ouvrir. En plus, cette ville, avec ses salauds de Blancs qui nous fixaient, était trop effrayante pour la traverser sans nos lances à la main. Alors, on a passé plusieurs jours dans cette maison appelée prison à manger la nourriture dégoûtante des Blancs, c'est-à-dire des biscuits durs et de la vieille viande salée comme l'eau de mer, et on s'est bientôt mis à se demander si Robson nous avait tendu un piège pour qu'on soit tués, mais c'était une pensée si affreuse que personne ne l'a exprimée, sauf maman qui ne s'est pas privée de la répéter souvent.

Enfin, d'autres hommes blancs sont arrivés qui s'appelaient *soldats*, tout colorés en rouge et portant un fusil, et ils nous ont fait passer devant les sales Blancs qui hurlaient et nous ont emmenés jusqu'à un grand bateau de Blancs, comme ceux que j'avais vus quelquefois très loin sur la mer et qui avaient d'énormes peaux pour attraper le vent. Il était rapide, ce bateau, et bientôt on a été loin de la terre, si bien qu'on ne la voyait déjà presque plus. Les hommes blancs du bateau avaient des fusils, des tas, et ils nous regardaient comme si on était des ennemis. Alors, on s'est demandé si c'était un nouveau piège et si la nuit ils allaient venir en douce pour nous tuer, avant de nous jeter dans la mer, de sorte que personne ne l'apprendrait jamais. On est restés vigilants. Finalement, bien sûr, le bateau n'était pas du tout un piège, et personne n'est venu nous surprendre la nuit. Ces hommes blancs ne nous ont jamais tués. Tout ce qu'ils faisaient, c'était de grimper très haut pour rendre plus grandes ou plus petites les énormes peaux. Non, le piège c'était l'*île* où on a débarqué.

Vraiment, c'était une chose affreuse, horrible à voir. Je savais, ça oui, que la plupart des nommes étaient des salauds et qu'il valait mieux les tuer à coups de sagaie, mais j'avais jamais pensé que Robson nous dirait de foutus mensonges. Robson, qui avait dit qu'il était notre ami et qui allait jusqu'à nous parler dans notre propre langage rien que pour qu'on l'aime. Est-ce qu'il n'avait pas annoncé qu'on irait dans un beau pays ? Dès que j'ai vu cette île, j'ai compris qu'elle était trop petite, avec une seule colline, comme si c'était pas fait pour y vivre. Il n'y avait pas de place pour chasser les kangourous, aucune rivière à traverser, j'ai pensé, ni même pour marcher, ce qui est presque la première chose qui montre qu'on vit. Comme le bateau faisait le tour, j'ai aperçu un endroit avec des cases où il y avait beaucoup des nôtres, plus que j'en avais jamais vu. Puis on est montés dans un petit canot poussé par des bâtons, et quand on a débarqué sur le rivage les nôtres nous ont regardés comme si on était un spectacle très intéressant mais leurs yeux étaient vides, et même ceux qui nous connaissaient d'avant nous accueillaient sans joie. Alors, j'ai compris toute la vérité. C'était un endroit de mort.

Les soldats nous ont fait avancer vers l'intérieur, le vent m'envoyant du sable dans les yeux, pour rencontrer leur chef qui s'appelait le *sergent Wilkes*. Il avait l'air vieux et haineux, comme s'il avait du poison dans le sang, et il tenait en laisse une bête chien si petite qu'elle ressemblait à un rat. Le sergent Wilkes ne nous a pas dit le moindre bonjour mais a seulement ordonné aux soldats de nous emmener aux cabanes qui sentaient mauvais. Pendant tout ce temps, les soldats fixaient nos femmes comme si c'étaient de nouveaux aliments à goûter.

Vraiment, il y a rien de pire que de se sentir roulés à mort. Le plus affreux, c'était que c'était moi qui avais permis à Robson de nous trouver dans la forêt, et je l'avais adoré jusqu'à rêver qu'il était mon propre père. Robson, qu'on appelait maintenant « ce gros salaud de

Robson ». Robson, qui était retourné dans le monde pour rechercher davantage des nôtres pour les attraper et les amener dans cet horrible endroit de mort. Robson, à qui je ne pouvais même pas lancer : « Espèce de sale menteur ! »

Moi et tous les membres de la tribu de maman, on voulait repartir le jour même, tout de suite, car il valait beaucoup mieux être pourchassés et tués que de rester là où il n'y avait rien à faire qu'à attendre l'horrible nourriture des Blancs ou à regarder les autres pour deviner qui allait être le prochain malade de la toux.

« Je vous avais bien dit qu'il fallait le tuer à coups de lance », a dit maman, qui était contente qu'on se lamente puisque ça signifiait qu'elle avait eu raison. Maman adorait toujours avoir raison. « Vous auriez dû m'écouter quand il était encore temps. »

Mais la grande chance avec maman, c'est qu'elle ne désespérait jamais. Non, notre malheur semblait même la rendre plus forte. Alors qu'on était tristes et qu'on gémissait, je voyais dans ses yeux qu'elle était déjà en train de bâtir de nouveaux projets. Et, en effet, dès qu'elle a repris des forces, elle s'est mise à aller dans les cases de ceux qui parlaient notre langage pour des palabres secrètes. Je lui ai plusieurs fois demandé quel était son projet, mais elle a refusé de m'en dire un seul mot.

« Les sales Blancs sont tes amis, elle me répondait en se moquant. Va leur parler ! »

Moi, je voulais me joindre aux autres à tout prix, car après les mensonges de Robson mon plus grand désir tout au fond de mon cœur était de transpercer avec une lance le sergent Wilkes aux yeux venimeux, et tous les autres sales Blancs en plus. Oui, je songeais, il faut se débarrasser de ces sales types et fiche le camp d'ici.

C'est Heedeek qui l'a persuadée de me laisser me joindre à eux.

« J'ai besoin qu'il m'aide », il a dit, même si c'étaient juste des paroles.

Maman a fait la grimace et a répondu :

« S'il cause notre perte, alors ce sera ta faute. »

Mais elle m'a permis de participer. J'ai alors appris qui parmi nous – les *Palawas*, comme on s'était tous appelés maintenant – était avec maman, et il y en avait beaucoup, puisque presque tous ceux à qui elle l'avait demandé avaient accepté d'en être. Certains avaient horreur de cet endroit de mort, d'autres étaient en colère contre les soldats et leurs désirs grossiers, car ils essayaient toujours d'attirer nos femmes dans leurs paillotes avec de la nourriture, et quand le sergent Wilkes ne les voyait pas ils allaient parfois jusqu'à les pousser de force à l'intérieur. Ça, c'était affreux.

Le lendemain, Heedeek m'a emmené avec quelques autres sur le côté opposé de l'île, et j'ai vu quel était le projet de maman. D'autres étaient déjà là en train de fabriquer des lances autour d'un feu secret allumé à un endroit où le vent ne risquait pas de ramener l'odeur de la fumée vers les soldats et le sergent Wilkes. Alors, je me suis mis à fabriquer des sagaies moi aussi. Plus tard, quand le soleil était bas dans le ciel, on a enterré les cendres dans le sable pour qu'il ne reste aucune trace et on est revenus vers le village en gardant les lances contre nos jambes pour que les sales Blancs ne les voient pas. Ensuite, on les a mises dans un coin secret caché par les buissons où il y en avait déjà d'autres, des tas d'autres. Heedeek a dit que quand le prochain bateau apporterait encore de la dégoûtante nourriture de Blancs, on aurait fabriqué assez de lances et on pourrait sortir en douce dans le noir pour tuer ces salauds de Blancs jusqu'au dernier. Après ça, on s'emparerait de leur bateau pour regagner le monde.

Bien sûr, l'ennui, avec un projet secret, c'est qu'il est fragile comme un vieux bout de bois sec, et la moindre anicroche peut le briser en deux.

L'après-midi suivant, il faisait chaud. Les soldats étaient dans leurs paillotes, en train de jouer avec des cartes plates peintes, ce qui les faisait hurler très fort. Certains des nôtres se trouvaient de l'autre côté pour fabriquer des lances en secret, comme d'habitude, mais maman disait qu'on ne devait pas y aller trop à la fois, car ça se remarquerait, et c'était à mon tour de rester. Du coup, j'ai pas bougé de cette case crasseuse, et je jetais une pierre contre le mur ou imaginais des rêveries où j'étais un brave héros qui sauvait maman de vingt sales Blancs avec des fusils. Il y avait des mouches qui bourdonnaient et qui dessinaient des formes comme des bâtons en volant, et bientôt j'ai perdu la pierre pour lancer, et même mes rêves se sont fatigués, si bien que des fois j'étais tué par une balle, ou maman me transperçait avec sa sagaie. Finalement, j'en ai eu assez de cette case, je suis sorti et j'ai gravi la petite colline de derrière. Alors, j'étais plus près du feu pour fabriquer les lances, ce qui était intéressant à regarder. J'étais toujours là quand le sergent Wilkes est arrivé avec son chien.

C'était normal, oui, parce qu'il marchait avec ce chien plusieurs fois chaque jour. Il aimait beaucoup cet animal, qu'il appelait *Fernando*, et toutes ses tendresses étaient pour lui, car il nous détestait et il détestait ses soldats aussi, sur qui il criait souvent. Pourquoi il aimait ce chien était un mystère à n'y rien comprendre, puisqu'il était pas plus gros qu'un rat et toujours en train d'aboyer, ou de faire semblant d'être dangereux, des fois seulement parce que le vent faisait claquer les portes. Nous, les Palawas, on ne l'appelait jamais Fernando, mais *Crotte de Souris*, et on lui donnait des coups de pied, sauf si le sergent Wilkes pouvait nous voir. Et le chien était là pendant que je regardais depuis la petite colline, courant de-ci, de-là, dans un sens, puis dans l'autre, et aboyant contre les fleurs.

Ça, ça m'était égal. Non, ce qui me tracassait, c'est où tous ces mouvements de-ci, de-là risquaient de le mener. Tout à coup, il était tout près de l'endroit secret, suivi par le sergent Wilkes. Ça, c'était ennuyeux ! Et voilà qu'il s'arrête à côté et lève la patte pour pisser. Maintenant, il court vers un autre endroit pour grogner contre le sable, ce qui était très bien, mais ma joie n'a pas duré longtemps, car voilà qu'il retourne en courant pour renifler là où il a pissé juste avant. Pire, voilà qu'il va plus loin, jusqu'aux buissons secrets eux-mêmes. Alors, mon cœur s'est mis à cogner tout au fond de ma poitrine et j'avais du mal à regarder. Le sergent Wilkes attendait, très patient, pendant que Crotte de Souris faisait sa merde à cet endroit, sur nos sagaies toutes propres. Même ça, ça n'aurait pas été grave s'il s'était arrêté là, mais ensuite il a fourré son cul dans les feuilles pour se gratter. Puis, tout à coup, j'ai entendu un hurlement, et le sergent Wilkes s'est penché, a regardé et tendu la main. Soudain, il a eu l'air furieux et s'est dirigé en courant vers les cases en criant quelque chose aux soldats.

J'ai juste eu le temps d'aller faire signe de partir à ceux qui étaient près du feu. Malgré ça, c'était un vrai malheur. Le sergent Wilkes nous a tous fait rester debout très longtemps devant les cases, les soldats pointant leurs fusils vers nos yeux pendant qu'il nous traitait de « sauvages assassins » ou de « sales tricheurs noirs ». Après, on a dû regarder les sagaies qu'on avait fabriquées avec tant de soin être empilées et brûlées. Puis le sergent Wilkes s'est approché très près en nous fixant pendant longtemps et en demandant : « Qui est le meneur ? »

Je suppose qu'il pensait qu'on se tairait tous, mais il avait tort. Maman s'est tout de suite approchée de lui, l'air de n'avoir peur de rien : « C'est moi, sale bougre ! » elle lui a dit dans son propre langage de Blanc.

La haine lui a donné une couleur encore plus rouge, et il a ordonné à quatre soldats de la conduire jusqu'au rivage, et ils ont touché ses lolos et ses joues pendant qu'ils l'emmenaient. Alors, elle a essayé de les frapper, mais ils l'ont poussée dans le petit bateau, si brutalement que j'ai vu qu'elle était blessée à la jambe, même si elle n'a pas du tout crié. C'était trop affreux, et j'aurais voulu pouvoir courir transpercer avec une sagaie tous ces salauds, et les tuer, les tuer, les tuer encore, comme dans mes rêveries dans la case. Après ça le sergent Wilkes a choisi quatre des nôtres pour les mettre avec elle, même si l'un d'eux ne faisait pas partie du projet de maman mais lui parlait seulement de temps en temps. C'était triste de voir le bateau s'éloigner et de se demander s'ils allaient la tuer et la jeter dans la mer. Ce qu'ils ont fait était presque pire. Quand le bateau a été si loin que sa peau pour attraper le vent était aussi petite qu'une feuille, il a atteint un gros rocher que j'avais déjà remarqué plusieurs fois et qui était tout seul, sans arbres ni rien. C'est là que maman et les autres ont été abandonnés. C'était vraiment très triste de les voir là après le départ du bateau… On aurait dit des bestioles rampantes minuscules, presque trop loin pour nous voir leur faire des signes, même si on en a fait quand même. Ça m'a peiné et causé du chagrin tout au fond de ma poitrine.

Le lendemain, le sergent Wilkes semblait les avoir complètement oubliés. Il n'a pas du tout regardé vers la mer, mais a juste crié des ordres à ses soldats pour les faire marcher, s'arrêter, agiter leurs fusils, des tas de fois de suite. Pendant tout ce temps, nous, on regardait le rocher brûlant sous le soleil. Finalement, Heedeek et quelques autres sont allés demander au sergent Wilkes qu'on aille les rechercher, mais il s'est simplement mis en colère et leur a dit de partir, ou alors on les mettrait sur le rocher eux aussi. Si bien que toute la journée a passé, ce qui était bien triste. Je savais que le sergent Wilkes voulait juste les tuer de cette façon lente et horrible. Oui, il valait mieux être tué par une balle, j'ai pensé. Ils seraient morts, sauf que ce même matin le bateau est venu du monde pour apporter encore de l'horrible nourriture de Blancs. Il s'est arrêté près du rocher de maman, pensant qu'il avait dû y avoir un accident, et a descendu un canot pour les ramasser. Quand le bateau a accosté et que maman et les autres ont débarqué, le sergent Wilkes n'a rien dit, mais a lancé des regards noirs. La pauvre maman et les autres pouvaient à peine marcher, à cause des blessures comme s'ils étaient tombés d'une falaise, les yeux énormes et collés, la peau couverte de coupures à cause du soleil, et la bouche dégoûtante, pleine d'une substance blanche produite par le manque d'eau.

Ça a changé beaucoup de choses. Heedeek, moi et d'autres, on a mis maman dans la meilleure case pour être gentils, et même si elle s'est peu à peu remise et qu'elle détestait toujours beaucoup les sales Blancs, maintenant elle était plus calme. Des fois, elle restait juste dehors sans dire un mot, et quand elle parlait de tuer ces salauds de Blancs et de donner leurs bras et leurs jambes aux chiens, elle le faisait d'une petite voix. Oui, ça lui avait fait perdre son envie de se battre, et après elle s'est mise à grossir au point de devenir énorme. J'ai changé, moi aussi, et cette époque m'a appris quelque chose. Maintenant je savais qu'on ne pouvait pas se battre contre ces cochons de Blancs rien qu'avec des sagaies, parce qu'ils gagneraient à chaque fois, et qu'on mourrait seulement plus vite. Non, j'ai deviné que si je voulais survivre, il faudrait que je m'y prenne autrement.

Parfois, on dirait que le plus dur c'est de faire la connaissance de ce casse-tête à n'y rien comprendre, et qu'alors il vous donne sa réponse tout de suite. C'est ce qui s'est passé. Un matin, quelques semaines plus tard, un nouveau bateau est arrivé avec d'autres soldats et leur chef. Le sergent Wilkes les attendait au moment où ils s'approchaient du rivage en canot à rames, et j'ai remarqué que son sourire était figé comme s'il était en colère, ce qui était bizarre. Plus intéressant encore, ce nouveau chef de soldats lui a dit à peine bonjour mais l'a fait entrer avec lui dans la paillote, ce qui nous a montré qu'il était plus fort que Wilkes. Alors, j'ai fait le tour de la paillote avec un des nôtres pour regarder par le petit trou qu'on connaissait dans le mur de bois de derrière. Eh bien ! on a eu une surprise. Le nouveau type, il parlait très fort au sergent Wilkes comme s'il était juste un rien du tout, et pas le chef de l'île, et il lui a dit qu'il était *renvoyé*, et d'autres mots pareils. Le lendemain, le vieux « Sang empoisonné » a pris Crotte de Souris, a marché jusqu'au rivage et a été emporté dans un canot à rames pour ne jamais revenir, et l'autre type, qui s'appelait le *commandant Darling*, est devenu le chef des hommes blancs à sa place.

Mais le plus intéressant est arrivé juste après ça. Bientôt Heedeek, qui avait appris quelques mots du langage des Blancs, comme nous tous, a demandé au commandant Darling pourquoi Sang empoisonné avait été renvoyé, et le commandant Darling a répondu que c'était parce qu'il avait essayé de tuer maman « d'une mauvaise façon ». Vous voyez, il n'aurait pas dû faire ce qu'il avait fait mais aurait dû l'envoyer chez d'autres sales Blancs pour une grande discussion. Même alors, on n'aurait pas pu juste la laisser sur un rocher en plein soleil, mais la pendre avec une corde, car c'était la bonne manière utilisée par les hommes blancs pour tuer. Je me suis mis à réfléchir, et ça m'a montré beaucoup de choses. Ainsi, j'ai appris que les sales nommes étaient forcés de suivre certaines règles, exactement comme nous, malgré qu'elles étaient si cachées à cause de leur fourberie que je n'avais jamais deviné qu'elles étaient là. Eh bien ! je me suis dit que si j'apprenais leurs manières de penser, alors je saurais comment les combattre avec leur propre merde. C'était mon meilleur projet, j'ai décidé, puisque se battre contre eux à notre manière ne marchait pas du tout.

Peu après, le commandant Darling nous a emmenés en bateau sur une autre île qui s'appelait *Flinders* et qui était tout près. Elle était beaucoup plus grande, et il fallait marcher deux jours entiers pour aller d'un bout à l'autre. Il y avait du gibier à chasser et des petites montagnes à regarder, dont une était haute et pointue comme une sagaie. Pourtant, il y soufflait un vent horrible, avec du sable qui vous sautait dans les yeux, si bien que ce n'était pas du tout pareil au vrai monde, où on connaissait chaque rocher comme un vieil ami. Le commandant Darling essayait d'être gentil, nous invitant même parfois, nous, les Palawas, dans sa paillote pour manger avec lui sa nourriture dégoûtante. Il a dit qu'il fallait qu'on porte des vêtements comme les hommes blancs, ce qui était horrible, mais il nous a aussi appris comment faire pousser de l'herbe et des buissons pour manger, ce qui était intéressant, et avec le temps on est devenus très malins là-dessus. Alors on l'a presque aimé, et une fois on lui a donné un perroquet qu'on avait attrapé, et il l'a gardé dans sa paillote et l'a appelé *Shakespeare*. Ensuite, un été s'est terminé, et puis un autre, et il ne s'est pas passé grand-chose, sauf qu'on est restés à Flinders, et que d'autres sont morts de la maladie de la toux, des tas. Peu à peu l'endroit où on habitait, et qui s'appelait *Wybalenna*, a grandi. On a construit de nouvelles cases pour nous et pour faire des magasins, puis de nouveaux nommes sont venus pour nous surveiller.

L'un d'eux se nommait *Smith*, qui a dit que tous les enfants palawas devaient venir dans sa paillote pour entendre parler de Dieu. Smith était petit, avec des cheveux plats et de petits yeux curieux. Des enfants le détestaient et se sont enfuis, mais moi, j'y suis allé, parce que je voulais connaître les façons, les mots et toutes les autres merdes des Blancs pour pouvoir me battre contre eux. Smith était très content et m'a dit que si j'apprenais à connaître Dieu, je serais sauvé. Je ne l'ai pas du tout cru, ça non, car grâce à ce gros salaud de Robson je savais qu'on peut jamais faire confiance à un homme blanc, mais j'y suis retourné plusieurs fois, jusqu'à ce que je sache davantage de choses. Parfois, je parlais aussi avec les soldats, car ils m'enseignaient des mots magiques que maman connaissait, par exemple : *enculé, salaud, merde, bougre, foutre, baiseur, con*. Un jour, je les ai dits à Smith, juste pour voir leur magie, et elle a été forte, puisqu'il m'a beaucoup détesté et m'a dit de ne pas remettre les pieds dans sa paillote pendant toute une semaine.

Mon savoir a mis maman hors d'elle.

« Pourquoi t'y vas, elle me demandait. T'aimes les sales Blancs ?

— Je veux les connaître pour pouvoir me battre contre eux.

— Il vaut mieux juste les tuer, elle répondait. Si tu les connais trop, tu finiras par leur ressembler. »

Non pas que je l'écoutais. Je rêvais déjà à un projet à moi pour nous ramener tous dans le monde, et pour que je sois un héros, même aux yeux de maman. C'était mon désir secret.

Ainsi un autre été est passé, et puis un autre, et peu à peu j'ai grandi et j'ai eu des envies. C'est pourquoi j'ai regardé les filles de cette nouvelle façon. Leurs lolos et leur touffe me réjouissaient le cœur et me donnaient une nouvelle sorte de faim. Même certaines des femmes blanches étaient bien, malgré qu'elles étaient cachées dans leur épaisse peau morte qu'on appelait des *vêtements*, et que leurs yeux étaient fous, tristes et durs comme la pierre. C'est pourquoi je préférais les nôtres. Non pas que les nôtres me laissaient m'approcher d'elles, car j'étais encore trop jeune, mais parfois elles me permettaient de baiser leurs lèvres et de toucher leurs lolos doux et ronds, si personne ne regardait. C'était une grande chance.

Mais, dans l'ensemble, c'était juste une époque de mort. Les gens tombaient malades de plus en plus, si bien qu'on passait son temps à s'observer soi-même pour chercher des signes. C'était atroce, car c'est trop horrible de mourir en étant brûlant, en toussant et sans presque pouvoir respirer. Les sales Blancs ne mouraient presque pas, bien sûr, et quand on était mal foutus ils nous regardaient comme si c'était normal chez les *indigènes* – comme ils nous appelaient, nom que je détestais par-dessus tout. Le pire, ç'a été la mort de mon ami Heedeek. Ç'a été un jour affreusement triste, quand il a été transporté jusqu'au rivage et brûlé sur son feu funèbre. C'était trop malheureux.

Donc, c'était dur à cette époque lointaine et horrible, et plusieurs types ont essayé différentes façons pour faire passer les jours plus vite. Certains ont cessé de faire quoi que ce soit, restant couchés dans leur désespoir, comme s'ils se reposaient. Ils sont morts bientôt. D'autres sont partis de l'autre côté de l'île pour chasser et faire d'autres choses comme si c'était une époque normale et que rien de grave ne se passait. Ils ont vécu plus longtemps. Parfois, ceux de la tribu de maman s'enfonçaient la nuit dans la brousse pour danser et chanter comme au temps jadis. C'était le mieux, en tout cas jusqu'au lever du jour. Certains, surtout des femmes, parlaient de Robson et de comment il allait revenir bientôt pour nous sauver, comme il l'avait dit dans la maison appelée prison. Je n'y ai jamais cru, bien sûr, car, s'il nous aimait tant, il ne nous aurait jamais mis sur ces îles de mort.

D'autres femmes ont trouvé un autre ami pour nous sauver. C'était le wraggeowrapper, qui avant était seulement terrible quand il venait la nuit dans les arbres pour nous regarder et nous rendre fous. Maintenant, elles ont inventé une nouvelle danse rien que pour lui, et elles l'ont dansée pendant la nuit, et ont chanté des chants pour lui faire plaisir. D'après certains, elles se couchaient même par terre avec lui pour baiser. Pourquoi pas ? je me suis dit. Si le monde entier n'était que mort et mourants, pour aucune raison compréhensible, alors peut-être il était plus malin de se faire aider par son ennemi. En tout cas, il valait mieux qu'un faux ami comme Robson.

Parfois il y avait des troubles. Les gens devenaient furieux à cause de cette attente épouvantable et se rappelaient de vieilles haines venant de bagarres d'il y avait longtemps. En gros, il y avait maintenant quatre nations, car les plus petites s'étaient mélangées, et les quatre vivaient en général séparées, mais parfois on fabriquait des lances et je devinais qu'une guerre meurtrière allait être déclenchée. Une nuit, certains de la nation des *Tonenweeners*, qui étaient nos ennemis désormais, sont venus armés de lances pendant qu'on dansait et nous ont entourés et regardés en criant qu'ils allaient nous tuer. Mais finalement il n'y a jamais eu de bataille. Je suppose qu'on mourait déjà trop facilement pour qu'on fasse davantage de morts.

Parfois, de nouveaux Palawas arrivaient en bateau, envoyés par Robson, ce qui était intéressant pour nous mais affreux pour eux. Un jour, Mongana et Pagerly, sa mère, ont débarqué. C'était étrange de les voir, ça oui, car j'avais l'impression que c'était dans une autre vie qu'on avait vécu tous ensemble et qu'ils me détestaient et se moquaient de moi. Et ils n'étaient plus furieux, juste effrayés. Ils ont donné de mauvaises nouvelles, ont dit que presque tous ceux que je connaissais jadis, il y avait si longtemps, étaient morts maintenant de la maladie de la toux ou tués par les sales Blancs. Pire, Tartoyen et grand-mère étaient morts. Ça, c'était triste. Jusque-là j'avais toujours pensé qu'ils étaient peut-être sauvés quelque part, exactement comme avant, Tartoyen racontant ses belles histoires et grand-mère assise près de la mer avec ses longs doigts osseux. Ça m'apportait toujours un petit espoir, même quand on était sur ces îles, et c'était malheureux de le voir repris.

Même cette époque horrible comportait quelques bons moments malgré tout. Mongana a eu très peur en découvrant cette île de Flinders et il m'a demandé de l'aider, ce qui était agréable car ça m'a fait me sentir très intelligent. Alors, je lui ai montré l'endroit où on attendait notre nourriture dégoûtante et lui ai expliqué qui était tout le monde et quels étaient les sales Blancs méchants et ceux qui l'étaient moins. Et c'est ainsi que Mongana, mon plus pire ennemi de jadis, est devenu mon bon ami. Une autre surprise, c'est que Pagerly, sa mère, est devenue l'amie de maman. Elle restait souvent assise à côté de maman pour l'écouter dire sa haine de ces salauds de Blancs et comment il faudrait leur défoncer le crâne et tout, histoires que maman adorait raconter. En vérité, c'était la seule amie de maman. D'autres souriaient quand ils passaient à côté d'elle, et parfois ils allaient chercher pour elle de cette nourriture répugnante, mais au fond de leur cœur ils avaient trop peur d'elle pour l'aimer réellement. Maman faisait toujours très peur.

Les jours se suivaient sans que rien de nouveau arrive vraiment. J'allais dans la paillote de Smith pour apprendre, et chaque jour je jurais de survivre. Là-dessus, on a annoncé que le commandant Darling allait nous quitter et qu'on aurait un nouveau commandant. Celui-ci n'était pas un inconnu mais quelqu'un à qui on avait déjà eu affaire.

C'était Robson.

## Mme Catherine Price, épouse du
## marchand de la colonie aborigène de Wybalenna,
## île de Flinders. 1835-1838

Je devinai tout de suite que le bateau en provenance de Launceston dont on attendait l'arrivée depuis plusieurs jours avait dû enfin être aperçu. À travers les rideaux du salon je vis se hâter sous la pluie en direction du débarcadère, les yeux brillant de l'espoir de recevoir des lettres, le gardien du jardin, puis l'aumônier et sa femme, ensuite le tailleur, M. Dunn, le boulanger, et bien d'autres. Louis, mon mari, ne tarda pas à les rejoindre. Moi, je préférai rester à la maison car, souffrant à nouveau d'un léger mal de tête, je ne me sentais pas d'humeur sociable.

Quelque temps après, j'entendis la porte d'entrée se refermer et Louis me crier : « Tu connais la nouvelle, Catherine ? »

Non. Bien sûr que non.

« Le nouveau gouverneur de la terre de Van Diemen vient nous rendre visite, et il sera accompagné de sa femme ! »

Bien qu'il ne fût pas entré dans le salon pour me parler face à face, sa voix était plus gentille qu'elle ne l'avait été depuis pas mal de temps. En effet, la perspective d'être présenté à des hommes importants le mettait toujours en joie. Dès notre première rencontre, j'avais remarqué que Louis adorait évoquer les « relations » et la façon dont elles pouvaient aider à faire son chemin dans le monde, quoique, en vérité, elles n'eussent pas semblé lui avoir apporté grand-chose jusque-là.

« Tu te rends compte, lança-t-il dès le vestibule, le nouveau gouverneur qui prend la peine de venir jusqu'ici pour nous rendre visite ! Savais-tu qu'il avait été explorateur dans l'océan Arctique ? »

Oui, je le savais. C'était la seule chose qu'on répétait à l'envi sur cet homme car, à mon avis, il n'y avait rien de plus intéressant à en dire. J'appréciais le grand honneur qu'il nous faisait en venant nous rendre visite – d'autant plus que le précédent gouverneur n'y avait jamais songé – mais je dois avouer que j'étais bien moins enthousiaste que mon mari. Louis ne resta pas longtemps à la maison, l'arrivée du bateau signifiant pour lui beaucoup de travail au magasin, et je passai la matinée à apprendre aux enfants à lire et à écrire. À travers les rideaux, j'observais les femmes de la colonie courir d'une maison à l'autre sous la pluie, sans doute pour discuter sans relâche de la passionnante nouvelle, et peut-être pour se demander fébrilement quelles toilettes elles porteraient pour l'occasion. Je pensai aller moi-même faire une visite ou deux. Cependant, le mauvais temps était extrêmement décourageant.

Ce soir-là, M. Robson réunit tout le monde dans la chapelle, et debout, dans le léger murmure des lampes à huile, on l'écouta détailler les dispositions qu'il avait prises pour accueillir le gouverneur. Je ne l'avais pas vu depuis toute une semaine et lui trouvai la mine très fatiguée. Comme d'habitude, il s'exprima fort bien, commençant par admettre que la nouvelle l'avait autant surpris que tout le monde, avant de nous inciter à présenter une bonne image de la colonie. Quant à ses projets, ils me parurent tout à fait sensés. En plus de celle d'avoir exploré le pôle, le gouverneur, semblait-il, avait la réputation de juger avant tout sur les apparences. Par conséquent, durant les quinze jours qu'il nous restait, nous devions méticuleusement nettoyer tous les bâtiments, des cases des indigènes au magasin, en passant par la chapelle. On ferait faire le tour du propriétaire à ce visiteur de marque, et le soir un grand banquet serait offert en son honneur, à l'extérieur s'il faisait beau, et en présence de tous les aborigènes. La journée se terminerait par la célébration d'un office dans la chapelle.

M. Dunn, le boulanger – qui ne sait pas résister à la tentation de faire un bon mot –, demanda si on régalerait le gouverneur des « cailles et cochons de lait habituels » ou s'il devrait « se contenter de cygnes rôtis ». Ayant tous été contraints et forcés de suivre le plus austère des régimes depuis notre arrivée sur l'île de Flinders, cette question fit beaucoup rire. Riant aussi bruyamment que nous tous, M. Robson répondit : « Après ses expéditions dans l'Arctique, j'imagine qu'il se satisfera de notre humble chère. » Cela déclencha quelques applaudissements, lesquels lui rendirent son sourire d'antan. Pourtant, une fois la réunion finie, au moment où l'on sortait dans le clair de lune, sous le regard des aborigènes dans leurs cases, je fus certaine d'avoir décelé sur son visage une expression d'inquiétude. Je ne peux pas dire que cela m'étonna. La visite du gouverneur constituait sans nul doute un grand honneur, mais elle n'était pas sans danger. Et, surtout, on se demandait avec anxiété ce qu'on pouvait lui dire.

On avait l'impression qu'il y avait une éternité que M. Robson avait pris ses fonctions de commandant, presque trois ans auparavant. Son arrivée avait eu lieu, je m'en souviens, à une époque où je trouvais fort difficile la vie sur l'île de Flinders. La situation de la colonie, sur la rive occidentale de l'île, offrait des couchers de soleil ravissants mais nous exposait également à la grande violence des vents d'ouest, lesquels pouvaient rendre extrêmement nerveux en soufflant sans cesse dans les arbres, en envoyant du sable dans les yeux et en faisant soudain claquer les portes. Nos malheureux protégés, les Noirs, constituaient pour moi une autre source de malaise. Alors que ces infortunées créatures étaient surtout pitoyables, lamentables victimes de la maladie qui les décimait de plus en plus, il n'était pas facile d'oublier la brutalité de leur histoire et les grandes cruautés qu'ils avaient infligées à d'innocents colons. Ce n'était que récemment que l'on avait réussi à persuader les indigènes de se vêtir, mais ils portaient leurs vêtements de manière si lâche – et à peine décente – qu'on n'était guère rassurés sur leur état d'esprit. Lorsque je les voyais traîner devant leurs cases ou partir en groupe à la chasse, l'expression de leur visage semblait à la fois si sauvage et si impénétrable qu'il paraissait normal d'éprouver un certain malaise. La nuit, il m'arrivait souvent de songer qu'ils demeuraient tout près, et alors j'avais beaucoup de mal à m'endormir.

Le manque de distractions sur l'île n'arrangeait pas les choses. Le bateau de ravitaillement n'accostant que tous les trois mois, lettres et nouvelles constituaient mes rares plaisirs, les jours passaient donc fort lentement. L'ennui réveille le diable qui sommeille en l'homme, et dans notre communauté sa progéniture s'appelait querelle et médisance. Bien sûr, Louis et moi faisions de notre mieux pour rester à l'écart de ce genre d'agissements mais ce n'était pas toujours facile. Trop souvent, bavarder signifiait recevoir malgré soi des confidences, mais fuir les conversations revenait à se faire discrètement exclure du groupe. L'une des personnes les plus portées aux commérages était M. Smith, l'aumônier, homme vif dont les ambitions, disait-on, avaient été frustrées. Bien que nous n'eussions jamais encouragé ses visites, dans un si petit endroit il n'était guère commode – ni sage – d'empêcher les gens de venir vous voir, et comme il savait se montrer très spirituel lorsqu'il rapportait quelque nouvelle, même Louis, plutôt d'un caractère sérieux, le trouvait très amusant. Bientôt, ses visites se multiplièrent.

Nous fûmes évidemment bouleversés d'apprendre que M. Darling, le commandant de la colonie, avait été brusquement relevé de ses fonctions, en grande partie à cause de plaintes adressées au gouvernement à Hobart. Le pis fut de découvrir que les lettres émanaient de M. Smith. Si je savais les deux hommes en froid depuis quelque temps – en fait, depuis que le commandant avait accusé M. Smith de gaspiller les provisions de la colonie –, une telle action n'en paraissait pas moins absolument injustifiée. Je crus comprendre que M. Smith avait accusé M. Darling de négligence dans l'instruction religieuse des aborigènes, reproche d'autant plus dangereux qu'il était dans une certaine mesure fondé, car le commandant n'avait guère pris la peine de former les indigènes adultes, sauf dans les domaines les plus pratiques tels que l'agriculture. Le commandant ayant pris très mal la chose, un dimanche il apostropha vertement son accusateur sur le seuil de la chapelle en l'appelant Judas, devant tout le monde. Ce fut un incident fort désagréable.

Mon instinct me poussait à laisser tomber l'affaire, mais Louis s'y refusa. Bouleversé par le départ du commandant, sûr que M. Darling avait été sur le point de le promouvoir, il fit clairement comprendre à M. Smith qu'il n'était plus le bienvenu chez nous. Réagissant comme si c'étaient nous et non lui qui nous étions conduits de manière déraisonnable, l'aumônier nous lançait des regards hautains et vexés chaque fois qu'il nous croisait. Curieusement, de nous deux, c'était surtout à moi qu'il battait froid. Si en quelque lieu mon chemin me menait vers lui, faisant semblant d'avoir à changer de direction, il effectuait une manœuvre compliquée et gênante. Si j'avais la malchance de le rencontrer chez quelqu'un, il regardait carrément par-dessus ma tête. Toute cette histoire devint extrêmement pénible.

Bien sûr, la traîtrise de M. Smith eut en fait une heureuse conséquence, puisque M. Darling fut remplacé par M. Robson. J'avais naturellement entendu parler de cet homme, tant par ses admirateurs que par ses détracteurs. Il s'agissait du célèbre Robson qui des mois d'affilée avait traversé la brousse de la terre de Van Diemen avec des Noirs pour seuls compagnons, afin de tenter de sauver cette malheureuse race. Pour je ne sais quelle raison, j'avais imaginé un géant aussi sévère d'aspect qu'un militaire. Je n'aurais pu davantage me tromper... L'homme que je vis assis dans le canot à rames au moment où celui-ci effectuait le trajet entre le bateau de ravitaillement et le débarcadère de la colonie y était un personnage d'apparence tout à fait banale, rondouillard, gauche d'allure, et dont la manière de donner des indications au barreur trahissait l'origine humble. Seul le vif éclat des yeux révélait la grande détermination qui l'animait. En ce qui concernait sa famille, j'observai que son épouse, assise à côté de lui, regardait l'île d'un air de dégoût apparent et que, curieusement, ses fils paraissaient avoir l'esprit ailleurs et n'offraient pas le moindre indice de la célèbre force de caractère du père.

« Il a un visage sympathique », dis-je à Louis.

Mon mari, qui se poussait en avant afin d'être le premier à l'accueillir, fit oui de la tête. L'apparition de ce nouveau commandant parut également remonter le moral des Noirs. Il avait emmené un certain nombre de leurs congénères de la terre de Van Diemen, ce qui produisit un spectacle profondément touchant au moment où des frères et sœurs fondaient en larmes en se reconnaissant après toutes ces années de séparation, tandis que des mères hurlaient de joie en apercevant des enfants qu'elles avaient dû croire à jamais perdus. Au comble de l'excitation, certains indigènes s'adressèrent tout de suite à lui en babillant dans leur étrange parler. Ayant entendu dire qu'il le connaissait, il me tardait de l'entendre leur répondre dans ce langage, mais, agitant la main d'une manière à la fois ferme et enjouée, il leur déclara avec douceur : « Vous devez parler anglais, désormais, seulement anglais. » C'est ainsi que, dès cet instant, il montra sa résolution de faire progresser ces infortunées créatures.

Il était particulièrement fier de l'un des indigènes qu'il venait d'emmener, un frêle gamin très craintif répondant au nom de George

Vandiemen et qui, de manière tout à fait charmante, tentait de se cacher derrière le dos de son commandant. Tandis que notre nombreux groupe commençait à revenir vers la colonie, Robson expliqua que l'enfant avait été découvert en train d'errer tout seul près de Devonport par des fermiers qui l'avaient envoyé à Bristol afin qu'il y fût éduqué, et qu'il était resté suffisamment pour acquérir une assez bonne instruction. L'ayant trouvé employé comme domestique chez ces fermiers, Robson les avait convaincus, non sans mal, de lui rendre sa liberté. Ainsi décrit, le jeune George constitua une grande curiosité pour nous tous et, au moment où nous atteignîmes la zone des cases des indigènes, M. Robson tenta de le pousser gentiment à faire une petite démonstration de ses connaissances. Ce ne fut pas facile, vu la grande timidité du gamin, mais on le convainquit finalement de prononcer quelques salutations, ce qu'il fit avec une aisance de langage tout à fait remarquable en effet, bien supérieure à celle de n'importe lequel de nos aborigènes. Cela lui valut les applaudissements des témoins souriants, ainsi que des rires, lorsque M. Dunn, le boulanger, nota qu'il parlait avec un évident accent de l'ouest de l'Angleterre.

La démonstration fut, hélas ! de courte durée. Juste au moment où il commençait à se sentir plus à l'aise, il parut hésiter. Puis, poussant une exclamation incompréhensible dans son parler indigène, à notre grande surprise, il se mit à se frayer impatiemment un chemin parmi nous et partit en courant vers l'une des cases. Là, le dévisageant d'un air fort bizarre, se trouvait Walyeric, cette créature monstrueuse, indigne du nom de femme, sur laquelle courent tant d'histoires atroces et qui répond au sourire le plus courtois par une grimace insolente. C'était difficile à croire, mais, à en juger par les cris de joie du petit George, je fus bien obligée de supposer que cette horrible femme était sa mère. Quoique j'eusse su qu'elle était foncièrement mauvaise, je ne pus m'empêcher d'être choquée par son attitude. Comme il courait vers elle en l'appelant, elle se mit simplement debout et lui flanqua une forte gifle – alors qu'il s'agissait de l'enfant qu'elle avait perdu il y avait si longtemps – et s'éloigna méchamment. Terriblement bouleversé, le pauvre George éclata en sanglots et, malgré toutes nos tentatives pour le faire revenir vers nous, il ne voulut rien savoir et s'enfuit.

La présence parmi nous de M. Robson – lequel ne cessait d'arpenter la colonie avec une grande énergie – ne tarda pas à améliorer l'ambiance du lieu, et de beaucoup. Chassant instantanément le démon nommé ennui, chacun se retrouva en pleine activité. On demanda à Louis de réorganiser la présentation de toutes les marchandises dans le magasin exigu, un nouveau bâtiment de meilleure qualité devant remplacer celui-ci, infime partie d'une puissante campagne de construction. Le scieur et le maçon ne chômèrent pas, leurs paresseux bagnards d'ouvriers n'eurent plus le loisir de se la couler douce, et l'on parvint même à persuader certains des aborigènes d'aider sur les chantiers. Le fruit de ces travaux fut bientôt visible. De nouvelles cabanes en bois poussèrent presque comme des champignons, et une façade en brique fut ajoutée à celle des doubles cabanes afin d'être aménagée en nouvelle chapelle pour l'école, M. Robson ayant déclaré officiellement qu'on ne devait loger et faire prier les Noirs que dans des bâtiments de brique.

Comme on ne tarda pas à s'en apercevoir, la principale préoccupation de M. Robson consistait à lancer rien de moins qu'une croisade pour civiliser les Noirs. Très impressionné par notre nouveau commandant, Louis expliqua qu'il faudrait assigner à chaque aborigène un métier, de cordonnier à gardien de troupeau, métier auquel il se consacrerait désormais. Tous devraient travailler, même si les moins doués ne seraient chargés que de tâches simples, comme arracher des pommes de terre, ou creuser les tombes de leurs congénères moins chanceux. Nous trouvâmes tous les deux le projet tout à fait excellent : qui sait, à plus ou moins long terme peut-être deviendraient-ils aussi joyeux que des villageois anglais ? Encore plus ingénieusement, M. Robson insista pour que chacun d'entre eux reçoive un salaire pour sa peine et annonça qu'une fois par semaine se tiendrait un marché où les malheureuses créatures pourraient dépenser leurs nouvelles richesses en achetant quelque article utile, du tabac, par exemple, ou un nouveau chapeau de paille. Son intention était des plus claires : les initier subtilement au commerce, pilier essentiel du monde civilisé. Bien sûr, il y a toujours des rouspéteurs. Quand on prenait le thé ensemble, certaines épouses d'administrateurs se plaignaient que le marché – qui après la première semaine ne fut que médiocrement fréquenté – n'avait pas grande utilité. Personnellement, je contestai avec force ce point de vue pessimiste, faisant remarquer que l'intérêt du marché était de servir d'exemple aux indigènes et qu'en tant que tel il était d'une incomparable utilité.

Une innovation encore plus ambitieuse fut l'annonce que la colonie allait désormais posséder son propre journal, le *Journal de l'île de Flinders*, lequel – avec l'aide de M. Robson – devait être rédigé par les aborigènes eux-mêmes. La composition du journal n'était pas du tout facilitée par l'absence de presse mécanique dans l'île, ce qui signifiait que tous les textes devaient être recopiés l'un après l'autre en plusieurs exemplaires par les quelques indigènes sachant lire et écrire. Je me rappelle n'avoir vu qu'un seul numéro, dont les petites pages relataient les événements quotidiens et ordinaires de l'île (il n'y avait d'ailleurs pas grand-chose à raconter, à part la mort de quelques aborigènes de plus, sur laquelle il n'était pas bon d'insister). Malgré tout, Louis et moi considérions cette entreprise comme marquant un progrès décisif dans la vie d'une colonie. Autant qu'il m'en souvienne, cette avancée fut saluée par le *Colonial Times*, à Hobart – M. Robson ayant informé ce journal de nos efforts pour apporter la civilisation aux indigènes –, lequel publia un compte rendu extrêmement favorable de toutes ces innovations.

Je n'avais jamais imaginé, naturellement, pouvoir moi-même participer aux grandes campagnes de M. Robson, cependant, c'est ce qui arriva. Ce fut la conséquence de notre première rencontre, un matin où je passais par hasard devant le chantier du nouveau magasin, juste au moment où mon mari lui montrait la progression des travaux.

« Catherine ! s'écria Louis, l'air radieux. Nous avons une visite ! »

M. Robson me salua avec un charmant sourire.

« Votre mari a accompli un travail splendide. »

Louis rayonnait de bonheur.

« Il semble que vous transformiez notre petite colonie de fond en comble, dis-je à M. Robson d'un ton d'aimable reproche. À quoi devons-nous nous attendre, maintenant ? À un chemin de fer ? À une usine ? »

Il éclata d'un rire joyeux.

« Je crains de devoir vous décevoir, madame Price. Désormais, je vais moins m'intéresser aux constructions qu'à l'éducation des indigènes. Leur instruction religieuse, en particulier, me paraît avoir été très négligée. » Bien qu'il n'ait pas cité de nom, il n'y avait aucun doute que c'est à M. Darling, son prédécesseur, qu'il faisait allusion. « Mon intention, c'est que tous les Noirs, y compris les adultes, soient parfaitement instruits. Ce ne sera pas chose facile, bien sûr, mais on y arrivera. »

Louis lui fit alors la suggestion.

« Mais tu as enseigné, n'est-ce pas, Catherine ? Peut-être devrais-tu offrir ton concours… »

Je n'y avais pas pensé.

« Je ne peux guère dire que j'aie enseigné, affirmai-je. J'ai seulement appris aux enfants à lire, écrire et compter.

— Alors vous n'êtes rien de moins qu'une spécialiste ! » Le rire de M. Robson était très communicatif. « En vérité, madame Price, on aura besoin de toutes les bonnes volontés. J'ai l'intention de prodiguer moi-même quelques cours.

— Allons, Catherine ! s'écria Louis d'une voix persuasive. On ne te demandera pas de leur enseigner des choses difficiles. »

M. Robson me sourit.

« Votre concours sera grandement apprécié. »

Je débutai une semaine plus tard, pleine d'appréhension à la perspective de me retrouver bientôt devant une classe bourrée d'élèves aux visages étranges et attendant la bonne parole. M. Robson sut me donner du courage. « Rappelez-vous, me recommanda-t-il, qu'ils sont plus novices comme élèves que vous comme enseignante. Commencez par demander à l'un d'eux de réciter ses commandements et vous verrez qu'après tout ira bien. »

Je suivis ses conseils, lesquels s'avérèrent. Je remarquai une fois de plus que M. Robson possédait une connaissance des aborigènes tout à fait remarquable. Il débordait d'idées pour expliquer un point de grammaire ou de théologie en termes simples et compréhensibles par eux. Grâce à son aide généreuse, je m'habituai rapidement à mon nouveau travail, découvrant même qu'il me plaisait beaucoup. Après un si long séjour dans cette île où j'avais simplement cherché à tuer le temps, sans doute étais-je plus que disposée à me rendre utile. Cette époque fut pleine de grands espoirs, car il y a quelque chose dans l'acquisition même du savoir qui peut créer chez tous un agréable sentiment d'enthousiame. Les maîtres formaient, il est vrai, un groupe hétéroclite qui comprenait le fils aîné de Robson, deux femmes d'administrateurs, ainsi que M. Smith – George Vandiemen, le jeune aborigène instruit, donna aussi quelques cours –, mais nous étions si occupés que les désaccords furent rares et que la courtoisie régna, même entre M. Smith et moi. Quant aux Noirs, ils avaient beau continuer à me paraître étranges, je m'aperçus peu à peu que je cessais d'avoir peur d'eux.

Finalement, un soir où j'étais en train d'apprendre des psaumes à une classe d'enfants, je vis la porte s'ouvrir. À mon grand étonnement, M. Robson s'installa tranquillement au fond de la salle et se mit à observer mon humble travail. L'automne était là, les nuits étaient longues, et je me rappelle très bien les hurlements du vent balayant le toit de l'école et le tremblement de la flamme des lampes à pétrole, pendant que je m'efforçais de poursuivre, bien que j'eusse l'impression que mes mots étaient ridicules et mal choisis. Imaginez ma stupéfaction quand, au moment où mes élèves s'égaillaient, M. Robson se leva et me tapota doucement la main en me disant : « N'avais-je pas dit que votre concours serait grandement apprécié ? »

Ce fut un beau moment de fierté, en effet.

L'un des grands plaisirs sous l'administration de M. Robson fut qu'on ne savait jamais quel nouvel événement allait se produire. Ce fut le cas des noms donnés aux aborigènes. Depuis quelques jours, j'avais remarqué qu'il consacrait ses moments de loisir à dresser ce qui paraissait être une longue liste ; je fus cependant totalement prise au dépourvu lorsqu'il convoqua soudain sur la place devant l'école tous les Noirs et les administrateurs de la colonie à une réunion au cours de laquelle il annonça – à la grande surprise de tous les gens présents – que chaque indigène allait recevoir un nouveau nom. Cela semblait une décision très hardie, et c'est pleine d'admiration que je le regardais appeler les indigènes un par un pour se faire attribuer un nom – exactement comme un général décernant des médailles à ses soldats. Je comprenais parfaitement le sens de cette initiative. Il souhaitait que les aborigènes commencent une nouvelle vie et renaissent civilisés et chrétiens.

Quant aux noms eux-mêmes, ils étaient tout à fait délicieux. Certains des indigènes les plus vieux, à la position prééminente au sein du groupe, furent gratifiés de titres pompeux et pittoresques, tels que le roi Alpha, la reine Adélaïde ou Cléopâtre. D'autres reçurent des noms de pure légende, de Neptune à Achille, en passant par Sémiramis. Je remarquai également que – à l'insu des Noirs – M. Robson se livrait parfois à des jeux charmants en s'amusant à faire référence à quelque aspect de leur caractère. Par exemple, un petit homme à la mine constamment sévère était dorénavant dénommé Caton, alors qu'une jeune fille à l'air rêveur et mélancolique avait été appelée Ophélie. Ce n'était pas seulement drôle en soi, mais cela permettait qu'on se rappelât facilement les noms, contrairement à ceux, si longs et si déroutants, qu'ils remplaçaient.

Dans certains cas, cela m'amusa de noter qu'un titre était en fait un cadeau subtilement empoisonné. Ainsi, Walyeric, la femme monstrueuse, devint Marie, et alors que ce changement pût sembler plutôt innocent, je savais pertinemment à quelle reine sanguinaire avait pensé M. Robson. Peevay, son fils métis, au petit visage noir surmonté d'une étrange tignasse blonde, et qui ne cessait de vous regarder avec un sérieux fort déconcertant, répondait désormais au nom de Cromwell, le plus sombre des chefs d'État. Mongana, son ami, qui paraissait prendre plaisir à toujours vous harceler de questions, renaquit sous le nom ingénieux de Voltaire, tandis que Pagerly, la mère de Mongana, qui tenait souvent de lugubres conciliabules avec l'horrible Walyeric, s'appelait désormais Boadicée.

Cette joyeuse journée fut bientôt suivie par une déception. M. Robson ne ménagea pas ses efforts pour s'assurer que les nouveaux noms deviennent vite familiers à chacun en insistant afin que maîtres et administrateurs ne s'adressent dorénavant aux indigènes qu'en utilisant leur récente appellation. L'on crut pendant un certain temps que les aborigènes avaient (à part quelques exceptions, telle l'incorrigible Marie) adopté leurs nouveaux noms d'assez bonne grâce. Cependant, au fur et à mesure que passaient les semaines, je fus de plus en plus persuadée que lorsqu'ils parlaient entre eux – dans le curieux langage qu'ils avaient façonné en mêlant l'anglais aux dialectes vernaculaires –, ils continuaient à s'appeler par leurs anciens noms de sauvages. Cela peut paraître sans importance, mais j'en fus très chagrinée, ayant le sentiment qu'ils trahissaient purement et simplement l'homme qui avait déployé tant d'efforts pour les sauver.

Avec le recul, je pense que ce moment fut une sorte de tournant décisif, car au fil des semaines et des mois je me rendis compte que j'étais de plus en plus assaillie de doutes quant au succès de notre grande campagne d'instruction. Les difficultés venaient en partie des autres maîtres puisque, à vrai dire, le pauvre M. Robson n'avait pas eu de chance, ses assistants n'étant pas à la hauteur. M. Smith se montra aussi indolent que médisant, à telle enseigne que M. Robson dut lui faire des remontrances publiques, ce qui provoqua chez l'aumônier une rancune considérable. Le fils de M. Robson ne fut guère plus compétent, tandis que son épouse, qui avait semblé si mécontente de devoir vivre sur l'île de Flinders, si l'on en jugeait par le regard torve qu'elle avait jeté sur le rivage, refusa carrément de prêter son concours. Quant aux deux femmes d'administrateurs, elles ne servirent pas à grand-chose, passant leur temps à déambuler dans l'école – malgré sa relative exiguïté – et à empêcher M. Robson de travailler par les embarras qu'elles créaient.

Les autorités de Hobart se révélèrent aussi très décevantes. Quoique le gouverneur de la terre de Van Diemen se fût empressé d'affirmer qu'il soutenait nos efforts, rien de concret ne suivit ses déclarations d'intention, et les requêtes de M. Robson concernant l'envoi de livres et de maîtres supplémentaires ne reçurent pour toute réponse qu'une série d'excuses. Le pire était à venir, notamment sur la question des chasseurs de phoques. Je dois expliquer que ces derniers étaient des Européens, de véritables brutes, vivant dans d'autres îles du détroit de Bass. Beaucoup d'entre eux avaient enlevé des femmes aborigènes qu'ils maltraitaient atrocement. Certains vivaient tout près, venaient même dans la colonie faire des achats dans le magasin de Louis, jouant les bravaches et s'exprimant d'une manière terriblement vulgaire. Sachant depuis longtemps que leurs femmes étaient prisonnières de ces démons, nos Noirs se réjouirent beaucoup d'entendre M. Robson annoncer qu'il les sauverait de ce triste sort. Il déploya de grands efforts pour tenir sa promesse, envoyant lettre sur lettre à Hobart, mais – odieux souvenir ! – le gouvernement colonial refusa catégoriquement de l'aider sur ce point, pretextant que ces femmes avaient donné tant d'enfants à leurs bourreaux qu'il était désormais trop tard pour les reprendre. La décision n'était pas seulement injuste et inhumaine, elle contribua également à saper la position de M. Robson vis-à-vis des indigènes.

Cependant, nos difficultés ne venaient pas en premier lieu des Blancs mais, je le dis à regret, des Noirs eux-mêmes. Au risque de paraître insensible, force m'est de constater qu'ils mettaient de plus en plus de mauvaise volonté à s'appliquer pour se civiliser. Un petit nombre d'entre eux, à l'instar de la monstrueuse Marie, avaient toujours carrément refusé de se rendre à l'école, mais avec le temps ce nombre se mit peu à peu à croître, presque comme si, n'ayant suivi ces cours que par curiosité ou ennui, la plupart des Noirs se lassaient, maintenant que ce n'était plus une nouveauté. Même ceux qui continuaient à venir en classe disparaissaient parfois pour quelque stupide partie de chasse. Cela rendait très difficile leur instruction, surtout dans le cas des plus âgés, dont la mémoire était moins bonne. Comme il était décourageant, après des semaines de pratique, par exemple sur l'apprentissage des dix commandements, de voir la moitié des élèves d'une classe disparaître tout à coup pour revenir, tout excités, plusieurs jours plus tard, serrant contre eux des wallabies tués d'un coup de lance, les commandements quasiment oubliés.

À vrai dire, chez tous l'enthousiasme pour les études connaissait des bémols. George Vandiemen lui-même, le meilleur élève de l'école, qui savait si bien réciter ses psaumes, plongeait parfois dans une rêverie agitée, ou exigeait d'un ton agacé qu'on lui enseignât l'arithmétique, quoiqu'on lui eût maintes et maintes fois répondu que c'était inutile, puisque cela ne lui servirait à rien. Cromwell, son demi-frère, ne valait guère mieux. Il était certes doué pour l'anglais, surprenant plusieurs d'entre nous par sa maîtrise de mots rares et difficiles ; mais il avait néanmoins un côté maussade, à tel point que lorsqu'il récitait parfaitement ses commandements on avait peine à croire qu'il ait prêté foi à ce qu'il disait.

Là était le problème fondamental. Même si quelques Noirs parvenaient à apprendre correctement des versets des Écritures, ils semblaient s'entêter à refuser de voir la radieuse lumière de la foi. Pendant les offices dominicaux, certains allaient jusqu'à s'attacher des mouchoirs autour de la tête pour cacher leurs yeux, afin de dormir sans qu'on puisse s'en apercevoir… Alors qu'on leur faisait entendre la parole de Dieu ! On avait la nette impression qu'ils pensaient que le christianisme n'avait pas grand rapport avec leur existence. Rien n'aurait pu être moins vrai, hélas ! Avec le temps, leur population diminuait à un rythme inquiétant. Les épidémies, en régression au début du séjour de M. Robson, avaient redoublé de plus belle, plusieurs morts survenant quelquefois la même semaine. Le nombre des aborigènes, d'environ deux cents au tout début, se trouvait maintenant réduit de plus de moitié, et leurs cases, dont l'exiguïté avait causé de graves soucis à M. Robson, suffisaient désormais amplement, hélas ! Peu à peu, la colonie commença à dégager une impression lugubre de lieu vidé de ses habitants, le cimetière seul continuant à connaître une forte activité.

On discuta évidemment beaucoup des raisons de ce déclin. Le médecin de la colonie – homme qui négligeait tant ses devoirs religieux que d'aucuns mettaient en doute ses convictions chrétiennes – alléguait des raisons purement pratiques, par exemple qu'ils n'avaient pas été précédemment exposés à des maladies européennes et qu'ils étaient confinés dans un seul endroit, alors que par nature ils avaient besoin de mener sans cesse une vie errante. Je n'étais pas la seule, cependant, à avoir le sentiment qu'une plus grande force était à l'œuvre. Si seulement les aborigènes avaient montré plus de respect pour les Écritures, aucun doute, à mes yeux, que le bon Dieu aurait compati à leur sort et les aurait protégés de la souffrance. Au risque de paraître insensible, je ne pouvais m'empêcher de penser qu'ils payaient le prix de leur trahison envers M. Robson. N'avait-il pas risqué sa vie et sa santé pour les sauver de la brousse ? N'avait-il pas consacré tout son temps à leur éducation en leur apportant le savoir et en leur donnant même de nouveaux noms ? Et ils l'avaient remercié de sa bonté par l'indolence et l'indifférence.

Le pauvre M. Robson était, bien sûr, très affecté par le déclin des indigènes, et à chaque mort sa tristesse s'accroissait un peu plus. Il ne se laissa cependant jamais aller au découragement. « Nous trouverons bien une manière de les sauver », me confia-t-il, un jour tragique où deux d'entre eux avaient été emportés à quelques heures seulement d'intervalle. « Il y en a forcément une. »

Je ne compris que trop bien ce qu'il voulait dire. Peu après, en effet, il entreprit sa dernière campagne, dont le motif n'était pas tant le désir d'éduquer les indigènes que l'impérieuse nécessité de les arracher à leurs coutumes païennes. Une série d'annonces furent lancées à la suite l'une de l'autre, notamment celles concernant l'interdiction des fêtes nocturnes, au cours desquelles ils dansaient et chantaient, et de leurs chasses, qui n'étaient souvent qu'une excuse pour échapper à la vigilance des administrateurs de la colonie. On exigea également que les Noirs enlèvent les amulettes qu'ils portaient au cou et qui contenaient, paraît-il, des bouts d'os de leurs parents morts, superstitions qui n'eussent pu être plus barbares et éloignées des mœurs chrétiennes.

Hélas ! ces nobles intentions ne furent pas faciles à mettre en pratique. Si M. Robson connut quelque succès avec les amulettes, les chasses étaient organisées avec si peu de préavis qu'il était quasiment impossible de les empêcher. Pendant un certain temps, on eut l'impression qu'il avait atteint son but à propos des fêtes nocturnes – il pénétra plusieurs fois dans la brousse toute proche pour y mettre sévèrement un terme –, mais bientôt on découvrit des cendres laissées par un feu de camp et des traces de pas juste un peu plus loin, hors de portée d'oreille des habitants de la colonie. N'ayant pas évolué et ne s'étant pas repentis, les Noirs refusaient catégoriquement d'être sauvés. Ainsi donc, semaine après semaine, mois après mois, la vie de la colonie s'écoulait dans une atmosphère de tristesse.

Un jeudi après-midi, le bateau de ravitaillement arriva comme à l'accoutumée, et la nouvelle dont il était porteur nous bouleversa. On savait depuis quelque temps qu'existait un projet de nouvelle colonie dans la baie de Port Phillip, juste en face de l'île de Flinders, de l'autre côté du détroit de Bass, et nous apprenions maintenant qu'on pensait très sérieusement à M. Robson pour occuper les fonctions de protecteur officiel des aborigènes de cette nouvelle colonie. S'il obtenait le poste, comme cela paraissait très probable, et s'il le considérait comme acceptable, ce qui ne le semblait pas moins, il prendrait ses nouvelles fonctions dans quelques mois.

Il va sans dire que j'étais fort contente pour lui. Ayant collaboré avec lui de si près, j'étais sûre que personne ne pouvait mieux le comprendre que moi. Vrai, je dirais même qu'il possédait une sorte de grandeur. Il méritait largement d'être récompensé pour toute la peine qu'il s'était donnée. En outre, la triste vérité obligeait à dire qu'en de nombreux domaines sa mission sur l'île de Flinders était pratiquement terminée, le nombre de ses protégés étant, après tout, si fortement réduit désormais que leur avenir ne faisait plus de doute. Comme il était plus normal qu'il passât à une autre terre où tant restait à faire ! J'étais triste, bien sûr, en pensant aux indigènes survivants, à qui, je le savais, il manquerait beaucoup. Ils en étaient probablement venus à compter sur sa présence et sur son bon cœur. J'étais certaine qu'ils auraient énormément de mal à le laisser partir. Il leur faudrait à tout prix se montrer forts.

En ce qui concerne les Européens de la colonie, je ne peux cacher que la nouvelle du départ probable de M. Robson produisit un effet regrettable. L'atmosphère empoisonnée et irrespirable que j'avais crue chassée pour longtemps ne tarda pas à revenir subrepticement. Par une fin d'après-midi d'hiver, quelques jours seulement après que le bateau de ravitaillement eut apporté la nouvelle, je me dirigeais vers l'école, dans l'intention de préparer mes classes du lendemain, lorsque je croisai le médecin et le gardien des jardins s'abritant du vent glacial près du magasin.

« C'est tout ce qu'il voulait finalement, entendis-je le premier déclarer. Grâce à ces Noirs, il s'est bâti une jolie petite carrière. »

Je m'arrêtai.

« J'ai cru un instant, docteur, lui dis-je d'un ton de reproche, que vous parliez de M. Robson, or il n'est guère possible de parler ainsi d'un brave homme qui risque sa vie pour sauver les aborigènes. »

Le médecin prit un air moqueur.

« Et il ne s'est pas trop mal débrouillé, avec son sauvetage à cinq livres la tête, si je ne m'abuse. »

Je ne pouvais laisser passer une telle méchanceté.

« C'était un paiement honorable pour ce travail noble et périlleux, répliquai-je froidement, et cela ne vous grandit pas de tenter de rapetisser un homme dont la réussite dépasse de beaucoup la vôtre. »

Sur quoi, je poursuivis ma route. L'incident continua cependant à me bouleverser énormément. Quand j'atteignis l'école, laquelle était vide, comme souvent à cette époque, où le nombre d'élèves diminuait de jour en jour, je m'installai à l'un des pupitres, sans prêter attention à mes documents de préparation étalés devant moi, et mes yeux s'emplirent de larmes. Je ne sais combien de temps je demeurai dans cette posture. Soudain, à mon grand effroi, j'entendis la porte d'entrée s'ouvrir en grinçant. Je reconnus le pas de M. Robson. Même si je baissai la tête pour tenter de cacher mon désarroi, cela ne servit à rien, hélas !

« Qu'est-ce donc qui vous chagrine, madame Price ? » demanda-t-il avec une profonde commisération.

Je ne pouvais le lui avouer. Comment l'aurais-je pu, puisque la cause de ma tristesse, c'était lui-même et les remarques venimeuses qu'il suscitait ?

« Ce n'est rien, affirmai-je, je vais très bien. » En parfait gentleman qu'il était, le bon M. Robson proposa d'aller me chercher un verre d'eau, mais pour une raison inexplicable cela ne fit qu'accroître mon chagrin. Je me levai.

« Veuillez m'excuser. Je dois partir.

— Vous ne m'avez toujours pas dit ce qui ne va pas. »

Je me précipitai vers la porte.

« Mais, madame Price, s'écria M. Robson derrière moi, vous n'avez pas votre châle. Vous ne pouvez pas sortir ainsi ! »

Dans mon désarroi je l'avais en effet oublié, mais il était trop tard pour rebrousser chemin. Je crois d'ailleurs qu'au point où j'en étais cela m'était assez égal. Lorsque je sortis dans la lumière du jour finissant, le besoin urgent s'imposa à moi de trouver un endroit calme et éloigné où je pusse reprendre mes esprits, et je me dirigeai vers la mer.

« Madame Price, criait M. Robson derrière moi, votre châle ! »

J'aurais dû sans doute m'arrêter, mais cela m'était impossible. Je marchai sur le rivage, au son des vagues grises qui rugissaient dans le vent cinglant, jusqu'à l'endroit près du débarcadère où se trouvent ces curieux rochers sphériques qui, avec leurs marques rouges, ont un air si inquiétant, ressemblant presque à des yeux. Soudain sensible à la fraîcheur, je m'aperçus que je ne pouvais faire un pas de plus. Je m'arrêtai, m'abritant du vent près de l'un des rochers. Le croirez-vous ? Dans sa bonté, le pauvre M. Robson m'avait suivie jusque-là. Il se précipita vers moi pour m'envelopper les épaules de mon châle.

« Madame Price, vous mettez votre santé en péril. Que se passe-t-il donc ? »

Que répondre ?

« Après tous les efforts accomplis ici, tous nos espoirs, je me sens… (je cherchai mes mots)… affreusement malheureuse. »

Il me dévisagea avec intensité.

« Il ne faut pas désespérer, madame Price. Nos efforts n'ont pas été vains. La situation des Noirs est sans doute atroce, mais songez qu'elle pourrait être bien pire. Imaginez-les dans la terre de Van Diemen, inaccessibles à l'instruction, pourchassés par des méchants. Même s'ils meurent ici jusqu'au dernier, ils auront en tout cas eu la chance de mourir dans les bras du Seigneur. »

Ses paroles de réconfort ne firent, hélas ! que redoubler mes larmes.

« J'ai l'impression d'avoir échoué dans ma tâche.

— Vous devez rejeter de telles pensées. Vous avez réussi triomphalement, déclara-t-il avec un brave sourire. Vrai, si quelqu'un doit se reprocher quelque chose, c'est moi, en tant que commandant. »

Je ne m'attendais pas du tout à cette déclaration. Je le fixai.

« Vous le pensez vraiment ? »

L'espace d'un instant, son assurance parut l'abandonner, et un air de doute passa brièvement sur son visage.

« Ça a été dur parfois… »

Je n'avais qu'un seul désir : réconforter cette âme noble tourmentée par l'inquiétude. C'est ce désir, et lui seul, qui me poussa à entourer de mes bras ses épaules et à déposer un délicat baiser sur sa joue, comme une sœur pour un frère dans la peine. Rien de plus. Comme les hommes peuvent se montrer cruels ! La méchanceté peut conduire à présenter les plus innocents sous un jour néfaste ! Soudain, je perçus de légers coups, lents et réguliers, semblables à ceux qu'un pivert frappe contre un arbre. En regardant à l'entour, je découvris à une certaine distance de nous, sur le rivage, M. Smith. Silencieux, il contemplait la mer en cognant sa pipe contre l'un des énormes rochers.

Des semaines passèrent. De terribles semaines. Si la majorité y croit, il est impossible de réfuter la calomnie, même quand elle n'est fondée sur rien. On me lançait des regards atroces et les pires étaient ceux de l'épouse de M. Robson. Je n'avais jamais imaginé toute la malignité que peut exprimer un regard. J'ai bien tenté une fois d'aborder Mme Robson pour lui expliquer qu'il s'agissait d'un terrible malentendu, mais en pure perte : elle me toisa d'un œil glacial puis tourna les talons. Le plus désespérant, c'est que je me doutais qu'elle et son mari ne se parlaient plus. Quel horrible fardeau de penser que j'avais pu être inconsciemment la cause d'un tel malheur. Quant à Louis, il refusa caté-goriquement d'écouter mes explications et me traita avec une froideur hostile. Il exigea évidemment que je cesse sur-le-champ de donner mes cours. Comme si j'avais pu songer à continuer !

M. Robson, lui, atrocement mal à l'aise en ma présence, s'efforçait, dans la mesure du possible, de m'éviter. Je ne pouvais lui en tenir rigueur. Alors que je traversais la colonie à pied, il m'arrivait parfois de le voir s'éloigner à toute vitesse, son visage noble marqué par le chagrin. J'avais surtout très peur, évidemment, que ce malheureux incident ne mît en péril ses chances d'obtenir le poste qu'on lui destinait dans la baie de Port Phillip. L'idée que, cette chance – si méritée – lui ayant été refusée, il soit contraint de rester parmi nous dans l'île de Flinders m'emplissait d'horreur.

Un mois s'écoula, durant lequel nous nous attendions que M. Robson fût convoqué à Hobart afin de discuter de ses nouvelles fonctions. Mais lorsque le bateau de ravitaillement arriva enfin, les nouvelles qu'il apporta étaient tout autres : il nous informa de la visite prochaine du gouverneur de la terre de Van Diemen.


### Peevay. 1838

C'était déjà assez désagréable comme ça de regarder le gros Robson descendre de son bateau le jour où il a accosté à l'île de Flinders, tout sourires et tout fier de lui, mais le pire c'est qu'il avait ramené Taya-leah... J'avais bien cru que mon presque frère avait disparu pour tou-jours, et sacré bon débarras ! mais soudain, le voilà de retour. Pire encore, il parlait la langue des nommes aussi vite que s'il en était un – beaucoup mieux que moi –, si bien que le gros Robson et les autres ont souri de surprise et lui ont fait des tas de mamours pour le récom-penser d'être si malin. Ça, c'était une fichue provocation, vu que ce petit merdeux essayait toujours de me dépasser en tout, comme si c'était son but secret. Alors ça m'a fait bien plaisir que maman lui flanque une bonne taloche quand il a couru vers elle. Eh bien ! je me suis dit, qu'est-ce que tu penses de ça ?

Bientôt, il est devenu le chouchou noir de Robson, et s'il y avait quelque chose de nouveau à faire, il le faisait. Il a fait *métiers* et il a été *fermier*. Ensuite il a fait *donner des choses pour des pièces*, c'est-à-dire le *marché*, et a eu un chapeau appelé *de paille*. Quand le marché a été terminé – ce qui est arrivé très vite –, il a fait le *journal*, qui s'appelait le *Journal de l'île de Flinders* et qui s'est arrêté plus vite que le marché. Mais il a surtout été *maître d'école*. Je pensais qu'il devait être fier de toute cette grandeur, mais ça ne se voyait pas, et en général il était juste triste, un vrai casse-tête à n'y rien comprendre. À un moment, il avait faim des cajoleries du gros Robson, comme si c'était ce qu'il voulait le plus au monde, et ensuite il devenait très agité et essayait de retourner vers maman, même si tout ce qu'elle lui donnait, c'était toujours plus de haine. Et alors il était affolé de Robson une fois de plus et ressemblait à la mer, montant et descendant, montant et descendant, sans arrêt.

Le gros Robson passait son temps à crier et à aller ici et là pour obtenir de nouvelles choses. Il y a eu un nouveau *magasin* et une nouvelle maison construite avec des *briques*, la *chapelle*, pour le dieu qui s'appelait *Dieu*. Plus tard, on a eu de nouvelles cases faites en briques, elles aussi, qui étaient petites et sombres, et les nôtres se sont entassés à l'intérieur et toussaient toute la nuit. Il y a eu aussi des tas de nouvelles classes pour apprendre sur Dieu. Dans l'ensemble, pourtant, rien n'a changé, car nous les Palawas on mourait exactement comme avant. C'était une époque affreuse, il m'en souvient, vu qu'on a diminué comme les jours après l'été, si bien que même ceux qui affirmaient que Robson était notre ami se sont mis à se demander s'il allait nous sauver comme il l'avait promis. Robson a dit que oui, il était notre ami, et il avait l'air triste quand on mourait, mais il refusait qu'on brûle nos morts, alors que c'était la manière correcte, car il a dit que Dieu préférait qu'on les enterre. Ça m'a fait le détester encore plus.

Petit à petit, on n'a plus pensé qu'à la maladie et à la mort. Des fois, c'était dur de continuer à espérer et de ne pas se dire qu'on allait tous mourir bientôt, et que donc rien n'avait plus d'importance. J'ai même eu peur d'oublier de vouloir continuer à survivre, ce qui avait toujours été ma force à moi. Quand ça arrivait, je pensais seulement à ma propre mission et je me la répétais mentalement, comme une des prières de Robson qu'il nous avait apprises :

APPRENDRE LA MERDE DES BLANCS
FICHE LE CAMP D'ICI
LES COMBATTRE SANS CESSE
POUR TOUJOURS ET À JAMAIS.

Comment se battre contre eux ? Je ne le savais pas, et ça m'était un peu égal, car fiche le camp me suffisait pour le moment. J'essayais déjà, oui, en écrivant des lettres au *gouverneur*, le chef des sales Blancs, chez lui, à *Hobart*, comme on l'appelait. J'avais besoin d'aide pour qu'elles soient bien écrites, c'est pourquoi je me suis adressé au seul nomme que j'aie jamais aimé dans l'île de Flinders, le *docteur Jones*, qui était gentil et qui n'a jamais essayé de nous forcer à faire quelque chose. Il m'a appris comment écrire à *Votre Excellence*, m'a aidé à ne pas faire de fautes d'orthographe, et j'ai écrit une lettre chaque fois qu'il y avait un bateau. Ça n'a rien donné, non, mais j'ai persisté, à de nombreuses reprises. Puis, un matin, le bateau est arrivé, comme d'habitude, et malgré qu'il n'y avait rien pour moi une fois de plus, le Dr Jones s'est précipité dans ma case pour m'annoncer que le gouverneur, qui était nouveau, allait venir à l'île de Flinders pour nous rendre visite. C'était intéressant, et un grand bonheur, je me suis dit, car je pourrais lui parler et lui dire qu'il devait nous laisser retourner dans le monde, et il serait obligé de m'écouter, si j'étais debout devant lui.

Les jours passaient et les hommes blancs couraient dans tous les sens pour que tout soit propre pour l'arrivée du gouverneur. Ils fabriquaient des tables, des tas, pour qu'on mange tous au dîner du gouverneur. Puis, un matin, j'étais assis près du rivage, à côté des grosses roches qui ressemblent à des yeux, quand j'ai eu une surprise. C'était mon endroit préféré, car de là je pouvais voir le débarcadère et songer qu'on montait tous dans un bateau pour retourner dans le monde. C'est pourquoi je restais là à regarder les oiseaux perchés dans le ciel et les vagues se suivre et rouler sur le sable, et soudain j'ai vu approcher un petit bateau avec un homme blanc dedans. Bientôt il a accosté au débarcadère, a attaché son bateau, est passé juste devant moi et a continué à marcher vers la colonie. Il était vraiment affreux, sentait le sel, le puffin et la sale odeur des Blancs, avec une grosse cicatrice sur la joue, et pas de cheveux, si bien que sa tête avait l'air d'une grosse pierre rose. Pourtant, c'était pas un mystère à n'y rien comprendre, car des types bizarres comme lui débarquaient quelquefois pour acheter de la farine, du thé et d'autres choses au magasin.

Et, en effet, il est revenu peu après en transportant deux sacs qui étaient si lourds qu'ils tiraient ses bras vers le bas. Puis au moment où il approchait quelque chose de très intéressant s'est produit. D'abord j'ai entendu quelqu'un qui courait et j'ai su que la personne était en colère rien qu'au bruit de ses pas. En tournant la tête, j'ai vu maman arriver à toute allure en brandissant un gros bâton, et elle avait une expression haineuse que j'avais rarement vue sur son visage, même à l'époque lointaine où c'était une guerrière. L'homme blanc l'a vue, lui aussi, et il lui a lancé un regard vraiment bizarre, stupéfait, puis il a tout de suite lâché les sacs. C'était malin, ça oui, car quand maman a fait tourner son bâton pour lui flanquer un sale coup et lui fendre le crâne il a pu se baisser, et elle n'a pas réussi à le tuer. Alors il a attrapé le gros bâton si bien qu'ils le tenaient tous les deux et se battaient pour l'avoir. Le sale Blanc était plus fort et il a poussé maman par terre et lui a arraché son bâton, ce qui était ennuyeux, alors j'ai bondi pour essayer de la sauver. Mais au lieu de lui flanquer un coup sur la tête comme j'avais peur, il a jeté le bâton loin de lui, et ensuite il a ramassé ses sacs, s'est enfui à toutes jambes, a sauté dans son bateau et a tiré sur les rames pour filer le plus vite possible.

Maman était trop vieille pour se battre vraiment. Elle est restée assise par terre, l'air furieux, et s'est frotté le côté à l'endroit où son corps avait heurté le sol. « Qui est-ce que c'était ? » j'ai demandé. Mais elle s'est juste relevée, sans dire un mot, et est repartie.

Voilà un casse-tête à n'y rien comprendre, ça oui, car ça faisait des années qu'elle n'avait pas essayé de tuer quelqu'un, mais la réponse n'a pas tardé à venir. Un peu plus tard, quand j'ai repris le chemin de la colonie, mon ami Mongana, qui était assis près des cases, a levé la tête pour me jeter un regard haineux, exactement comme dans le temps, quand on était petits et qu'il était mon ennemi d'enfance.

« Qu'est-ce qui ne va pas ? » j'ai demandé.

Il a lancé d'un ton furieux, comme s'il crachait : « Ma mère a dit qu'elle a vu ton père passer près du magasin. » Ensuite, il a eu l'air d'avoir honte, comme s'il ne savait quoi dire : « Il devrait pas venir ici. »

C'est ainsi que par un matin tout pareil aux autres j'ai vu mon père pour la première fois. Ça paraissait étrange que je n'avais pas deviné que c'était lui, mais que je m'étais seulement dit : *Voici un sale Blanc hideux de plus.* Mais comment est-ce que j'aurais pu deviner ? Quand je rêvais de le rencontrer, ce qui m'arrivait encore quelquefois, je le voyais comme un beau gars avec un bon visage et des cheveux, plutôt que comme un type merdeux sentant le sel, le puffin et la sale odeur des Blancs. Pourtant, c'était intéressant, ça voulait dire que j'en avais toujours un. Peut-être que s'il revient, je le reverrai, je me suis dit. Mais bon, je n'étais pas sûr de le vouloir vraiment.

Une deuxième chose étrange est survenue plus tard, le même jour, quand je suis allé à l'école. Ce jour-là c'était le tour de Smith et une fois de plus c'était la Genèse. *Au commencement, Dieu créa les cieux et la terre*, et ainsi de suite, et ainsi de suite. J'avais appris les mots par cœur, vous voyez. Mais quand je suis entré dans la classe Smith n'était pas prêt, il était juste assis et attendait. Et il y avait aussi le gros Robson, l'air inquiet.

« Ah, Dieu merci ! te voilà, Cromwell. Est-ce que tu as vu George ? Il devait faire deux cours ce matin mais il n'est pas venu. C'est un mystère, car il n'est jamais absent. Je l'ai cherché partout, personne ne l'a vu. »

George était le nom que le gros Robson donnait à Tayaleah, et oui, c'était intéressant qu'il ne soit pas là. C'était pas seulement un mystère à vous brouiller les idées, non, c'était quelque chose d'impossible, car Tayaleah ne manquait jamais la classe. Quand les autres partaient à la chasse, et aussi quand il était mal fichu, il venait quand même.

« Je l'ai pas vu », j'ai dit.

Ç'a rendu le gros Robson très malheureux. Le chef des nommes, c'est-à-dire le gouverneur, devait arriver très bientôt, et j'ai deviné que le gros Robson voulait lui montrer l'intelligence de Tayaleah pour essayer de se faire adorer par cet homme. Eh bien ! même si je ne voulais pas du tout être gentil avec le gros Robson, puisque c'était mon ennemi juré, j'étais curieux de connaître le fin mot de l'histoire, surtout que c'était la deuxième chose très étrange de la journée. Et à mon avis deux choses étranges en même temps ne font qu'une en général, comme les deux bouts d'un même bâton enfoui dans le sable.

« Je peux partir à sa recherche.

— Merci Cromwell. »

Le gros Robson m'a lancé son regard habituel, à la fois souriant et doucereux parce qu'il avait besoin de mon aide, mais un peu en colère aussi. Robson, vous voyez, me montrait toujours un petit peu de haine parce que ma façon de le regarder lui indiquait que je ne lui avais jamais pardonné de nous avoir trahis à ce point. Je suppose qu'il ne pouvait pas supporter que je pense qu'il n'était pas en fait un chic type, mais rien qu'un horrible sale Blanc menteur et tricheur, ce qu'il était en réalité.

Alors je suis parti à la recherche de Tayaleah. Je ne l'avais jamais beaucoup aimé mais je le connaissais bien et je savais où il allait. Parfois quand maman l'envoyait balader, je le voyais se diriger d'un air penaud vers une colline près de la colonie, et c'est là que je me suis rendu. La terre était molle, à cet endroit, et bonne pour les empreintes de pas. Alors bientôt j'en ai aperçu certaines, qui étaient petites et minces comme les pieds menus de Tayaleah. Après ça, j'ai avancé avec prudence, en utilisant la méthode des chasseurs habiles pour les suivre et les retrouver quand on les a perdues, jusqu'à ce que les empreintes finissent par entrer dans une forêt et s'arrêtent près d'un gros arbre. Tout en haut, à travers les feuilles, j'ai entendu un faible bruit, pareil à des sanglots, alors je me suis mis à grimper dans l'arbre. Tayaleah était là, à l'endroit où l'arbre était moins feuillu et bougeait un peu dans le vent au moment où je l'ai atteint.

« Qu'est-ce que tu veux ? » il a crié, furieux que j'aie découvert sa cachette secrète.

Mais là-haut c'était intéressant. Comme l'arbre se divisait en trois, ça lui faisait un siège, et il avait disposé des branches et des feuilles, etc., pour former une sorte de sol, et j'ai compris qu'il pouvait dormir là en faisant attention. Il avait des bouts de pain, une bouteille d'eau et une tasse un peu cassée pour mettre du sucre. Il avait aussi son homme à cheval fait en métal, appelé *soldat de plomb*, que j'avais déjà vu, et qu'il avait rapporté du pays des hommes blancs. Il avait gravé des nombres de nommes dans l'écorce de l'arbre, et si certains étaient tout petits, comme huit ou douze, d'autres étaient trop longs pour les lire et allaient jusque de l'autre côté de l'arbre.

« Pourquoi tu n'es pas à l'école ? je lui ai dit. Robson est furieux contre toi.

— Fiche le camp ! »

Ses paroles étaient dures, mais sa voix devenait fragile comme un vieux bout de bois desséché, et je voyais dans ses yeux qu'il voulait que je l'aime. De toute façon il avait toujours été comme ça. Du plus loin que je m'en souvenais, le petit salaud avait voulu que je sois son ami, ce qui était un mystère à n'y rien comprendre, vu que je ne lui avais jamais donné autre chose que de la haine.

« Qu'est-ce qui ne va pas ? j'ai continué d'une voix plus douce, même si je faisais seulement semblant d'être gentil. Tu peux me le dire, Tayaleah. »

Et oui, ça a suffi. Il a craqué, en me regardant l'air suppliant comme si j'étais son meilleur ami.

« Je ne sais pas quoi faire. Ce matin, maman est venue me dire qu'elle avait vu ton père. Elle a dit qu'on doit le tuer, et tous les autres Blancs aussi, et qu'on doit le faire maintenant, car bientôt on sera tous morts, et alors ce sera trop tard. Elle a dit que je dois l'aider, et que c'est ma dernière chance d'obtenir son pardon. »

C'était donc ça, le bâton enfoui dans le sable. J'avais dû deviner ça dans ma tête, oui, car j'avais supposé qu'elle aurait adoré tuer papa.

« Comment est-ce qu'elle veut les tuer ? »

Tayaleah a détourné les yeux.

« Elle a dit que je ne devais le dire à personne.

— À moi tu peux le dire, parce que je suis ton frère. »

Vraiment, avec lui c'était trop facile. Il s'est frotté le visage avec ses doigts, cachant ses yeux.

« Elle a dit qu'on doit les transpercer avec les lances pendant la visite du gouverneur, à la fin du repas, quand ils seront tous repus et fatigués. Après ça, on doit prendre le bateau du gouverneur et aller dans l'île de ton père pour le tuer lui aussi. Ensuite, d'après elle, on pourra retourner dans le monde. Elle dit que si je veux redevenir son fils je dois tuer M. Robson avec une lance. (Il a reniflé.) Mais c'est mon ami. »

C'était là le bon tour de maman. Pourtant, c'était surtout un sacré casse-tête à n'y rien comprendre. Oui, ça me réjouirait le cœur de voir le gros Robson transpercé par une lance, car ce serait bien fait pour lui. Mais c'était la première fois depuis des années que j'espérais pouvoir nous sauver.

« Qui est avec elle ?

— Pagerly et trois autres étaient avec elle, et ils essayaient d'en recruter plus. Ensuite, ils partaient fabriquer des lances. »

Ils n'étaient pas assez nombreux. Même s'il y en avait davantage, je devinais que quelque chose allait clocher. On serait probablement découverts avant de commencer à tuer, et alors des soldats nous tireraient dessus. Même si on avait la sacrée chance d'avoir ce bateau, on ne saurait pas comment le faire avancer avec ces peaux pour attraper le vent, et on se noierait sans doute. En vérité je me demandais si maman avait vraiment envie qu'on vive. Tout ce qu'elle voulait, c'est une occasion de tuer papa et d'autres sales Blancs. Une chose était sûre, en tout cas. Si on essayait de tuer des Blancs, toutes mes études et les lettres que j'avais écrites ne seraient plus que de la gnognote, et on ne quitterait plus jamais cet horrible endroit. Non, j'ai pensé, j'étais seul à pouvoir nous sauver et à nous redonner la vie. C'était une chose atroce que de chercher une fois de plus à contrecarrer les projets de maman, mais c'est ce que j'ai décidé.

J'ai commencé à redescendre de l'arbre de Tayaleah.

« Attends ! il a crié derrière moi. Qu'est-ce que je dois faire ?

— Rien. »

## William Frampton, gouverneur
## de la terre de Van Diemen. 1838

C'est ma femme qui suggéra que j'entreprenne une petite tournée pour visiter la terre de Van Diemen afin d'acquérir une meilleure connaissance de mon nouveau fief. Son idée était que je visite Port Arthur, les villes et les colonies de peuplement les plus importantes, et peut-être aussi une ferme ou deux, afin de tenter d'établir des relations utiles avec quelques-uns des habitants. Curieux de connaître tous les aspects de la colonie, je décidai d'inclure dans notre itinéraire l'île de Flinders, sur laquelle on avait regroupé les aborigènes. Avant même de quitter nos rivages d'Angleterre, j'avais un peu entendu parler de la malheureuse histoire des indigènes, et mon intérêt avait grandi quand, ayant finalement atteint Hobart, je découvris par hasard des documents envoyés par M. Robson, l'administrateur de cet établissement. Il avait accompli de vrais miracles dans cet endroit isolé en s'efforçant vaillamment de faire évoluer les Noirs et de les amener à la condition d'êtres civilisés. Je remarquai que mon prédécesseur avait suggéré de nommer M. Robson protecteur des aborigènes au sein de la nouvelle colonie qu'on projetait d'installer dans la baie de Port Phillip, et, bien que je fusse certain qu'il remplirait parfaitement bien ces fonctions, il me paraissait fort triste qu'il dût abandonner son œuvre prometteuse. Je brûlais d'impatience de faire la connaissance d'un tel homme.

La tournée commença merveilleusement bien. Nous eûmes la chance de jouir d'un temps agréable, chaud et ensoleillé – ce qui était inhabituel pour un printemps en terre de Van Diemen, me répétait-on à l'envi –, et au cours de notre voyage en direction du nord, à travers la verte campagne de l'île, d'Oatlands à Launceston, en passant par Ross et Campbell Town, nous reçûmes un accueil enthousiaste. À quelques exceptions près, je fus partout entièrement satisfait de la propreté et de la bonne tenue des bureaux et des casernes que nous visitâmes, ainsi que des maisons particulières et des hôtelleries où nous passâmes nos nuits. À Georgetown, nous nous embarquâmes sur une goélette pour traverser le détroit de Bass. Le vent étant faible, nous avancions lentement, mais le lendemain, au réveil, l'île de Flinders s'étendait sous nos yeux. Plutôt plate dans l'ensemble, elle était hérissée par endroits de groupes de collines rocheuses, et notamment d'un pic presque aussi escarpé et pointu qu'un obélisque. Moins d'une heure après, on nous menait vers le rivage en canot à rames.

Quant à mes premières impressions de la colonie aborigène, je dois avouer que je fus quelque peu déçu. Dans ses rapports, M. Robson avait expliqué en détail comment il avait formé les indigènes à de nombreux métiers traditionnels, et il m'avait paru tout naturel de supposer que leur vêture s'accorderait avec leurs nouvelles compétences. Je me rappelle avoir espéré retrouver, dans quelque environnement bucolique semblable à celui d'un village anglais – à part la noirceur des visages –, le laboureur vêtu de sa blouse, le forgeron de son fidèle tablier, tandis que les épouses arboreraient des robes de coton de couleur gaie. Je dois dire à regret que tel ne fut pas du tout le cas. Au moment où ma femme et moi posâmes le pied sur le débarcadère, je découvris que les Noirs attroupés sur le rivage étaient habillés d'oripeaux affreux, que n'aurait pas portés le plus pauvre des colons blancs. En regardant ces malheureux – parmi lesquels certaines femmes avaient une tenue à peine décente –, je ne fus guère surpris du tragique déclin de leur race.

Quant à M. Robson, il nous accueillit avec chaleur et me parut être un fort brave homme. Il nous présenta aux divers administrateurs et à leurs épouses avec une certaine nervosité – due, pensai-je, à un manque de pratique des politesses mondaines sur cette île lointaine –, mais nous mena visiter la colonie avec beaucoup d'entrain et d'enthousiasme. Nous avions à peine quitté le débarcadère, qu'il fut abordé par un soldat.

« Nous avons cherché partout, monsieur, mais je crains qu'on n'ait trouvé trace ni de l'un ni de l'autre. »

Notre hôte sembla troublé par ce mystérieux message.

« Eh bien ! continuez à chercher. »

Je ne pus m'empêcher de demander :

« Qui avez-vous perdu ?

— Rien que deux aborigènes, Votre Excellence. Il leur arrive de ne pas être aussi sages qu'on le souhaiterait. Mais je suis sûr qu'on va très vite les retrouver. »

Je fus heureux de constater que la colonie faisait l'objet d'un entretien soigné, même si l'on ne pouvait user, pour qualifier ses habitants, du même adjectif. Notre visite commença par la cabane de la boulangerie, d'où émanait une délicieuse odeur de farine et de pain chaud. En y entrant, j'eus le plaisir de découvrir un sol fraîchement balayé et des ustensiles reluisant de propreté.

« Vous faites du pain tous les combien ? s'enquit ma femme.

— Une fois par semaine, répondit le boulanger, un dénommé Dunn, qui avait un sourire niais. De temps en temps, deux.

— Mais le pain doit rassir ? »

Un peu mal à l'aise, M. Dunn haussa les épaules.

« Il se garde assez bien, madame. »

Ces questions étaient typiques de ma femme, qui, dois-je expliquer, possède le remarquable don de tomber par hasard sur des vérités significatives. Il lui suffit de jeter un bref coup d'œil sur un inconnu pour affirmer avec assurance si c'est un brave type à qui on peut faire confiance ou un vaurien sans vergogne, et elle a si souvent raison que j'en suis presque venu à me demander si elle ne compte pas une sorcière ou deux parmi ses ancêtres. Je trouve parfois utile de prendre en compte son avis, je l'admets volontiers, mais je dois ajouter que je sais aussi quand il faut la traiter avec fermeté et me fier à ma propre opinion.

Après avoir visité la boulangerie, nous fûmes conduits à une zone dégagée et herbue, au centre de la colonie, autour de laquelle se dressaient d'un côté la chapelle et de l'autre deux longues rangées de maisonnettes formant un L. C'était là, expliqua M. Robson, qu'habitaient les aborigènes. Ces maisons étaient apparemment bien tenues, mais les Noirs qui traînaient devant, l'air lugubre, nous dévisageaient d'un œil morne. Je fus à nouveau désappointé. Où était leur détermination, leur désir d'œuvrer à l'amélioration de leur vie ?

« Nous sommes sur la place des Indigènes, expliqua M. Robson. J'ai bon espoir qu'elle sera un jour pavée, à la manière d'une piazza italienne. »

Voilà une bien jolie idée.

« Comme ce serait charmant ! s'écria mon épouse. C'est sûrement ici que se tient le marché, non ? »

M. Robson hocha la tête, l'air radieux.

« Mais pas aujourd'hui ? »

L'administrateur parut un peu mal à l'aise.

« Il se trouve que le marché est momentanément interrompu, mais j'espère le rouvrir sous peu.

— Je vois. »

Elle avait fait mouche une fois de plus, et, une fois de plus, la manière dont elle était parvenue à cette supposition était pour moi un complet mystère. Je pouvais seulement imaginer que, tandis que le commun des mortels – moi y compris – cheminait d'un pas lourd sur la terre ferme de la logique, mon épouse se laissait porter par les ailes rapides – et peu fiables – de l'instinct féminin.

M. Robson nous fit entrer à l'intérieur d'une des habitations. Elle était assez bien tenue, si l'on exceptait une odeur gênante de vieilles hardes. Se distinguant surtout par sa nudité, elle comportait une seule pièce, sans cloisons ni fenêtres, et ne contenait que quelques couvertures grossières pliées dans un coin.

« Les indigènes préfèrent dormir par terre, expliqua-t-il. Ça fait partie de leurs mœurs.

— Vous ne nous avez toujours pas présentés, fit remarquer ma femme, comme nous scrutions la pièce.

— Il n'y a rien de plus facile, lui répondit M. Robson avec un rayonnant sourire. Dites-moi seulement qui vous désirez rencontrer, et l'entrevue sera organisée. »

Ma femme réfléchit quelques instants.

« Personnellement, j'aimerais beaucoup rencontrer le rédacteur en chef du *Journal de l'île de Flinders*.

— Oh, oui ! votre journal », renchéris-je, ravi qu'elle s'en soit souvenue. Au retour de mon voyage dans l'Arctique, j'avais visité un journal de Londres, et le spectacle des journalistes et des typographes se précipitant en tous sens, dans le raffut des presses tournant bruyamment en sous-sol, m'avait fasciné. S'il s'agissait sûrement ici d'une entreprise de bien moindre envergure, je n'en étais cependant pas moins curieux de la voir fonctionner.

À nouveau, M. Robson se rembrunit.

« Ce sera difficile, hélas… »

Ma femme lui lança un regard bizarre.

« Lui aussi est interrompu ? »

Savez-vous qu'elle avait encore raison ? M. Robson parut tout à fait décontenancé. Le pauvre homme me faisait presque pitié : j'avais moi-même été parfois victime de la langue acérée de ma femme, et après tout notre guide n'avait manqué ni de courtoisie ni d'empressement.

« Peut-être serez-vous intéressés par une petite visite de notre école ? suggéra alors M. Robson. Elle est juste à côté. Nous avons accompli des progrès encourageants dans l'instruction religieuse des indigènes. »

Il va sans dire que j'acceptai, et bientôt, en faisant le moins de bruit possible car il y avait une classe en cours, notre petit groupe entrait dans une salle de bonne taille. Le maître était un jeune homme à l'air peu assuré : le propre fils de M. Robson, nous chuchota ce dernier. Ses élèves étaient des enfants aborigènes d'âges variés. Assis derrière les rangées de pupitres, ils eussent, avec leur petit visage noir, présenté un très pittoresque spectacle s'ils s'étaient seulement davantage souciés de leur apparence. Peu semblaient avoir pris soin de leurs vêtements, et l'un d'eux, assis au dernier rang, toussait et crachotait de manière extrêmement vulgaire.

« Ophélie, lança le jeune Robson, fixant une petite fille à l'expression mélancolique, quel est le premier commandement ? »

Elle répondit de façon prometteuse :

« Tu n'auras d'autres dieux que moi.

— Et le deuxième ? »

À ce moment, sa concentration commença à faiblir. Pour être juste, je suppose que la présence de tous ces inconnus devait beaucoup la troubler. Le jeune M. Robson fit encore deux tentatives infructueuses pour la persuader de répondre, avant que son père, qui avait montré des signes d'impatience, ne s'approche de lui.

« Mon cher enfant, est-ce que ça t'ennuierait que je te remplace quelques instants ? »

Le fils n'eut pas l'air très content, mais lui céda sa place d'assez bonne grâce. Arborant un large sourire, M. Robson regarda les élèves.

« Caton, lança-t-il d'une voix ferme et assurée, dans quel dessein Dieu nous a-t-il créés ? »

À l'évidence, le gamin connaissait très bien la question car, avec un sérieux qui justifiait son nom, il répondit sans la moindre hésitation : « Pour son propre dessein. »

M. Robson opina du chef.

« Parfait. Et pourquoi adores-tu Dieu ?

— Parce que je dois tout à Dieu.

— Très bien. Quel sorte d'endroit est l'enfer ?

— On y brûle pour toujours et à jamais. »

Alors que le cours se déroulait sans encombre, du fond de la salle un très petit enfant, qu'on n'avait pourtant pas interrogé, lança de sa voix flûtée : « Est-ce que Dieu mange du kangourou ? »

L'espace d'un instant, M. Robson parut déconcerté par cette étrange question mais, se reprenant très vite, il émit un petit rire.

« Tu dois comprendre, Napoléon, que Dieu n'est pas comme nous. Dieu est constamment partout à la fois. Il nous regarde tout le temps. »

Napoléon fit preuve d'une obstination digne de son nom.

« Est-ce qu'il mange du *nighi* ? »

Avant que je puisse demander quelle pouvait bien être cette mystérieuse denrée, Ophélie, la fillette au regard mélancolique, se retourna vers le questionneur.

« Dieu ne mange jamais de nighi. Dieu est un homme blanc.

— C'est pas vrai ! s'écria un autre gamin. Dieu est un fantôme. »

À l'évidence, M. Robson jugea qu'il était temps de mettre un terme à ce petit débat théologique, quelque amusant qu'il fût. Il tapa dans ses mains en criant d'un ton joyeux :

« Du calme ! Du calme ! Bon, reprenons ! » Puis il se tourna vers le jeune garçon à l'air sérieux qui venait de se montrer si bon élève.

« Caton, qui a créé la Terre ? »

Vif comme l'éclair, Caton débita sa réponse.

« C'est Dieu.

— Très bien. »

Puis il s'adressa à Ophélie.

« Qui a créé le ciel ?

— C'est Dieu.

— Oméga, qui a créé les arbres ?

— C'est Dieu. »

À présent, M. Robson circulait parmi les élèves d'un pas assuré, interceptant leur regard l'un après l'autre. On ne pouvait le nier, c'était un maître hors pair.

« Napoléon, qui a créé les pommes de terre des champs ?

— C'est Dieu.

— Léandre, qui a créé le Soleil ?

— C'est Dieu.

— Betsy, qui t'a créée ?

— C'est Dieu. »

Il parvint alors à la hauteur d'un jeune garçon à l'air peu amène assis au dernier rang.

« Voltaire, qui t'a créé ?

— Le diable. »

Ce fut un moment fort pénible. Certains des camarades plus âgés s'esclaffèrent, et M. Robson, fort blessé, s'efforça de les imiter. Naturellement il était impossible de savoir si la réponse du gamin avait été dictée par l'insolence – les interventions de ses camarades ayant été elles aussi parfaitement saugrenues. Cependant, vu le système de répliques automatiques si ingénieusement mis au point par M. Robson, la réponse correcte semblait aller de soi. En tout cas, la sortie de l'enfant refroidit quelque peu l'atmosphère de la classe. M. Robson s'efforça de poursuivre la leçon comme si de rien n'était, vérifiant si ses élèves connaissaient le Notre-Père, mais il fut totalement incapable de recouvrer son aisance verbale du début.

« Il est extrêmement dommage, Votre Excellence, me confia-t-il quand la classe se termina enfin, que nos deux meilleurs élèves soient absents. Vous auriez été, j'en suis persuadé, tout à fait étonné par l'intelligence de ces jeunes gens.

— Ce sont les deux qui ont disparu ? demanda ma femme. Où donc ont-ils bien pu aller ?

— Jouer quelque part, j'imagine. J'ai bon espoir qu'on les retrouve à temps pour qu'ils puissent participer à notre petit banquet. »

Il me tardait beaucoup d'assister à cet événement sans doute fort divertissant. M. Robson nous expliqua que des réjouissances similaires avaient eu lieu trois ans plus tôt pour fêter sa prise de fonctions dans l'île, ajoutant qu'à cette occasion, du début à la fin, les Noirs avaient fait preuve d'une très charmante exubérance. J'appréciais d'autant plus cette perspective que jusqu'à présent ils m'avaient paru constituer une race particulièrement lugubre. Le festin devait avoir lieu en plein air, sur la place des Indigènes, laquelle, à la fin de notre visite, était déjà couverte de tables toutes simples. On les avait disposées en forme de long et étroit fer à cheval, puis décorées de fleurs printanières qui leur donnaient un plaisant air de fête. Le soleil était maintenant très bas, et lorsque les aborigènes apparurent, un ou deux portant des houes ou d'autres outils agricoles, ils se détachèrent de manière étonnante contre le rougeoiement du ciel, spectacle qui me fit enfin penser à une scène de la campagne anglaise. Au moment où nous nous installâmes, mon humeur, qui s'était assombrie au fil des heures, commença à s'égayer un peu. Les plus éminents des invités, notamment ma femme, moi-même et les Robson, furent installés à la place d'honneur, à l'endroit où se rejoignaient les deux branches du fer à cheval. Je ne pus m'empêcher de faire remarquer à mon épouse que cela rappelait la disposition de la table des professeurs dans un collège de l'université d'Oxford.

« Espérons, répliqua-t-elle de manière typique, que les mets seront à la hauteur. »

Hélas ! il n'en fut rien. Les bagnards à l'air revêche qui assuraient le service distribuèrent des assiettes d'une sorte de ragoût et, bien qu'on se fût efforcé de lui donner un aspect agréable en ajoutant sur le côté quelques brins de persil, il était évident que le plat se composait surtout de vieilles pommes de terre et de morceaux de mouton fort coriaces. Même les Noirs ne paraissaient guère apprécier le repas, et je fus quelque peu surpris de constater que certains d'entre eux n'en mangèrent qu'une partie avant de se lever de table et de s'esquiver discrètement.

Ma femme interrogea M. Robson sur cet étrange comportement.

« Pensez-vous que quelque chose leur ait déplu ? »

Selon toute vraisemblance, leur départ l'avait autant surpris qu'elle.

« Milton ! Léonidas ! appela-t-il d'un ton enjoué. Où allez-vous ? »

Ils poursuivirent leur route vers les arbres, comme s'ils n'avaient pas entendu.

« Des besoins naturels, très probablement, commenta M. Robson, riant de bon cœur en fournissant cette explication toute simple. Je suis certain qu'ils vont revenir très bientôt. »

Il n'en fut rien. Lorsque la lumière pâlit et que l'on apporta des bougies – ce qui créa une ambiance fort agréable –, le nombre de chaises vides autour du fer à cheval paraissait même plus important. M. Robson semblait cependant avoir autre chose en tête. Je le vis plusieurs fois jeter un coup d'œil vers les chemins menant à la place et il finit par se lever de son siège.

« J'espère que vous me pardonnerez, mais je vois que mon fils est revenu. Il a aidé les soldats à rechercher les deux garçons dont je vous ai parlé. »

Nos assiettes avaient déjà été ramassées, et devant nous se trouvaient des coupes d'un dessert à l'air atrocement compact et qui dégageait une légère odeur de farine et de mélasse. Je m'apprêtais à le goûter, quand je sentis une petite pression sur mon épaule, au moment où quelqu'un passait derrière moi. Cela n'était guère surprenant en soi – pendant toute la soirée, les bagnards serveurs et d'autres personnes étaient passés et repassés en me frôlant le dos –, ce qui était inhabituel, c'était la feuille de papier pliée qui apparut soudain dans mon giron. Je regardai de tous côtés, mais l'auteur de cet envoi avait déjà disparu dans la nuit. Curieux, j'approchai le billet d'une bougie et lus ces mots :

*Votre Excellence,*
*Je vous prie de m'excuser de vous déranger de la sorte, mais pour votre bien je dois de toute urgence vous informer de quelque chose. Je vous attendrai derrière les cases des indigènes.*

Très intrigué, je montrai le billet à ma femme. Elle fut catégorique :
« Vous devez y aller.

— Vous le pensez vraiment ? Je n'aimerais pas m'associer à la propagation de vagues ragots… »

Elle sourit. Il est vrai qu'elle a un faible pour les intrigues secrètes.

« Il est de votre devoir de vous informer de tout ce qui se passe dans la colonie, non ? »

Ce n'était sans doute pas faux. Étant donné que cela pouvait en outre se faire assez facilement, je m'excusai, me levai et, prenant une bougie pour m'éclairer, me dirigeai vers la demeure des Robson, comme si j'avais l'intention de me rendre aux toilettes. Derrière les cases des indigènes, le terrain était envahi par la végétation mais, venant d'un enchevêtrement de branches dans un lieu sombre, j'entendis un bruissement, suivi d'un chuchotement.

« Votre Excellence, merci beaucoup d'être venu. Je sais que je n'aurais pas dû vous déranger comme ça. »

Je fis un pas en avant, et ma bougie éclaira le visage d'une des personnes que M. Robson nous avait présentées ce matin-là. Il s'agissait d'une femme, belle à sa manière, aux cheveux foncés et à la mine anxieuse. L'épouse du marchand de la colonie, si mes souvenirs étaient exacts, quoique j'eusse complètement oublié le nom de l'homme et son visage. N'ayant pas un seul instant imaginé que le mystérieux informateur serait une femme, je demeurai quelque peu interloqué, et mon inquiétude fut loin de s'apaiser lorsqu'elle éclata en sanglots presque tout de suite. N'ayant aucune envie d'être témoin d'une crise de nerfs, je regrettai vraiment beaucoup d'avoir suivi les conseils de mon épouse.

« Je suis absolument désolée, Votre Excellence, s'exclama-t-elle en s'efforçant de se maîtriser. Je n'avais pas l'intention de perdre mon calme à ce point. Je voulais seulement vous parler de M. Robson. Vous voyez, il y a quelque chose que vous devez à tout prix savoir à son sujet. Bien qu'il soit certainement un brave homme à maints égards, ce serait une profonde erreur de votre part de lui octroyer ce nouveau poste à Port Phillip.

— Et pourquoi donc, grands dieux ?

— Il a… (Elle chercha ses mots pendant quelques instants.) Il a été infidèle à sa femme. Et il a, de plus, commis cette infidélité avec la femme d'un administrateur de la colonie. Je ne peux pas vous révéler son nom, mais vous devez me croire, car c'est vrai. »

Il s'agissait là d'une accusation extrêmement grave. Je ne savais que répondre.

« Vous avez des preuves ?

— Assez pour qu'il ne subsiste aucun doute dans mon esprit. (Elle me regarda d'un air suppliant.) Vous n'allez pas l'envoyer à Port Phillip ?

— Je vais réfléchir très sérieusement à cette affaire. »

Ma réponse lui suffit et, sans un mot de plus, elle s'éclipsa dans les ténèbres.

M. Robson m'avait donné l'impression d'être une personne franche, de bonne présentation, et on ne le voyait pas du tout en coureur de jupons. Était-il possible, me demandais-je, que toute cette histoire ne fût qu'un simple malentendu ? Après tout, l'épouse du marchand avait refusé de me dévoiler l'identité de la mystérieuse femme qu'il était censé avoir déshonorée. Quoi qu'il en soit, l'affaire se présentant comme fort délicate, j'étais très curieux de connaître l'opinion de mon épouse, ce qui était impossible pour le moment. Lorsque je regagnai la table, je trouvai M. Robson en train de m'attendre.

« La fortune nous sourit, Votre Excellence ; je suis ravi de vous apprendre que mon fils a retrouvé l'un des élèves qui avaient fait l'école buissonnière. Puis-je vous présenter à M. Cromwell ? »

Devant la table, éclairé par l'une des lampes, se tenait un jeune homme d'aspect fort curieux, un métis au teint aussi foncé que ses congénères mais aux cheveux du blond le plus clair. Malgré le portrait qu'en avait fait l'administrateur, son visage n'était guère plaisant, et je remarquai que sa chemise était sale, déchirée et toute noircie le long d'une manche, comme s'il s'était aventuré trop près d'un feu.

M. Robson lui lança un regard de reproche ironique.

« Maintenant que tu as finalement daigné te joindre à nous, Cromwell, j'espère que tu vas faire plaisir à M. le Gouverneur en lui récitant ton Notre-Père ? »

Consultant un livre scientifique, j'étais une fois tombé par hasard sur un article illustré décrivant « les oreilles du mari adultère », et si je me permis de ne pas prêter toute mon attention à ce que disait le jeune homme, c'est uniquement parce que j'étais occupé à tenter de me rappeler les principales caractéristiques de ces oreilles afin de déterminer si celles de M. Robson correspondaient à ce type. J'avais jeté plusieurs coups d'œil discrets sans pouvoir parvenir à une conclusion définitive quand je m'aperçus que Cromwell ne récitait pas le Notre-Père, ainsi qu'on le lui avait demandé, mais qu'il était en train de me parler.

« Nous avons besoin de votre aide, monsieur le Gouverneur, je vous en supplie. » Il s'exprimait lentement et avec soin, ce qui me portait à croire qu'il avait appris sa déclaration à l'avance, exactement comme s'il se fût agi d'un discours officiel. « On est en train de mourir, ici, et si vous ne nous sauvez pas de cet affreux désastre, nous aurons bientôt tous disparu. »

L'espace d'un instant, je me demandai si l'incident avait été organisé à dessein, mais M. Robson ne semblait pas moins surpris que moi.

« Ce n'est guère le moment opportun pour s'occuper de ce genre de chose, Cromwell ! s'écria-t-il pour l'interrompre. M. le Gouverneur attend que tu lui récites ton Notre-Père. »

Comme s'il n'avait pas entendu, le jeune métis poursuivit :

« Je vous prie de nous laisser regagner la terre de Van Diemen, car c'est la seule façon de nous sauver de la mort. (Il me regarda anxieusement.) Je vous en prie, monsieur le Gouverneur, allez-vous nous le permettre ? »

Que répondre ? C'était une situation très gênante, et je ne pouvais m'empêcher d'en vouloir à Robson d'avoir laissé se produire un tel incident.

« Vous devez savoir que nous mettons tout en œuvre pour vous aider, lui assurai-je d'une voix douce. M. Robson a fait tout ce qui est en son pouvoir pour préserver votre peuple. »

Il s'approcha alors de la table en nous dévisageant.

« Il faut que vous nous laissiez rentrer, insista-t-il d'un ton qui paraissait presque menaçant. Si vous nous abandonnez ici, c'est comme si vous nous assassiniez. »

J'avoue que je me demandai si nous étions en sécurité, ou s'il allait brusquement se saisir de quelque couteau et se jeter sur nous pour nous attaquer violemment. À cet instant, je compris les peurs dont on m'avait fait part, à de nombreuses reprises, pendant notre voyage dans la terre de Van Diemen, et qui remontaient à ces années terribles appelées « la guerre noire », durant lesquelles, qu'on les provoquât ou non, des hommes comme ce Cromwell s'étaient livrés aux plus atroces exactions. Je jetai même un coup d'œil à M. Robson en me demandant si je devais lui ordonner d'appeler des soldats.

Heureusement, cela ne fut pas nécessaire, car l'alarme fut de courte durée. Le secours nous vint en fait d'une source totalement inattendue. Tout à coup, une aborigène de forte corpulence avança d'un pas alerte au milieu du fer à cheval formé par les tables. N'ayant aucune souvenance de l'avoir vue auparavant, j'aurais été incapable de dire où elle s'était cachée jusque-là, mais elle se rendit tout de suite parfaitement compte de la situation dans laquelle nous nous trouvions. Suivie de près par une autre effrayante matrone noire, elle marcha d'un pas décidé vers le jeune Cromwell, l'attrapa par l'épaule et le fit pratiquement pivoter sur ses talons avant de lui flanquer un si brutal soufflet qu'il s'effondra par terre. Sur ce, se tournant vers nous qui regardions la scène avec stupéfaction, elle darda sur nous un regard des plus étranges, presque de défi, comme pour dire : « Voilà ! l'affaire est réglée. » L'instant d'après, elle et son ombre noire avaient quitté les lieux.

« Tu peux disposer maintenant ! » lança M. Robson à Cromwell d'un ton sévère.

Le jeune homme nous contempla un instant, mais la gifle semblait avoir tout à fait maté sa fronde. Mécontent, il secoua la tête et s'éloigna.

« Qui était cette femme ? m'enquis-je.

— La mère du gamin.

— Une mère admirablement stricte, dirait-on. »

M. Robson eut un petit rire gêné.

« En effet, Votre Excellence. »

Ma femme avait d'autres préoccupations.

« Pensez-vous que quelque chose se soit enflammé ? demanda-t-elle. Je suis sûre de sentir une odeur de fumée. »

Comme toujours, elle avait totalement raison. Peu après, on nous informa qu'un feu de brousse avait éclaté quelque part vers le nord du village, même si son origine exacte demeurait mystérieuse, car il s'agissait d'une zone où l'on se rendait rarement. En fait, c'est cet épisode qui mit fin à la partie officielle de ma visite. Bien que l'incendie fût encore assez éloigné, par souci de sécurité, M. Robson fit annuler l'office qui devait être célébré dans la chapelle. M'étant moi-même joint à l'équipe de secours se rendant sur le lieu de l'incendie, je découvris un spectacle très impressionnant. Les flammes étaient si violentes qu'elles dissipaient les ténèbres et emplissaient l'air de cendres flottantes, tandis qu'au moment où ils s'embrasaient les arbres semblaient exploser. Heureusement, le vent changeant bientôt de direction, toute menace immédiate fut écartée. Dès le lendemain matin, je fus heureux de constater que le sinistre s'était presque entièrement éteint de lui-même.

C'est seulement au moment où la goélette commençait son voyage de retour vers Launceston et que nous nous reposions dans l'intimité de notre chambre que j'eus enfin l'occasion de parler à mon épouse de la curieuse accusation lancée contre M. Robson par l'épouse du marchand. Je fus assez étonné qu'elle considérât ces allégations comme probablement fondées.

« Pourquoi pas ? fit-elle simplement.

— Mais c'est abominable ! m'écriai-je. Je ne peux guère fermer les yeux sur de tels errements. Un homme de cette nature ne saurait être autorisé à occuper des fonctions importantes dans la nouvelle colonie. »

Elle me décocha un sourire très bizarre.

« Vraiment ? Moi, je dirais qu'il est l'homme de la situation. »

Ce n'était pas la première fois que je me trouvais complètement mystifié par ses propos.

« Mais, grands dieux ! que voulez-vous dire, ma chère ?

— Si M. Robson est nommé à Port Phillip, ses actes ne relèveront plus de la responsabilité du gouverneur de la terre de Van Diemen. »


### Peevay. 1838-1847

Le lendemain de la visite du gouverneur, des soldats ont découvert Tayaleah par terre sous son arbre, cassé en deux par sa chute. Ç'a rendu tout triste ce gros salaud de Robson, malgré qu'il a menti une fois encore, même là-dessus. Quand il a vu dans les branches la cachette secrète de Tayaleah, il a dit qu'il était tombé juste par accident, alors que moi je savais que c'était pas vrai. Je savais qu'il avait sauté exprès. Depuis qu'il était arrivé sur l'île de Flinders dans le bateau de Robson, j'avais vu que Tayaleah était comme quelqu'un qui est coincé entre les

273

rêves et le réveil, et qui est de plus en plus tiraillé entre les deux, sans jamais savoir ce qui est vrai, jusqu'à ce qu'il soit déchiré comme du papier. Il a été trop déchiré, alors il a sauté.

J'aurais jamais pensé que la mort de Tayaleah me causerait du chagrin, mais si, c'est ce qui s'est passé. Je crois que puisqu'il n'était plus là maintenant, je pouvais plus le haïr, et alors il est devenu seulement mon frère, le seul que j'avais. En plus, je m'étais peut-être habitué petit à petit à ce merdeux. Bien sûr, maman s'est jetée dans des lamentations en oubliant qu'elle l'avait détesté ces derniers temps. Moi, elle m'aurait de toute façon détesté, à cause du feu qui avait brûlé toutes ses sagaies pour tuer (elle a deviné que c'est moi qui l'avais allumé), mais la mort de Tayaleah l'a rendue encore plus mauvaise. Et depuis ce jour-là elle a complètement refusé de me parler, même pour me dire des paroles haineuses, et si je m'approchais d'elle, elle se levait et partait, froide comme le vent d'hiver. Pire, elle et Pagerly me faisaient haïr par les autres en leur disant que j'avais gâché leur dernière chance de quitter cet endroit de mort. Même mon bon ami Mongana m'a abandonné, ce qui était dur, il m'en souvient, car j'étais trop seul. Aussi je suis resté dans une case vide et j'ai passé le temps à regarder la lumière à travers les trous du toit ou à écouter la pluie crépiter dessus, *toc, toc, toc*, et à entendre dans ma tête mes pensées cogner très fort.

Peu après, le gros Robson est parti pour son bel endroit nouveau qui s'appelait *Port Phillip*, et malgré qu'il nous a parlé de sa tendresse pour nous et de sa tristesse tout au fond de son cœur de nous quitter, j'ai remarqué qu'il marchait d'un pas joyeux, et j'ai compris que c'était rien que de sales mensonges minables et dégoûtants. Ce qui était bien dans son départ, c'était que les Palawas qui l'aimaient avant voyaient maintenant que c'était un provocateur sournois et menteur, comme je l'avais toujours dit. Mais ça n'a servi à rien, parce que maman a dit à tout le monde que j'étais l'ami des Blancs.

Les jours ont passé très lentement après ça, comme quand on a une affreuse douleur et que les minutes n'avancent pas mais pèsent comme une grosse pierre. Ces semaines et ces mois ont été les pires, et on avait l'impression que ça ne finirait jamais, si bien que c'est pénible d'y repenser, même aujourd'hui. J'ai bientôt recommencé à écrire des lettres au gouverneur, à chaque bateau, mais j'ai reçu qu'une réponse, très courte, qui disait seulement que mon désir n'était pas possible, sans donner une raison. C'était dur à accepter, ça oui, car j'avais espéré que le gouverneur avait entendu mes paroles ce soir-là, et que je serais un splendide héros finalement.

L'été est venu et est reparti, puis un autre. Les cases ont vieilli et se sont vidées, et c'était comme si j'avais jamais vécu que dans l'île, car les marches à travers le monde dans tous les sens avec la tribu de maman étaient si loin qu'on aurait dit que c'était pas moi qui avais connu ça mais quelqu'un d'autre. Petit à petit Mongana, Pagerly et les autres se sont fatigués de me détester, ce qui était mieux, et j'ai pu recommencer à dormir dans leur case. Maman n'a jamais oublié pourtant, et si je m'approchais d'elle elle me lançait des regards glacials comme un vent d'hiver et se détournait, ce qui était atroce. J'avais alors cessé de grandir, et il n'y avait plus d'enfant en moi. J'étais aussi devenu fort, si bien que j'aurais été un bon guerrier dans une guerre de sagaies, sauf qu'il n'y en avait plus du tout maintenant. Être grand n'avait aucun sens ici, car il y avait rien d'autre à faire qu'à rester assis à attendre et à pousser le temps pour qu'il avance encore un peu, ou à me demander jusqu'à quand je pourrais tenir avant d'attraper le mal, comme les autres. Les morts continuaient, vous voyez, et même si elles se produisaient moins souvent c'est uniquement parce qu'il restait moins des nôtres pour mourir. Un jour, Mongana est mort, ce qui a été terrible. Pagerly, sa mère, s'est lamentée pendant des jours, et je me suis lamenté avec elle.

Donc, j'ai grandi, quoique être devenu grand n'apportait rien de nouveau et était banal. On a eu de nouveaux commandants, même s'ils n'étaient pas du tout intéressants. Le nombre des nommes a diminué, pas parce qu'ils mouraient, ce qui était plutôt rare, mais parce qu'on était si peu nombreux qu'il était facile de nous surveiller. Peu à peu, ils ont même cessé d'essayer de nous enseigner Dieu, il m'en souvient. Je suppose que ça leur a semblé idiot, puisqu'on continuait à mourir, de toute façon. Plusieurs étés ont passé, et encore d'autres étés, et j'étais toujours vivant, malgré que je n'arrivais pas à deviner pourquoi. Puis, grande surprise ! quelque chose de merveilleux m'est arrivé. Il s'agissait de Dray, que le gros Robson appelait Ophélie, qui était plus jeune que moi, si bien que je l'avais à peine remarquée avant. Maintenant, elle avait beaucoup grandi d'un seul coup, était devenue belle et bien faite, et j'aimais l'admirer quelquefois, mais si elle me voyait elle détournait les yeux d'une certaine façon.

Un jour d'automne, je marchais dans la forêt près de l'arbre de Taya-leah et elle était là. Alors, on s'est juste couchés, presque sans dire un mot, comme si on avait déjà tout dit, ce qui était bizarre. Et une nouvelle chose a commencé, alors que j'avais pensé qu'il ne pouvait plus y avoir de nouvelles choses. J'ai découvert serrer et goûter, tâter ici et là et défaillir de plaisir. Plus tard, j'ai eu plus, un vrai bonheur qui réjouissait le cœur, et bientôt on allait souvent dans les bois, les collines, etc., pour se coucher dans l'herbe tendre et connaître notre immense joie. Elle était bonne et douce, et on se faisait des mamours pendant que le vent soufflait dans les arbres au-dessus de nous. C'était la première fois que j'avais quelqu'un à protéger des choses horribles, et ça voulait dire que je devais vivre, ce que j'avais presque oublié de faire jusque-là. Oui, à cette époque-là j'ai pu croire que j'avais trouvé un grand bonheur, après tout, et je me suis dit que Dray était ma survie, si bien que même être coincé sur cette île de Flinders merdeuse ne semblait pas très grave.

C'est difficile, pourtant, d'avoir de l'amour dans un endroit de mort, car parfois on a l'impression que c'est perdu d'avance, et alors on n'ose pas s'abandonner à sa joie. En plus, j'ai bien fait de ne pas y croire. Quand le temps a refroidi, Dray a été un peu malade et s'est mise à tousser, si bien qu'on a eu tous les deux très peur. J'ai tout essayé, j'ai demandé à Jones, le médecin, de venir l'examiner plusieurs fois, ce qu'il a gentiment fait, mais c'était comme vouloir empêcher avec ses mains les vagues de grossir. Un après-midi, tout à coup, elle est morte.

Après ça, j'ai perdu mon talent pour survivre, puisqu'il ne servait plus à rien. Je voulais aussi mourir, il m'en souvient, comme la fois, il y avait si longtemps, où je m'étais précipité dans la forêt et m'étais couché près de la souche. Mais c'est difficile de décider de mourir. C'est la mort qui décide.

C'est à ce moment-là que ce Smith m'a donné son *livre*. J'étais assis devant les cases à rien faire et à essayer de penser à rien, parce que ça valait mieux que de penser à quelque chose, quand il s'est faufilé près de moi.

« Ça pourra peut-être t'apporter du réconfort. »

J'avais encore jamais lu un livre entier, puisque personne m'en avait donné un. J'avais pas vraiment envie de lire celui-là, mais comme il y avait rien d'autre à faire j'ai commencé, et même si au début j'ai avancé très lentement, après ç'a été de plus en plus vite. Le livre s'appelait *Les Deux Petits Orphelins*, et c'était très triste.

Une famille se retrouve sur des chevaux, au milieu d'un fleuve qui a grossi après la pluie, et le père et la mère se noient tous les deux en essayant de sauver les deux fils – très petits –, qui sont maintenant orphelins. La noyade de la mère est lente, et la dernière chose qu'elle fait avant de mourir, c'est de suspendre une *croix* intéressante au cou du plus âgé des orphelins. Plus tard, les orphelins vont dans une autre maison pleine d'autres orphelins, des tas, et là ils doivent travailler dur, car leur commandant est cruel et haineux, il hurle et leur donne de la nourriture répugnante. Un jour, le commandant bat très fort un autre orphelin, et quand le plus petit de nos deux orphelins essaye d'aider celui qui est battu, le commandant le frappe lui aussi, et lui flanque des coups si terribles qu'il en meurt presque. Cette nuit-là, les deux orphelins s'enfuient dans une grande ville où ils n'ont rien à manger, sauf si des inconnus leur donnent des pièces.

C'est une époque triste pour les orphelins, ça oui, car le temps refroidit et que ça gèle, et que le plus petit attrape du mal. Puis un jour, un homme bon vient leur donner de l'argent, et au moment où cet homme bon regarde il voit la croix offerte par la mère au plus grand des deux, et cette croix est intéressante pour lui. L'homme bon leur dit qu'ils doivent attendre là pendant qu'il s'occupe de quelque chose, mais qu'il va revenir bientôt. Hélas ! de méchants garçons arrivent juste après et essayent de voler la croix intéressante, si bien que les orphelins doivent s'enfuir, et ils ne retrouvent jamais plus l'homme bon. Puis le temps devient bientôt plus froid, et le petit orphelin meurt, très lentement, dans un cimetière près d'une chapelle. Le grand orphelin le place près de la porte de la chapelle pour que les pasteurs l'enterrent.

Après ça, le grand orphelin est si malheureux de la mort du petit orphelin qu'il attrape mal, lui aussi, et on a l'impression qu'il va mourir, et que tout le monde sera mort. Mais alors il fait un rêve, la nuit, dans lequel le petit orphelin lui dit qu'il doit survivre, car tout va bientôt s'arranger. Ça réconforte le grand orphelin, et ce même jour, savez-vous, l'homme bon revient et le retrouve. La grande surprise, c'est qu'en vérité c'est l'*oncle* de l'orphelin, et qu'il a une énorme maison très belle, même s'il ne connaissait pas la mère de l'orphelin – qui est sa sœur – à cause de quelque chose d'autre. Alors le grand orphelin a de la nourriture, des tas, et des cajoleries. Il montre même à son nouvel oncle l'endroit où les pasteurs ont enterré le petit orphelin, et ils donnent au petit orphelin une grosse pierre avec son nom très joliment gravé dessus. À la fin, le grand orphelin fait un autre rêve la nuit : le petit orphelin est maintenant au paradis, assis sur les genoux de Dieu, au milieu de tous les *anges*, et il sourit, comme s'il était maintenant très heureux.

Pendant un moment, je dois dire, ce livre a été un grand plaisir pour moi. J'ai lu et relu les parties les plus tristes, et je voulais que ce soit vrai. Parfois, je me disais : Oui ! je suis ces pauvres orphelins, et je pleurais à chaudes larmes.

Puis un jour tout a changé. Le bateau est arrivé exactement comme d'habitude avec de la nourriture et des lettres pour les Blancs, mais cette fois-ci il apportait aussi quelque chose pour nous. Des nouvelles ! Des nouvelles que j'avais du mal à croire. Le gouverneur qui était venu nous rendre visite était enfin parti, et un nouveau gouverneur avait pris sa place. Et surtout, ce nouveau gouverneur a vu mes lettres et a dit qu'on pouvait retourner dans le monde.

Ce jour a été un grand bonheur. On n'était plus que quarante-neuf Palawas, mais il en restait quand même, et je pensais qu'on pouvait reprendre notre vie en main, une fois qu'on serait rentrés. Oui, rien que de penser qu'on allait quitter cette île affreuse et détestable pour retrouver nos forêts, nos montagnes, et les endroits secrets qu'on se rappelait encore, ça nous a remplis de joie. Tout ça voulait dire que j'avais eu raison, et que mon intention de combattre les sales Blancs avec leur propre savoir avait bien réussi finalement. Tout le monde – sauf maman – m'a félicité, ce jour-là, comme si j'étais un grand héros.

On est partis très vite, ça oui, puisqu'on devait embarquer sur ce bateau-là, mais j'ai quand même eu le temps de faire des choses importantes. D'abord, j'ai été au cimetière dire au revoir à ma pauvre Dray et aussi à Mongana, à Heedeek et à tous ces autres morts qui étaient aussi mes amis, ce qui a été affreusement triste et m'a remué le cœur tout au fond de ma poitrine. Puis j'ai été chez Smith. Maintenant qu'on était sauvés, vous voyez, tout d'un coup j'ai pu comprendre ce que disaient *Les Deux Petits Orphelins* de Smith. Non, ce n'était pas de la bonté du tout, mais juste un piège habile pour m'attraper quand j'étais désespéré et une proie facile. J'ai eu honte, ça oui, d'avoir été ainsi attrapé. Ce que disait ce livre, c'était ceci : « Allez ! petit négrillon, meurs gentiment, maintenant, meurs reconnaissant, gentiment et en souriant, car c'est la dernière tâche que tu vas effectuer pour nous. »

Smith a sans doute lu mes pensées sur mon visage, car il n'est pas sorti de chez lui mais a seulement regardé une fois en entr'ouvrant son rideau, et ensuite il a fait semblant d'être trop occupé à se préparer pour prendre le bateau. Mais je sais qu'il me regardait déchirer les pages, l'une après l'autre, puis les entasser ensemble. C'est ainsi que j'ai brûlé ces orphelins, tout comme j'avais brûlé jadis les sagaies de maman.

# 11

## Le Dr Thomas Potter. Décembre 1857

*La Destinée des nations* (extrait)

Selon les soi-disant théoriciens de la politique, ce puissant empire appelé britannique, et qui s'étend sans cesse, n'est qu'un produit du hasard. Il ne s'agit, affirment-ils, que d'un agrégat de petits éléments, ravis par des marchands et des aventuriers pour s'enrichir personnellement. Une sorte d'accident dû à la force des armes et à la cupidité. Une vaste machine sans pilote dont les grandes mains atteignent toutes les parties du globe, l'une distribuant les soldats, les bagnards et les prêtres, l'autre ramassant l'or.

Telle vue de l'esprit ne saurait être plus trompeuse. En vérité, il n'existe pas plus belle manifestation de la destinée humaine que cette impressionnante et impériale institution de conquête. Le caractère saxon, intrépide et vigoureux, se révèle comme jamais, au moment où il se lance dans sa grandiose mission : soumettre et disperser les nations inférieures – Hindous, Indiens d'Amérique, aborigènes d'Australie – et les remplacer par ses robustes fils. Courageux mais aveugle, le type saxon comprend mal l'inexorable destin qui le pousse en avant, non plus que les toutes-puissantes lois régissant les races humaines. D'autres avancent à ses côtés, bien que leur allure indique une moins grande détermination. Le type français romain se dirige vers le sud, traversant avec impatience et insolence d'immenses étendues désertiques, écrasant des chefs arabes jadis fiers. Le type slave de Russie se promène, sinistre, dans l'orient glacial, défaisant à chaque pas les Asiatiques. Le type ibérique d'Amérique du Sud chevauche à travers la pampa en décimant nonchalamment l'Indien sauvage. Le type belge celtique progresse d'un pas lourd en repoussant les Orientaux des îles et renforce peu à peu son fragile domaine. Sans s'en rendre compte, tous seront les destructeurs de leurs ennemis conquis, jusqu'à ce que ne demeure quasiment aucune race soumise, que ce soit l'africaine, l'australienne ou l'asiatique.

Ce n'est qu'une fois cette tâche accomplie, lorsque seuls demeureront les types les plus robustes, que l'Histoire connaîtra une nouvelle étape de son déroulement. Alors un nouvel et terrible embrasement sera proche, une lutte ultime entre les nations, à laquelle le Saxon sera de nouveau appelé à combattre. Un conflit de Titans, un combat entre types supérieurs, au cours duquel...

## Le capitaine Illiam Quillian Kewley. Décembre 1857

J'eus du mal à deviner ce que le Dr Potter voyait dans cette île en particulier, car ça m'avait l'air d'un endroit plutôt minable. Elle était plate et sèche comme un biscuit de mer, à part ici et là quelques groupes de monts pelés, serrés les uns contre les autres, et si escarpés qu'on avait l'impression que des anges distraits risquaient de se blesser dessus. Ma carte, qui comme je l'ai déjà indiqué n'était pas toute récente, ne montrait que la côte et quelques pics, tandis que le reste de l'île était absolument vierge, sans la moindre trace de ferme ou de colonie. Je n'avais pour me diriger qu'un petit croquis dessiné par un ami médecin de Potter, où notre destination était figurée par une croix sur la côte ouest avec la mention : « Établissement abandonné ». Eh bien ! dans mon idée, si son existence avait été si éphémère, c'est que ç'avait dû être un établissement plutôt miteux.

Le révérend avait râlé quand on y avait abordé – ne serait-ce que parce que ça enchantait Potter – et gémi qu'on avait déjà pris beaucoup de retard. En fait, une brève halte dans un pareil endroit me convenait assez bien. Et d'abord parce que notre départ précipité de Port Phillip m'avait empêché d'embarquer de l'eau douce en quantité suffisante. Quant à l'autre raison, personnelle, je n'allais certainement pas la confier à des Anglais.

Le bon côté d'un débarquement sur une île dénudée située aux confins de la Terre, c'est qu'au moins il n'y a pas de danger qu'un marin déserte le navire, sauf bien sûr s'il veut jouer les ermites. On n'était plus que dix Mannois – et parmi nous aucun voilier –, au lieu de quatorze, seulement quelques jours auparavant. Déjà, après le départ des deux matelots du bassin clos, ç'avait été un peu juste. Ça, c'était un vrai souci, on ne pouvait le nier. Pour naviguer par temps calme, on était assez nombreux, mais si on était pris dans une vraie tempête, ou même si on devait débarquer cette cargaison spéciale à toute vitesse, on se trouverait sérieusement handicapés. J'avais été forcé de faire grimper une fois ou deux dans la mâture ce vieil idiot de Quayle, le cuistot, et Mylchreest, le commis aux vivres, bien qu'ils aient été trop âgés pour ce genre d'exercice. Ç'aurait pu être sacrément pire, remarquez. Ça nous prit un jour et une nuit, pour traverser la baie de Port Phillip, et pendant tout le trajet je me demandais si un messager n'était pas en train de chevaucher sur le rivage et si Robins, notre copain douanier du promontoire, n'allait pas foncer sur nous à bord de son cotre, faisant tirer le canon pendant que ses fusiliers marins flanqueraient des coups de baïonnette. Mais non, il fut la gentillesse même, fit un agréable brin de causette avec les Anglais, avant de nous inviter d'un geste à continuer notre route, sans aucune allusion à des plages, des avirons ou des quidams qui se seraient réveillés attachés et trempés jusqu'aux os. Peut-être qu'on avait eu de la chance et que Bowles avait finalement décidé de la boucler.

Le vague croquis fourni par Potter ne servit à rien pour se repérer, heureusement, au moment où on longeait la côte de l'île, juste après l'aube, on aperçut un petit débarcadère, et comme il ne pouvait guère être là par hasard, on mouilla l'ancre et on descendit la chaloupe. Je regardai les Anglais gagner le rivage à son bord, attendant qu'ils mettent pied à terre – au cas où ils changeraient d'avis, leur manque de logique étant sans limites –, puis je descendis chercher Mylchreest. Nous nous rendîmes à l'office, où je levai le bras pour attraper le fameux cordon et le tirer délicatement. Ensuite, direction la cambuse et le panneau descellé cachant les deux câbles sur lesquels je tirai aussi. Finalement, le carré, où la trappe dissimulée sous les bustes de la reine Victoria et d'Albert pivota sur ses gonds avec une belle souplesse. J'avais réfléchi à ce qu'avait dit le malheureux petit Harry Fields, la fameuse nuit, sur la plage de Port Phillip – avant que Kinvig ait eu la brillante idée de l'assommer d'un coup d'aviron –, lorsqu'il s'était plaint que notre tabac était humide. J'avais peur que toute la cargaison ne soit en train de se gâter. Je n'avais aucune envie de voir les trésors de la *Sincérité*, qu'elle avait si bien su protéger des fouilles indiscrètes des douaniers, pourrir sur place par simple négligence. Par chance, un simple coup d'œil nous permit de constater que les choses n'étaient pas aussi graves qu'on l'avait craint. Après avoir brièvement fourragé dans le chargement, Mylchreest n'eut en fin de compte à jeter par-dessus bord qu'une seule balle de tabac.

« Remarquez, on aurait intérêt à laisser ouvert un moment, suggéra-t-il, pour aérer et chasser un peu l'humidité. »

Rien de plus facile à faire, et sans risque, les passagers étant tous à terre et ne pouvant rentrer que par la chaloupe. Je laissai donc les panneaux et la porte du carré grands ouverts, afin que l'air puisse circuler librement. En arrivant sur le pont, je découvris que la chaloupe avait déjà quitté le rivage et revenait vers nous, pleine de barriques d'eau comme il se devait, et peu après Brew, le second, grimpait à bord, un large sourire aux lèvres.

« On a bien trouvé l'eau. Et quelque chose d'autre en plus. »

Il tourna la tête, en direction d'un ballot recouvert d'une bâche que les autres étaient en train de hisser le long de la coque. À en juger par leur mine c'était très lourd.

« Qu'est-ce que c'est ? Des pierres ? » s'enquit Mylchreest, tandis qu'on déposait le paquet à nos pieds. À peine avait-il parlé, cependant, que sa question parut stupide, la bâche s'étant mise à tressaillir.

« Tout comme ! répondit Brew en souriant. En tout cas, si les pierres avaient de la fourrure. »

Il se pencha pour dénouer la corde, et immédiatement un gros museau plat se mit à s'activer en tous sens avec énergie. Brew eut du mal à empoigner la mystérieuse créature pour l'empêcher de filer.

« Mais qu'est-ce que c'est que ça ? demandai-je.

— J'en sais trop rien. Le petit Renshaw croit qu'il s'agit de ce qu'on appelle un wombat. »

Un wombat ? Ça n'avait pas l'air d'un nom d'animal. En tout cas, ce n'était pas un chaton, ça, c'était clair comme le jour, vu sa façon de charger et de se débattre. Pour le faire entrer dans le canot où on avait gardé les gorets, ils durent s'y mettre à trois, se gênant les uns les autres et se prenant les pieds dans la bâche. Ensuite on examina tout à loisir notre premier monstre australien. Il n'avait rien d'un masto-donte et était doté de pattes tout à fait ridicules, courtes et épaisses, mais la forme du corps évoquait la puissance : on aurait dit un roc faisant le gros dos. Son comportement suggérait la même dureté. Sous notre regard, il n'arrêta pas de se défoncer la tête contre la paroi du canot, presque comme si ça l'amusait.

« C'est une sorte de blaireau, pas vrai ? » demandai-je au moment où le canot fut ébranlé une fois de plus. La taille correspondait, bien que sa tête ressemblât davantage à celle d'un ourson.

« Quelque chose dans ce goût-là, reconnut Brew. Il détalait vers son terrier quand je l'ai coincé. »

De toute façon, il serait plutôt le bienvenu, vu qu'à Port Phillip on n'avait pas eu le temps d'acheter des animaux.

« On va demander à Quayle de nous montrer ce qu'il donne, accompagné de biscuits de mer. »

Après quoi je pensai que ce ne serait pas une mauvaise idée de jeter un coup d'œil sur cette île de Flinders et de surveiller les gars pendant qu'ils chargeaient les barriques, et laissai Mylchreest garder le bateau.

## Le révérend Geoffrey Wilson. Décembre 1857

Le Dr Potter n'ayant jamais montré jusqu'à présent le moindre intérêt pour cette île, il était difficile de ne pas se poser de questions au sujet de ce brusque besoin de la visiter. Il affirma qu'elle avait servi de refuge aux aborigènes de Tasmanie et que, parmi les vestiges de l'établissement, il trouverait peut-être des éléments intéressants pour ses recherches. Je ne pouvais cependant m'empêcher de penser qu'il s'agissait là d'une excuse pour nous retarder un peu plus. En fait, je craignais qu'il n'essayât de nous faire jeter l'ancre à chaque baie déserte et devant chaque rocher inhabité entre Port Phillip et Hobart. Le plus agaçant était que, comme Kewley ne prenait guère la peine d'écouter mes objections, pourtant solidement argumentées, j'étais inévitablement conduit à supposer que Potter avait, d'une manière ou d'une autre, réussi à le faire passer dans son camp. Les Mannois étant très friands d'or, cela ne semblait pas impossible.

Le médecin montrait beaucoup de zèle dans son rôle d'explorateur et, une fois la chaloupe mise à l'eau, il ordonna à Hooper, son valet, de remonter l'une de ses nouvelles caisses de la soute afin qu'il y range les « objets » qu'il allait, selon lui, découvrir. C'en était vraiment trop... Au moment où la chaloupe nous transportait vers le rivage, une pensée me traversa l'esprit. Et si je parvenais à prouver que le médecin s'évertuait simplement à nous faire perdre notre temps ? Il serait pris à son propre piège, et cela enlèverait au capitaine toute excuse pour nous retarder davantage. De plus, cela me fournirait même une raison de l'écarter complètement de l'entreprise, perspective qui me plaisait de plus en plus – dans le seul intérêt de l'expédition –, son comportement se faisant de plus en plus malveillant. La tâche était malaisée, j'en étais bien conscient, car prouver que quelqu'un *ne fait pas* une chose est beaucoup plus difficile que de montrer qu'il la *fait*, je n'en étais pas moins persuadé qu'il fallait tenter l'opération.

Pour mener à bien cette importante affaire, me dis-je, il serait utile de recruter Renshaw comme assistant et témoin. C'est pourquoi, dès que l'équipage du bateau se fut égaillé dans la nature pour chercher de l'eau douce et que Potter et son serviteur se trouvèrent hors de portée d'oreille, je m'efforçai de lui expliquer mes projets. Perché de manière quelque peu ridicule sur l'un des étranges rochers semblables à des yeux gigantesques près desquels nous avions abordé, le botaniste refusa obstinément de coopérer.

« Je n'ai pas l'intention de jouer les espions pour qui que ce soit », affirma-t-il d'un ton morne, comme si son refus était une preuve d'admirable vertu.

Puisqu'il était vain de continuer d'essayer de le convaincre, je fus bien forcé de suivre seul les deux hommes. Bien qu'ils eussent complètement disparu, il paraissait assez simple de leur emboîter le pas puisqu'il n'y avait qu'un sentier en vue, une ancienne piste envahie par la végétation. Après avoir parcouru quelques centaines de mètres, j'aperçus plusieurs bâtiments en brique et me retrouvai au milieu d'une colonie abandonnée. Cela semblait avoir été un lieu assez minable. Au centre s'élevait une rangée de constructions mal bâties, pareilles à des taudis, et je supposai qu'il devait s'agir là de maisons d'habitation si, comme l'affirmait Potter, l'endroit avait servi de réserve aborigène. Je jetai un coup d'œil à l'intérieur de l'une d'elles, mais n'y vis que des fientes d'oiseaux et quelques vieux chiffons. Pas le moindre signe des « objets » évoqués par le médecin.

Plus intéressant fut pour moi le bâtiment d'en face. De bonne taille, solidement construit, il se dressait fièrement, le toit et les murs en excellent état, et avait peu subi les ravages du temps ni des éléments. Seule la porte, pivotant sur ses gonds et claquant sans répit dans le vent, suggérait que l'édifice était abandonné. Dès que j'y pénétrai, je devinai qu'il s'agissait sans doute de la chapelle de la colonie. Elle possédait une légèreté et une dignité qui contrastaient puissamment avec les sinistres constructions en vis-à-vis. Quand on se rappelait que les aborigènes de Tasmanie avaient en grande partie disparu, il était agréable de penser que, quelles qu'aient pu être leurs souffrances, certains avaient trouvé du réconfort dans l'éclatante lumière de la foi.

Ce ne pouvait être pure coïncidence qu'à peine ressorti à l'air libre, tout ragaillardi par cette heureuse pensée, j'entrevisse, clairement visibles dans le sol boueux, les empreintes de pas de deux personnes, de toute évidence récentes. Tout heureux, j'entrepris de les suivre, déployant des trésors de précautions pour éviter de révéler ma présence avant d'avoir pu observer ma proie. Les empreintes s'éloignaient de la colonie pour pénétrer dans les bois. À cet endroit, toutefois, un mince tapis de feuilles tombées des arbres argentés les rendait de plus en plus difficiles à distinguer, m'obligeant à deviner, par les intervalles entre les arbres, si un sentier s'amorçait. Je découvris bientôt que j'avais perdu la piste, mais continuai d'avancer sans me décourager. Je souffrais de la chaleur, désormais, et j'étais en outre incommodé par une nuée de mouches et de moustiques, bourdonnant de manière horripilante et sans discontinuer autour de ma tête, insensibles aux grands gestes que je n'arrêtais pas de faire pour les chasser.

Ce fut d'ailleurs le harcèlement de ces insectes qui joua un grand rôle dans les ennuis que j'étais sur le point de connaître. J'étais parvenu à la moitié d'une pente de terre souple, assez raide en fait, quoique cela ne me gênât pas beaucoup. Comme je faisais à nouveau un grand geste circulaire pour chasser les insectes, le sol se déroba soudain sous moi et je me mis à dévaler la pente. En vain tentai-je de me raccrocher à la végétation et, comme je passai tout près d'une grosse souche d'arbre, il me sembla tout à fait naturel de projeter mes jambes en avant pour arrêter ma chute. Cette manœuvre s'avéra fort efficace mais je n'en sortis pas indemne. J'eus la sensation que mon pied, qui avait perdu désormais sa chaussure, ne heurtait pas seulement la souche mais s'y enfonçait et disparaissait dans une sorte de creux. Si c'était déjà assez inquiétant comme ça, ce n'était rien en comparaison de ce qui allait suivre. Malheureusement inconscient de mes nouvelles blessures, je tâchais de me remettre debout et de dégager ma jambe, lorsque je ressentis, tout près du gros orteil, un atroce élancement de douleur.

Bien que mon arrivée en Tasmanie fût toute récente, grâce à mes lectures je connaissais l'existence des terribles bêtes infestant ce pays et dont la morsure était mortelle. Apparemment il n'y avait guère d'araignée, de crustacé ou de serpent qui ne fussent capables de tuer. J'étais donc absolument persuadé d'avoir subi une morsure venimeuse et que le poison était déjà en train de se répandre dans mon corps vulnérable. Vrai, je sentais déjà un terrible engourdissement gagner vivement mon pied, ma jambe et monter jusqu'à mon torse. Mon cœur battant la chamade, j'extirpai mon pied de la souche dont je scrutai l'intérieur, mais le creux était trop sombre pour y apercevoir la moindre trace de mon assaillant. Entendant un léger bruissement, je me reculai, de crainte d'être à nouveau attaqué. Je tentai de me relever mais, pris d'étourdissements, je m'affalai sur le sol, m'efforçant de ne pas perdre connaissance.

C'est pendant ces moments atroces, alors que je luttais littéralement contre la mort, qu'à mon extrême stupéfaction je sentis une profonde paix envahir tout mon être. Couché à côté de l'arbre, je sombrai dans une sorte de torpeur, un état à mi-chemin entre le sommeil et l'éveil, et j'eus la sensation d'être témoin de ce que je ne peux décrire que comme une vision onirique. J'avais sous les yeux un essaim d'angelots, leurs petites ailes battant de manière tout à fait charmante, chacun d'entre eux me faisant un radieux sourire et me saluant de ses menottes potelées. Puis, alors que je les contemplais, émerveillé, ils semblèrent soudain devenir tout tristes et se renfrogner.

Suivant leur regard, je vis ma chère et fidèle épouse, assise dans une pièce sombre, le visage couvert de larmes silencieuses. Une lettre ouverte était posée à côté d'elle. Survint alors un nouveau changement de décor. Quel était cet étrange pays que je découvris ensuite, ses murs de roche brillante, sa merveilleuse verdure ? Je compris que c'était l'Éden que j'avais sous les yeux. Mais, cette fois-ci, je n'entendis aucune voix monter des fleurs et des fougères pour m'inviter à continuer ma route, et un vent glacial balayait cet endroit oublié. Le pire était à venir. Tout à coup je me retrouvai au cœur d'un immense amphithéâtre plein de visages innocents, avides de conseils. Et sur l'estrade trônaient mes ennemis dans la guerre des lettres : une rangée de géologues athées, le visage rayonnant d'un affreux triomphe.

Je sentais que je reprenais conscience, tout à fait comme si j'avais perdu connaissance. Priant en silence, je demeurai quelques instants près de la souche et, d'une façon inexplicable, je sus que mes prières seraient bel et bien exaucées. Je tentai à nouveau de me remettre sur pied. Cette fois-ci, miraculeusement, j'y parvins, comme si une puissante main était venue à ma rescousse. Je fis un petit pas, m'arrêtai. J'en fis un autre. Je ressentis une douleur. En plus de ma blessure, la plante de mon pied nu était sensible au moindre caillou tranchant et à la moindre plante piquante. Mais je poursuivis mon chemin. J'avançais à cloche-pied pendant que l'obscurité m'enveloppait, cherchant à m'attirer par ses terribles séductions. Je repoussai l'obscurité. Je progressai mètre par mètre, puis plus vite. Je commençais à espérer avoir au moins la force d'atteindre la colonie où je pourrais être découvert et enterré chrétiennement, au lieu de demeurer perdu à jamais et d'être dévoré par des bêtes féroces. Cela sembla durer une éternité, mais finalement je distinguai en effet à travers les arbres les constructions de la colonie. Alors je laissai mes espoirs croître follement et atteindre le débarcadère où, sûrement, je trouverais quelqu'un. Je persévérai. Le désespoir menaça derechef, et derechef je l'écartai. À chaque mètre gagné, je remerciai le Seigneur et Le priai de me donner la force de parcourir le suivant. Puis, ô merveille ! en titubant, tout soudain je découvris la mer.

### Timothy Renshaw. Décembre 1857

Il n'y avait pas grand-chose à faire sur ce rivage, sous ce soleil brûlant malgré le vent, et au bout d'un certain temps, fatigué de regarder les vagues et les oiseaux marins, je sentis l'ennui me gagner. Je m'allongeai un moment sur le débarcadère mais ça ne servit absolument à rien, à cause des Mannois qui n'arrêtaient pas de trimbaler des barriques d'eau ou de faire un raffut de tous les diables à propos du wombat – un animal ridicule, aux yeux vitreux – qu'avait attrapé Brew. Alors je finis par aller à la plage. Il n'y avait que des galets, néanmoins comme ils étaient assez polis, et surtout secs, je déblayai un bon espace et me fis même un oreiller. Les pierres sont malcommodes, et j'eus du mal à me fabriquer une couche confortable, mais finalement j'y réussis plus ou moins, du moment que je résistais à l'envie de me retourner. J'étais, en fait, sur le point de m'assoupir gentiment quand j'entendis des pas et juste après les cris à réveiller les morts de Wilson qui hurlait qu'un serpent l'avait mordu. Il était en piteux état, je dois dire. Ayant perdu une chaussure, il claudiquait pitoyablement, une jambe de son pantalon était déchirée tandis que la saleté et la boue le recouvraient de la tête aux pieds. Son visage était on ne peut plus livide.

« Il ne me reste plus longtemps à vivre », bégaya-t-il.

C'était d'autant plus bouleversant que je l'avais toujours considéré comme un vieux raseur. Mais lorsqu'un type vous raconte qu'il va mourir, on ne peut guère s'empêcher de se reprocher de ne pas l'avoir assez aimé.

« Où est le médecin ?

— Je n'en sais rien. (Il écarta tout éventuel secours d'un geste de la main.) De toute façon, je crains qu'il ne soit déjà trop tard. Conduisez-moi simplement jusqu'au bateau, que je puisse trouver le repos. »

Rien de plus simple à faire en apparence, mais les choses ne se passèrent pas aussi aisément. J'aidai Wilson jusqu'au débarcadère où Kewley dirigeait ses hommes, mais bien que la terrible nouvelle parût le consterner le capitaine ne montra pas vraiment beaucoup de compassion.

« Il est impossible de regagner le bateau maintenant, affirma-t-il, on n'a pas fini d'apporter l'eau. »

Déclaration fort peu charitable et tout à fait injustifiée, même si le pasteur l'avait beaucoup importuné par le passé. Wilson le prit très mal.

« Je crains que mon heure ne soit proche », gémit-il en lançant un regard accusateur.

Mis au pied du mur, le capitaine accepta, à contrecœur, il est vrai, de nous faire reconduire dans la chaloupe. Mais son insensibilité ne s'arrêta pas là. À mi-chemin, alors que je m'efforçais d'aider le malade à s'installer confortablement, il nous enjamba soudain sans ménagement pour gagner l'avant de l'embarcation et interpeller le marin resté à bord, poussant des cris de plus en plus stridents jusqu'à ce que Mylchreest, le commis aux vivres, lance enfin une réponse. Et, au moment où nous accostâmes la *Sincérité*, loin de faire l'effort de nous aider à transporter Wilson, il grimpa à bord à toute vitesse, marmonnant qu'il allait chercher des médicaments – il ne rapporta que quelques chiffons crasseux qu'il qualifia pompeusement de bandages.

Bien que j'eusse proposé au pasteur blessé de l'aider à descendre dans sa cabine, il insista pour rester sur le pont afin, je le cite, de « contempler les cieux ». Je l'aidai de mon mieux, lui montai quelques oreillers pour qu'il fût un peu plus à l'aise, ainsi que la feuille de papier et la plume qu'il avait réclamées pour griffonner ses dernières instructions au sujet de notre expédition. Adossé au grand mât, il était tout à fait dans la posture de Nelson à Trafalgar. Son visage ayant déjà repris quelques couleurs, je lui en fis la remarque, dans l'espoir que cela pût le réconforter.

« Les ténèbres ont peut-être un peu reculé, murmura-t-il avec un brave sourire, mais je crains qu'elles ne tardent pas à revenir. C'est un vrai miracle que j'aie été maintenu en vie si longtemps. Force m'est de croire que je suis l'objet d'une grande bienveillance. »

Sûr qu'on devait pouvoir faire quelque chose, je me creusai la cervelle pour me rappeler ce qui pouvait servir d'antidote aux effets d'une morsure de serpent.

« J'ai entendu dire qu'on devait découper la chair autour de la plaie. »

Wilson secoua la tête.

« J'ai peur que le venin ne se soit déjà propagé.

— Peut-être que vous devriez l'aspirer en suçant la plaie », suggéra Quayle, le cuisinier.

Le pasteur sembla davantage approuver cette solution.

« Je suppose que ça vaudrait la peine d'essayer », fit-il d'une voix faible, tout en s'épongeant le front avec un mouchoir.

Comme il fallait d'abord nettoyer le pied, si sale que je n'arrivais même pas à voir la plaie, je demandai à Quayle de remplir un seau d'eau douce et de trouver un morceau de tissu fin. Je me mis au travail en déployant moult précautions, mais – bien qu'il arborât un air de courage à toute épreuve –, chaque fois que je le touchais, le pasteur tressaillait en poussant une sorte de couinement. Ce qui se passait ailleurs sur le pont ne me facilitait pas la tâche. Quoiqu'il eût ordonné à tout le monde de ne pas faire de bruit afin que l'homme d'Église pût trouver quelque repos, le capitaine ne se gêna pas pour enguirlander bruyamment le commis aux vivres, dans un mélange d'anglais et de manx, apparemment pour s'être endormi au lieu de monter la garde. À peine avait-il cessé cette invective qu'il recommença de plus belle, le sujet de l'engueulade étant cette fois-ci le fameux wombat, lequel, après avoir, semblait-il, défoncé la paroi du canot où on l'avait placé, s'était fait la belle et avait sans doute regagné le rivage à la nage.

« J'ai bien entendu les coups qu'il donnait, reconnut Mylchreest, mais est-ce que je pouvais deviner qu'il arriverait à défoncer le canot à ce point ?

— Si les ténèbres m'engloutissent, déclara le pasteur, visiblement agacé par l'incessant raffut, me promettez-vous deux choses ?

— Bien sûr. »

Ayant enlevé toute la saleté, je pouvais maintenant clairement distinguer ses blessures. En fait je fus surpris qu'elles ne fussent pas plus graves, car il ne s'agissait que d'une série de minuscules entailles, causées à mon avis par les cailloux sur lesquels il avait marché. Son pied était très vulnérable, presque aussi délicat que celui d'une femme. Quant à la morsure proprement dite, elle était fort petite. Mais il est vrai, supposai-je, que les dents d'un serpent doivent être toutes petites.

« En premier lieu, je souhaiterais que vous alliez voir ma femme pour lui remettre la lettre que voici. »

J'étais sur le point de tenter d'aspirer le venin de la morsure lorsque l'un des Mannois s'écria :

« Là-bas sur le débarcadère... y a le docteur et son valet ! »

Il me parut plus sage d'attendre le médecin. On envoya immédiatement la chaloupe, et peu après Potter grimpait sur le pont, son domestique peinant derrière lui.

« Une morsure de serpent ? s'exclama-t-il avec un certain intérêt. Je ne peux pas dire que je connaisse bien ce domaine, mais je vais faire de mon mieux. » Il prit ma place près du pied de Wilson. « Le membre est-il encore sensible ?

— Très peu. »

Je fus quelque peu étonné de la réponse, vu qu'il avait tressailli et gémi chaque fois que je l'avais touché.

« Voyons... » Là-dessus, le médecin se mit à le pincer un peu partout, d'abord au genou, puis au mollet, à la cheville, et enfin au pied lui-même, ce qui provoquait chaque fois un léger glapissement de la part du patient. Potter eut l'air perplexe.

« Avez-vous vu de quel serpent il s'agissait ?

— Je n'ai rien vu du tout, répondit le malade avec une légère impatience. L'animal était caché dans une souche d'arbre. Autant que je sache, il est possible que ç'ait été une araignée venimeuse. C'est un vrai miracle que je sois encore en vie.

— Je vois. » Potter examina le pied. « Il n'y a aucune enflure visible, à part quelques égratignures insignifiantes. Quant à la piqûre proprement dite... » Il souleva le pied afin de l'examiner plus commodément. « Ça ne ressemble guère à l'empreinte laissée par des crochets. »

Entre-temps, l'équipage s'était attroupé autour de nous.

« Alors, qu'est-ce que c'est ? » m'enquis-je.

Potter réfléchit quelques instants.

« Un rongeur quelconque ? » Il scruta le pied à nouveau. « Un genre de souris, peut-être. »

L'un des marins émit un léger ricanement. Je l'aurais bien imité si je n'avais été plutôt furieux d'avoir été poussé à montrer tant de compassion. Tous ces gémissements et ces demandes de coussins m'avaient complètement berné. Dire que j'avais failli sucer un poison imaginaire !

Cela va sans dire, Wilson affirma avec force que Potter était totalement dans l'erreur.

« La douleur était si forte qu'elle n'a pu être causée que par du venin, déclara-t-il d'un ton grandiloquent. Lorsque la vie s'échappe de soi, on s'en rend parfaitement compte. »

Il n'en démordit pas de toute la journée. Durant plusieurs heures, tandis que l'équipage préparait le bateau, qu'on relevait l'ancre et qu'on reprenait la mer, il resta affalé sur ses oreillers près du grand mât. Puis il harcela le menuisier jusqu'à ce que celui-ci lui fabrique une canne, grâce à laquelle il se mit sur pied – avec de nombreuses simagrées – et commença à avancer en claudiquant tout en nous lançant des regards pleins de reproche. Dès le lendemain après-midi, cependant, je notai qu'il s'autorisait à marcher sans le moindre support. Autant qu'il m'en souvienne, après ça, il ne souffla plus mot ni d'araignées ni de serpents.

## Le capitaine Illiam Quillian Kewley. Décembre 1857

Après l'île de Flinders, le vent du nord continua à souffler, nous poussant allégrement. Nous aperçûmes la terre de Van Diemen, ou Tasmanie – quel que fût le nom qu'elle se donnait maintenant – le soir même. Qu'elle avait l'air désolée et sinistre, avec sa longue montagne plate comme un mur ! Les Anglais montèrent tous sur le pont pour contempler le paysage, le Dr Potter faisant des tas de plaisanteries et montrant du doigt tel ou tel endroit, tandis que le révérend ne desserrait guère les dents, toujours très vexé, apparemment, d'avoir été chahuté à cause de sa fameuse souris. Personnellement, j'étais très reconnaissant à l'animal de nous avoir procuré le premier moment d'hilarité depuis que la moitié de l'équipage avait déserté le navire à Port Phillip. Pas une heure ne passait sans que quelqu'un ne parle en manx des *lonnags* – le terme marin correct pour désigner les souris –, en particulier si, le révérend se trouvant sur le pont, on pouvait le faire sous son nez.

Tôt le lendemain matin, on contourna un cap de la côte nord-est de la Tasmanie et à partir de là on fila directement vers le sud. Le vent était le plus favorable qu'on ait eu depuis qu'on avait quitté Maldon, léger mais égal, et soufflant presque droit en poupe, agréablement réchauffé par toute cette Australie qu'il avait balayée. Me rendant compte que les hommes avaient bien besoin de distraction, je décidai de montrer ce dont le bateau était capable. Les grands-voiles et les huniers étaient déjà déployés, ainsi que les focs et autres voiles ordinaires, mais il en restait encore pas mal, et je fis déferler le cacatois et les ailes-de-pigeon, ce qui donna un bel essor à la *Sincérité*. Je pensais qu'elle pouvait faire encore mieux et, me sentant d'humeur aventureuse, j'enjoignis aux hommes de commencer à mettre aussi les bonnettes. Dans le meilleur des cas, les bonnettes sont créatures peu commodes, perchées de chaque côté comme des miséreux qui s'accrochent à une diligence pour se faire transporter gratis, et, vu que le bateau filait déjà à vive allure, il y eut parmi nous des regards inquiets lorsque, l'une après l'autre, elles furent hissées avec leurs bouts-dehors et mises en place. Bien que Brew et Kinvig n'aient pas ouvert la bouche, ils avaient l'air de craindre que les voiles n'éclatent et ne tombent en lambeaux, que d'un moment à l'autre les espars ne se cassent comme du bois d'allumette. J'avais assez bien évalué la force du vent et, malgré les mâts tordus presque comme des arbres dans la tempête, l'ensemble tint le coup. L'équipage alla même jusqu'à lancer des vivats.

C'était la première fois qu'on faisait naviguer la *Sincérité* toutes voiles dehors, et elle offrait un beau spectacle. Malgré son nez aplati elle sautait de vague en vague, comme si elle s'apprêtait à s'envoler pour de bon, tandis que la mer rugissait sous l'étrave et que les flots balayaient le gaillard d'avant comme un fleuve en crue. J'avais mis deux hommes à la barre rien que pour qu'elle garde l'équilibre, et l'un d'eux faillit être envoyé dinguer jusqu'au milieu du pont. Le vent ne changeant pas, je la gardai ainsi toute la journée, et toute la nuit aussi, et on fila plus vite que n'importe quel sale vapeur. Le lendemain matin, le vent s'étant mis à virer un rien à l'ouest, je pensai qu'il valait mieux marquer le pas et amener les bonnettes. C'est en fait juste au moment où les hommes accomplissaient cette manœuvre que, l'air interrogateur, Potter monta sur le pont.

« Je vous alerte probablement pour rien, capitaine : il y a un bruit étrange dans la cabine. Ça peut sembler bizarre, mais on dirait presque que ça vient de la charpente de la coque. »

Dès que j'entendis les mots « la charpente de la coque », je flairai les ennuis. D'un seul coup, je me mis à regretter d'avoir poussé la *Sincérité* à ce point, les mouvements du bateau avaient dû ébranler l'empilement des fûts qui crissaient et cognaient les uns contre les autres.

« Je suis sûr que c'est rien ! lui affirmai-je d'un ton aussi léger que possible, tout en indiquant d'un geste à Brew que je descendais. Mais je vais y jeter un coup d'œil. »

Dans sa cabine, assis sur sa couchette, le révérend lisait un ouvrage de théologie, l'air trop important pour se laisser inquiéter par des bruits. Toujours vexé après l'histoire de la souris, il m'accorda à peine un regard. Renshaw, au contraire, très intrigué par le bruit mystérieux, était accroupi par terre, l'oreille collée à la paroi.

« Je viens tout juste de l'entendre. »

Je m'installai à côté de lui. Le bateau continuant ses folles embardées, je craignais d'entendre les fûts grincer à qui mieux mieux, mais je ne perçus aucun bruit. Je me pris à espérer que tout ça était le fruit de l'imagination d'Anglais qui se font du tracas pour rien.

« Le revoilà ! s'exclama Renshaw, tout fiérot. Juste au-dessous de nous, tout près de la coque. »

Je perçus le bruit après avoir écouté attentivement. Et c'était un drôle de bruit, une sorte de léger grattement, en fait.

« Pensez-vous qu'il pourrait s'agir de quelque insecte tropical qui ronge les planches ? demanda Potter.

— Ça m'étonnerait beaucoup. »

J'étais aussi perplexe que lui. Je ne savais pas grand-chose des bestioles des mers chaudes mais le bois de la charpente était d'une impeccable propreté, sans le moindre trou. Des vers auraient laissé des marques.

Renshaw éclata de rire.

« On dirait presque que juste au-dessous de nous il y a une énorme bête en train de se gratter les puces. »

Je l'imitai, poussant un franc et joyeux éclat de rire, car une pensée terrible venait de me traverser l'esprit.

« Je suis sûr que c'est rien de grave, les rassurai-je, d'une voix aussi sereine que possible. Sans doute s'agit-il du bruit de la mer baignant les flancs du bateau.

— Des courants contraires ? » s'enquit Potter.

J'eus un moment de frayeur, craignant qu'il n'ait tout vu, absolument tout, mais non, il parlait sérieusement. Vraiment, la stupidité des Anglais est insondable, surtout celle des savants. Je poussai un soupir de soulagement et remerciai les cieux.

« C'est ça, les fameux courants... », affirmai-je pour abonder dans leur sens, et, doux comme des agneaux, ils hochèrent tous les deux la tête.

Après quoi, il ne me restait plus qu'à attendre aussi tranquillement que possible. Je patientai tout l'après-midi, tâchant d'écarter mes craintes d'entendre des cris de bête monter soudain des entrailles de la *Sincérité*. Au dîner, je fis tout pour que les Anglais ne traînent pas à table, en leur infligeant une ennuyeuse discussion avec Brew sur les prix pratiqués à Peel, à tel point que je fus moi-même sur le point de m'assoupir. Malgré ça, j'eus l'impression qu'ils mettaient une éternité à décamper. J'attendis d'entendre leurs ronflements, puis me mis au boulot. Brew resta sur le pont à surveiller le bateau, tandis que pour m'aider j'emmenais Mylchreest et Kinvig. Je tirai sur le fameux cordon au-dessus de la porte de l'office, tout en bousculant quelques bocaux pour couvrir le bruit. Puis, direction le panneau descellé au fond de la cambuse et les câbles qu'il dissimulait. Ensuite, je postai Kinvig sur les marches, le chargeant de monter la garde au cas où l'un des passagers se serait mis à se balader dans le bateau. Enfin, je fis pivoter la trappe sous les bustes de Victoria et d'Albert, pris la lampe et jetai un coup d'œil.

Et, en effet, à une dizaine de mètres à l'intérieur se trouvait le wombat, plissant les yeux à cause de la lumière. Il avait dû descendre piane-piane, pendant que Mylchreest ronflait, et se dire que la porte s'ouvrait sur un splendide nouveau terrier. Il s'était fabriqué une sorte de nid avec des balles de tabac et semblait d'ailleurs en avoir également consommé. Il n'aurait pu choisir meilleur endroit : exactement sous la couchette du révérend. Ébloui par la lumière, dans un bruissement affreusement sonore, l'animal recula jusqu'au fond. Ce qui suffit à me faire refermer le panneau à toute vitesse sans demander mon reste.

Joli petit casse-tête. Si on le laissait là, il ferait tôt ou tard sans doute un bruit qui éveillerait la curiosité de ces idiots d'Anglais. Si on pénétrait dans son gîte pour tenter de l'attraper, ça causerait un tel boucan qu'on aurait aussi vite fait d'appeler les passagers pour qu'ils assistent en personne au spectacle.

« Et si on le faisait sortir pendant la journée, à un moment où tous les Anglais sont sur le pont ? » suggéra Kinvig.

Ce serait plutôt risqué.

« On ne peut pas être certains qu'ils resteront là-haut. Surtout si l'animal se met à hurler, par exemple.

— Le mieux serait de patienter jusqu'à ce qu'on arrive à Hobart, dit Mylchreest. On n'en est plus très loin maintenant. »

Ça paraissait encore pire, comme solution.

« Et les douaniers ? Ils vont sûrement nous fouiller, et s'ils entendent des grattements de l'autre côté de la cloison on est cuits. »

Leurs suggestions me furent quand même utiles, en un sens, car rien ne vous aide à prendre une bonne décision comme d'entendre les idioties proférées par les autres.

« Il nous faut juste un petit endroit bien tranquille où on puisse mouiller un jour ou deux et envoyer les Anglais se balader à terre comme ça s'est passé à Flinders. »

Kinvig n'en menait toujours pas large.

« Vont pas aimer ça. Wilson a gueulé comme un putois quand on s'est arrêtés là-bas.

— Il ne bronchera pas s'il croit que le bateau risque de couler avec lui, rétorquai-je. Potter pense qu'il y a des bestioles dans la charpente. Il a peut-être raison, d'ailleurs, des bestioles sacrément dangereuses, qui plus est. Oui, à mon avis, on a intérêt à jeter l'ancre pour tout fouiller à fond. »

Je demandai à Mylchreest d'aller chercher la carte et, après l'avoir étalée sur la table et étudiée avec soin, je ne pus m'empêcher de penser que la chance nous souriait enfin. Juste à quelques milles à l'écart de l'itinéraire prévu se trouvait un petit port apparemment très bien protégé. Quant aux colonies de peuplement, aucune n'était signalée avant de nombreux kilomètres, ce lieu isolé étant situé tout au bout d'une énorme péninsule en forme de grande main pendante.

« On peut pas rêver mieux... Je vais nous tracer un itinéraire. »

## Timothy Renshaw. Décembre 1857

Je fus réveillé aux aurores par le vacarme d'un bateau accostant la *Sincérité*, suivi d'un martèlement de bottes sur le pont. Comme si ça ne suffisait pas, Potter et Wilson sautèrent alors à bas de leur couchette et se mirent à s'habiller en faisant force bruits. N'étant pas curieux de nature, je ne bougeai pas malgré tout. Si c'était important, je l'apprendrais tôt ou tard, et s'il s'agissait de quelque chose d'horrible – une bande de pirates tasmaniens, par exemple –, je préférais demeurer dans l'ignorance le plus longtemps possible. Ayant placé soigneusement l'oreiller sur ma tête de manière à ne pas entendre sans que ça m'empêche de respirer cependant – opération minutieuse exigeant une grande habileté –, j'étais sur le point de me réendormir paisiblement quand j'entendis qu'on mouillait l'ancre. On n'aurait pu imaginer pire, en vérité, pour mettre à vif les nerfs d'un pauvre type, avec le raffut des chaînes qui claquaient, les grincements et les trépidations. Définitivement arraché au sommeil, je me résignai à me lever pour commencer la journée.

En émergeant sur le pont, je découvris un étrange spectacle : une dizaine de soldats en veste rouge se tenaient appuyés sur leurs longs fusils dans l'attitude particulière aux militaires, pendant que l'officier parlait au capitaine Kewley – ou plutôt l'apostrophait.

« J'ai vraiment beaucoup de mal à vous croire ! »

Kewley n'avait pas du tout l'air content, malgré son sourire figé.

« Mais c'est la pure vérité, lieutenant, absolument. »

Jetant un coup d'œil sur le rivage, je me demandai un instant si nous étions arrivés à Hobart, bien que cela parût beaucoup trop tôt. En face, de l'autre côté d'une petite baie étroite, se trouvait une agglomération, fort importante qui plus est. Quoiqu'elle eût la taille d'une ville, elle n'en présentait pas tout à fait l'allure et, en y regardant de plus près, je constatai qu'il n'y avait là presque aucune maison digne de ce nom, seulement des dizaines de hangars et d'ateliers, à ce qu'il semblait. Au centre se dressait un énorme bâtiment de pierre percé d'innombrables rangées de fenêtres carrées qui avait l'air d'une fabrique de textile. Tout évoquait en fait une sorte de ville industrielle militaire.

« Où sommes-nous ? demandai-je à Kinvig, debout à deux pas, plus loin.

— À Port Arthur. »

Je suppose que j'aurais dû le deviner. J'apercevais maintenant les soldats en train d'arpenter la rive d'un pas martial et les groupes de bagnards, le dos courbé dans leur lugubre uniforme. Aussi fut-ce avec un regain d'intérêt que je contemplai ce lieu au nom si sinistrement familier, synonyme de cruauté et de rachat. Port Arthur : ces deux mots avaient été efficacement employés par des dizaines de mères de l'autre côté de la Terre pour menacer les enfants indociles.

Je vis alors que le capitaine Kewley tenait en main ce que je devinai être une carte de Tasmanie.

« Nous sommes ici, déclara-t-il en désignant un lieu sur le feuillet claquant au vent. Vous voyez ? Il n'y a absolument rien de marqué à cet endroit. »

L'officier ne parut pas impressionné.

« Vous voulez dire que vous l'avez utilisée pour vous orienter ?

— Ça ne nous a pas trop mal réussi jusqu'à présent. » Kewley avait l'air déconcerté.

L'officier le prit de haut.

« Je crois qu'il vaut mieux que vous veniez à terre pour vous expliquer devant le commandant. »

Cette déclaration poussa Wilson à intervenir.

« Je ne puis croire que ce soit réellement nécessaire, lieutenant. Puis-je vous rappeler que cette expédition est de la plus grande importance et que le temps nous est compté ? »

Le capitaine Kewley rayonnait. L'intervention sembla cependant produire l'effet contraire de celui qu'avait prévu le pasteur.

« Très bien, répliqua sèchement l'officier. Venez donc vous aussi. »

Je me retrouvai inclus dans l'invitation. Bien que je n'eusse rien à me reprocher, j'éprouvai une certaine appréhension pendant que, sous le regard vigilant des soldats, le canot nous transportait vers cette énorme machine à punir. Sans être le moins du monde en état d'arrestation, nous n'avions pas le sentiment d'être libres, tandis qu'on nous conduisait – pour ainsi dire manu militari – le long de la plage de sable ocre. Je ne pus m'empêcher d'éprouver quelque compassion à l'égard de ces malfaiteurs qui, saisis par la peau du cou, s'étaient retrouvés soudain déposés en ce terrible lieu.

Le commandant militaire de l'établissement était tout en barbe et moustaches militaires frisées.

« Il n'est pas fréquent que des visiteurs nous fassent l'honneur de nous rendre visite à l'improviste, nous informa-t-il d'un ton sec. Ma

curiosité ayant été fort piquée, j'espère que vous ne verrez pas d'incon-
vénient à ce que nous effectuions une petite fouille de votre bateau. »

Des inconvénients, le capitaine Kewley, lui, en voyait.

« À quoi bon ? Qui pourrait oser introduire subrepticement quelque
chose dans une ville-prison comme celle-ci ? »

Le commandant le regarda avec étonnement.

« Ce qui nous préoccupe n'est pas tant ce qu'on pourrait y introduire
que ce qu'on pourrait en faire sortir. Ou plutôt "qui"... » Il nous fixa
d'un air à la fois nonchalant et menaçant.

« La fouille ne devrait prendre qu'une heure ou deux. Sauf, bien sûr,
si l'on découvrait quelque chose d'intéressant. »

Pendant l'attente, l'officier donna des instructions au capitaine
James, un homme alerte, portant lunettes, pour qu'il nous fasse faire à
tous les trois – Kewley ayant insisté pour être présent pendant la fouille
de la *Sincérité* – une visite guidée du lieu. La sinistre perspective me
séduisit quelques instants, mais ma curiosité fut vite dissipée. L'établissement était simplement trop monstrueux. Au fur et à mesure que nous
avancions au milieu des hangars et des casernes, des scènes horribles se
succédaient sous mes yeux de témoin involontaire. Ici, un groupe de
bagnards, le visage durci, que la haine rendait arrogant, les chevilles
marquées de plaies noirâtres à l'endroit où les fers les avaient blessées,
là, un homme occupé à nettoyer des seaux en silence, les déchirures de
sa chemise laissant voir un vaste entrelacs de cicatrices sur son dos.

L'attitude du capitaine James ne contribua pas à arranger les choses.
À en juger par son bagout, il avait déjà fait visiter la colonie à pas
mal de groupes et paraissait prendre plaisir à cette tâche. Chaque détail
concernant un bâtiment, un châtiment, suscitait en lui la sorte de satisfaction qu'affiche un collectionneur montrant ses papillons soigneusement épinglés un à un.

« Voici le pénitencier, récita-t-il d'une voix tranquille et monocorde. Tout récemment encore, ce n'était qu'un grenier. Il s'agit du plus
grand bâtiment de Port Arthur, et qui est en outre construit en pierre.
À droite, nous voyons les trépieds utilisés pour retenir les prisonniers
pendant les châtiments, tandis que derrière... »

Étrangement, mes deux compagnons de voyage paraissaient moins
affectés que moi par toutes les marques de cruauté qui nous entouraient. De temps en temps Wilson murmurait : « Quelle tristesse ! » et
d'autres formules de compassion, mais dans l'ensemble il ne semblait
pas très intéressé. Potter, quant à lui, avait l'air de bien s'amuser, écoutant avec une joyeuse attention les descriptions du capitaine James et
posant de nombreuses questions.

« A-t-on essayé d'étudier les traits physiques des criminels qui sont
ici ? Ainsi que leur origine ?

— Pas que je sache. » Le capitaine préférait s'en tenir à son boniment habituel. Il désigna une longue bâtisse dont on s'approchait. « Et voici la prison séparée qui intéresse souvent beaucoup les visiteurs. »

Potter ne se laissait pas si facilement décourager.

« Vous avez peut-être vous-même noté plusieurs traits caractéristiques. Certains crimes sont-ils, par exemple, l'apanage des Écossais, des Irlandais, des étrangers, peut-être ?

— Je crains que ce ne soit pas mon rayon », lui répondit le capitaine d'un ton enjoué. Comme nous étions parvenus devant un élégant bâtiment en pierre de faible hauteur, il ouvrit la porte et nous fit traverser un long couloir. Le silence n'y était rompu que par un étrange gémissement émanant de l'autre bout du couloir. « Les quartiers d'isolement, expliqua notre guide à voix basse, comme si nous venions d'entrer dans une église, abritent les bagnards ayant besoin d'un châtiment plus sévère : pour ainsi dire, la prison dans la prison. C'est un établissement extrêmement moderne, qui emploie les toutes dernières méthodes de régénération morale. Aucun châtiment physique, quel qu'il soit, n'est utilisé ici. »

Après tout ce que j'avais vu jusque-là, je fus soulagé d'entendre ces paroles. Ce que je voulais savoir, c'était pourquoi tous les forçats ne se réfugiaient pas dans ce lieu pour éviter de recevoir le fouet.

« Cela n'a jamais posé de problème. (Le capitaine paraissait un peu déconcerté par ma question.) Le régime d'isolement fait très peur. »

Je compris bientôt pourquoi. Tandis qu'il continuait à nous faire avancer, deux officiers apparurent soudain, sans faire le moindre bruit. Quelque peu surpris, je m'aperçus qu'ils n'avaient pas de chaussures mais des sortes de pantoufles, presque de celles que l'on porte chez soi un dimanche matin. Ils s'arrêtèrent afin de déverrouiller l'une des lourdes portes métalliques s'ouvrant tout le long du couloir. À mon grand étonnement, l'un des deux, jetant un coup d'œil à l'intérieur de la cellule, appela non pas un nom, mais un numéro.

« Dix-sept ? »

Émergea alors un homme vêtu d'une tenue grise. Sur sa veste était cousu un large insigne de cuivre portant le chiffre par lequel on l'avait appelé. Tout aussi curieux, le masque qui lui cachait complètement le visage, au point que ses yeux seuls demeuraient visibles. Des yeux qui nous regardèrent en s'agitant bizarrement au moment où nous passâmes devant lui.

« On l'emmène dans la cour prévue pour les exercices, chuchota le capitaine avec satisfaction. Il y en a quatre, et leur taille... »

Je commençais à détester le son de sa voix, aussi froide et monotone qu'un horaire de chemin de fer.

« À quoi sert le masque ? » l'interrompis-je.

Il me toisa, l'air vexé.

« J'allais y venir, monsieur Renshaw. » Puis il se tourna vers Potter qui, à l'évidence, était désormais son interlocuteur préféré. « Le masque empêche les prisonniers de se reconnaître. Le système protège chaque prisonnier de l'influence des autres pour annihiler, par étapes successives, sa nature criminelle. Comme vous avez pu le remarquer, on n'utilise même pas leurs noms, on ne les désigne que par le numéro de leur cellule. En leur imposant ainsi solitude et silence, on s'assure qu'ils ne subissent que de bonnes influences. »

Il s'agissait en fait d'une existence d'isolement perpétuel. Après quelques semaines de ce régime, une séance de fouet pourrait même être accueillie comme un chaleureux contact humain.

« Les forçats se voient confier du travail, même dans leurs cellules, afin qu'ils en apprennent la valeur. L'aumônier et le maître d'école viennent de temps en temps leur enseigner la morale et leur dispenser le savoir. (Le capitaine James poussa une lourde porte.) En outre, on les emmène là cinq fois par semaine pour leur dispenser des cours d'instruction religieuse. »

Je n'avais jamais vu une telle chapelle. La partie destinée aux fidèles, en pente abrupte à la manière de l'amphithéâtre d'une école de médecine, se divisait en une série de rangées de minuscules stalles, chacune juste assez spacieuse pour contenir un homme debout et séparée par une porte des stalles contiguës.

« Grâce à ce système de stalles, chaque fidèle ne peut apercevoir que l'aumônier, alors que ce dernier peut embrasser l'ensemble du regard, expliqua le capitaine en se rengorgeant.

— Comme c'est ingénieux ! » Apparemment séduit par le lieu, Wilson contemplait le lutrin d'un air songeur. « Le pasteur doit ainsi jouir de toute l'attention de ses ouailles. »

Potter se montra plus pragmatique.

« Le système a-t-il réussi à amender les prisonniers ?

— Il est trop tôt pour le savoir. Certains se sont révélés désespérément réfractaires.

— J'imagine qu'il n'y a eu aucune tentative d'évasion, en tout cas.

— Une seule, admit le capitaine James, à notre grande surprise à tous les trois. Le plan d'évasion a été, semble-t-il, élaboré dans cette même salle, et les prisonniers se sont chanté leur projet pendant les hymnes. Bien sûr, ils ont finalement tous été capturés, et des mesures ont été prises pour empêcher que cela se reproduise. »

Il était étrange de penser à ces hommes, qui depuis des semaines ou des mois ne s'étaient pas vus à visage découvert, en train de chanter leur plan d'évasion à des voisins invisibles. Quels que fussent leurs crimes, on ne pouvait s'empêcher de comprendre leur désir d'échapper à cette impitoyable solitude.

« Quel châtiment leur a-t-on infligé ? s'enquit Potter.

— Nous avons deux pièces appelées "cellules muettes", expliqua notre guide d'un air guilleret. Les murs en sont extrêmement épais et elles sont dotées de plusieurs portes métalliques, si bien que ni la lumière ni le son ne peuvent y pénétrer. Libre au forçat de s'époumoner à qui mieux mieux si ça lui chante, ce sera en pure perte. Quelques jours de ce régime produisent des effets notables, même sur les plus endurcis. »

Il nous reconduisit dans le couloir où l'on entendait le faible gémissement.

« Qui pleure ? demandai-je.

— L'un des fous sans doute. (Pour une fois le capitaine se rembrunit.) Vraiment, on ne devrait pas les mettre ici, le silence en est gravement altéré, mais, bon, il faut bien les loger quelque part... Et leur nombre s'est tellement accru ces derniers temps.

— D'où viennent-ils ? m'informai-je.

— Pas mal d'entre eux viennent des quartiers d'isolement. » Le capitaine nous fit longer le couloir en direction des gémissements qui, comme je m'en apercevais à présent, s'accompagnaient de légers grattements, de cliquetis et de murmures étouffés par les lourdes portes métalliques. « Ils font parfois encore plus de bruit ! C'est vraiment extrêmement dommage. »

Tout à coup, le pasteur, qui avait regardé par le judas d'une des portes des cellules, poussa une sorte de gloussement de plaisir.

« Renshaw, venez voir ça ! »

C'était la première fois qu'il avait l'air si joyeux depuis l'histoire de la morsure de souris et, cédant à la curiosité, je jetai un coup d'œil ainsi qu'il m'y invitait. Dans un coin de la cellule était accroupi un homme râblé au regard fixe et d'une très grande intensité, alors qu'il ne semblait contempler que le mur nu en face de lui. Soudain, il frappa le plâtre à côté de lui du plat de la main, comme pour chasser quelque insecte agaçant – bien que je n'en aie vu aucun –, avant de retrouver une immobilité. Mais ce n'était pas le plus étonnant chez lui.

« Docteur Potter, s'écria Wilson, je crois que nous avons enfin retrouvé votre jumeau dès longtemps perdu ! »

Il avait tout à fait raison. Malgré la peau sombre et les cheveux noirs et raides, la ressemblance avec le médecin était époustouflante : le visage avait la même forme et l'homme était un peu voûté comme lui. Les poils du menton mal rasé rappelaient la barbe de Potter, et le regard fixe possédait une expression étrangement similaire.

Potter apprécia moyennement la comparaison.

« Il ne me ressemble pas le moins du monde ! » affirma-t-il, furieux. Wilson ne le laissa pas s'en tirer à si bon compte.

« Qui est-ce ?

— On l'appelle Black O'Donnell, l'informa le capitaine de sa voix monocorde. Il a, autant qu'il m'en souvienne, des origines tout à fait insolites, moitié Irlandais, moitié indigène maori. On l'a gardé à l'isolement pendant quelque temps avant de le considérer comme fou.

— Quels crimes a-t-il commis ?

— Il faudrait que j'examine sa fiche pour en être sûr, mais je crois qu'il a failli tuer son père et son oncle à coups de gourdin. »

Le pasteur ricana joyeusement.

« Vous devez avouer, docteur, qu'il existe une forte ressemblance. Êtes-vous sûr qu'il n'est pas un cousin dont vous auriez perdu la trace ? »

Potter ne se dérida pas.

« Si vous y regardez d'un peu près, révérend, vous vous apercevrez qu'il n'y a pas la moindre ressemblance, mais seulement une similitude superficielle, une sorte d'illusion d'optique. En outre, je n'ai pas un seul parent irlandais ni, a fortiori, maori. »

Un éclair alluma le regard de Wilson.

« On peut se tromper à propos de ses ancêtres. »

C'était là une remarque d'autant plus pernicieuse qu'elle était formulée d'un ton innocent. S'il l'avait crachée méchamment, il me semble qu'elle aurait presque paru moins sarcastique. Un instant, je craignis même que Potter ne lui flanque un coup de poing, mais il se contenta de se détourner en respirant avec une certaine difficulté. Puis, apparemment rasséréné, il affronta à nouveau son persécuteur.

« Il serait bien plus utile, à mon avis, d'étudier la chose d'un point de vue scientifique, au lieu de perdre son temps à effectuer de prétendues observations tout à fait ridicules. » Il se dirigea à nouveau d'un pas ferme vers la cellule du bagnard. « Avec votre permission, révérend, je vais effectuer pour vous une petite étude des caractéristiques crâniennes de cet homme. Ensuite, je ferai de même pour moi et... (son visage devint pensif)... pour vous aussi, révérend. »

Je m'attendais à un affront soigneusement élaboré à l'égard de l'ecclésiastique – l'envisageant même avec une certaine curiosité –, mais il n'en fut rien. Potter colla son œil au judas pendant un bon bout de temps puis déclara d'un ton agacé :

« Où est-il donc passé ?

— Je pense, s'empressa de dire le capitaine, qu'il serait sage de vous éloigner de la porte.

— Et pourquoi donc ? » demanda le médecin avec irritation, sans bouger pour autant.

La réponse, hélas ! ne tarda pas. Poussant un hurlement, Potter fit un bond en arrière, la main sur le visage.

« Il m'a planté son doigt dans l'œil ! »

Le capitaine se précipita à son secours.

« Fou ou pas, il va avoir droit à la cellule muette ! » affirma notre guide, en s'excusant platement.

Le bruit d'une claque résonna contre le mur à l'intérieur. Sans doute Black O'Donnell en avait-il eu assez que des inconnus discutent ainsi de son cas. Et, en vérité, ce n'était pas moi qui allais lui jeter la pierre.

Le capitaine insista pour que le Dr Potter se rende à l'hôpital de la prison ; heureusement, un rapide examen suffit pour confirmer qu'aucun dommage permanent n'avait été infligé à son œil, même si on lui fournit un cache qui donnait au médecin l'air d'un pirate. C'est à ce moment-là qu'à mon grand soulagement un messager nous informa que la fouille de la *Sincérité* étant maintenant terminée, le bateau se préparait à appareiller – fin de la visite guidée.

« Je dois avouer que j'ai trouvé la visite passionnante », affirma le pasteur d'un ton goguenard comme nous longions la petite plage jaune. Potter fronça les sourcils derrière le cache. Lorsque l'humeur de l'un s'égayait, celle de l'autre s'assombrissait immédiatement, à la façon des deux extrémités d'une bascule. Pendant que, debout sur le rivage, nous attendions la chaloupe de la *Sincérité*, je me demandai s'il était habituel que les expéditions soient troublées par ce genre de conflits pernicieux, causés peut-être par le manque d'intimité ou par le caractère des personnes qu'attire cette sorte d'aventure. Le capitaine Cook avait-il été ronchon et geignard ? Christophe Colomb avait-il constamment critiqué la manière de se tenir à table des Espagnols ? Je comprenais soudain les mutineries, et je m'étonnais même qu'elles ne se produisent pas plus souvent.

« À quel jeu jouent-ils ? s'exclama Potter avec colère pour décharger un peu de sa bile. Ils ont bien dû nous apercevoir, depuis tout ce temps. »

Il est vrai qu'il y avait un bon moment qu'on faisait le pied de grue alors que les matelots, sur le pont, auraient dû remarquer nos grands signes et entendre nos appels.

« Holà ! holà ! » hurla Potter une fois de plus.

Le secours vint d'un autre bord. Pendant qu'on attendait, une yole transportant plusieurs soldats avait fait l'aller et retour entre le rivage et le bateau – dans le but probablement de décourager les forçats de tenter de gagner la liberté à la nage –, et le commandant embrassa notre cause en apostrophant vertement l'équipage de la *Sincérité*. Cela suffit : peu après, quelques-uns des Mannois grimpaient dans la chaloupe et se dirigeaient vers nous, sans se presser d'ailleurs.

« Pourquoi diable avez-vous tant tardé ? demanda Potter dès qu'ils accostèrent.

— Oh ! c'est qu'on ne vous avait pas vus », répondit Brew, le second, d'un ton à la fois évasif et tant soit peu complice, typiquement mannois, comme quelqu'un qui vous confie des mensonges. Nous nous installâmes, et la chaloupe partit, mais les marins n'auraient pu plonger les avirons dans l'eau plus paresseusement, comme s'ils cherchaient davantage à caresser gentiment les flots qu'à nous faire avancer.

« Je vais grimper le premier et vous aider », annonça Brew au moment où nous atteignions le bateau, mais, loin de remplir sa promesse, il nous gêna à force d'embarras. Quand, ayant fini par passer devant lui, je débarquai sur le pont, j'entendis tout de suite, montant de la partie inférieure du bateau, un vacarme extrêmement curieux, comme si une violente course-poursuite se déroulait dans les cabines.

« Que se passe-t-il ? »

Brew haussa les épaules.

« C'est le capitaine qui doit chercher les bestioles ; vous l'avez demandé, non ? »

Le raffut ne semblait guère correspondre à une activité de ce genre. Cependant, avant que j'aie pu étudier la question plus avant, le bruit s'intensifia et, à ma grande stupéfaction, un wombat en tout point semblable à celui qu'on avait attrapé sur l'île de Flinders bondit sur le pont, ardemment pourchassé par le capitaine Kewley aidé de plusieurs matelots. Leur tâche n'était pas facile car, malgré ses courtes pattes, l'animal paraissait fort habile pour échapper à ses poursuivants, changeant soudain de direction ou se glissant sous la quille d'un des canots. Alors qu'il avait l'air enfin coincé, il se faufila brusquement entre deux des Mannois puis, poussant un étrange grognement, se jeta par-dessus bord. Nous nous précipitâmes vers le bastingage et le vîmes s'éloigner piane-piane à la nage, en direction d'une partie déserte de la côte.

« Mais où était-il donc ? demanda Potter

— L'animal ? fit le capitaine avec nonchalance, comme si le médecin pouvait parler de quelque chose d'autre. Aucune idée. » Sur ce, il se détourna et ordonna à l'équipage de commencer à relever l'ancre.

« Mais vous avez bien dû voir d'où il venait ? insistai-je.

— Oh ! il avait dû se cacher quelque part, suggéra Brew, l'air songeur. Quand on a cherché les bestioles, ça a dû le réveiller.

— C'est bizarre que ceux qui ont effectué la fouille ne l'aient pas déniché », fit observer Potter.

Kewley répondit par un simple haussement d'épaules.

« Eh bien ! vous voyez ! Les animaux nous étonneront toujours ! »

# 12

### M. Eldridge, directeur de l'établissement
### aborigène d'Oyster Cove,
### à Gérald Denton,
### gouverneur de Tasmanie. Septembre 1857

*Excellence,*

*En tant qu'humble serviteur de votre gouvernement, permettez-moi, je vous prie, de vous souhaiter la bienvenue dans la colonie royale de Tasmanie. Puis-je ajouter que votre réputation d'homme juste et compétent vous a précédé ?*

*Je vous écris de l'établissement aborigène d'Oyster Cove, dont j'ai le grand plaisir d'être le directeur. Vous êtes arrivé d'Angleterre si récemment que, trop occupé par les affaires du gouvernement, vous n'avez sans doute guère eu le temps de vous intéresser à notre petite colonie, et j'espère que vous m'autoriserez à saisir cette occasion pour vous en parler et vous présenter une ou deux suggestions ayant trait à son avenir. L'établissement d'Oyster Cove (l'anse aux Huîtres) a été fondé voilà près de dix ans, et depuis huit ans j'ai l'honneur d'y assurer les fonctions de directeur après avoir servi comme intendant de la caserne de Hobart. Cette institution a été créée pour recueillir ce qui restait des aborigènes noirs fraîchement ramenés de l'île de Flinders, située dans le détroit de Bass. À cette époque, il y a une décennie de cela, le nombre des survivants atteignait presque la cinquantaine, mais, hélas ! au fil des ans, ces malheureux nous ont été peu à peu enlevés. Pas plus tard que cet hiver, trois de plus, la princesse Cléopâtre, Diogène et Colomb, ont rendu l'âme. Le nombre total des aborigènes qui résident ici est en ce moment réduit à onze, huit femmes et trois hommes, tous relativement âgés, dont un mulâtre, du nom de Cromwell, ayant récemment reçu la permission de vivre seul dans une maisonnette.*

*C'est au vu de ce triste état de choses que je souhaite présenter une requête à Votre Excellence. À mon humble avis, il est absolument essentiel que cet établissement soit déplacé de toute urgence et installé dans un endroit plus confortable, ne serait-ce que pour le bien des pauvres Noirs. En vérité, Oyster Cove n'a jamais été un site propice, en raison de sa forte* humidité : *même durant les mois d'été, on voit les aborigènes recroque-villés près du feu, emmitouflés dans tous les habits qu'ils possèdent. J'en ai moi-même beaucoup souffert. Très préoccupant également, l'isole-ment de la colonie. La piste qui mène à Hobart est fort médiocre et peut paraître très longue, surtout l'hiver, quand les candidats à la visite se font rares. Cet éloignement a aussi fait des malheureux Noirs une proie facile pour les vauriens blancs qui – malgré tous mes efforts pour les chasser – traînent dans les parages et essayent de persuader les indigènes d'échanger leurs maigres biens contre de l'alcool (ce qui m'a obligé à réclamer plu-sieurs fois de nouvelles couvertures).*

*Je suggère donc qu'on déplace l'établissement et qu'on l'installe à Hobart. Les habitants de cette ville n'ont pas à craindre une telle éven-tualité, étant donné que, sans parler de la douceur de leur caractère, les Noirs sont trop peu nombreux et trop malades pour présenter le moindre danger. L'une des grandes maisons de Hobart suffirait à les loger, et le quartier de Battery Point me paraîtrait idéal, car, outre son calme parfait, il possède une vue charmante sur le fleuve. Un tel déménagement rendrait plus aisé le ravitaillement en nourriture et en couvertures – ce qui consti-tuerait une économie pour les fonds publics –, la proximité du centre de la ville me facilitant également la tâche.*

*Dans l'hypothèse où une telle mesure ne serait pas envisageable, j'espère que Votre Excellence pourra prendre en compte une autre requête de ma part, à savoir que je reçoive une autre affectation dans la colonie. M. Willis, le marchand, étant parti l'année dernière, je suis désormais le seul Européen – situation qui peut s'avérer déprimante –, et bien que je sois fier de mon travail à Oyster Cove je considère que huit ans passés ici suffisent amplement. Je serais très heureux de reprendre mes fonctions d'intendant de la caserne de Hobart mais – si grande est mon ardeur à servir le gouvernement colonial – je suis même disposé à accepter un poste inférieur à celui que j'occupais auparavant.*

*Certains habitants de Hobart, dois-je dire à regret, tenteront peut-être de monter Votre Excellence contre moi en racontant des histoires à propos de quelques subsistances de la caserne qu'on avait cru perdues. De telles allégations, Votre Excellence doit le savoir, sont totalement fausses, n'ayant jamais été le moins du monde prouvées, comme vous pouvez le constater vous-même en consultant les dossiers. Je vous supplie de ne faire aucun cas des calomnies répandues par des hommes qui, pour des raisons tout à fait inconnues de moi, s'acharnent depuis longtemps à salir ma réputation. En fait, si vous me permettez d'oser donner un conseil à Votre Excellence, comme il n'existe au monde aucune société plus portée à la jalousie et à la médisance que celle d'une colonie insulaire éloi-gnée, je suggérerais à Votre Excellence de faire extrêmement attention à ce qu'elle décide de croire.*

J'espère, dans l'intérêt des malheureux Noirs, que vous accorderez toute votre attention à ces requêtes.

À nouveau, je vous souhaite bonne chance dans vos nouvelles fonctions de gouverneur de notre colonie.

Votre humble serviteur,

Eldridge, directeur de l'établissement d'Oyster Cove

## Pagerly. Décembre 1857

Un matin, très tôt, j'ai été réveillée par un cri poussé devant la case, très bref, comme si quelque chose l'avait arrêté. Les autres n'ont pas entendu et ont continué à dormir, mais moi, ça m'a intriguée. En sortant, j'ai vu que le jour approchait depuis l'île de Bruney comme de grosses mains jaunes en donnant de la lumière, si bien que j'ai pu voir que Walyeric était tombée par terre et qu'elle ne bougeait pas du tout. J'ai deviné qu'elle était en train de chercher du bois pour le feu, car il y avait des bûches sur le sol à côté d'elle. J'ai saisi sa tête et ses yeux regardaient juste un peu, alors j'ai compris qu'elle n'était pas morte, ce que je craignais énormément, même si elle semblait vraiment très mal. Son visage était furieux à cause de la douleur, et elle respirait vite, comme si l'air lui manquait beaucoup. Mais elle a été mieux peu à peu, a respiré plus lentement et a dit que la douleur dans sa poitrine devenait plus petite.

Plus tard ce matin-là, elle était à nouveau bien et a même été nager pour pêcher des oreilles de mer, et elle en a même rapporté. Pourtant, j'ai repensé qu'elle avait été drôlement mal fichue, alors je suis allée la voir.

« Walyeric, je crois que tu devrais aller rendre visite à Peevay. Tu dois lui donner ton pardon. »

Elle avait toujours détesté qu'on lui dise ce qu'elle devait faire.

« Et pourquoi ça ? »

C'était inutile de parler gentiment à Walyeric, parce qu'elle ne faisait attention qu'à la bagarre. C'était sa façon d'être.

« C'est mal de détester ton fils comme ça. Et si tu meurs ? Est-ce que tu veux qu'il pense que tu le détestes toujours ? »

Pendant quelques instants, elle a eu l'air songeur, et j'ai eu de l'espoir, mais ça n'a pas duré.

« Je vais pas aller dans sa maison de Blanc pleine de toutes ces merdes d'homme blanc ! »

Elle avait raison sur sa maison, ça oui ! Je l'ai vue de mes yeux, et il avait tous les trucs des Blancs, comme dans la paillote du directeur Eldridge. Y avait une table et des tabourets, une cheminée avec un manteau, et aussi des bougies, une théière et des étagères avec un livre. Et même ses vêtements étaient pareils, par exemple une redingote, des souliers, et un haut-de-forme placé sur la table. Le plus bizarre, c'est que plus il avait des trucs de Blanc, moins il ressemblait à un nomme. Ses cheveux, qui avant étaient jaunes, étaient juste gris maintenant, si bien qu'il aurait pu être n'importe quel Palawa devenu vieux. Et aussi, il a de plus en plus détesté les Blancs, à tel point que maintenant il pestait contre eux encore plus que sa mère. D'ailleurs, elle, elle ne s'en souciait plus tellement et vivait plus calmement, comme une gentille vieille dame. Je suppose qu'elle les avait tués quand elle en avait été capable, ce qui était un bon souvenir, alors que lui ne l'avait jamais fait. En plus, quand on devient un vieux sac d'os malade, c'est plus dur de continuer à se tracasser avec ses anciennes haines.

Ce qui rendait aussi Peevay furieux contre les nommes, c'était sa nouvelle maison. C'était pas son idée, vous voyez : ce qu'il avait voulu, c'était un grand endroit pour nous tous. Il avait envoyé des tas de lettres aux Blancs qu'il nous avait fait signer pour dire qu'on devait avoir de la terre, beaucoup de terre, et aussi des bagnards blancs pour qu'ils fassent pousser pour nous de quoi manger, comme en avaient les autres Blancs, ce qui d'après lui était notre dû, après toute leur haine et tous leurs mensonges. Alors il a dit qu'on serait des gens magnifiques. Peevay avait toujours su drôlement bien écrire, et je croyais qu'il pourrait obtenir tout ce qu'il voulait. Finalement, tout ce que les Blancs lui ont donné, c'est cette petite case, rien que pour lui, sans terre et sans forçat blanc non plus. Il était si en colère qu'il a dit qu'il n'habiterait pas dedans. Mais il l'a fait quand même, pour pouvoir aller dans un endroit pas loin découper des baleines pour gagner des pièces d'hommes blancs, car il a dit que l'argent lui permettrait d'ennuyer plus habilement les Blancs jusqu'à ce qu'on obtienne notre dû.

« Je vais obtenir cet endroit pour vous, comptez dessus, il a dit. Je vais les forcer à nous le donner. »

Quelquefois, je me disais que finalement il ressemblait à sa mère. Vous voyez, ils lâchaient jamais prise, tous les deux. Je crois que c'est pour ça que c'était dur de les obliger à se traiter gentiment. Oui, ils étaient comme deux grosses pierres prises dans la vase, qu'on ne peut pas rapprocher, et quand on essaye de les déplacer, elles s'enfoncent encore plus. Pourtant, il faut que je trouve un moyen avant qu'il soit trop tard. Je peux plus supporter de les voir coincés dans leur haine pour toujours et à jamais.

## Mme Gérald Denton, épouse du gouverneur de Tasmanie.
## Septembre-décembre 1857

Extrait de *Sur des rivages lointains :*
*souvenirs de l'épouse d'un gouverneur des colonies.*
Chapitre vingt-sept : « Un Noël mémorable »

Au cours d'un lumineux printemps de ma prime jeunesse j'avais créé une petite association de camarades de jeux destinée à protéger les oisillons accidentellement tombés du nid. Même si, hélas ! nos rêves d'enfants ne devinrent pas vraiment réalité, je me rends compte aujourd'hui que les bons sentiments qui m'animaient alors ne m'ont jamais quittée, à savoir une très profonde compassion envers les victimes de l'existence. Par nature, je ne peux tout simplement rester insensible au récit des malheurs des créatures du monde, qu'il s'agisse de petits êtres accablés de misère, de grands-parents négligés par leur progéniture ou d'animaux inoffensifs en butte aux mauvais traitements d'un maître cruel. Il était donc inévitable qu'en arrivant dans cette lointaine colonie de Tasmanie je fusse émue par la pitoyable histoire des aborigènes de l'île.

Avant même de débarquer à Hobart, je savais que les indigènes avaient subi un affreux déclin, même si je n'en connaissais que quelques détails. Dès que nous fûmes installés dans la demeure du gouverneur, ma curiosité grandit, et je commençai à poser des questions à ce sujet, d'abord à Mme Murray, notre intendante, et ensuite à certaines de mes nouvelles amies, les épouses des administrateurs de Gérald. À ma grande surprise, je découvris que ces questions provoquaient une certaine gêne, qu'on cherchait même à les éluder, comme s'il était de mauvais goût de discuter du sujet. Loin de diminuer, mon intérêt s'accrut, au contraire, et j'en parlai à Gérald. Ce fut un grand choc d'apprendre que seulement une dizaine de ces misérables créatures étaient toujours en vie. Apparemment, les maladies et les violences infligées par des forçats évadés avaient eu raison de tous leurs congénères, et ces survivants étaient si âgés qu'il n'existait aucun espoir que leur race se perpétue.

Bouleversée par cette tragique découverte, je m'efforçai d'imaginer les moyens susceptibles d'apporter quelque réconfort à ces malheureux pendant leurs derniers jours. Une idée me parut particulièrement séduisante : aller leur rendre visite et leur apporter des présents. Mon cher Gérald fut lui aussi séduit par ce projet, bien qu'il jugeât sa charge de travail trop lourde à ce moment pour avoir le loisir de s'embarquer dans une telle expédition, l'établissement aborigène étant situé à une trentaine de kilomètres de Hobart, et les routes fort mauvaises. À peine

307

quelques semaines plus tard, cependant, il suggéra qu'on organise une fête de Noël au Gouvernement afin de mieux faire connaissance avec les notables de la colonie. Il me vint tout de suite une idée des plus charmantes.

« On pourrait peut-être inviter ces infortunés aborigènes ! »

Bien que Gérald se fût montré enthousiaste, il avait peur que les Noirs ne se trouvent perturbés par la solennité de la fête, car ils étaient habitués à une vie paisible et retirée. Il craignait en outre que l'un d'entre eux ne se conduise mal. Cet homme, dois-je expliquer, un mulâtre aborigène du nom de Cromwell, fauteur de troubles notoire, avait appris à singer les manières des Anglais juste assez bien pour semer le désordre. (Gérald fit une description extrêmement amusante de cet homme en train de se pavaner de par la ville en redingote mal ajustée et chapeau haut de forme, alors que son visage était noir comme un charbon.) On disait que son ambition était de mener une existence d'aristocrate oisif et que, dans ce but, il bombardait les administrateurs de la colonie de lettres geignardes pour exiger qu'on lui donnât des lopins de terre, et même des bagnards pour lui servir de domestiques. Ainsi que le souligna Gérald, il ne pouvait exister plus grand contraste entre cet homme qui tentait d'utiliser le malheur de ses congénères pour son propre profit (quoiqu'il ne fût même pas vraiment leur congénère) et les vrais aborigènes qui, de manière si touchante, se résignaient à leur triste sort.

« Malheureusement, on ne peut pas inviter les autres sans lui, puisqu'ils s'obstinent à le considérer comme l'un des leurs malgré son sang mêlé, dit Gérald. Mais convier ce personnage à une réception officielle serait, je le crains, chercher les ennuis. »

Une solution me vint à l'esprit.

« Et si on organisait une fête à part pour les aborigènes ? Cela ne manquerait pas de résoudre toutes nos difficultés, n'est-ce pas ? Ils ne seraient pas effrayés par la foule, et ce Cromwell n'aurait pas l'occasion de causer un scandale. »

Gérald hésitait toujours, mais mon ardeur finit par le décider. Ravie, j'envoyai une invitation le jour même au directeur de l'établissement aborigène, un certain M. Eldridge (homme au passé douteux, selon Gérald). Je le priai également de demander à ses Noirs d'apporter des objets de leur fabrication, par exemple des colliers de perles, des statuettes en bois ou des sagaies dont ils accepteraient de se séparer en échange de simples présents. J'espérais, voyez-vous, me constituer une collection – petite, mais peut-être d'une certaine valeur – de souvenirs de cette race en voie de disparition. J'imaginais déjà, dans un avenir plus ou moins proche, les murs du salon de notre maison de Londres ornés de sagaies et de boomerangs et, regroupés sur la cheminée, une multitude de statuettes primitives, rappel charmant et très émouvant de notre séjour sur ces rivages lointains.

Quelques jours plus tard arriva une réponse de M. Eldridge, lequel, à ma grande joie, m'annonçait que lui et ses Noirs seraient ravis d'assister à notre réception. Je fus moins enchantée de recevoir la lettre d'acceptation de Cromwell, le mulâtre, qui me parvint peu de temps après, rédigée dans un style très particulier utilisant de longs mots de manière fort étrange, style révélateur, hélas ! d'un esprit dérangé. Je me trouvais déjà en pleins préparatifs, ce qui n'était pas une mince affaire. Le choix des mets se révéla extrêmement ardu car, souhaitant offrir le thé à chacun de mes nombreux invités, j'avais à cœur de leur présenter exactement ceux qu'on déguste à Noël en Angleterre. L'inversion des saisons dans l'hémisphère Sud ne me facilitait pas du tout la tâche, comme je ne tardai pas à m'en apercevoir, surtout en ce qui concernait les gâteaux. Il n'y avait pas de prunes pour confectionner le pudding, ni poires ni pommes, sans parler des châtaignes. C'était tout à fait comme si on avait dû organiser la fête des moissons au mois de juin en Angleterre.

Mes ennuis ne s'arrêtèrent pas là… Se posa ensuite le problème de l'arbre – aucun spécimen du cru ne possédant guère l'odeur ni l'aspect requis –, et il me fut presque impossible de dénicher des décorations adéquates dans les boutiques de Hobart. Je venais à peine de réussir à recruter un groupe de choristes pour chanter des noëls que je connus une nouvelle malchance dans le choix des acteurs devant jouer dans le mystère de la Nativité. Tant de jeunes gens de l'île étaient partis chercher de l'or au Victoria qu'il fut pratiquement impossible de trouver un bébé – de bonne famille, à tout le moins – pour jouer l'Enfant Jésus. Quant à la répartition des autres rôles, je me heurtai au problème inverse, car je m'aperçus qu'une bonne partie de la société de Hobart avait un faible pour le théâtre, à telle enseigne que, quelle que fût ma décision, certains seraient forcément très déçus. Je fus obligée, en fait, de demander plusieurs fois son avis à Gérald afin d'éviter de les transformer sans le savoir en dangereux ennemis du gouvernement colonial de Sa Majesté !

Avec le temps, cependant, les problèmes furent résolus, des compromis trouvés. Je fis redécorer le vestibule, éliminant les teintes sombres choisies par nos prédécesseurs, et effectuer un grand nettoyage de toute la demeure. Puis je me mis à m'occuper du parc. Je venais de décider de l'endroit où installer nos invités noirs – je ferais déplacer les plantes en pots se trouvant devant les écuries afin qu'elles servent de paravent entre eux et les autres invités –, lorsqu'une merveilleuse pensée me vint à l'esprit. Je pourrais demander à un artiste de les photographier. Voilà une idée, me dis-je immédiatement, aussi charmante qu'utile pour perpétuer ne serait-ce que le souvenir de cette race si infortunée ! Si les résultats étaient satisfaisants, les portraits trouveraient sans doute une place de choix dans notre maison londonienne.

L'après-midi même, je commençai mes recherches et découvris bientôt le nom du professionnel dont j'avais besoin.

### Le révérend Geoffrey Wilson. Décembre 1857

Nous étions arrivés ! Après tous ces mois d'inconfort et de tracas, de luttes et de privations, nous étions enfin parvenus au terme du voyage. Quelle joie ressentis-je au moment où la *Sincérité* remonta lentement l'estuaire de la Derwent tandis que sous nos yeux apparaissait la ville de Hobart, gaîment nichée sous l'austère mont Wellington ! Depuis notre départ de Port Arthur, je m'étais à tout moment attendu que Potter exige qu'on jetât l'ancre devant quelque rocher inhabité ou dans quelque crique déserte afin de nous retarder davantage mais, à mon grand soulagement, il n'avait pas bronché. L'incident causé par Black O'Donnell avait, sans doute aucun, assombri son humeur. Si c'était le cas, j'espérais que l'effet serait durable.

La vue de notre lieu de destination mit en joie tous les passagers de la *Sincérité*. Un large sourire aux lèvres, chantant à tue-tête, les Mannois accomplissaient leurs dernières tâches dans la mâture, réduisant les voiles afin que le bateau se dirige lentement vers le port. Le corps à moitié passé par-dessus le plat-bord pour contempler le rivage, même Renshaw faisait preuve d'un enthousiasme inhabituel. Jusqu'au médecin qui montrait un semblant de courtoisie – qualité que je n'avais pas encore remarquée chez lui – et, l'espace d'un instant, je fus presque sur le point de me demander si je ne l'avais pas jugé un peu trop durement. Quant à moi, j'étais extrêmement ému de poser enfin le regard sur la terre qui occupait depuis si longtemps mon esprit. Le sombre pic du mont Wellington évoquait quelque région peu connue d'Écosse, mais l'odeur de la végétation qui flottait jusqu'à nous par-dessus la mer paraissait étrangement exotique et riche de promesses. C'était sûrement pure imagination mais, en écoutant le bruissement du vent qui jouait ses airs bizarres dans les haubans, je crus presque entendre un faible murmure de voix, comme si des anges lointains m'accueillaient en chuchotant, par-delà les kilomètres de terres vierges : « Salut, doux révérend, sois le bienvenu ! »

Hobart ne tarda pas à se faire connaître de nous. La *Sincérité* venait à peine d'être remorquée jusqu'à son mouillage dans le port – élégant endroit doté de splendides entrepôts de pierre bordant les quais – que monta sur le pont un homme d'abord affable, coiffé d'un chapeau de paille, et qui se présenta comme un reporter travaillant pour l'un des journaux de l'île, le *Colonial Times*. Il nous expliqua qu'il était en quête de renseignements concernant les mouvements des bateaux. Le capitaine Kewley le traita avec une certaine froideur. Je ne compris pas la raison de cette réserve, voyant plutôt là une véritable aubaine. Grâce aux efforts de Jonah Childs, nous étions déjà attendus dans certains milieux – et même par le gouverneur en personne –, mais je considérais qu'il n'était pas impossible que notre arrivée intéressât beaucoup d'autres éléments de rang subalterne parmi la population locale. C'est pourquoi je m'efforçai de fournir au journaliste des détails sur notre expédition. Je fus enchanté de noter qu'il se passionnait pour le sujet, me posant maintes questions sur tous ses aspects et s'empressant de griffonner mes réponses dans son carnet. Puis je partis à la recherche d'un logement, satisfait d'avoir accompli ma tâche avec compétence et diligence.

Mon enthousiasme fut, hélas ! de courte durée. Le lendemain matin, j'achetai un exemplaire du *Colonial Times* et découvris qu'en dépit de son aspect cordial ce journaliste était un vrai Judas. À côté de la liste des mouvements maritimes, il avait rédigé un petit article sur notre expédition, et j'ai le regret de dire que le ton en était excessivement sarcastique. Il contestait mon affirmation selon laquelle le jardin d'Éden se trouvait en Tasmanie, néanmoins, au lieu de présenter virilement ses arguments, il avait décidé de traiter la question comme s'il s'agissait d'une minable bouffonnerie. La plus grande partie de l'article consistait en l'énumération d'autres événements bibliques qui, selon lui, pouvaient avoir eu lieu aux antipodes, tous choisis pour leur absurdité. Il suggérait, par exemple, que les Israélites avaient subi leur captivité à Port Arthur et avaient été conduits par Moïse vers la Terre promise en traversant à pied sec les eaux du port de Sydney.

Mais, bientôt, mon humeur s'égaya à nouveau. Le lendemain, nous nous rendîmes tous les trois au Gouvernement (il ne semblait guère utile de tenter de décourager Potter de nous accompagner), où, je suis heureux de le dire, nous fûmes reçus avec la plus grande courtoisie par Son Excellence, le gouverneur Denton, et sa charmante épouse. Le gouverneur, un homme de bonne famille, fort cultivé, s'enthousiasma pour notre aventure et ne fit aucune allusion au *Colonial Times*. Il eut la bonté de nous inviter tous les trois à une réception que lui et sa femme donnaient juste avant Noël et de me fournir les noms de plusieurs commerçants qui, pensait-il, pourraient m'être utiles pour les derniers préparatifs de notre aventure.

Plus je m'occupais de l'organisation de l'expédition, plus il apparaissait que l'affreux cynisme journalistique n'était pas partagé par le reste de la société de Hobart. Tous mes interlocuteurs semblaient en effet extrêmement intrigués en apprenant que leur île lointaine possédait une grande signification biblique et, où que j'allasse, je devenais un sujet de curiosité. Un petit flot de visiteurs ne tarda pas à se déverser dans notre hôtellerie, notamment des marchands et des commerçants de premier plan, tous fort désireux de manifester l'intérêt qu'ils portaient à notre expédition et de nous proposer les articles qu'ils vendaient.

De surcroît, plus je visitais la petite ville, plus j'étais étonné par son degré inattendu de distinction. Vu l'ambiance très raffinée qui y régnait déjà, assez semblable à celle de quelque station balnéaire somnolente du Sussex ayant peut-être jadis connu des jours meilleurs, il était difficile de croire qu'à peine un demi-siècle s'était écoulé depuis le jour où les premiers colons avaient débarqué en ces lieux. Les rues étaient calmes, et les habitants, souvent d'âge mûr car beaucoup de jeunes gens étaient partis chercher fortune jusqu'au Victoria au cours de la ruée vers l'or, fort affables. Il est vrai que certains montraient une tendance à la morosité, et j'en entendis beaucoup se plaindre que le commerce marchait mal, surtout dans le domaine de l'industrie baleinière. (Apparemment, ces idiots de cétacés, qui, il n'y avait pas très longtemps, s'étaient pressés le long des rivages de Tasmanie, avaient décidé de disparaître purement et simplement.) Dans l'ensemble, malgré tout, les Hobartiens se montrèrent aussi charmants que leur ville. Comme il était agréable de trouver un endroit, même situé à l'autre bout du monde, où tout – des auberges aux boutiques, en passant par la manière de parler des citadins et jusqu'à la peinture des voitures – était indubitablement *anglais*. Mieux, il s'agissait de l'atmosphère anglaise d'antan, qui me ramenait tout à fait à l'époque de ma jeunesse, avant que les gens ne tiennent plus en place à cause du chemin de fer. C'était bien plus agréable que Melbourne, si agitée, bruyante et cupide ! Melbourne, qui ne m'avait paru avoir d'anglais que le nom, devait, à mon avis, ressembler à quelque nouvelle agglomération vulgaire de l'Amérique du Nord.

Vu l'impressionnante tâche qui m'attendait, je me lançai dans les préparatifs sans perdre une minute. Il me fallait tout d'abord choisir l'itinéraire, et cette première étape fut aisément franchie. J'avais pensé que la *Sincérité* pourrait nous transporter directement jusqu'à la côte ouest, mais comme cela nous eût obligés à naviguer contre les vents du moment, ce qui aurait pu nous faire perdre de précieuses semaines, je décidai qu'il valait mieux voyager par terre. Je questionnai les marchands venus nous rendre visite à l'auberge, puis passai à l'étude des cartes les plus récentes. Même si la partie occidentale de la colonie n'y était indiquée que de manière fort imprécise, la conclusion que je tirai de l'examen était on ne peut plus claire. L'un des quatre fleuves que j'avais identifiés comme figurant dans la Genèse était la Derwent (nom aborigène : Ghe Pyrrenne, soit l'Euphrate), c'est-à-dire celui qui baignait Hobart. Rien n'aurait pu être plus simple ! Si on le remontait jusqu'à la source, on devait se retrouver enfin en plein Éden...

Les préparatifs pratiques de l'aventure se révélèrent autrement plus complexes, d'autant plus que je ne reçus aucune aide de mes deux compagnons d'expédition. Essayer d'aiguillonner ce paresseux de Renshaw fut une pure perte de temps et on ne voyait presque jamais Potter. Je lui laissai des petits mots pour le charger de simples besognes que je n'avais pas le temps d'effectuer moi-même – par exemple, organiser l'enlèvement du crottin des mulets –, mais en vain. Même les Mannois furent totalement inutiles. Je montai plusieurs fois à bord pour demander qu'on nous apporte à l'hôtellerie quelque article nous appartenant, mais découvris chaque fois que le capitaine Kewley, Brew, le second, et Kinvig, le maître d'équipage, étaient descendus à terre. À bout de patience, je forçai le géant Chine Clucas à me révéler l'endroit où ils se cachaient, et il finit par m'avouer qu'ils avaient rendez-vous dans l'une des tavernes du coin avec un douanier du port chargé des contributions indirectes, un dénommé Quine. Je m'étonnai un peu que Kewley acceptât de perdre du temps avec un inspecteur des douanes, dont la tâche aurait dû être terminée depuis longtemps, mais le mystère ne tarda pas à s'éclaircir. Lorsque je pénétrai, avec un certain dégoût, dans la taverne, je les trouvai tous, y compris Quine – petit homme au visage de fouine qui se tenait sur une seule jambe, tandis que l'autre tapotait le sol à l'entour, comme s'il effectuait une danse secrète –, en train de parler non pas l'anglais mais le manx. Cela ne m'impressionna guère. Bien que je n'eusse pas d'objections à ce que des officiers de la *Sincérité* évoquent leur lointaine patrie – cela ne justifiant toutefois pas qu'ils négligent leurs devoirs –, je me vis obligé de reprocher vertement à Kewley ses constantes absences du bateau. Je fus ravi de constater qu'il s'en trouva extrêmement gêné.

Malgré toutes ces contrariétés, je réussis à faire de grands progrès dans les préparatifs. Je me procurai des denrées pour compléter les provisions achetées en Angleterre, notamment des quantités de riz, de farine, de légumes et de fruits secs. Je trouvai aussi des mulets, avec une certaine difficulté, il est vrai. Nous avions une telle masse de provisions que je dus passer Hobart au crible pour dénicher des bêtes en nombre suffisant. Leurs propriétaires montrèrent d'ailleurs une pusillanimité incompréhensible et, redoutant que nous n'ayons quelque mésaventure, ils refusèrent de nous les louer, insistant pour que nous les achetions toutes rubis sur l'ongle. Cette grotesque exigence greva le budget de l'expédition et contraria beaucoup car cela signifiait que, contrairement à ce que j'avais espéré, je ne pourrais pas engager un valet. Je dois ajouter que j'étais mû non par un besoin de confort égoïste, mais uniquement par le souci du bien de l'expédition : il était en effet malséant que le chef de mission fût moins bien loti que des membres de rang inférieur. Puisqu'il allait être impossible de recruter un autre serviteur, espérant que – pour une fois – le médecin placerait les intérêts de l'entreprise avant son propre petit bien-être, je lui laissai un mot pour le prier de se passer des services de Hooper, son valet. Sa réponse, je le dis à regret, fut très sèche, voire insultante.

Même alors, je ne désespérai pas, supposant que je pourrais employer l'un des muletiers comme valet. Il se révéla d'ailleurs fort difficile d'en trouver un capable de mener les animaux, sans parler de servir de domestique. Je fis passer des petites annonces dans la presse locale, mais, parmi les candidats qui se présentèrent, l'un était vieux et chétif, le suivant, saoul comme une barrique, et aucun ne semblait posséder la moindre once de piété. Je crois même qu'il y avait un grand nombre d'anciens bagnards. Sur les six retenus, un seul, un dénommé Skeggs, possédait une certaine pratique du métier, ayant servi de muletier au cours d'une expédition ratée de prospecteurs d'or sur le continent australien. J'espérais que sa connaissance des animaux ferait oublier ses manières bourrues. Les cinq autres n'avaient aucune qualification, à part leur habitude des chevaux. N'ayant absolument confiance en aucun de ces hommes, j'en nommai trois pour me servir conjointement de domestiques, ce qui me paraissait la moins mauvaise des solutions.

Plus ardu encore fut le choix d'un guide. L'intérieur de l'île étant presque inexploré, je savais dès le début combien ce ne serait pas facile : j'avais toutefois pensé trouver quelqu'un qui, sans avoir traversé de part en part les terres vierges de l'Ouest, y aurait au moins effectué quelques brèves incursions. Le sort en décida autrement. Les rares hommes qui répondirent à mes annonces furent tous des affabulateurs, et mes nouveaux amis marchands m'informèrent que, d'une part, l'unique exploration de cette partie de la colonie avait eu lieu plus de vingt ans auparavant et que, d'autre part, l'agent du gouvernement qui l'avait entreprise – un certain Robson – vivait confortablement en Angleterre désormais, et que lui-même ne s'était aventuré que très rarement loin des côtes. On était réellement, semblait-il, en pleine *terra incognita*. M'étant résigné à cette situation, je résolus de n'y plus penser et de m'en remettre à la bienveillance de Celui qui avait inspiré cette expédition. Si personne ne pouvait nous conduire, eh bien ! c'est moi qui servirais de guide.

Les jours passèrent, et à plusieurs reprises je fus surpris par la décoration criarde d'une vitrine ou par une conversation entendue par hasard sur la façon de préparer une oie qui me rappelaient soudain qu'on était en décembre. Une vague de chaleur torride inhabituelle fit vibrer la lumière dans les rues de Hobart. L'air avachi, les hommes et les bêtes qui les empruntaient se traînaient péniblement. J'avais alors du mal à imaginer qu'à des milliers de kilomètres de là – et exactement sous mes pieds –, noyés dans les ténèbres hivernales, les Anglais faisaient leurs emplettes de Noël et s'efforçaient de lutter contre les rigueurs du froid. Je n'étais pas distrait, cependant, au point d'oublier que la date de la réception du gouverneur approchait. Je me réjouissais vraiment beaucoup à l'avance d'y assister, ne serait-ce que pour l'occasion qu'elle me fournissait de soutenir les intérêts de notre expédition.

Comme nous atteignions le Gouvernement, voyant la foule des invités qui se pressaient, je compris qu'il s'agissait d'une grande réception et, en effet, quand je pénétrai dans le parc, j'eus l'impression que tous les membres de la société de Hobart se trouvaient là, vêtus malgré la chaleur de leurs plus beaux habits. Au milieu de la cohue, un groupe de chanteurs, le visage rougi par le soleil qu'ils bravaient stoïquement, offraient aux invités des mélodies de Noël, tandis que derrière eux se dressait un imposant et étrange arbre du cru joliment décoré d'anges et de bougies. Le thé coulait à flots, et il y avait profusion de belles pâtisseries. En fait, le seul élément qui fît singulièrement défaut, aurait-on pu noter, c'était la dimension spirituelle. Quoique Noël ne fût que dans quelques jours, c'était là la vraie raison de notre réunion. Même si j'appris qu'un petit mystère de la Nativité devait être joué, il eût été agréable d'entendre une brève allocution qui nous rappelât l'importance de la fête toute proche. Puisque le but de notre expédition était de découvrir une signification chrétienne à cette terre sauvage, j'aurais été disposé à prononcer moi-même quelques mots à ce sujet, si on l'avait suggéré.

Toutefois, ces pensées ne m'empêchèrent pas de participer avec joie aux festivités. Sans perdre une minute, avec patience et persévérance, je tentai de me frayer un chemin à travers la foule entourant le gouverneur afin de lui offrir mes respects. Comme à son habitude, il se montra fort courtois, me présentant à plusieurs Tasmaniens éminents avant de s'éloigner pour accomplir ses devoirs d'hôte. Ainsi, je pus converser avec un fonctionnaire chargé de la collecte des impôts, le premier fournisseur de sous-vêtements féminins de Hobart et le principal tripier de la colonie. Je fus enchanté de constater qu'ils étaient tous grandement intéressés par mon expédition.

« Voilà exactement ce dont a besoin la colonie, déclara le tripier d'un ton prophétique. Il faut que le monde s'intéresse à nous, maintenant, pour sortir de ce marasme.

— Si jamais on découvre quelque chose…, ajouta le boutiquier avec plus de circonspection.

— Ne vous en faites pas là-dessus ! lançai-je avec enthousiasme. Je n'aurais sûrement pas fait ce long voyage si je n'avais pas été certain que l'entreprise serait couronnée de succès. »

C'est à ce moment-là que mon regard tomba sur un groupe très curieux qui longeait la pelouse derrière mes interlocuteurs. Conduit par la charmante épouse du gouverneur en personne, ce groupe se composait d'aborigènes noirs, une dizaine à peu près. Ils détonnaient, semblant totalement décalés par rapport à ce qui les entourait. Ils disparurent bientôt derrière une rangée de grosses plantes en pots. J'avais entendu dire que très peu d'indigènes de l'île avaient survécu ; cela ne suffisait cependant pas à expliquer leur présence ici.

« Nous aurions beaucoup de visiteurs, reprit le tripier. Vrai, nous deviendrions un lieu de pèlerinage. Une nouvelle Terre sainte. Voilà qui serait bon pour le commerce, ça ne fait pas un pli ! »

Une merveilleuse idée me traversa alors l'esprit. On avait besoin d'un guide. Pourquoi donc ne pas utiliser les services de l'un de ces aborigènes ? Je me rappelai alors les Indiens d'Amérique du Nord employés par les Européens pour les aider dans leur exploration du vaste continent. En vérité, je m'étonnai de ne pas y avoir songé plus tôt. Même si la plupart des aborigènes ne m'avaient pas semblé pouvoir faire l'affaire, puisque le groupe comportait surtout des femmes d'âge avancé, j'avais aperçu au moins un homme en bonne forme physique.

Je m'excusai auprès de mes trois nouvelles connaissances. Et, juste au moment où je commençais à me frayer un chemin à travers la foule, je remarquai avec un certain agacement que Potter – qui venait de discuter à voix très haute avec un groupe de médecins – s'apprêtait à faire la même chose.

### Peevay. Décembre 1857

Deux *voitures* ont été chercher les nôtres à Oyster Cove, s'arrêtant à ma *maisonnette* pour me prendre moi aussi. Sur leur toit étaient assis des *cochers* nommes, et aussi le *directeur Eldridge*, avec ses yeux sournois. Ces deux voitures étaient trop petites pour nous tous, ça oui, si bien que j'ai eu du mal à y entrer et que le voyage a été affreux. Finalement, on est arrivés, et j'ai pu respirer de l'air pur. La femme du gouverneur a accouru en souriant trop et en disant : « Ah ! cher monsieur Eldridge, ah ! chers Noirs, comme je suis heureuse de vous voir… » Ensuite, elle s'est mise à fouiller du regard l'intérieur des voitures, tout autour de nous. « Est-ce que vous avez apporté les objets et les sagaies, comme je l'avais demandé ? »

Pagerly m'avait raconté qu'Eldridge avait dit qu'on devait en fabriquer pour elle, mais malgré ça personne ne l'avait fait. Alors j'ai répondu : « Ces objets, on n'en fait plus. »

316

Elle a fait la grimace à travers son sourire comme si je la dégoûtais. « Quel dommage ! »

Ensuite elle nous a fait attendre longtemps devant la porte, pendant que des domestiques sont allés chercher un autre sale Blanc appelé *Jablong*, qui d'après elle allait nous causer une bonne surprise, mais les domestiques n'ont jamais réussi à le trouver. Alors elle a serré les lèvres comme si elle avait mangé quelque chose de pas bon et elle a dit qu'on devait aller dans le jardin. J'avais jamais encore été à une *fête* nomme, et c'était assez intéressant. C'était pour la naissance de Jésus, et ça s'appelait *Noël*. Il y avait des chanteurs – qui étaient tout rouges et avaient l'air mal fichus à cause du soleil –, et aussi un *arbre de Noël* couvert de bougies et de choses brillantes comme des vêtements. Il y avait surtout des Blancs, des tas, parlant très fort et sentant une odeur de chaleur à cause de toutes leurs chemises, leurs vestes et leurs robes énormes, etc., et certains buvaient du thé s'ils en avaient. Quand ils nous ont vus, ils nous ont jeté les mêmes regards que toujours, pleins de haine ou de moquerie, ou vides. Oui, je regrettais déjà d'avoir laissé Pagerly me convaincre de venir. C'était simplement inutile, et en plus, malgré ce qu'elle avait dit, ça n'arrêterait jamais la haine entre maman et moi. Maman était dans la voiture où j'étais monté, vous voyez, et j'ai remarqué qu'elle ne m'a même pas lancé un coup d'œil pour me dire bonjour quand je suis entré dedans, non, elle est restée à regarder par sa vitre ce qu'il y avait dehors.

De toute façon, c'était trop tard maintenant. La femme du gouverneur et Eldridge nous ont conduits à une table qui était cachée derrière des plantes, et en vérité c'était mieux, car comme ça les sales Blancs ne pouvaient plus nous observer. Il y avait des *bancs* pour s'asseoir, et sur la table des *gâteaux* et des *tasses*. La femme du gouverneur est restée debout, avec l'air de vouloir partir ailleurs tout de suite, et elle a envoyé un autre domestique pour aller chercher Jablong, notre bonne surprise. On s'est assis, et maman a commencé à manger goulûment, si bien que j'ai deviné qu'elle était venue pour ça, et pas du tout pour cesser la haine entre elle et moi, comme avait dit Pagerly. Maman a toujours beaucoup adoré les gâteaux, vous voyez, et elle disait que c'était tout ce que ces salauds de Blancs avaient de bien. Puis, juste au moment où d'autres serviteurs, avec des visages gris comme de l'eau sale, ont apporté du thé dans des *théières*, les buissons ont bougé, et un homme blanc, grand et mince, que je n'avais jamais vu avant, avec une petite tête et un sourire trop large, est arrivé.

« Monsieur Wilson, a lancé la femme du gouverneur qui avait l'air d'essayer de lui dire au revoir, quelle agréable surprise ! »

Ce Wilson, qui était *pasteur*, me rappelait Smith et Robson, de l'époque où on mourait à petit feu sur l'île. Oui, il faisait ses yeux tout gentils, comme les deux autres. Mais à leur clignotement j'ai deviné qu'il voulait nous soutirer quelque chose, même si on ne voyait vraiment pas ce que ça pourrait bien être, sauf, comme la femme du gouverneur, des sagaies ou ce genre de choses. Puis un autre est arrivé, qui s'appelait *Potter*, et qui était lourd comme un lutteur, avec une barbe et des cheveux rouges.

« Pourrais-je être présenté à vos charmants invités ? » a demandé Wilson. Alors Eldridge a dû lui dire tous nos noms de Blancs pour que Wilson puisse nous faire à chacun un petit sourire, comme si on était des bambins, ce qui m'a mis hors de moi.

« En fait, je souhaiterais poser quelques questions. »

Et Potter, l'homme à la barbe rouge, s'y est mis lui aussi.

« Moi également. »

La femme du gouverneur a fait son sourire grimaçant.

« Je dois vous dire que j'attends M. Jablong d'un moment à l'autre. »

Donc tous ces sales Blancs avaient l'air de s'intéresser à nous, à présent, ce qui était un casse-tête à n'y rien comprendre, puisque pendant des années tout ce qu'ils avaient voulu, c'est nous oublier. Le pasteur Wilson a demandé si on venait du monde, ce qui semblait une question idiote, et pas un mystère qu'on aurait caché, car d'où est-ce qu'on aurait bien pu venir ? Quand j'ai répondu : « Évidemment, bien sûr ! », savez-vous qu'il a été content comme s'il avait une sacrée chance, et ses mains ont fait *clac !* comme pour attraper une petite mouche, mais ça signifiait qu'il priait, comme Robson et Smith le faisaient souvent. « Merci, Seigneur, pour cette joie ! » il a dit à Dieu, le visage tout réjoui. « Monsieur Cromwell, je dois vous confier que nous nous rendons dans ces terres vierges de l'Ouest. Mon souhait, vous voyez, est de découvrir là-bas le jardin d'Éden. »

Ça, c'était vraiment très curieux. Je savais bien que les nommes peuvent penser n'importe quelle folie quand ils en ont envie, mais, malgré tout, ça c'était un sacré casse-tête à n'y rien comprendre. Je connaissais la Genèse : « *Au commencement, Dieu créa les cieux et la terre* », et ainsi de suite, mais c'était pas chez nous.

Parmi les nôtres, c'est maman qui a été intéressée, ce qui était étrange aussi.

« Qui c'est, Éden ? » elle a demandé. Maman ne connaissait rien à la Bible, puisqu'elle n'avait jamais voulu aller à l'école de Robson.

Le pasteur Wilson l'a regardée comme s'il allait se servir d'elle pour s'amuser et il allait lui répondre, mais j'ai refusé qu'il se moque d'elle, alors je l'ai devancé : « Éden n'est pas un homme. L'Éden, c'est un lieu. Le jardin d'Éden a été créé par le Dieu des Blancs, il y a longtemps, très longtemps, pour y mettre deux Blancs, jusqu'au moment où il a été furieux contre eux et les a forcés à manger un fruit spécial et les a chassés. »

Le pasteur Wilson m'a souri comme si maintenant c'était moi qui l'amusais beaucoup.

« Voilà un récit fort insolite ! »

Maman riait aux éclats.

« Mais c'est pas possible ! Vous dites que Dieu a fait le jardin d'Éden y a longtemps ? Mais tout le monde sait que Dieu n'était jamais venu ici avant que vous, les Blancs, l'avez amené ici dans vos bateaux.

— Dieu était ici avant nous, lui a répondu le savant pasteur Wilson. Vous voyez, Dieu est partout, et l'a toujours été. »

C'était un mystère à n'y rien comprendre que maman soit aussi intéressée. Alors elle a sorti la *pipe* et le *tabac* de sa poche pour fumer, comme quand elle voulait réfléchir.

« Il est partout ? »

La pipe a surpris Wilson, mais il a continué à sourire. Je voyais qu'il ne s'attendait pas à rencontrer quelqu'un comme maman.

« Partout. Dieu est dans le ciel et tout au fond de la mer. Il est dans les montagnes et dans les arbres. Dans les oiseaux, dans les bêtes et aussi dans les poissons. Et, surtout, il est en nous. »

Maman a allumé sa pipe.

« Alors, il est en vous ? »

Ça, ça lui a beaucoup plu.

« Bien sûr ! Il est également en chacun de vous. »

Maman lui a lancé son regard dangereux. Je pressentais, il me semble, qu'elle s'apprêtait à faire quelque chose d'affreux.

« Et en vous, il est partout ? »

Wilson a hoché la tête.

« Absolument !

— Alors, il doit se trouver dans votre sale cul puant, pasteur. Quel pauvre bougre que ce Dieu, coincé là-dedans !

— Marie ! » a hurlé le directeur Eldridge, mais c'était trop tard. Le pasteur Wilson a réagi bizarrement. D'abord, il a écarquillé les yeux très grand, comme s'ils allaient lui sauter de la tête, mais ensuite il a levé le menton et a essayé de sourire, comme si maman n'avait rien dit de mal mais seulement des mots aimables. Bien sûr, son clignement d'yeux, vite, vite, vite, le trahissait. La femme du gouverneur est devenue toute pâle, on aurait dit qu'elle avait mal au cœur. En vérité, c'était plus drôle de les voir que d'entendre les paroles magiques de maman, et c'est eux qui m'ont fait éclater de rire.

Alors, quelque chose d'étrange est arrivé. Quand maman m'a entendu rire, elle m'a regardé pour la première fois ce jour-là. Et elle a souri. Ça s'est passé tout soudain, presque comme si c'était juste un

319

accident qu'elle n'avait pas prévu, mais c'était quand même intéressant pour moi, parce que c'était le premier sourire que j'avais eu d'elle depuis toutes ces années. Vous savez, je crois que c'était même le premier depuis la fois où j'ai brûlé les lances qu'elle avait fabriquées pour tuer Robson, quand le gouverneur était venu sur notre île de mort, il y avait tous ces étés. J'ai été si étonné que moi aussi j'ai souri. J'ai eu l'impression qu'une peine affreuse s'était arrêtée enfin.

Le seul nomme qui a eu l'air de se fiche complètement des paroles de maman, c'est Potter à la barbe rouge, qui a paru tout à fait content.

« L'un d'entre vous pourrait-il me dire, il a demandé d'une voix mal polie, combien de temps ça fait que des femelles de votre espèce ont porté des bébés dans leur ventre ? Et savez-vous ce qu'est un chiffre ? »

Quelles questions idiotes, et quel toupet ! Il n'a pas obtenu de réponse, pas même des mots de mépris, et alors un autre nomme inconnu est arrivé. Celui-là avait l'air en colère, comme s'il s'était fait piquer par des fourmis. Il transportait un objet que je voyais pour la première fois : une boîte en bois, avec une couverture par-dessus. Et il l'a posée par terre, sur ses pieds longs comme des bâtons.

« C'est pas trop tôt ! a dit la femme du gouverneur comme si on lui avait donné à manger après qu'elle avait eu faim pendant des jours et des jours. M. Jablong a apporté une machine spéciale pour faire de jolis portraits de vous tous. N'est-ce pas merveilleux ? »

Des portraits ? Je n'étais pas sûr que ce soit réellement merveilleux. Mais maman a été plus rapide :

« Vous nous avez pas prévenus avant !

— Comment l'aurais-je pu, a répondu la femme du gouverneur en riant, alors que c'est la première fois aujourd'hui que je vous vois ? »

C'étaient des attrape-nigauds. D'un seul coup, j'ai aperçu la piste à suivre, et c'était une belle piste, en plus. Alors je me suis levé de ma place sur le banc et je me suis assis à côté de maman. Maintenant, on était deux.

« Pourquoi est-ce que vous voulez des portraits de nous ? » j'ai demandé.

La femme du gouverneur m'a fait son sourire haineux.

« J'ai pensé que ça vous ferait plaisir. Vous allez voir. Vous serez ravis de la beauté des portraits. »

Maman a frappé sa pipe contre la table, très fort.

« Je refuse !

— Et moi aussi », j'ai dit avec elle. Puis on a regardé Pagerly et d'autres des nôtres pour leur dire : *Vous devez refuser vous aussi.* Ça a rendu furieuse la femme du gouverneur, et elle nous a dit que la boîte de Jablong nous ferait aucun mal et qu'on devait accepter. Eldridge l'a soutenue, pour se mettre dans ses petits papiers, et finalement elle a réussi à faire dire oui à trois des nôtres, ce qui était triste, mais en tout cas c'était pas beaucoup. Alors, Jablong, qui prononçait bizarrement les mots nommes, comme s'ils passaient par son nez, a apporté des chaises pour faire asseoir les trois, et il les a placées devant une *statue* qui représentait un bébé de sale Blanc en train de sauter, une *épée* à la main.

« Mais je n'ai pas fini de parler avec vous, Cromwell », a dit le pasteur Wilson. Je voyais bien qu'il était toujours en colère à cause des paroles magiques de maman, mais il faisait semblant d'être de bonne humeur, si bien que j'ai deviné qu'il était tiré de deux côtés, comme une bête chien qui veut chiper de la viande dans le feu mais qui sait que ça brûle trop. « Vous voyez, j'aimerais beaucoup que vous vous joigniez à notre expédition afin de nous servir de guide. » C'était donc ça qu'il désirait. Il voulait que je leur montre le monde. Ce serait bien nécessaire, en plus, à mon avis, car c'étaient que des étrangers nommes, qui se perdraient, ou se feraient piquer par des serpents noirs. Oui, c'était pour ça qu'il avait tant voulu nous rencontrer.

Barbe-Rouge l'a regardé d'un air moqueur et dédaigneux, comme s'ils étaient ennemis.

« Pensez-vous vraiment que c'est une bonne idée, révérend ? »

Wilson ne lui a même pas rendu son regard.

« Eh bien ! qu'en dites-vous, Cromwell ? »

Pourquoi est-ce que j'accepterais ? Ils ne devraient jamais aller là-bas, dans le monde qui était à nous, pas à eux. Vraiment, c'était affreux de les imaginer avec leurs yeux avides et leurs grosses chaussures en train de piétiner nos terres aux histoires et aux noms secrets.

« Non, je refuse. »

Alors, maman m'a fait un deuxième sourire, ce qui était beaucoup pour un seul jour.

Le révérend Wilson a eu l'air surpris, comme si c'était une chose qu'il avait beaucoup de mal à comprendre.

« Vous recevriez de l'argent, de la nourriture, en grande quantité, et vous auriez un endroit confortable pour dormir.

— Je refuse quand même. »

Il a continué malgré tout.

« Je vous en prie, réfléchissez-y. Encore une question : vous rappelez-vous avoir jamais vu des pierres ou des montagnes étranges, différentes des autres, peut-être très pâles ou brillantes ? »

J'aurais refusé de l'aider, même si j'avais pu.

« Non, rien de tel.

— Faites un effort, Cromwell. Réfléchissez bien. »

Mais maintenant Jablong était prêt, avec sa boîte à faire des portraits qui visait les trois assis sur des chaises, des pipes sur les genoux, comme l'avait demandé la femme du gouverneur car elle trouvait ça si charmant.

« Prêts ! » il a lancé, avant de cacher sa tête sous la couverture de la boîte.

C'est alors que j'ai remarqué quelque chose de curieux : maman était debout à côté de lui et elle le regardait, très intéressée, alors qu'elle venait de dire qu'elle avait horreur de son travail.

« Maintenant, souriez ! » a dit Jablong de dessous sa couverture.

Tout à coup, maman a tendu le bras vers la boîte à faire des portraits. J'ai deviné son grand projet qui était très hardi. Mais je n'ai pas deviné l'autre chose qui allait se passer, la plus affreuse, horrible et atroce de toutes.

### Mme Gérald Denton, épouse du gouverneur de Tasmanie. Décembre 1857

Comme Gérald avait eu raison ! Dès son arrivée, le métis Cromwell exerça une influence néfaste sur la réception. Comble de malchance, les autres membres de son groupe – les vrais aborigènes – paraissaient entièrement sous sa coupe, et en tout premier lieu Marie, sa mère. Ils venaient à peine de s'installer pour prendre le thé, qu'il la poussa à insulter ce pauvre M. Wilson, l'ecclésiastique explorateur qui s'était déplacé rien que pour les saluer. Comme si cela ne suffisait pas, lorsque M. Jablon, le daguerréotypeur, est enfin arrivé (sans s'excuser le moins du monde de son retard, à part un horripilant haussement d'épaules français), Cromwell s'efforça de jouer sur la timidité des autres Noirs pour les convaincre de refuser qu'on les photographiât. Et, pendant tout ce temps, il me lançait des regards accusateurs sous-entendant que je cherchais à tirer profit de l'opération, alors que mon seul désir avait été de faire une petite gentillesse à ses congénères. Puisqu'il était trop clair, hélas ! que leurs jours étaient comptés, j'avais cru absolument de mon devoir d'essayer de conserver quelque touchant souvenir de cette infortunée race, avant qu'il fût trop tard.

À cause des manigances de Cromwell je parvins, non sans mal, à persuader seulement trois des dames de vaincre leurs réticences et de se laisser daguerréotyper. J'avoue que je fus dépitée qu'elles ne fussent pas vêtues de quelque splendide costume tribal car, contrairement à ce que j'avais imaginé, leurs habits étaient misérables, et pareils à ceux qu'aurait pu porter n'importe quelle pauvresse blanche. Leurs longues pipes de glaise, cependant, ajoutaient une note exotique au spectacle – on n'eût guère pu imaginer habitude moins féminine –, et, lorsqu'elles s'installèrent sur leur chaise, je les encourageai à les poser bien en évidence dans leur giron. Je suggérai en outre que Jablon prît plusieurs poses de chaque femme, afin de conserver une documentation aussi complète que possible.

M'étant occupée presque jusqu'au bout de cette affaire et ayant le sentiment d'avoir grandement négligé mes devoirs d'hôtesse, je ne pus m'attarder davantage. Déjà, des voix, de l'autre côté du paravent fait de plantes en pots, m'indiquaient que le mystère de la Nativité avait commencé. Ne souhaitant pas que mon absence fût interprétée comme un manque de courtoisie, je m'esquivai en contournant les plantes. Levant les yeux, je vis que M. Phelps, l'avocat, M. Carey, l'officier de port, et le capitaine Dacre, de la milice – tous magnifiques, malgré les effets de la chaleur, dans leur simple costume de berger –, venaient de prendre place sur la scène où ils étaient accueillis par M. Henderson, de la Banque de Hobart, qui jouait le rôle de Joseph. J'étais en train de m'installer au dernier rang, lorsque j'entendis un curieux fracas derrière moi. Un cri fusa presque immédiatement. Le ton de cette exclamation indiquant qu'il ne s'agissait pas d'un banal incident, toute retournée, je rebroussai chemin.

Une scène à la fois pitoyable et horrible m'attendait… Inerte, la femme nommée Marie était allongée sur le sol, entourée de ses amis dont l'expression ne révélait que trop clairement l'immense désarroi. Également accroupi à côté d'elle se trouvait le Dr Potter, le collègue de M. Wilson. En réponse à mon regard interrogateur, il fit un bref signe de tête. « Je crains que le cœur n'ait lâché. »

M. Eldridge secoua la tête devant ce malheureux accident qui ne devait pas être le premier du genre dont il avait été témoin ces dernières années. Soudain, des pensées lugubres me traversèrent l'esprit. Comme la main du destin s'abat sur nous à l'improviste ! Pendant que nous vaquons aveuglément à nos occupations, englués dans la routine, l'étreinte glaciale de la mort, embusquée tout près de nous, peut nous surprendre à tout instant ! Débordante de vie, cette pauvre femme se tenait parmi nous, et l'instant d'après elle avait été cruellement arrachée aux siens. J'avais le cœur brisé en pensant à ces malheureux Noirs, et j'étais même un peu triste pour l'odieux Cromwell, qui, assis près de sa mère, poussait une sorte de lamentation incrédule et lui agrippait constamment le bras, comme s'il croyait pouvoir la réveiller.

Cela n'eut pas l'air de bouleverser certains et cela peut paraître difficile à croire mais, même alors, au milieu d'un tel chagrin, quelqu'un ne songeait qu'à se plaindre, allant jusqu'à vitupérer la malheureuse créature qui nous avait été enlevée.

« Il est cassé, gémit Jablon en examinant le lugubre appareil gisant sur le sol près de la pauvre Marie. C'est sa faute ! »

Je n'en croyais pas mes oreilles.

« Comment osez-vous dire une chose pareille ?

— Je l'ai vue à travers l'objectif. Elle a tendu le bras pour le renverser, et puis, patatras ! elle s'est écroulée.

— Votre remarque est à la fois grotesque et mensongère ! » rétorquai-je d'un ton sec. Même à ce moment-là, il ne fit preuve d'aucun remords et se plongea dans l'examen de son appareil. Les aborigènes se mirent à se lamenter d'une façon extrêmement émouvante, même si, à mon assez grande surprise, ils n'exprimèrent pas bruyamment leur douleur – contrairement à certains peuples méditerranéens –, paraissant plutôt se replier sur eux-mêmes, leur visage se refermant discrètement sur leur chagrin. Leurs plaintes avaient cependant été entendues des invités de la réception principale, car je me rendis compte que les acteurs du mystère de la Nativité s'étaient tus et que des visages curieux regardaient la scène, derrière les buissons. Et, en tout premier lieu, je reconnus avec plaisir celui de mon cher Gérald. Il hochait gravement la tête tandis que je lui expliquais ce qui était arrivé.

« Quelle affreuse tristesse…

— Faites venir immédiatement les voitures, s'il vous plaît ! lança le métis, reprenant brusquement ses mauvaises manières. On doit rentrer. On va la ramener. »

Le collègue médecin de M. Wilson, qui avait recouvert le visage de Marie avec son châle, se leva.

« Ce serait plus normal de l'emmener à l'hôpital, non ? »

Gérald opina de la tête.

« En effet. »

Le métis était décidé, comme toujours, à faire des embarras.

« Elle est des nôtres. Rendez-la-nous !

— Ne vous en faites pas ! lui dit M. Eldridge en jetant un regard rassurant à Gérald. Je suis certain qu'on vous la rendra très bientôt. » En dépit de sa mauvaise réputation, je dois dire que je l'avais trouvé très efficace.

Ne prêtant guère attention à Cromwell, je m'efforçai de persuader les vrais Noirs de rester un moment encore pour chercher à les consoler dans la mesure du possible, mais ce fut en pure perte, car ils se montraient fort impatients de quitter ces tristes lieux. À contrecœur, je fis venir les voitures, et peu après tout le petit groupe fut emporté. En apercevant leur table, où les gâteaux étaient à moitié mangés, où le thé n'avait pas été touché, il était impossible de ne pas se sentir terriblement ému et attendri.

Cependant, la réception principale était loin d'être terminée. Le mystère de la Nativité reprit et fut salué par de chaleureux applaudissements. Malgré le tragique événement, nos courageux invités continuèrent stoïquement à manger et à bavarder. Je les imitai, certaine que c'était exactement ce que la pauvre Marie – apparemment si pleine d'énergie – aurait souhaité. Le dernier invité prit congé longtemps après, et je suis ravie de dire que, à part ce qui était arrivé à la malheureuse, la réception fut plutôt couronnée de succès. D'ailleurs, je fus si occupée que je n'eus pas le temps de m'enquérir des dispositions prises à son sujet.

« Nous l'avons mise dans la réserve, expliqua Mme Murray, l'intendante. Nous avons contourné le parc, de sorte que personne ne s'en est rendu compte. »

Cela semblait une sage mesure, l'endroit étant frais et spacieux.

« A-t-on informé l'hôpital ?

— On attend un chariot dès ce soir. »

À ce moment précis, une idée me traversa l'esprit.

« M. Jablon est-il toujours là ? »

Mme Murray pensait l'avoir vu près de la table où les Noirs avaient pris le thé. C'est là que je le trouvai, toujours en train de manipuler sa machine. Je m'efforçai d'oublier son honteux comportement, considérant que c'était peut-être une réaction aux dégâts causés à son appareil.

« Il fonctionne toujours ? » lui demandai-je.

Pour toute réponse, il haussa les épaules. Je le conduisis à la réserve. Quoique Marie ait appréhendé de se faire daguerréotyper, j'étais sûre qu'en voyant les portraits de ses amis elle aurait beaucoup insisté pour avoir le sien. Je pensais qu'il était absolument de mon devoir de tenter de garder un souvenir durable de l'infortunée créature qui nous avait été enlevée de manière si subite, de saisir cette magnifique vieille dame au moment même où elle quittait ce monde. En vérité, cela paraissait un souvenir d'autant plus tragiquement pertinent que la mort s'approchait de plus en plus de tous les membres restants de sa race infortunée.

« Je vais essayer, me dit M. Jablon, bien que je ne sois pas certain qu'il marche toujours. »

L'un des pieds avait été cassé, mais, ayant réussi à maintenir l'appareil en équilibre à l'aide d'un sac de pommes de terre, il s'empressa d'accomplir les rituels de son métier, ouvrant les portes toutes grandes pour faire entrer suffisamment de lumière, avant de s'activer sur divers récipients scellés et autres plaques de verre, et de disparaître sous le rideau de tissu. Entre-temps, j'avais appelé deux des jardiniers pour qu'ils installent la pauvre Marie en position assise, conseillant qu'on l'appuie contre une caisse de pommes dissimulée. Mais dès qu'ils tentèrent de procéder à cet agencement surgit une nouvelle difficulté.

« Il n'y a pas moyen de la bouger, affirma le chef jardinier. Elle est rigide comme une planche. »

Presque au même moment, de sous le rideau de la boîte mystérieuse, fusa une série de jurons français. « Il est complètement foutu ! » s'exclama Jablon d'un ton acerbe en réémergeant à l'air libre.

Je fus, je l'avoue, extrêmement déçue, surtout parce que j'avais l'impression d'avoir manqué à mes devoirs envers cette pauvre chère Marie.

### Mme Emily Seaton. Décembre 1857

Je fus étonnée d'entendre le pas de Nicholas dans le vestibule. Il n'était pas censé revenir de l'hôpital avant le soir.

« Je ne peux rester qu'un petit moment, Emily, expliqua-t-il, un peu essoufflé. En fait, j'ai un grand service à te demander. Tu te souviens du médecin que nous avons rencontré à la réception du gouverneur ? Celui que j'avais connu étudiant ? Potter… » Il fit un large sourire. Nicholas adorait évoquer ses années d'études à Londres, les amis et les nombreuses farces – certaines pas du tout anodines – qu'ils s'étaient faites les uns aux autres. « Il m'a appelé à l'hôpital ce matin pour me dire qu'il souhaiterait vraiment beaucoup nous revoir. Mais, comme il repart très bientôt, j'ai pensé qu'on devait l'inviter à dîner dès ce soir. Cela semblait dommage de le laisser s'en aller sans que nous ayons eu l'occasion de discuter ensemble et de nous rappeler le bon temps. » Une lueur d'inquiétude apparut dans ses yeux. « Je me rends bien compte que je te prends un peu de court. »

Je n'arrivais pas à me mettre en colère contre Nicholas.

« Ne t'en fais pas… Je vais me débrouiller. »

Cela ne le rasséréna pas.

« Crois-tu que tu pourrais persuader la cuisinière de se surpasser ? J'aimerais beaucoup faire bonne impression. Tu sais, Potter est devenu un personnage de tout premier plan. »

Ce médecin n'avait vraiment pas choisi le meilleur moment pour débarquer ici. À l'approche de Noël, l'argent du ménage se faisait rare. Malgré tout, je voulais à tout prix éviter de lui faire croire que nous étions pauvres.

« Ce ne sera pas facile, dis-je, afin que mes efforts ne passent pas inaperçus, mais je verrai ce qu'on peut faire. »

Son visage s'illumina. Ses expressions possèdent une charmante spontanéité.

« Je vais dire à Dobbs de nettoyer la voiture à fond. J'ai pensé aller le chercher moi-même à son hôtellerie pour lui faire faire une petite visite de la ville et lui montrer quelques endroits intéressants. Ça l'étonnera peut-être de découvrir à quel point nous sommes civilisés. »

Je pris un assez grand plaisir à me lancer dans les préparatifs même si le temps manquait. Il fallait évidemment que les enfants soient sur leur trente et un, ce qui, entre les gémissements pendant le démêlage des cheveux et les pleurnicheries quand ça pinçait, ne fut pas une mince affaire. Le retard de Nicholas n'arrangea pas les choses parce qu'ils s'impatientèrent. Je ne pouvais leur accorder toute mon attention : livrée à elle-même, la cuisinière a tendance à donner libre cours à ses fantaisies. La petite France réussit à tremper sa manche dans la compote de pommes (heureusement, la tache partit sans grande difficulté), tandis que Toby faillit causer un malheur en poussant Louisa, laquelle fit presque trébucher la cuisinière qui venait de sortir le poisson du four… Et cela juste au moment où j'entendais la voiture s'arrêter devant la porte. J'eus à peine le temps de le gronder puis de les faire entrer tous les trois dans le salon et de les mettre plus ou moins en rang pendant que la cuisinière arrachait son tablier maculé de taches de poisson, redressait son bonnet et se précipitait pour ouvrir.

Nicholas rayonnait en conduisant le Dr Potter au salon. Je dois avouer que moi, je ressentais beaucoup moins de sympathie pour notre invité. Déjà, à la réception du gouverneur, j'avais remarqué qu'il restait curieusement sur son quant-à-soi, et cette attitude me paraissait évidente à présent, rendant d'autant plus factices ses joyeuses salutations. De plus, ses compliments semblaient d'une certaine manière trop abondants. De son étrange voix étouffée, il s'extasia d'abord sur les enfants, puis sur moi, ensuite sur le salon et le mobilier, et enfin, une fois que les enfants furent envoyés au lit et que nous nous installâmes à table pour dîner, sur chaque plat, y compris le soufflé, qui n'était pas, hélas ! monté comme il fallait. Je trouvai tout cela quelque peu excessif, même si je m'en réjouissais pour Nicholas, qui était aux anges.

Comme je m'y attendais, la conversation porta bientôt sur leurs années d'études, et ils citèrent toutes sortes de bizarres surnoms. La plupart de leurs propos ne signifiaient rien pour moi, mais force me fut de constater que, même s'ils possédaient à l'évidence des relations communes, ils n'avaient pas été aussi proches que je l'avais cru, car il y eut autant de questions – sur leur logement, leurs professeurs, leurs amis respectifs – que d'évocations de souvenirs partagés. Cela ne sembla pas, au demeurant, diminuer le plaisir qu'ils trouvaient tous les deux à revivre ces souvenirs, et la soirée se déroula merveilleusement bien, en tout cas jusqu'au moment où l'ambiance changea d'un coup, du fait du Dr Potter.

« Tu te rappelles le vieil Edwards, demanda-t-il, l'ogre ? »

Nicholas éclata de rire et prit soudain une voix de fausset – imitation, supposai-je, de celle de l'homme en question.

« Ce n'est pas une réponse, vous insultez le nom d'Hippocrate ! »

Potter s'esclaffa bruyamment, quoique son rire – comme bien d'autres aspects de son caractère – eût quelque chose de faux.

« Je l'ai vu juste avant notre départ de Londres. Je crois me rappeler qu'il a parlé de toi et de tes dons d'alors. »

Les yeux de Nicholas s'illuminèrent de joie.

« Il a dû être surpris que tu nous aies abandonnés et que tu aies fui Londres. Et il n'a pas dû être le seul. »

Ah ! s'il avait pu se taire ! Nicholas passait un si bon moment, mais brusquement son regard devint triste. Il parlait rarement des mois qui avaient suivi la fin de ses études, mais je savais que ç'avait été une époque pénible. S'il avait eu une famille fortunée ou des relations, comme certains de ses camarades, ce n'eût pas été un grand malheur de ne pas trouver de poste, puisqu'il aurait pu ouvrir son propre cabinet, mais le pauvre Nicholas ne possédait aucun de ces avantages et avait même eu du mal à finir ses études. On peut dire qu'il avait été pratiquement obligé d'accepter un poste de médecin à bord d'un navire de transport. En l'occurrence, les choses n'avaient pas trop mal tourné mais la question demeurait sensible. Je fis les gros yeux à notre invité, qui ne parut pas s'en apercevoir.

« Tu as eu raison de partir, remarque. Après tout, si tu étais resté à Londres, comment aurais-tu jamais pu rencontrer la charmante Emily ? » Il examina son poisson et en retira avec soin une minuscule arête. « Mais si tu rentrais maintenant, je suis persuadé qu'on ne te laisserait pas t'échapper aussi facilement. »

Nicholas fixa sur lui un regard grave.

« Tu le crois vraiment ?

— J'en suis absolument certain. On est entrés dans la carrière à une époque des plus difficiles. Vraiment, si tu as jamais l'intention de revenir, je serai tout à fait ravi de t'aider personnellement. » Il se tourna alors vers moi. « Qu'en dites-vous, madame Seaton ? Ça vous plairait d'être la femme d'un médecin londonien ? »

Je commençais à me lasser du son de sa voix.

« En vérité, docteur Potter, je suis parfaitement contente de mon sort. Je me sens chez moi, ici.

— Tout à fait ! Tout à fait ! » s'écria-t-il en riant et en applaudissant brièvement. Mais il enchaîna par une longue description de Londres, expliquant comment la capitale avait changé – en mieux – depuis l'époque où Nicholas était étudiant. Il évoqua les nouvelles pièces de théâtre, boutiques, gares, les nouveaux restaurants et parcs où se promenaient les élégants, ainsi que les courses de chevaux sur lesquelles ils pariaient. Il nous fit surtout part de ses magnifiques fréquentations – comédiens, médecins, députés, et même des membres de second rang de la famille royale. Nicholas était visiblement subjugué, tandis que moi, je me sentais de plus en plus mal à l'aise. Je n'avais aucun désir d'aller à Londres. Tout à coup, ce Potter, qui m'avait tout de suite déplu et que nous régalions, menaçait de créer un désaccord – une dissension – qui n'avait jamais existé entre mon mari et moi.

Je fus grandement soulagée lorsque la cuisinière enleva les assiettes du dessert et que notre invité s'apprêta enfin à se retirer.

« Madame Seaton, je vous remercie pour cette soirée absolument charmante.

— Je vais te raccompagner en voiture, proposa Nicholas.

— Tu te lèves tôt, demain matin, lui rappelai-je, n'ayant aucune envie qu'il reste plus longtemps en la compagnie de cet homme. Peut-être devrais-je appeler Dobbs…

— Il dort sûrement à poings fermés. De plus, ça nous donnera l'occasion de bavarder encore un peu, chemin faisant. »

Le Dr Potter parut enchanté de la proposition.

« Tu es sûr ? Ce serait extrêmement gentil de ta part. »

Je gagnai ma chambre sans tarder. Je savais que le trajet jusqu'à l'hôtellerie du Dr Potter, située tout près du port, ne durerait pas plus d'un quart d'heure. C'est pourquoi, alors que j'essayais de trouver le sommeil – l'esprit atrocement troublé par des pensées de bouleversements domestiques et de tempêtes faisant chavirer des bateaux –, je m'étonnai que, presque une heure plus tard, Nicholas ne fût toujours pas rentré. La surprise se muant en angoisse, je fus bientôt obsédée par l'idée que le cheval, qui se montrait ombrageux à l'occasion, s'était emballé, avait renversé la petite voiture et que mon pauvre Nicholas gisait dans un fossé, oublié en pleine nuit. Quelques instants plus tard, comme il ne revenait toujours pas, de nouvelles craintes m'assaillirent. Ce Potter ne m'inspirait pas confiance. Et s'il avait poussé Nicholas à commettre quelque terrible bêtise, à refaire des excès, comme lorsqu'ils étaient étudiants ? À deux pas du port se trouvaient des tavernes mal-famées, où la violence et l'ivrognerie étaient monnaie courante. Et il y avait encore pis. J'avais vu les femmes attendant sous les porches, même en plein jour, dans leurs tenues vulgaires, avec leurs dentelles et leurs bas bon marché, dans l'espoir d'attirer dans leurs filets des hommes bien. Nicholas ne daignerait même pas leur jeter un coup d'œil, me dis-je, mais j'avais du mal à rester sereine, surtout après avoir vu l'admiration qu'il éprouvait pour Potter.

C'est donc avec un grand soulagement que j'entendis un cheval s'arrêter devant la maison. Le répit ne fut, hélas ! que de courte durée, car ce qui suivit n'avait rien du bruit agréable d'une clef tournant dans la serrure. On frappait de violents coups contre la porte. Je dévalai l'escalier et arrivai en bas avant la cuisinière. Un homme à la mine pati-bulaire se tenait sur le seuil.

« Madame Seaton ? J'ai un mot pour vous. »

Bien que le mot parût être de la main de Nicholas, comme il s'agissait davantage d'un griffonnage que de sa belle écriture habituelle, j'eus un certain mal à le déchiffrer. Il m'informait qu'une personne, dans l'auberge où était descendu le Dr Potter, était subitement tombée malade et qu'il risquait de ne pouvoir rentrer avant un bon moment. J'allai me recoucher encore plus inquiète qu'auparavant. Comment se faisait-il qu'il fallût tant de temps pour traiter cette maladie qu'il ne prenait même pas la peine de nommer ? Et pourquoi avait-on besoin des soins de deux médecins ? Je me maudissais de ne pas avoir songé à questionner le messager. Me tournant et me retournant dans mon lit, les heures s'égrenèrent sans que vînt le sommeil. Je passai une nuit blanche, mais j'entendis enfin le bruit familier de la voiture.

Quand il pénétra dans la pièce, Nicholas avait le teint fort pâle.

« Je suis vraiment confus, Emily. Je n'imaginais nullement que ce serait si long. »

Connaissant la moindre expression de son visage, rien qu'à sa mine je savais toujours deviner son état d'esprit. Je sentis alors d'horribles frissons me parcourir le corps. Je le vis dans ses yeux aussi clairement que s'il me l'avait crié au visage : il mentait. Soudain, en ce bref et terrible instant, tout au monde sembla souillé sans que je puisse comprendre comment ou pourquoi c'était arrivé. À ma grande surprise, ma voix restait calme.

« Qui est tombé malade ?

— Une femme qui loge dans l'auberge de Potter.

— Qu'est-ce qu'elle a eu ?

— Une infection. »

La description du malade et de la maladie était beaucoup trop vague.
« Pourquoi est-ce que cela a pris si longtemps ? »

Il devinait mes soupçons, désormais, et son regard se fit circonspect.
« Nous avons dû effectuer une petite opération.

— Quelle sorte d'opération ? » Mes demandes de détails le mettraient à quia, dussé-je en mourir.

« C'est important ? » Sa colère montait. « Je suis désolé, Emily, mais je suis épuisé. Je vais faire ma toilette. »

Il quitta la pièce, néanmoins je ne le laissai pas s'en tirer à si bon compte. Enfilant ma robe de chambre, je lui emboîtai le pas. La porte de la salle de bains était déjà refermée, et j'entendais un clapotement d'eau à l'intérieur. Après tous les événements étranges de la nuit, la cuisinière devait sans nul doute être aux aguets, mais ça m'était égal.

« Dis-moi où tu étais ? demandai-je à voix basse.

— Je te l'ai déjà dit.

— Tu mens !

— Oh ! je t'en prie ! »

Je refusais qu'il se cache de moi. Le verrou n'ayant jamais bien fonctionné, soulevant un peu la porte avant de la pousser, je l'ouvris sans difficulté. Quand j'entrai dans la pièce, je vis que Nicholas avait enlevé sa chemise et se tenait à côté de la cuvette. Il me fixait, l'air étonné. La chemise était bouchonnée dans sa main et, à l'évidence, il s'apprêtait à la plonger dans l'eau. Je fis un bond en avant pour la lui arracher. Pendant un instant nous nous la disputâmes, mais, relâchant son emprise, il me l'abandonna.

« Qu'est-ce que tu fais, Emily ? »

Je savais qu'elle serait maculée de rouge et de poudre de riz, qu'elle sentirait le parfum à bon marché, l'odeur d'un corps de bas étage, celui d'une catin. Et, surtout, qu'elle empesterait la trahison.

Mais, curieusement, je m'étais trompée du tout au tout. On voyait de légères taches brunes, sur les manches, semblables à du sang séché. Au lieu d'un parfum, je ne perçus qu'une faible odeur de médicament.

## Le *Colonial Times*. Décembre 1857

*Abominable incident à l'hôpital de Hobart :*
*Restes mortels d'une aborigène dérobés*

Un acte des plus horribles a été commis aux premières heures de la matinée de mardi : trois hommes ont emporté de l'hôpital de Hobart les restes mortels d'une femme aborigène. Les soupçons furent éveillés lorsqu'un passant, M. Thomas Perch, qui revenait de la taverne de l'Ancre, remarqua devant le bâtiment deux hommes en train de placer à l'arrière d'un chariot ce qui semblait être un corps humain. Quand il leur cria de s'arrêter, ils ne répondirent rien mais sautèrent dans le véhicule, tandis qu'un troisième, qui leur servait de cocher, faisait claquer les rênes et démarrait à grande vitesse.

Très inquiet, M. Perch avertit la police de Hobart, et le sergent Richards se rendit sans tarder sur les lieux. En examinant les fenêtres du rez-de-chaussée de l'hôpital, il s'aperçut que l'une d'entre elles était entr'ouverte et qu'il y avait des taches de sang à l'entour. Entrant dans la pièce par la fenêtre, il découvrit un affreux spectacle : de la peau et des restes humains en grande quantité jonchaient le sol, ce qui suggérait qu'une lutte terrible et mortelle avait eu lieu. Cependant, le directeur de l'hôpital, le Dr Lionel Gifford, expliqua que le local était utilisé pour entreposer les cadavres et que les restes macabres étaient presque certainement ceux d'une femme aborigène nommée Marie, dont le corps avait été apporté là seulement deux jours auparavant. Une enquête plus approfondie révéla que, parce qu'elle était collée par de la peinture, les intrus n'avaient réussi à ouvrir la fenêtre que partiellement et qu'ils avaient mutilé le corps – aux formes généreuses – afin de le sortir du local. Quant au mobile de cet acte à la fois bizarre et répugnant, on croit savoir que ce que voulaient les voleurs, c'était le squelette de la femme. Le nombre des aborigènes de la colonie étant fortement réduit, il appert que leurs ossements intéressent les musées et les institutions scientifiques d'Europe.

Mme Gérald Denton, l'épouse du gouverneur, qui recevait au Gouvernement les aborigènes survivants au moment où ladite Marie rendit l'âme, et qui se présente comme la grande amie des malheureux Noirs, a exprimé sa douleur et sa colère en apprenant la nouvelle, tandis que son mari affirmait que les auteurs de ce forfait seraient retrouvés et punis. Étant donné que peu de monde connaissait l'endroit où était gardé le corps, on pense qu'il n'est pas impossible que des membres du personnel de l'hôpital soient impliqués, et même si le Dr Gifford a déclaré qu'une telle hypothèse était hautement improbable, il a confirmé que tout médecin reconnu coupable subirait un châtiment exemplaire.

Le commissaire McBride a promis que la police de Hobart allait mener une minutieuse enquête. Bien qu'il n'ait aperçu les voleurs que brièvement, M. Perch, le témoin, a décrit le conducteur du véhicule comme un homme costaud, malgré sa petite taille, et l'un des deux porteurs du corps comme grand et barbu. Mais il n'a pas clairement vu le troisième larron.

### Le Dr Thomas Potter. Décembre 1857

*19 décembre*

S. = totalement inutile. Pris de panique au moment crucial. N'ai réussi à le calmer qu'avec forte <u>gifle</u>. À peu près certain que n'avons été sauvés de <u>catastrophe</u> que grâce à rapidité d'action de Hooper sur chariot. Fort inquiétant. Conséquences à propos découvertes = <u>tr. sérieuses</u> pour avenir personnel + aussi pour avenir <u>théories</u>. Seul espoir = <u>importun</u> = trop loin pour distinguer nos traits.

Me suis efforcé de chasser ces pensées. Sommes sortis de Hobart (rues heureusement désertes) jusqu'à partie calme du rivage. Avons fait feu avec bouts de bois ramassés sur plage pour faire bouillir eau puis nous sommes mis au travail, jetant débris dans mer. Travail = fatigant + <u>plus long</u> que pensais (pas aidé par S. = <u>geignant</u> tout le temps), alors obligé d'envoyer mot à <u>Mme S</u>. pour éviter que, prise de <u>panique</u> à cause longue absence mari, elle pose questions, etc. Quand Hooper revenu, l'ai fait aider à tâche. A été excellent assistant + vers fin de nuit, lui = vrai petit chirurgien (+ bien plus utile que S.). Suis de + en + impressionné par son caractère. Lui = peu instruit mais pas inintelligent + montre grand intérêt pour théories qu'il comprend fort bien.

Enfin avons terminé à l'aube. Content voir spécimen = excellent + bien meilleur que ceux de Flinders qui tous = abîmés ou incomplets. Ai pu distinguer peu nettes mais visibles caractéristiques (manque de fermeté + fibre particulière, etc. : *cf.* type saxon vigoureux). Ai aussi trouvé amulette autour du cou de carcasse fabriquée dans peau de bête = contenant sortes d'os. Bon exemple de superstition de sauvage. Donc espère = la peine malgré tout. Avais apporté matériel emballage + placé nouveau spécimen à l'intérieur avec soin extrême. D'abord ai enveloppé dans toile plus gros morceaux du spécimen. Puis enroulé le tout dans plusieurs couvertures comme rembourrage. Puis dans sac en coton sur lequel ai inscrit type, nom, sexe, etc. Attaché amulette au col du sac. Finalement l'ai placé dans caisse.

Ai beaucoup fait peur à S. (tr. facile) avant de le renvoyer chez lui : l'ai averti qu'il ne devait rien raconter à personne, même pas à sossotte de femme car = sûr de causer son propre malheur. Espère + crois qu'il fera comme ai dit. Avons atteint port à 7 h. du matin. Mannois n'ont pas montré grand intérêt car tr. préoccupés par affaires personnelles + n'ai eu aucune difficulté à charger spécimen sur *Sincérité*. Rentré hôtellerie, toilette + repos bien mérité.

### 20 décembre

Temps toujours beau et chaud. Ai acheté journal local, *Colonial Times*. Inquiet de voir *incident* tracasse beaucoup stupides âmes sensibles, etc., certains même occupant tr. hautes fonctions. Extrêmement fâcheux. Si arrive à apporter spécimen en Angleterre suis certain que personne s'occupera origine. Ici, cependant, réelles difficultés en perspective. Heureusement description par importun = floue.

### Peevay. Décembre 1857

Pendant la matinée, comme il le faisait quelquefois, l'homme blanc nommé *M. Forbes* est arrivé sur son cheval pour me demander si je voulais travailler à découper des baleines ce jour-là pour de *l'argent*, et quand j'ai répondu non, vous voyez, maman est morte maintenant, il a eu l'air étonné, mais a dit oui, qu'il était très désolé, qu'il l'avait lu dans le *journal*. Puis il a baissé les yeux, l'air grave, les sourcils froncés, et il a dit quelque chose d'intéressant : « Je ne savais pas que c'était ta mère. J'en suis marri. J'espère qu'on va les arrêter, qui que ce soit. »

Ça, c'était un casse-tête à n'y rien comprendre. Alors je lui ai demandé : « Qui est-ce qu'il faut arrêter ? »

J'ai remarqué que ça l'a rendu timide, mais je l'ai obligé à répondre en posant des tas de questions, sautant de l'une à l'autre jusqu'à ce qu'il raconte tout, avec tous les affreux détails. Alors j'ai appris tout sur la pièce dans l'hôpital, l'homme qui avait vu, les voleurs qui étaient trois avec leur *chariot*. Il a parlé de la fenêtre qui ne s'ouvrait pas, et de la peau qui a été coupée. Ça, c'était de drôles de nouvelles. Alors, tout dans le monde a changé. Tous les tirs et les poursuites, les bébés jetés dans le feu, toute l'attente sur les îles de mort avec le vent qui souf-flait du sable dans les yeux, et les tromperies sur le Dieu des Blancs, vous voyez, rien de tout ça n'était aussi horrible que ce qu'ils ont fait à maman. Tuer était mieux, oui, car ça veut dire détester et avoir peur, ce qui montre du respect, alors que ces coupures et ces jeux, ça montrait du mépris et c'était terriblement atroce. Ça la rendait toute petite, un rien du tout, pas même un grain de poussière. Vraiment, je croyais avoir fait le tour de la malfaisance des sales Blancs, mais non, je ne pouvais plus imaginer maintenant où ça s'arrêterait.

Forbes est parti, l'air tracassé, comme s'il croyait, du coup, que j'allais peut-être le détester juste parce qu'il était blanc comme ceux qui avaient maltraité maman, ce qui était un peu le cas, oui. Alors je suis resté tout seul, et mon sang bouillait, et je ne savais pas où aller ni quoi faire, puisque tout s'était gâté. J'ai commencé à marcher dans la direc-tion d'Oyster Cove, pensant aller voir Pagerly et d'autres pour parler avec eux, mais ce-qu'on-avait-fait-à-maman accompagnait tous mes pas, si bien que j'ai eu honte, me disant que c'était de ma faute, parce que j'avais laissé emporter ma pauvre maman. Alors j'ai pas pu continuer, car j'avais peur de leur regard, et je suis retourné à ma maisonnette. Je me suis assis devant, j'ai regardé le fleuve, et le soleil baisser dans le ciel, affamé de calme, mais non, rien de calme n'est venu, car ce-qu'on-avait-fait-à-maman était posé à côté de moi, et je voyais à peine le fleuve. Quand le froid est venu et que les insectes qui piquent ont bourdonné, je suis rentré à l'intérieur, mais ce-qu'on-avait-fait-à-maman est rentré plus vite que moi. C'était toujours là quand je me suis endormi, et au milieu de la nuit, quand tout était calme à part le raffut des souris, ça m'a tout d'un coup réveillé en criant : « Je suis là ! », comme si ç'avait repris des forces.

C'est dans l'obscurité que j'ai eu ma première pensée. C'était : *Voilà ce que les sales Blancs pensent des nôtres.* Cette pensée était toute petite, oui, et elle n'a mis que quelques brefs instants à se former, mais ce qui est tout petit peut grandir, comme lorsque le vent fait de minuscules trous dans le toit d'une case et puis ressouffle tant et plus que le trou devient de plus en plus gros et que brusquement tout le toit s'envole. C'était la même chose. Pendant que j'étais couché là dans la nuit, ma pensée suivante a été : *J'ai été idiot d'apprendre Dieu et les mots des Blancs puisque ça ne m'a fichtrement jamais servi à rien pour les combattre.* Après ça il y a eu : *J'aurais dû en transpercer plusieurs avec la sagaie et me faire tuer à la première occasion.* La pire a été la dernière, et c'était : *Maman avait raison, j'avais tort, et c'est de ma faute si on en est là.*

Après ces différentes pensées je me suis levé et je me suis mis à l'ouvrage. D'abord j'ai allumé des *bougies* pour m'éclairer. Puis j'ai empoigné la *théière* et l'ai fait voler comme un oiseau pour qu'elle s'écrase contre le mur en mille petits morceaux marron. Ensuite j'ai brisé les pieds des *tabourets* et de la *table* et les ai fracassés contre les *étagères*, si bien qu'elles se sont écroulées en faisant un bruit énorme. Puis juste à côté des *rideaux* j'ai fait un grand *tas* avec les morceaux de la table et des tabourets, le livre et le *chapeau haut de forme*. Finalement, j'ai pris les bougies et j'ai mis le feu au tas, alors c'est devenu un magnifique *incendie* qui a brûlé et réduit en cendres toute la maisonnette.

Quand la maisonnette a fini de brûler le jour s'était levé. Alors je me suis assis pour humer l'odeur des cendres et regarder grimper les petites fumées et j'ai réfléchi à ce que j'allais faire ensuite. Ça serait une grande joie de brûler d'autres choses – tout, en fait – mais, comme la pluie était tombée pendant la nuit, j'ai pensé que le feu aurait du mal à prendre. Alors j'ai pensé tuer des sales Blancs – n'importe lesquels –, et même si ça ne ressemblait pas vraiment à une pensée réelle, j'ai pris le chemin de la ville de Hobart, comme si elle pouvait se réaliser quand même.

Ce jour-là, il m'en souvient, les rues étaient chaudes et poussiéreuses, et c'était intéressant de marcher ici et là, tout seul au milieu de ces Blancs, des centaines et des milliers de nommes blancs, tous pressés et marchant vite, qui me regardaient comme si je m'étais trompé et que je n'étais pas à ma place. Alors j'ai essayé de deviner à quel moment le monde est devenu leur bien, et je me suis dit que c'était probablement le jour où maman était tombée malade dans la forêt, quand j'ai brûlé l'arbre et montré à Robson où on était. Oui, oui, j'aurais dû le tuer avec ma lance, et d'autres aussi, car c'était facile. Maintenant, c'était trop tard. Même si j'en tuais plusieurs, quelle foutue différence est-ce que ça ferait, je me suis dit, puisqu'il en resterait tant et tant ?

Alors j'ai décidé de boire du *rhum*. J'en avais jamais bu jusque-là, ça non, parce que je savais que ce serait ma perte, et la fin de toute survie. J'avais vu des Palawas qui en buvaient, vous voyez, et on aurait dit que leur vie s'était fatiguée et endormie, au point que tout ce qui restait en eux, c'était la rage, la titubation et le besoin d'avaler encore du rhum.

Mais désormais je m'en fichais, de la survie, puisque tout ce que je voulais, c'était en finir le plus vite possible, ça oui, donc, boire du rhum, c'était la chose à faire, j'ai pensé. Alors je suis allé à la *taverne*. C'était intéressant en plus, car c'était la première fois que je voyais l'intérieur d'un lieu pareil. Le soleil brillait et rendait jolie la fumée montant des pipes à tabac, le sol était en bois et craquait, et sur les murs il y avait beaucoup de bouteilles, très belles et de toutes les couleurs. Les sales Blancs qui étaient assis là me regardaient comme si j'étais drôle à voir, mais je m'en fichais, et quand l'homme debout devant les bouteilles a eu l'air méfiant j'ai montré de l'argent que j'avais gagné en découpant des baleines, et il m'a donné du rhum comme je l'avais demandé, dans un petit verre très lourd.

J'ai été étonné par le rhum. J'avais cru que ce serait comme le jus des gommiers à cidre, mais non, il n'avait pas de couleur, n'était pas très sucré et avait un goût de métal ou de quelque chose qui brûle. Ça m'a fait tousser, ce qui a fait rire les sales Blancs, et l'un d'eux, qui avait un gros ventre, m'a crié : « C'est trop fort pour toi, pas vrai, Jack ? » Mais j'ai pas répondu, j'en ai bu un peu plus, car, malgré que ç'avait un goût atroce, je voulais apprendre à le boire, exactement comme avant j'avais appris les *lettres*, les *problèmes* et le *Dieu* de Smith. Alors, j'ai commencé à comprendre le rhum. J'ai supposé que ça me rendrait heureux, mais c'est pas ce qui s'est passé. Ça m'a fait me sentir *rien*, et c'était d'ailleurs une merveille, car *rien*, c'était justement ce que je cherchais. Bientôt, j'en ai pris un autre, puis un autre, parce que j'avais soif de tout le *rien* du monde. Mais alors j'ai appris que ce rhum était plus difficile que j'avais cru, car tout à coup la tête me tournait, et je me sentais mal fichu, si bien que j'ai dû m'en aller, les jambes vacillant comme si j'étais sur un bateau, pendant que les sales Blancs riaient, et quand je suis sorti, j'ai rendu, et tout mon beau *rien* a fichu le camp.

Après ça, je me suis senti très mal et je suis resté un moment assis près d'un mur. C'est alors que j'ai eu honte, et d'un coup vouloir mourir paraissait quelque chose de minable et d'odieux, comme s'enfuir de peur, ce qui ne m'était jamais arrivé. Comment est-ce que je pouvais faire ça, alors que ce-qu'on-avait-fait-à-maman était toujours là ? Non, j'ai compris que mourir, c'était pas pour moi. Moi, je devais retrouver pauvre maman et lui faire les beaux adieux qu'elle méritait. C'est ainsi que c'est devenu mon but. C'était pas facile, ça oui. Puisque des sales nommes l'avaient emportée, la seule façon pour moi de les retrouver, c'était de demander à d'autres sales Blancs de m'aider. Mais j'en connaissais pas beaucoup, à part Forbes et ceux qui découpaient les baleines. Ils étaient gentils, mais inutiles. Alors je me suis dit qu'il fallait que je m'adresse à des inconnus.

D'abord, je me suis débarbouillé, j'ai nettoyé ma veste là où le mur l'avait salie, puis je suis allé au Gouvernement pour voir le gouverneur qui, j'ai pensé, serait le plus utile, puisqu'il était le chef des nommes. Un domestique m'a dit que le gouverneur était occupé, mais que la femme du gouverneur pouvait me recevoir, ce qui suffirait, j'ai cru. Il m'a conduit dans une pièce, très grande, avec des fleurs ici et là, et la femme du gouverneur était assise sur son long fauteuil, toute rouge et très belle. Elle a demandé à une femme domestique d'apporter du thé, et puis elle a pleurniché en disant qu'elle était très malheureuse qu'on avait volé maman de cette façon. Ça m'a donné de l'espoir, oui, mais seulement pendant un petit moment, parce que, quand j'ai demandé si le gouverneur allait rechercher les voleurs de maman, elle s'est mise en colère au milieu de ses larmes et a dit : « Mon cher Gérald fait tout ce qu'il peut ! », comme si je pensais qu'il ne faisait pas grand-chose, alors que j'avais jamais dit ça. Puis elle a ajouté qu'elle était si triste à cause de maman, qu'elle souffrait beaucoup et qu'elle dormait mal la nuit, et alors j'ai compris que finalement la femme du gouverneur ne versait pas des larmes sur maman mais sur la femme du gouverneur et, tenez-vous bien ! ça lui fendait le cœur. Vous voyez, maintenant elle tournait la tête pour regarder par sa fenêtre et me disait : « Pardonnez-moi, monsieur Cromwell, mais cette chose est réellement atroce, et je n'en peux plus ! », comme si c'était pas ma mère, mais la sienne, qu'on avait emportée et découpée. Puis elle m'a dit d'aller voir un type appelé le *policier McBride*, ce qui signifiait, bien sûr : *Maintenant, va-t'en, homme noir, car j'ai pas que ça à faire.*

J'ai quand même été voir le policier McBride, au cas où ça servirait à quelque chose. Mais j'ai deviné qu'il ferait rien pour m'aider quand on m'a fait attendre longtemps sur le banc, pendant que les autres policiers bâillaient ou me regardaient comme si je les faisais rire, et en effet quand je suis entré dans sa pièce il était plus intéressé par le mur derrière moi que par mes questions.

« Essayez de ne pas désespérer, monsieur Cromwell, il m'a dit, nous faisons tout notre possible », mais son sourire disait : *Tu es juste un sale agitateur* et *Qu'est-ce que j'en ai à faire, des ossements d'une vieille négresse !* Il a expliqué que le policier qui faisait les recherches était drôlement brillant, mais quand j'ai demandé ce qu'avait déjà trouvé ce policier brillant, il a répondu que c'était « encore trop tôt », ce qui voulait dire à mon avis qu'il n'avait encore rien trouvé. Finalement, il m'a dit d'aller voir le chef de l'hôpital, le *Dr Gifford*, ce qui signifiait : *Fiche le camp, homme noir !* comme l'avait pensé la femme du gouverneur.

Gifford était un vieil homme, très mince, qui de temps en temps touchait sa tête sans cheveux avec son doigt comme s'il avait besoin de savoir si de nouveaux cheveux étaient là maintenant. Il s'est mis tout de suite en colère, comme si je lui avais lancé des mots magiques – ce que je n'avais pas fait –, et a dit que ce-qu'on-avait-fait-à-maman était très triste, mais que lui n'avait rien à voir là-dedans et que le malheureux forfait avait été commis par de mystérieux inconnus. Non, Gifford a dit, son hôpital était une grande merveille, et les nommes qui travaillaient là étaient tous des gens merveilleux, donc, je devais être content. Mais je n'étais pas content. En vérité, j'en avais vraiment assez que ces sales Blancs me disent qu'ils étaient très intelligents et qu'ils avaient raison. C'étaient pas eux qui m'intéressaient, mais maman.

Ça a été un bien triste moment. Je suis sorti, le soleil était bas mais encore chaud, et j'ai marché sans but en pensant que j'étais un crétin et une nullité. Je n'avais donc rien appris ? Les Blancs n'allaient jamais aider un Noir à se battre contre d'autres Blancs. Ils ne l'avaient jamais fait, et ils ne le feraient jamais. Oui, puisqu'ils possédaient tout le monde, maintenant, ils pouvaient garder tous les mystères à n'y rien comprendre qu'ils voulaient. Ils formaient comme un mur, avec des éléments haineux et d'autres paresseux, mais qui cachent tous les horreurs des autres sales Blancs. Même les plus gentils, comme Forbes et ceux qui découpaient les baleines, n'allaient jamais m'aider à affronter les leurs.

Penser à Forbes m'a fait réfléchir. Je me suis rappelé que ce matin-là il était venu chez moi pour me demander si je voulais travailler, et comment il m'avait donné ses horribles nouvelles. Est-ce qu'il n'avait pas dit que c'était le journal qui l'avait raconté ? J'avais regardé une seule fois un journal, j'avais eu l'impression que c'étaient rien que des histoires de Blancs, mais maintenant j'ai pensé que c'était la mienne aussi. Comme il y avait beaucoup de journaux, on ne pouvait pas les cacher, et je me disais que les sales Blancs se fichaient de ce qui était dedans, puisqu'ils croyaient que les nôtres ne le verraient jamais. Alors, j'ai demandé à des Blancs inconnus, et ils m'ont indiqué la maison du *Colonial Times*.

C'étaient juste des pièces pleines de poussière, avec des tas d'étagères montant tout en haut des murs. Il y avait un seul nomme blanc, qui a été étonné de me voir, mais finalement il est allé dans une autre pièce et a rapporté le journal, et m'a montré la *page* qui racontait les malheurs arrivés à maman. Alors il a regardé, très surpris, quand je me suis assis pour lire, car les nommes pensaient que les nôtres n'étaient pas assez intelligents pour faire ça. La page était affreuse, ça oui, car je voyais que les gens du journal se fichaient complètement de maman, comme si ça les amusait qu'on l'avait découpée, mais ça a quand même été utile, et plus que je l'avais cru. Voici les bonnes conséquences. Premièrement, que c'était presque sûr que c'est un *docteur* qui avait fait ça. Deuxièmement, il y avait Thomas Perch, l'homme qui avait vu le conducteur, petit mais costaud, et l'autre, grand avec une barbe. Ça m'a donné des idées, oui, mais c'était pas assez. Alors, j'ai décidé d'aller voir l'auberge de l'homme qui avait vu, qui s'appelait *la taverne de l'Ancre*, d'après le journal.

Elle était bruyante et pleine d'hommes blancs qui chantaient parce que le lendemain était Noël, mais malgré que le serveur était méfiant il a fini par répondre oui, Thomas Perch, l'homme qui a vu, est ici, et il a montré un petit homme avec une tête d'idiot assis près de la fenêtre. Je lui ai demandé s'il avait vu quelque chose que le journal n'avait pas raconté. Il s'est gratté le bras, hésitant à répondre, mais ensuite il a dit que oui, qu'il se rappelait quelque chose comme ça. D'abord il a dit que le chariot était jaune, ce qui ne m'importait pas beaucoup. Puis il m'a dit quelque chose d'intéressant. En vérité, je m'étais déjà posé la question. Après tout, qui était là quand la pauvre maman est morte et qui a dit qu'on devait l'emmener à l'hôpital ?

Thomas Perch a dit que la barbe du plus grand des deux hommes était une barbe *rousse*.

### Le Dr Thomas Potter. Décembre 1857

*25 décembre*

Étais en train m'habiller pour repas Noël à l'hôtellerie quand ai entendu Wilson hurler : « Dieu soit loué ! », « Remercions le Seigneur ! », etc. Ai supposé = simplement sermon de Noël, mais quand suis entré dans salon l'ai trouvé avec métis aborigène (nom = Cromwell) qui = à réception gouv. Ai deviné immédiatement ennuis. En effet, Wilson, tr. agité, a tout de suite expliqué que métis a changé d'avis + maintenant = d'accord pour servir de guide.

Ai jugé ça = complètement absurde. Lui-même pas pur aborigène, donc nature primitive encore plus dénaturée par influences antagoniques types opposés (arrêt développement dans matrice estimé à approx. vingt-huit semaines, soit onze de moins que Saxon, même deux de moins que celui autres Noirs). Faculté analytique = entièrement absente. Totalement insensé nous placer entre telles mains. Avant objections ma part, métis a demandé (anglais élémentaire) si connaissais quelque chose sur vol corps Marie, aborigène, car elle = sa mère. A fixé sur moi regard tr. étrange : inquisiteur + mauvais. Avoue que moi momentanément mal à l'aise. Ai affirmé avec force que n'avais aucune connaissance à ce sujet, puis ai riposté en demandant à Wilson si = sage engager guide si tard + provisions insuffisantes, etc. (grimaces métis).

Wilson = tout à fait sourd comme d'habitude à voix de raison : déclare que = d'une merveilleuse signification que métis a apparu jour Noël car = « don de Dieu », « signe bénédiction divine », etc.

Ensuite, ai changé d'avis, cependant. Considéré qu'inquiétude sur regard accusateur métis = totalement irrationnel = tout à fait impossible que possède faculté logique parvenir à ces conclusions. Doit seulement = exemple fortuit comportement sauvage. Si comme guide = déplorable (comme = inévitable) rejaillira sur Wilson, pas sur moi.

Vois maintenant que recrutement pourrait = assez utile car lui = élément d'étude tr. intéressant pour théories. Peut même me conduire à découvrir autres spécimens dans terres inexplorées.

## 13

## Le révérend Geoffrey Wilson. Janvier 1858

Finalement, en ce troisième jour de l'an de grâce 1858 – date dont on se souviendrait, j'en étais certain, dans les siècles à venir –, notre expédition était prête à partir. Au comble de la félicité, je me mis en selle et criai un joyeux « En avant ! ». Je fus émerveillé par le puissant grincement des bâts et le sonore claquement de deux cents sabots répondant à mon appel au moment où cette mission chrétienne, dont avec humilité je me trouvais être le chef, se mit vaillamment en marche.

Notre départ de Hobart fut, je l'avoue, plutôt discret. N'en ayant caché ni le jour ni l'heure, je m'attendais qu'une grande foule se fût attroupée pour nous dire adieu, mais il était apparemment trop tôt – j'avais décidé de partir de bon matin – pour ces fainéants de Tasmaniens. En fait, les seules personnes aperçues dans l'obscurité matinale furent un groupe de pêcheurs, surtout occupés à débarquer leurs prises sur le quai, ainsi que deux ivrognes ayant passé la nuit à la taverne et des attentions desquels nous nous serions en vérité bien passés. Cependant, comme nous longions les rues, je fus ravi de constater que notre magnifique cortège soulevait un énorme intérêt : les rideaux bougeaient, des visages ébahis apparaissaient derrière les vitres.

Nous ne tardâmes pas à laisser la ville et à parcourir le premier kilomètre, le deuxième, puis le cinquième, tandis que l'aube se levait au-dessus de la Derwent – déjà ce fleuve n'était plus pour moi que le Ghe Pyrrenne, ou l'Euphrate – qui coulait à notre droite, large et majestueuse. Des fermes constellaient l'opulente terre d'où les occupants sortaient souvent pour s'enquérir de notre identité et de notre destination. Lorsque je répondais d'une voix forte et enjouée : « Nous allons retrouver le jardin d'Éden ! », une immense stupéfaction se lisait sur leur visage.

N'ayant jusqu'alors jamais participé à semblable entreprise, je dois admettre que je fus agréablement surpris de la rapidité avec laquelle je m'habituai à cet inconfortable voyage. Au bout de quelques jours, j'étais aussi bien adapté à cette vie en plein air qu'un aborigène du cru. Levé aux aurores, j'attendais avec une patience d'explorateur que les muletiers aient rallumé le feu et préparé un frugal petit déjeuner – thé sucré, flocons d'avoine, biscuits et œufs frais. Dès qu'ils avaient nettoyé les casseroles, démonté les tentes et empaqueté toutes nos affaires, je remontais en selle et hardiment ouvrais la marche. Peu après midi, nous nous arrêtions pour un repas des plus simples composé seulement de pain, de terrine de porc ou de bœuf en conserve et parfois de quelques morceaux de fruits en bocal. À quatre heures une nouvelle halte, où nous tentions de reprendre des forces en mangeant des biscuits et en buvant du thé froid. Finalement, après avoir parcouru plusieurs kilo-mètres de plus, nous choisissions un endroit où camper – même très sauvage et isolé – et, las mais triomphants, mes collègues et moi-même nous nous asseyions autour de notre table portable dans l'attente d'un dîner bien mérité – riz à l'eau et hochepot d'Aberdeen, ou conserve de saumon. Renshaw et Potter insistaient pour terminer la journée en buvant un verre de cognac, et même s'il va sans dire que je ne les imitais pas je ne voyais aucun mal, vu les circonstances, à fermer les yeux sur cette pratique.

Je n'étais pas disposé à me montrer aussi tolérant en matière de reli-gion. Puisqu'il s'agissait d'une expédition chrétienne, il était essentiel qu'elle fût menée dans un esprit conforme à ses fins. Or, à mon grand chagrin, mes compagnons manquaient cruellement de ferveur. Il m'arri-vait souvent, par exemple, d'entonner une hymne entraînante, autant pour exprimer ma foi que pour rythmer notre marche ; je ne recevais en écho que des bribes de chant absolument lamentables.

Plus délicate encore, la question de nos dévotions. Dès le tout début, j'avais tenté d'instituer un rituel quotidien, conduisant les prières après le petit déjeuner, le repas de midi et le thé, ainsi qu'à l'occasion des brefs répits que notre marche pouvait connaître – après une côte parti-culièrement raide, par exemple –, et, une fois le camp établi, je célébrais un long office en plein air. Dispositions à mon sens parfaitement adé-quates. La réticence à ce sujet des autres membres de l'expédition n'en était que plus décourageante. J'étais constamment obligé de tancer les six muletiers qui, dès que je m'apprêtais à célébrer l'office du soir, disparaissaient soudain, prétextant quelque tâche à effectuer. Quant à Renshaw, j'étais contraint de le rappeler à l'ordre : son habitude – entre autres – de continuer à manger ses œufs durant les prières du matin était tout à fait fâcheuse. Le pire de tous, cependant, était le Dr Potter dont les bâillements non réprimés pendant les prières du matin (malgré mes regards réprobateurs) étaient si fréquents qu'ils ne pouvaient relever du hasard.

M. Cromwell, notre guide indigène, constituait une autre cause de mécontentement. Étant donné que cet homme était d'ascendance en partie aborigène, je n'avais pas fondé beaucoup d'espoir dans sa spiritualité. J'avais cependant supposé qu'il serait utile à l'expédition. Hélas ! ce fut loin d'être le cas, et avec le temps son comportement devint de plus en plus bizarre. Quasiment dès le début, il refusa de dormir à l'endroit prévu pour lui – bien que la tente fût assez grande pour les accueillir confortablement, lui et deux des muletiers –, insistant pour dormir à la belle étoile sur une sorte d'épouvantable amas de feuilles et de branchages. Puis il devint difficile en matière de nourriture, refusant obstinément nos repas roboratifs et se contentant de ce qu'il trouvait lui-même, si peu appétissants que fussent ces aliments. Je le regardais parfois déterrer quelque racine couverte de boue qu'il nettoyait et dévorait crue sur place, et certains soirs il fabriquait une ou deux sagaies d'aspect redoutable puis disparaissait, avant de revenir porteur de quelque répugnant rat ou furet du pays qu'il écorchait et faisait griller sur le feu, l'air ravi.

De plus, sa façon de s'habiller était également source de souci. Comme nous devions parfois nous frayer un chemin à travers les ronces, surtout quand nous descendions vers une rivière pour nous laver ou faire provision d'eau, tous nos vêtements commencèrent à souffrir quelque peu, mais, alors que les autres membres du groupe s'efforçaient de les réparer tant bien que mal, notre guide semblait se moquer complètement que sa chemise fût réduite en lambeaux. Plus inquiétant, au bout de quelques jours, je m'aperçus qu'il dégageait une curieuse odeur – pareille à celle de la viande avariée – et que sa peau luisait légèrement, mystères qui, hélas ! s'éclaircirent lorsque Renshaw nous raconta qu'il l'avait vu en train de s'enduire de la graisse d'un des animaux qu'il avait tués avec sa lance. Malgré mes sévères remontrances, il n'exprima aucun remords, répondant, comme si c'était une bonne raison, que cette substance lui tenait chaud.

À ce moment, j'avais déjà commencé à douter de ses compétences de guide. Que de fois j'essayai de lui faire se remémorer l'époque de son enfance et les curiosités géologiques du pays qu'il aurait pu observer ! Me rappelant les mots de la Genèse expliquant que le Seigneur a placé une épée de feu à l'est d'Éden pour garder le chemin menant à l'arbre de vie, je lui demandai s'il avait observé quelque éclatant faisceau lumineux. Je ne suis pas d'un naturel soupçonneux, toutefois il s'obstina à répondre négativement avec une telle constance que je fus bien obligé de douter qu'il eût jamais traversé toute la colonie, contrairement à ce qu'il nous avait soutenu.

Il fut vite évident, heureusement, qu'on pourrait sans doute se passer de ses conseils. Après plusieurs jours de voyage sur une large piste – de vaste estuaire, le fleuve que nous longions était devenu large cours d'eau puis torrent tumultueux, dont la rive opposée ne se trouva bientôt qu'à un jet de pierre –, nous atteignîmes enfin une minuscule colonie marquant l'extrême limite de la civilisation et au-delà de laquelle ne s'étendaient que des terres sauvages et inexplorées. Au moment où nous mettions pied à terre, un vieil homme arriva pour nous demander ce que nous voulions, et son savoir se révéla plus utile qu'aucune carte. Quoique lui-même ne se fût pas aventuré plus avant sur le fleuve, le vieillard connaissait un chasseur qui l'avait fait et qui affirmait que ce fleuve jaillissait d'un lac lointain. Ledit lac n'était guère difficile d'accès, un ancien chemin aborigène suivant le fleuve jusque-là. C'était une véritable bénédiction du ciel ! Ce lac était sans aucun doute la source du Ghe Pyrrenne et des trois autres fleuves mentionnés dans la Genèse. Si on pouvait l'atteindre, on se trouverait sans conteste à deux pas de l'Éden, qu'un œil exercé pourrait peut-être même apercevoir depuis la rive.

Le lendemain matin nous pénétrâmes dans la brousse inexplorée.


### Peevay. Janvier 1858

D'abord, j'avais seulement eu l'intention de les tuer vite fait et d'un seul coup. Quel bonheur ce serait ! *Potter-barbe-rousse*, oui. Et le *valet Hooper*. Et aussi les *muletiers*, qui me traitaient mal dans leur maison de toile qu'on appelait *tente*, me lançaient des coups de pied et des mots magiques et me promettaient qu'une chose affreuse m'arriverait pendant la nuit, si bien que je suis parti me coucher près du feu. Vraiment, il fallait tous les tuer.

Malheureusement, ça n'a jamais été très facile. Ils étaient trop nombreux pour la lance, vous voyez, malgré que j'en avais des tas, et même les armes à feu ne convenaient pas. Deux fusils, tout neufs et tout beaux, appartenaient au valet *Hooper* et à *Skeggs*, le chef des muletiers, mais on ne pouvait tuer avec qu'un sale Blanc à la fois. Avec le revolver on pouvait tirer plus de fois mais il était à Potter-barbe-rousse, et il le gardait de près, me jetant des regards haineux si je m'y intéressais trop, presque comme s'il devinait mon cher désir secret. En plus j'avais jamais bien connu les armes à feu, parce que j'en avais jamais eu une à moi, à l'époque lointaine où on se battait, alors même si j'en obtenais une ça serait juste un terrible mystère à n'y rien comprendre. Alors j'ai décidé de faire bien attention en espérant une bonne et heureuse occasion.

Bientôt on est arrivés au bout du chemin des nommes et on est entrés dans le vrai monde. C'était étrange de retourner là, ça oui, car j'étais jamais revenu depuis l'époque où j'étais petit et où avec la tribu de maman on fuyait le gros Robson, il y avait tant d'étés. C'était affreux d'être tout seul avec des sales Blancs, et très souvent je me disais qu'ils n'auraient pas dû être là à piétiner le sol avec leurs grosses chaussures, là où les miens avaient marché jadis, ou à sentir les odeurs des arbres et arbustes qui remplissaient ma tête de souvenirs très forts. C'était pas leur monde, et ça ne pourrait jamais l'être.

J'ai remarqué qu'ici ils étaient idiots. Dans leur ville de Hobart ils étaient toujours les plus intelligents, ça oui, avec leurs regards moqueurs et dédaigneux et leur façon de connaître toutes les réponses, mais maintenant c'était le contraire, et tout leur semblait un casse-tête à n'y rien comprendre. C'était la même chose avec les *bêtes chevaux*. Les Blancs les adoraient, je le voyais bien, assis très haut dessus, mais quand on est entrés dans le vrai monde les chevaux ont été inutiles ; leurs yeux devenaient fous, et ils poussaient des cris au moindre petit mouvement. Bientôt on est arrivés dans un endroit étroit entre des rochers, ce qui les a rendus soucieux, et quand un serpent noir est sorti en rampant de son trou, en sifflant-sifflant, l'un d'eux a fait un bond et a projeté le petit Renshaw contre les pierres, si bien qu'il a failli être mort. Le chemin n'est pas devenu meilleur ensuite mais plus mauvais, alors le pasteur Wilson a dit qu'un muletier devait ramener tous les chevaux, et que tout le monde devait marcher à pied, ce qui leur a donné beaucoup de tristesse. Bien sûr, longtemps avant, dès le départ, j'aurais pu leur dire que c'est ce qu'il fallait faire, mais ils n'ont jamais demandé.

Les *mulets* pouvaient continuer, mais même eux étaient stupides, ça oui, avançant avec leurs sacs, clac, clac, clac ! Il fallait les attacher ensemble avec des *cordes*, en longue file, et ils ne voyaient rien d'autre que le cul du mulet de devant et étaient souvent tapés par les muletiers, car autrement ils n'auraient fait que s'arrêter. Et les sales Blancs eux-mêmes étaient mal fichus, maintenant qu'ils devaient marcher à pied, je le voyais bien. Rien que la boue était pour eux un casse-tête à n'y rien comprendre, et ils passaient leur temps à gémir et à la maudire avec des mots magiques, ou à faire un grand détour pour l'éviter, devenant furieux et tout rouges, si bien qu'ils avaient une odeur aigre comme des vieilles racines pourries. Est-ce qu'ils ne savaient pas qu'il y a de la boue partout dans tout le monde et qu'il faut pas faire des embarras mais continuer à avancer d'un pied rapide, patauger et filer ? Ils ne savaient pas mieux y faire avec les autres choses du monde, comme les buissons épineux, les mouches qui piquent, les pierres glissantes ou les rivières froides à traverser.

Vraiment, c'était un drôle de mystère qu'ils avaient jamais pu tuer tous les miens pour voler le monde, et même pourquoi ils avaient voulu le prendre, puisque c'était pas un endroit qu'ils pouvaient supporter. Ils pouvaient même pas vivre là tout seuls mais devaient transporter ici et là des morceaux de la *ville de Hobart* avec eux. Chaque soir les muletiers montaient les tentes pour dormir dessous, malgré qu'on était en été

345

maintenant et qu'il faisait chaud. Ils avaient des tables et des chaises pour s'asseoir, des tasses pour boire du *cognac*, et les muletiers allumaient de grands feux pour faire cuire dessus leur nourriture d'hommes blancs qui venait de *boîtes de conserve*, de la viande gluante et salée aussi répugnante que d'habitude. Les nôtres ne portaient jamais que des brandons, les étuis de nos morts chéris pour porter bonheur et des histoires à raconter. On pouvait trouver ou fabriquer tout le reste en chemin. Mais qui était le chef maintenant ? Pas moi, le seul Palawa, mais eux, qui savaient rien. Ils avaient des fusils et étaient nombreux, alors que moi j'étais seulement un *serviteur*. Et ils riaient quand je vivais comme on doit le faire, dormant près du feu, sous les étoiles que je connaissais et trouvant la bonne nourriture, les racines, le gibier, etc.

En vérité, ils sont devenus encore plus haineux maintenant qu'on était tout seuls dans le monde, loin des autres nommes. Une nuit, les muletiers sont venus après avoir bu du rhum en secret, se moquant de moi parce que tous les miens étaient morts maintenant – quelle horrible plaisanterie ! – et me disant que ça m'arriverait bientôt à moi aussi. Quand je leur ai lancé des mots magiques, deux m'ont attrapé pendant que d'autres pissaient sur mon lit de feuilles. Alors j'ai commencé à me demander si j'avais pas fait une terrible erreur en venant là, et la nuit j'avais des fois des atroces frayeurs. Je me disais qu'ils étaient malins, que j'étais tombé dans leur piège et que leur but était de me tuer pour emporter mes os et m'anéantir comme ils avaient fait avec maman. Alors je suis resté sur mes gardes. C'était pas facile car j'étais tout seul et ils pouvaient sauter sur moi à n'importe quel moment, mais j'ai fait tous mes efforts. La journée, je gardais tout le temps une petite lame de couteau dans la poche du *pantalon*, et si quelqu'un approchait, je la saisissais pour être prêt. La nuit, je disais à mon sommeil de faire attention, et je me réveillais en sursaut au plus petit bruit, même si c'était le vent qui soufflait dans les arbres, ou les souris qui se remettaient à courir.

Puis j'ai pensé à quelque chose. Et si maman était là ? C'était possible, j'ai pensé ; puisque si les Blancs avaient tant de *sacoches* sur les mulets, c'est qu'ils devaient tout transporter. Alors la nuit, j'ai commencé à chercher. D'abord, je les écoutais faire leurs gémissements : *C'est la tente la plus mouillée par la pluie.* Ou : *Qui a perdu cette fourchette ?* Ou : *Maintenant, nous devons à nouveau prier.* Puis, quand tout était calme, à part juste les ronflements, les grattements ou les pets qui me montraient qu'ils dormaient, je pouvais commencer. Mais c'était dur, car les sacs des mulets étaient très nombreux, et je pouvais chercher que lentement et tâter avec mes doigts dans l'obscurité en pensant : Voici des *assiettes*, des *fourchettes*, des *serviettes*, ou des bouteilles en verre appelées *champagne*, que j'avais vu mettre dedans avant. J'ai

346

bientôt compris qu'elle n'était pas dans un sac de mulet facile à trouver, mais dans l'un de ceux de Barbe-Rousse ou de Hooper, ce qui était plus difficile, car ils les emportaient dans leur tente chaque nuit pour s'en servir comme *oreillers*. Mais je me suis dit que je devais quand même pouvoir y arriver.

### Le Dr Thomas Potter. Janvier 1858

*19 janvier*

Ce matin, progression lente + fatigante. Temps tr. humide + boue = pire jusqu'à présent (plu cette nuit). Mulets glissent, nous aussi, si bien que tous = tr. sales, bottes alourdies par terre. Un seul peu affecté = métis (nu-pieds) qui gambade comme si = indifférent. Cela = nouvel exemple régression rapide à sauvagerie aborigène. Autres exemples : retour à quasi nudité, dort dehors, mange aliments crus répugnants, etc. Tout ça = tr. utile pour théories. Preuve décisive que quand deux types = mêlés contre nature, caractères type inférieur dominent toujours. Ai l'intention d'appeler cet axiome la loi de Potter.

Finalement, avons atteint région plus sèche + fait halte pour repos. Wilson essayait de nous faire tous prier, comme d'habitude, quand interrompu par hurlements. Hooper éloigné du groupe pour besoins personnels + maintenant = revient, poussant métis devant lui avec canon fusil. Hurle que vient de le surprendre en train de voler ! Avait main dans ma sacoche. Métis = fou de rage. Incident = tr. intéressant pour moi, car ajoute preuve de régression à état primitif : instinct irrésistible de voler. Ai dit à Wilson : « Ne vous avais-je pas annoncé que métis = tout à fait incapable nous servir de guide ? Maintenant = clair. N'est qu'un sauvage voleur. »

Avant que Wilson ait pu répondre, métis m'a lancé regard mauvais et s'est écrié : « Mais c'est vous qui êtes le voleur ! C'est vous qui avez volé les ossements de ma mère ! »

Avoue que moi = absolument stupéfait. N'arrivai pas du tout à comprendre comment lui capable parvenir à cette conclusion. N'a pas pu grâce à déduction logique. Un instinct primitif mystérieux ? À moins que mis sur voie par Européen malintentionné ? Affaire = tr. gênante : voyais Wilson me regarder avec curiosité hostile. Renshaw de même. Ai affirmé que = mensonge éhonté, juste pour faire oublier son larcin. Heureusement métis a commis alors erreur idiote (inévitable) : a déclaré que restes mortels de sa mère = dans sacoche qu'il avait voulu fouiller (la mienne) + a exigé qu'on l'inspecte. Ai accepté avec joie. Tr. amusé de constater déception sur face noire d'idiot quand sacoches = vidées

+ rien d'anormal = découvert. Remarqué aussi air déçu de Wilson. Mais a quand même soutenu métis. Quand ai demandé qu'il = puni + renvoyé, Wilson a refusé : disant qu'on doit tous oublier incident. Comportement caractéristique type normand : utiliser avantage institutionnel pour empêcher vérité + justice.

En réalité = moi mis dans position tr. inconfortable. Pourrait causer grand danger à avenir professionnel personnel, théories, etc. Chance qu'incident = produit dans cet endroit éloigné. Quand tous ont repris marche, me suis attardé derrière les autres pour pouvoir parler à Hooper. Son conseil = peu acceptable (difficile aussi à mettre en œuvre) même si a montré louable loyauté. Cependant, reste que solution doit = trouvée.

N'avions pas beaucoup avancé quand on a entendu désordre en tête du groupe, des cris de « On y est ! », etc. Peu après, suis passé entre arbres pour atteindre rive très long lac, entouré montagnes gris-brun qui s'éboulaient. Ai observé que = peu différentes d'autres vues en chemin, sauf plus hautes. Moi = peu surpris. Wilson = debout au bord de l'eau, visage tr. crispé.

## Le révérend Geoffrey Wilson. Janvier 1858

Pourquoi s'abandonner au désespoir ? Je me ressaisis, évidemment. C'était peut-être irritant – j'avais été si sûr de voir les murailles de l'Éden étinceler dans le lointain –, mais ce n'était pas vraiment grave. Comment un léger contretemps aurait-il pu affaiblir la force colossale de ma foi ? Vrai, ce n'était qu'un caillou lancé contre une puissante montagne, une fourmi entravant le passage de gigantesques éléphants.

Ma foi triompha bientôt. Après seulement quelques instants de réflexion sereine, je trouvai une explication aussi simple qu'évidente. On sait que notre Seigneur Dieu impose parfois de petites épreuves à Ses enfants, afin de S'assurer de leur piété. C'est ce qui se passait alors : étions-nous dignes de Sa confiance ? Oui, je jugeai même que nous avions reçu une bénédiction du ciel. N'était-ce pas là une merveilleuse occasion de démontrer mon indéfectible amour, de prouver que ma croyance possédait l'infaillible solidité du roc ? J'allais réagir devant cette déception non avec tristesse, mais avec joie !

« Je suis persuadé que nous jouirons d'une vue plus complète si nous avançons plus loin le long du lac », déclarai-je aux autres.

Je ne pus éviter de voir Potter et son valet, ainsi que les muletiers, échanger des regards sceptiques, mais puisque aucun n'émit d'objection à haute voix je décidai de passer outre. Leurs sinistres doutes seraient bientôt dissipés par la lumière éblouissante des faits. Une fois que nous eûmes consommé notre frugal repas, je repris la tête du groupe, entonnant une hymne joyeuse afin de redonner vite courage aux cœurs pusillanimes.

Bientôt, la rive devint trop marécageuse. Nous fûmes donc contraints de suivre le sentier qui s'éloignait du plan d'eau. Quelle importance ? Nous n'allions pas tarder à retrouver le chemin du lac, cela ne faisait aucun doute dans mon esprit. De telles difficultés n'étaient pas nouvelles sur la longue route que j'avais empruntée jusque-là. N'avais-je pas déjoué les arguments erronés des géologues athées ? Trouvé la parade à la réquisition de notre bateau et surmonté les épreuves du voyage en mer ? Comparé à de tels obstacles, cette gêne géographique n'était qu'une taupinière que ma foi indomptable pouvait aisément enjamber. Oui, mon cœur n'avait jamais été si plein d'espoir. Naturellement, je pris toutes les mesures susceptibles de nous faciliter la tâche. Avant tout, je priai. Je remerciai le Seigneur de nous avoir gardés en vie. Je priai pour qu'Il guide nos humbles efforts au service de Sa cause. Je priai pour qu'Il incite mes collègues à prier.

Je n'étais pas assez impatient pour supposer que mes prières allaient être exaucées sur-le-champ, cependant ce miracle se produisit. Nous venions à peine de quitter la rive que je remarquai, par terre, au bord du sentier, quelque chose qui m'émerveilla tant que j'applaudis des deux mains. Il s'agissait, voyez-vous, d'une branche d'arbre cassée. Les autres ne pouvaient voir là rien que de fort banal et n'y prêtèrent qu'une médiocre attention, mais pour quelqu'un d'un peu observateur sa signification sautait aux yeux. De façon remarquable, la disposition des brindilles évoquait une flèche. Plus extraordinaire encore, elle indiquait la direction précise que nous suivions. Mais ce ne fut pas tout. Moins d'une heure plus tard, je découvris sur un imposant rocher la forme floue mais facilement reconnaissable de la lettre *J*, aussi délicatement tracée que pour Moïse en personne dans l'autre immense désert. Le nom dont c'était l'initiale ne faisait aucun doute, non plus que le merveilleux et lumineux espoir émanant de cette pierre inerte. Et il y eut encore autre chose. Comme je demeurais médusé devant cette lettre des plus sacrées, je perçus, montant de la forêt toute proche, le faible cri de quelque oiseau du lieu. Je n'eus aucune difficulté à distinguer le sens sacré que recelait son chant : *É-den ! É-den !* Je ne crois jamais avoir aussi merveilleusement perçu la présence de la bénédiction divine.

Peu après, au milieu d'une forêt très dense, le sentier se fit plus escarpé. Le temps étant très lourd, l'ascension s'avéra fort pénible, mais faisant fi de la fatigue je continuai à mener la marche avec entrain. Les arbres se clairsemèrent, et nous débouchâmes sur un couloir flanqué de deux rangées de coteaux, rocailleux et friables comme tant de monts de

Tasmanie. À ma vive surprise, le sentier se divisait en deux. À gauche il descendait vers ce qui paraissait être une autre zone boisée, alors qu'à droite il gravissait l'un des coteaux. On nous présentait, semblait-il, une nouvelle petite énigme à résoudre.

« On devrait aller à gauche, affirma Potter, bien que je ne lui eusse pas demandé son avis. La piste qui descend a l'air meilleure. »

Je refusais qu'on me forçât la main.

« Qu'en dites-vous, monsieur Cromwell ? Reconnaissez-vous l'endroit ?

— Non. » Apparemment perdu dans sa contemplation, notre guide leva les yeux vers le coteau, puis hocha soudain vigoureusement la tête. « Vaut mieux monter. C'est plus la direction du lac. »

Inutile de dire que sa réponse ne fut guère du goût de Potter.

« Il ne semble guère prudent de suivre le conseil d'un voleur », déclara-t-il d'un ton accusateur.

Je ne souhaitais pas revenir sur leur étrange dispute.

« Et vous, monsieur Renshaw, qu'en pensez-vous ?

— Descendre nous éviterait de grimper la côte, je suppose », répondit-il d'un ton morne.

Je m'apprêtais à me rendre à ce choix lorsque, émergeant à peine de mes réflexions, je remarquai un brusque changement dans ce paysage sauvage. Le temps s'était couvert et le chemin de gauche était enveloppé d'une brume grise, tandis que le coteau situé à droite baignait désormais dans un soleil pâle mais radieux.

« Par là ! Voilà notre route… »

Potter fit la moue.

« Un peu de soleil ne prouve rien. »

J'exultais. L'action étant la meilleure réponse à donner aux sceptiques, je criai simplement : « En avant ! », et me dirigeai vers la droite d'un pas martial.

Les collines renferment un mystère. D'en bas, ce coteau n'avait guère semblé très élevé, mais les apparences étaient trompeuses. Pendant l'ascension, la pluie commença de tomber. À plusieurs reprises, comme je croyais que nous approchions du sommet, une nouvelle corniche surgissait tout à coup. Peu à peu, je me rendis compte que nous étions en train d'escalader une montagne.

« Voici le chemin ! » m'exclamai-je en apercevant juste devant nous une étroite bande de terrain dégagé. Nous venions de pénétrer dans une nouvelle forêt, et suivre le sentier qui jouait à cache-cache avec nous devint un véritable jeu de piste.

« Ne serait-ce pas par là ? » rétorqua Hooper, les vêtements tout détrempés, pointant une piste partant vers la gauche.

Comme à l'accoutumée, Renshaw ajouta son lugubre grain de sel :

« Vous êtes certains que c'est la bonne route ? On dirait presque des foulées d'animaux. »

Comme si c'était possible ! Notre guide nous aurait sûrement prévenus.

« Par ici ! lançai-je d'un ton guilleret en me dirigeant vers le sentier à l'évidence le plus nettement tracé, et nous reprîmes notre marche. Pendant que nous montions, j'apercevais entre les arbres des échappées sur d'autres pics énigmatiques. Qui sait ? juste derrière le sommet de cette montagne-là, l'Éden nous attendait peut-être... Animé d'une telle espérance, j'imaginais si bien le spectacle que cela me faisait presque mal. Il était là ! Un puissant à-pic de pierre de la plus pure blancheur, immaculée, muraille d'une forteresse érigée par des géants... Là ! Un chemin serpentant sur son flanc, des marches taillées à même la roche et menant à un portail, toujours gardé, peut-être, par l'épée de feu... Au-delà, un aperçu de l'antique végétation, vision qui défie l'imagination humaine, la frappe de stupeur, l'emplit de nostalgie...

Un seul regard sur cette chatoyante verdure suffirait. Ainsi qu'un échantillon de la pierre où elle croissait, laquelle serait, j'en étais certain, à la fois inconnue et capable de résister à la chaleur la plus extrême, et constituerait une assez grande preuve pour convaincre les esprits les plus sceptiques. Tout en marchant d'un pas alerte, je me plus à imaginer mes détracteurs assis dans leurs bureaux solitaires tapissés de livres, totalement inconscients des événements capitaux qui se produisaient dans cette lointaine partie du globe. Le sentiment que j'éprouvais à leur égard n'était pas de l'animosité mais de la bienveillance, celle d'un père remettant dans le droit chemin son enfant égaré. Ils seraient, j'en étais persuadé, heureux et soulagés de découvrir leurs torts. Ils jouiraient désormais d'une nouvelle assurance en trouvant dans les Écritures l'arbre puissant contre lequel appuyer leurs tristes membres perclus de doute. C'étaient précisément ces hommes-là, mes ennemis, que je m'évertuais à sauver, tout autant que ma famille bien-aimée et mes plus chers amis.

Un seul regard suffirait... Était-ce bien certain ? Ce voyage long et rude, tous ces mois et ces kilomètres sur les mers déchaînées et à travers les terres les plus sauvages m'avaient mené jusque-là, et soudain je n'en étais plus si sûr. À l'évidence, il serait tout à fait indécent que les membres laïques de l'expédition pénètrent dans un tel lieu, et je n'avais moi-même aucun désir d'y entrer indûment. Pourtant, en tant que premier prêtre de l'Église à fouler ce sol sacré entre tous, j'étais bien obligé de me demander si m'abstenir ne signifierait pas fuir mes responsabilités. Ce n'était d'ailleurs pas tout : à plusieurs reprises durant ce long périple j'avais fait des rêves étranges et frappants qui se déroulaient tous de manière identique…

Je marchais, ébloui par la magnifique luxuriance du lieu. Pendant un temps, tout n'était qu'enchantement, puis soudain je découvrais un terrible spectacle. Je tombais sur un arbre différent de tous ceux que je connaissais : non point gigantesque, mais nimbé d'une aura sinistre, le tronc noir et noueux, les branches lourdes d'une profusion de fruits luisants d'une couleur répugnante. Au moment où je le contemplais, horrifié, m'interpellait une voix puissante qui emplissait l'atmosphère de sa sagesse. Je recouvrais mon énergie. Comme par magie je trouvais une hache d'or dans ma main. Ainsi donc, naguère simple pasteur d'une humble paroisse du Yorkshire, aujourd'hui, souriant et résolu, j'avançais d'un pas martial vers cet arbre horrible, lui assenais un grand coup puis un autre, implorant chaque fois de tout mon cœur que me soit pardonné ce premier et effroyable péché. La redoutable plante s'abattait avec un craquement sonore, sa charge mortelle s'écrasant sur le sol. Le plus miraculeux était que, tout de suite après, je remarquais que l'atmosphère devenait subtilement plus limpide, plus pure que jamais auparavant.

Je sais bien que ces songes peuvent être le simple fruit de l'imagination, pourtant, la répétition même de celui-ci paraissait suggérer qu'il possédait un sens plus profond.

La forêt cessa alors, et le sentier nous mena au pied d'une côte raide où il disparut, se perdant sur la pente rocheuse. Le message était assez clair cependant. Je n'hésitai pas une seconde : « Nous devons grimper ! »

Potter paraissait décidé à causer des difficultés.

« Cela semble très abrupt. »

Ses paroles encouragèrent les muletiers à se plaindre eux aussi, ce qui, à n'en pas douter, avait été son dessein.

« Je ne suis pas du tout sûr que ce soit une bonne idée ! renchérit Skeggs, assez ravi de me mettre des bâtons dans les roues. Surtout à cause de cette pluie. Est-ce qu'il ne vaudrait pas mieux que vous autres montiez tout seuls pendant que nous, on resterait ici avec les bêtes ? »

Je jetai un coup d'œil à l'intention de notre guide.

« Qu'en dites-vous, monsieur Cromwell ? »

Il réfléchit quelques instants.

« Non. Je crois qu'il vaut mieux que les mulets viennent aussi. La nuit va bientôt tomber et on peut pas rester ici. »

Le métis se montrait enfin utile.

« Vous avez tout à fait raison », fis-je en reprenant la marche d'un pas alerte.

L'ascension, il est vrai, fut quelque peu ardue. Plus nous montions, plus la pente devenait abrupte, le passage, plus étroit et encombré de rocs, lesquels parfois si proches qu'on devait littéralement se faufiler à quatre pattes en s'écorchant les genoux et les bras. Rendant glissant le sol pierreux, la pluie, qui tombait de plus en plus dru sous un ciel soudain très sombre, ne nous facilitait pas la tâche. Cela n'expliquait pas, malgré tout, l'excessif énervement de Skeggs. Quelle importance si les mulets se montraient rétifs ? Tout le monde sait que ce sont des animaux têtus, il n'y avait pas là motif à renoncer à notre entreprise. Skeggs persista dans ses plaintes, exigeant qu'on fît demi-tour, et je crois qu'il aurait finalement rebroussé chemin si le passage n'avait été si affreusement étroit. Grâce à Dieu, à ce moment-là, nous avions presque atteint le sommet.

Je fus le tout premier à escalader une petite crête rocheuse et à me retrouver tout à coup en plein ciel, au bout d'une longue corniche inclinée, assez semblable à un toit en pente. L'inclinaison donnait un peu le vertige, mais en faisant attention il était assez facile de garder l'équilibre. Fasciné par le panorama, j'eus l'impression de me trouver sur un balcon surplombant l'abîme de l'oubli. Me hissant jusqu'à l'extrémité supérieure, je découvris à mes pieds une profonde vallée, de l'autre côté de laquelle s'élevait un immense massif montagneux. Puis je descendis avec mille précautions jusqu'à la partie inférieure, et un spectacle encore plus étourdissant m'apparut : à perte de vue, tour à tour caché et révélé par les sombres nuages, s'étalait jusqu'à l'horizon un océan tumultueux de falaises et de pics, de rochers éboulés auxquels la végétation s'accrochait désespérément. Plus près, juste au-dessus de moi, une sorte de rebord semblait s'être formé au flanc de la montagne, où poussait une rangée d'arbres dont les cimes montaient quasiment jusqu'à nous.

Au comble de l'exaltation, je me rendis compte que j'embrassais du regard une grande partie des terres encore vierges de l'île. Quelque part dans cette zone devait se trouver la réponse à toutes mes questions. Je me mis au travail, sans prêter la moindre attention aux récriminations des autres, groupés en haut avec les animaux, me hâtant d'examiner l'immense panorama qui se déployait sous mes yeux avant que le ciel ne s'assombrît davantage. Je reconnus le fleuve le long duquel nous avions marché le matin même, bien que cela parût s'être passé un siècle auparavant. Bouillant d'impatience, j'attendis qu'un tourbillon de nuages s'éloigne pour découvrir le lac, long et étroit. Maintenant j'étais certain de voir ce que je cherchais.

« Mais qu'est-ce qu'on fait là ! » gémit Potter, littéralement accroupi à côté de moi, les mains agrippées au roc. Il jeta un regard torve sur le panorama.

« Tout se ressemble, à mon avis. »

Quelle audace ! Quelle vile outrecuidance ! Comme s'il était capable de reconnaître ce que nous cherchions alors qu'il ignorait tout de la géologie. Je refusais de me laisser houspiller par un tel individu. Si j'étais fort intrigué de n'avoir apparemment rien vu d'insolite près du lac, c'était seulement que la réponse se trouvait ailleurs. Pourquoi pas dans cette partie, là-bas, au-dessus de laquelle s'attardait le nuage ?

« Oh ! » murmura notre guide qui s'était placé près de moi, de l'autre côté. Il semblait agité, fixant le paysage tout en secouant la tête.

« Vous avez vu quelque chose ? lui soufflai-je.

« Cette montagne… » Il en désigna une qui se dressait dans le lointain – quoiqu'elle ressemblât comme une sœur à toutes les autres –, la contemplant d'un air étrange, abîmé dans quelque rêverie sauvage. « J'ai vécu près de là, jadis.

— Vraiment ? » répondis-je avec une certaine froideur. J'avais espéré quelque chose de plus utile que de simples souvenirs. Je ne comprenais pas. Malgré le spectaculaire panorama, je ne distinguais rien qui sortît de l'ordinaire du point de vue géologique, ni près du lac ni ailleurs. Tout paraissait fait du même roc. Cela n'avait aucun sens. N'avais-je pas été guidé jusque-là, depuis les lointains rivages de l'Angleterre ? Ne nous avait-on pas présenté des signes favorables afin de nous montrer le chemin ?

« Vous semblez déçu, révérend. »

Étant donné le caractère de Potter, je n'aurais guère dû être surpris par la remarque ; je fus cependant bouleversé par son ton, où vibrait une note de *satisfaction*, légère, mais perceptible. C'était dur à croire mais force me fut de constater que mon trouble passager lui importait davantage que la réussite de toute l'expédition, dont il faisait lui-même partie. Avoir déjà été en butte à la malveillance ne m'empêcha pas de me sentir profondément choqué par cette perfide remarque.

« Je ne suis pas déçu, répliquai-je.

— Vous avez donc découvert quelque chose ? »

Que les voies du destin sont mystérieuses ! En ce moment difficile, le secours arriva d'une source tout à fait inattendue : le médecin en personne ! L'adversité peut constituer un puissant stimulant pour la volonté humaine, et ce fut le cas cet après-midi-là, au sommet d'une montagne sans nom. Je refusai absolument qu'on me raillât de la sorte. Tout à coup, je sus, je *sus* tout bonnement, que je devais tomber à genoux. D'une voix calme, mais implorante, et passionnée cependant, je criai par-dessus l'immense abîme ouvert devant moi :

« Ô Seigneur ! Écoute ma prière ! Ne Te détourne pas de nous maintenant, je T'en conjure, puisque Tu as guidé nos pas jusqu'ici ! »

Tout était calme, à part le léger souffle de vent qui remuait nos vêtements. Potter toussota.

Je persévérai.

« Je T'en prie, Seigneur. Mon seul désir est d'exécuter Tes ordres. Montre-nous la voie ! »

Quelques secondes s'écoulèrent au milieu d'un silence effrayant. Potter se mit à siffloter doucement afin de souligner son impatience. Le cœur battant la chamade, j'attendais.

Mon attente ne fut pas vaine.

Ce qui survint ensuite ne peut être décrit que comme un véritable miracle, une révélation tout aussi significative et merveilleuse que celles dont parlent les Écritures. Soudain, le ciel s'embrasa, traversé par un faisceau de lumière éblouissante, qui, tel le gigantesque doigt du destin, frappa au-delà de la corniche sur laquelle nous nous tenions un point que nous ne pouvions voir. Si j'avais déjà reconnu plusieurs signes ce jour-là, aucun n'était comparable à celui-ci !

« C'est là ! m'écriai-je, au comble de l'extase, tandis que le tonnerre grondait au-dessus de nos têtes. C'est là que se trouve l'Éden. C'est là que nous devons nous rendre ! »

Potter était toujours aussi venimeux.

« Grands dieux, révérend ! Rien de plus normal, par un temps pareil ! »

Je protégeai mes pensées contre ses paroles comme un berger protège ses agneaux nouveau-nés d'un oiseau de proie planant au-dessus d'eux. J'exultais et refusais de le laisser assombrir ma joie. Sans lui répondre, je courbai la tête pour offrir au Seigneur une prière d'action de grâces.

« J'ai vu un éclair tout à fait semblable il n'y a pas longtemps, gémit-il à nouveau. En fait, je crois qu'il était encore plus lumineux.

— Nous allons nous remettre en route sur-le-champ ! » déclarai-je simplement, faisant demi-tour pour me diriger vers la tête de la file des mulets.

Potter m'emboîta le pas.

« C'est pure folie. Le chemin est beaucoup trop rude. Je ne saurais vous permettre de nous faire courir un tel risque. »

Il s'agissait d'une provocation éhontée mais je gardai mon calme.

« Ne dites pas de bêtises », lui rétorquai-je d'un ton serein.

Je vis son visage se contracter curieusement comme s'il souffrait le martyre. Ses paroles sonnèrent alors haut et clair. On ne pouvait guère se tromper sur leur sens.

« Gros bêta ! Mais tu ne vois donc pas qu'il n'y a pas plus de jardin d'Éden ici que de beurre en broche, et qu'il n'y en a jamais eu ? Nom d'une pipe, redescendons avant qu'à cause de toi on se rompe tous le cou ! »

Avec quelle rapidité les écailles peuvent nous tomber des yeux ! Cet homme était plus malfaisant, plus fourbe que j'avais pu l'imaginer. Il n'avait jamais cru à cette grande aventure. Pis, il n'avait eu qu'un seul but en se joignant à notre expédition : *empêcher qu'on retrouve le jardin d'Éden.* Tout s'éclairait d'un coup. Il avait été envoyé par mes ennemis, les géologues athées. L'explication était logique. Ne nous avait-il pas offert ses services, s'imposant à cette bonne pâte de Jonah Childs comme médecin de l'expédition ? N'avait-il pas fait tout ce qui était en son pouvoir pour nous mettre des bâtons dans les roues ? N'avait-il pas cherché à me ravir ma place de chef du groupe ? Je comprenais désormais pourquoi. Pas de meilleure méthode pour faire échouer notre mission que d'en devenir le chef...

« Judas ! ripostai-je. Tu es démasqué, Judas ! Mais tu ne vaincras pas. Nous réussirons quand même, en dépit de ta traîtrise. »

Joignant le geste à la parole, je saisis les rênes du mulet de tête afin de ne pas me contenter de propos belliqueux mais de passer bravement à l'action.

On aurait pu s'attendre que le médecin eût honte d'être ainsi démasqué, mais à quoi bon espérer découvrir une conscience chez les agents du démon ?

« Pas question ! » hurla-t-il comme un fou, attrapant brutalement la bride du mulet afin de l'obliger à faire demi-tour.

Je n'avais donc pas le choix. Avec calme et dignité je tâchai de la lui reprendre. Comme il fallait s'y attendre, Potter redoubla d'efforts.

« Ça suffit ! » cria Skeggs. Effrayée à l'évidence par les secousses dangereuses que lui infligeait Potter, la bête se cabra et rua en faisant de tels bonds que nous reculâmes tous deux. La suite fut si imprévue et si bizarre que cela parut irréel, tel un cauchemar qui n'en finit pas. J'aurais voulu m'emparer des rênes du mulet pour tenter de le calmer mais n'en eus pas le temps. Il glissa et, pris de panique, fit des mouvements désordonnés avant de s'effondrer sur le sol. C'est à ce moment que je devins conscient d'un tumulte plus général. L'effroi de l'animal s'était propagé parmi ses congénères, et plusieurs d'entre eux se cabraient de frayeur. Certains faisaient tomber leur charge, d'autres dérapaient, tandis que ceux qui restaient encore debout étaient déséquilibrés par la chute de leurs voisins.

Skeggs comprit le danger.

« Détachez-les ! » hurla-t-il.

Hélas ! les ruades décochées par les mulets devenus fous ne permettaient pas qu'on les approchât. Je ne suis d'ailleurs pas sûr que quelqu'un eût tenté la manœuvre. Nous avions déjà du mal à les éviter en sautant de côté. Plusieurs bêtes se mirent à basculer dans le gouffre, leurs pattes s'agitant en tous sens, en entraînant d'autres dans leur chute. Avec une curiosité morbide, je contemplais ce déferlement de mulets qui, les quatre fers en l'air, dévalaient la pente rocheuse mouillée. Le premier à atteindre le bord et à disparaître fut un animal se trouvant vers le milieu de la file. La corde qui l'attachait à ses voisins se tendit brièvement, puis ceux-ci roulèrent aussi dans l'abîme et disparurent, suivis de près par deux autres, aussi prestement engloutis que s'ils avaient été attachés à deux ficelles qu'on aurait tirées.

Soudain, ce fut le silence.

La catastrophe avait été si brutale, si totale, que nous avions du mal à comprendre ce qui s'était passé. Regardant à l'entour, je fus frappé par la petite taille de notre groupe perdu sur cette montagne dénudée. Sans un mot, avec mille précautions, nous nous mîmes à avancer pas à pas sur la roche périlleuse. Accroupi à l'extrême bord de la corniche, je me penchai pour scruter le gouffre, mais ne vis que la cime des arbres, leur feuillage tout luisant de pluie. Les seuls signes révélateurs étaient quelques branches cassées ainsi qu'un faible braiment – assourdi par le vacarme du vent et de la pluie – qui ne cessait pas, comme une horrible mécanique. La paroi sous nos pieds était aussi verticale qu'une muraille, et je ne voyais pas comment descendre, même à partir de la pente que nous avions gravie à l'aller.

On aurait pu penser qu'un tel désastre aurait inspiré des remords, mais il n'en fut rien. Brusquement, un cri s'éleva : « C'est sa faute ! » D'un air furieux, le valet de Potter désignait le guide métis. « C'est lui qui nous a amenés ici ! C'est le négro qui nous a crevés ! » Certains des muletiers émirent un sifflement approbateur. Puis, frappé de stupeur, je vis Hooper ôter le fusil de son épaule.

« Arrêtez ! » criai-je.

Je l'en aurais empêché, sans me préoccuper des risques encourus, si j'avais été plus près de lui. Il se trouve que seul Renshaw était assez proche. Avant que Hooper puisse viser avec précision, d'un coup sec le petit botaniste fit dévier vers le haut le canon de l'arme, et la balle partit en l'air sans causer le moindre dommage. L'affaire ne s'arrêta pas là cependant. Les deux hommes luttèrent au corps-à-corps pour s'emparer du fusil, et au moment où je me précipitais vers eux on entendit un bruit curieux et atroce, tel un bloc de bois frappant une pierre creuse. Tout à coup, Renshaw tomba à la renverse. Hooper tenta de le retenir – manquant lui-même de perdre l'équilibre –, mais sans y parvenir. Stupéfait, je vis le pauvre Renshaw basculer en arrière au-dessus du gouffre et tomber avec une horrible lenteur apparente, avant de disparaître au milieu des arbres en contrebas.

Une chape de silence s'abattit sur nous pour la seconde fois en quelques instants.

Hooper était bouleversé.

« Je n'y suis pour rien ! J'ai essayé de le retenir ! »

Comme si l'on pouvait justifier une telle horreur… Il était significatif que le domestique de Potter eût été la cause de ce malheur !

L'un des muletiers, nommé Hodges, se pencha et cria : « Monsieur Renshaw ? » Nous l'imitâmes tous immédiatement, hurlant à pleins poumons sous la pluie légère, comme si l'intensité de nos appels pouvait suffire à produire une réponse. Nous retînmes notre souffle. Aucun son ne nous parvint, à part ce faible mais terrible braiment. Bien que personne ne dît mot, nous avions tous, j'en suis certain, les mêmes pensées lugubres.

« Pensez-vous… ? » commençai-je.

Skeggs secoua la tête.

« Pas de cette hauteur. »

C'est alors que je me rappelai Cromwell. Le cherchant du regard, je vis qu'il était déjà assez loin, filant vers la pente par laquelle nous étions montés. « Revenez ! » lui criai-je, mais il ne tourna même pas la tête. Je ne pouvais sans doute pas lui en vouloir, quoique sa décision me parût désespérée et irréfléchie. Seul dans cette région sauvage, il ne pourrait survivre très longtemps. Pauvre insensé ! Moi, je l'aurais protégé.

Ainsi donc, notre atroce malheur était total et sans appel.

« Tout est votre faute, espèce d'imbécile ! »

Cette apostrophe, dois-je expliquer, venait de Potter, et, le croiriez-vous ? c'était moi qui en étais la cible. *Lui*, le traître athée, l'unique responsable de notre tragédie, m'accusait, *moi*. C'était pure déraison.

« Vous avez cherché à nous mener à notre perte, rétorquai-je simplement, et vous y êtes parvenu.

— C'est vous qui nous avez conduits jusqu'à cet affreux endroit. »

Je savais ce qui me restait à faire. Me relevant, je me dressai de toute ma hauteur, pasteur soulevé par une indignation légitime.

« Par les pouvoirs que m'a conférés Jonah Childs et par le Seigneur, notre Dieu Lui-même, je vous expulse de cette expédition. Allez-vous-en, docteur Potter, et emmenez votre domestique assassin ! Je vous chasse ! »

L'homme n'avait aucune pudeur. Il eut l'audace de s'asseoir sur la roche, dardant sur moi son regard mauvais. Sans lui prêter la moindre attention, très digne, je me tournai vers les cinq muletiers et, de mon ton le plus convaincant, tout à fait à la manière des orateurs chrétiens des premiers âges, leur déclarai : « Je vous en supplie, ne cédez pas au désespoir. Il vous faut comprendre que ce qui vient de se passer, malgré l'horreur de cette tragédie, ne doit être considéré que comme une sorte d'épreuve. Épreuve qui a mis en évidence la malfaisance de ces deux hommes, mais de laquelle nous allons triompher. Rendons-nous ensemble jusqu'à l'extrémité de la corniche afin de découvrir où se trouve le but sacré de notre mission, et ensuite… »

Skeggs m'interrompit :

« Je ne vous suivrai pas un mètre de plus, révérend.

— Ni moi non plus », ajouta un autre.

J'avoue que je fus suffoqué. Je jetai un regard aux trois autres, mais ils secouèrent tous la tête, proférant même des mots grossiers pour souligner leur trahison. Ce fut un moment des plus pénibles. Ils étaient donc tous sans exception tombés sous la coupe de mon ennemi. Il n'était pas impossible qu'il leur eût parlé en secret pendant le voyage, les subjuguant grâce à sa détestable faconde, leur emplissant l'esprit de son venin.

Je ne me tins pas pour battu et gardai la tête haute.

« Parfait, fis-je d'un ton serein, eh bien ! je continuerai tout seul.

— Libre à vous, révérend ! » railla Potter.

Même à ce moment-là, après tous ses méfaits, il était toujours aussi fourbe. Dès que je commençai à ramasser quelques provisions que les mules avaient fait tomber des sacoches afin de me sustenter durant ma quête solitaire, il se mit à me quereller d'un ton acerbe, insistant pour en faire l'inventaire, exactement comme si j'avais l'intention de le voler. En fait, la plus grande partie de l'équipement restant n'était guère utile – linge de table, chaises pliantes ou couverts en plaqué argent de Sheffield. S'il y avait des bouteilles de bon cognac français – toutes brisées sauf une – ainsi qu'une boîte défoncée des meilleurs havanes, dont le contenu se transforma rapidement en bouillie sous la pluie, il ne restait plus une seule tente complète. Quant aux vivres, le sucre, le thé et les boîtes de hochepot d'Aberdeen, les conserves de viande, ainsi que le saumon hermétiquement scellé ne nous auraient pas normalement duré plus de quelques jours. Potter calcula ma part avec une précision mesquine, sans se soucier du fait que, étant la seule personne toujours décidée à découvrir l'Éden, j'aurais dû recevoir des rations plus importantes que les autres. En outre, il refusa catégoriquement de me laisser un fusil, sous prétexte qu'en tant qu'ecclésiastique je n'aurais pas besoin d'une arme. Sans son odieux comportement, je n'aurais jamais songé à glisser dans ma poche, dès qu'il eut le dos tourné, quelques allumettes de plus, sans parler du second paquet de sucre que je réussis à dissimuler sous ma veste.

C'est ainsi que, malgré la gêne d'une sacoche de mulet accrochée en bandoulière, je leur tournai le dos et avançai pas à pas le long de la corniche. Quand, quelques instants plus tard, je jetai un coup d'œil en arrière, je m'aperçus qu'ils avaient déjà quitté les lieux et que tout ce qui demeurait de l'expédition, c'étaient les diverses caisses abandonnées. Au bon milieu se trouvait une seule chaise, dépliée pendant le partage des vivres. Elle avait une triste et curieuse allure devant ce paysage sauvage, comme en attente de quelque réunion familiale. Bien que je fusse ravi d'avoir fui ces êtres malfaisants, j'éprouvai une étrange impression à me retrouver seul dans cet endroit désert. Je tentai de chanter une hymne pour me donner du courage, mais le vent violent emporta mes paroles.

Alors que j'atteignais le bout de la corniche, le paysage jusque-là caché apparut peu à peu à mes yeux. La pluie ayant enfin cessé et les nuages pris de la hauteur, lorsque je parvins à l'extrémité au-dessous de laquelle la roche tombait aussi abruptement qu'une cascade, je découvris un panorama s'étendant sur d'innombrables kilomètres, hérissé d'une multitude de pics. Cela peut paraître incroyable : toutes les collines et toutes les montagnes étaient formées de la même roche friable que j'avais déjà remarquée. Rien dans tout cela qui ressemblât à un signe, rien qui m'indiquât la direction à prendre. Même alors je ne désespérai pas. Je priai, criant les mots à tue-tête.

« Je T'en prie, ô Seigneur, indique-moi le chemin ! »

J'attendis. Je priai. J'attendis à nouveau. Un long moment passa, mais il n'y eut ni fulgurant éclair ni faisceau de lumière éclatant pour me guider. Les montagnes semblaient me fixer d'un air sinistre, tel un dédale impénétrable.

Je ne me décourage pas aisément, mais soudain je sentis le doute m'envahir, à la manière d'un poison s'infiltrant dans mon sang, ébranlant brusquement les certitudes les mieux ancrées en mon cœur. M'étais-je trompé dès le début ? Avais-je consacré en pure perte toutes ces années à étudier, voyager, écrire et tenter de convaincre ? Avais-je poursuivi une pure chimère ? Pressentant les événements à venir, je m'efforçai de chasser mes pensées, de les anéantir, afin de protéger ma croyance, comme un berger protège un agneau d'un oiseau de proie planant au-dessus de lui, mais mon esprit refusait de se calmer, et déjà je sentais que ma foi s'affaiblissait quelque peu, n'était plus le roc dont j'avais tant besoin. Brusquement, je fus hanté par la terrible vision d'un monde que ne gouvernait plus que la folie du hasard. Dépourvu de sens, un tel lieu serait parfaitement insupportable. Et moi-même, qu'y serais-je ? Aurais-je plus de signification que si je m'étais inventé moi-même, poussière dans le vent qui se serait baptisée du nom de Wilson ? Mon esprit chancela, comme s'il roulait dans l'abîme qui s'ouvrait sous mes pieds.

Ce ne fut pas, hélas ! de propos délibéré que je quittai ce terrible endroit, mais plutôt en réaction à l'hostilité des éléments. Trempé et frissonnant, je savais que je ne pouvais demeurer sur cette crête balayée par le vent. Le crépuscule n'était pas loin. Je commençai à descendre, suivant le flanc gauche de la montagne qui paraissait moins ardu, mais une fois encore je fus victime des cruelles facéties du sort. À plusieurs reprises, ma descente fut interrompue par quelque précipice, me contraignant à rebrousser chemin et à essayer une autre voie, et lorsque je parvins enfin sur un plateau j'étais couvert de bleus et d'égratignures. Las et désemparé, je cherchai un lieu où me reposer avant que la nuit ne tombe complètement. La terre sous mes pieds étant marécageuse, je fus forcé de retourner à l'ombre de la montagne jusqu'à ce que je trouve un terrain plus ferme. Je tâchai d'allumer un feu, érigeant un petit tas de bouts de bois et gâchant inutilement plusieurs de mes précieuses allumettes, tout étant détrempé. Il ne me restait qu'à fabriquer un lit de feuilles, comme j'avais vu faire le guide Cromwell, mais cela manquait de confort et de chaleur. Ainsi installé, je consommai une boîte de hochepot, ce qui me ragaillardit le corps, sinon l'esprit.

Je voulais surtout dormir. C'est terrible à dire, mais je crois que je ne tenais guère à me réveiller, tant je broyais du noir. J'eus d'ailleurs du mal à trouver le sommeil. J'avais froid, et tout paraissait si bruyant dans les ténèbres, bien plus que sous l'abri de la tente. À un moment, j'étais agacé par le bourdonnement d'un insecte tout près de mon oreille, l'instant d'après, une brise se mettait soudain à souffler, éparpillant sur moi des gouttes d'eau tombées de feuilles invisibles. Le pire demeurait le léger et mystérieux bruissement parcourant les broussailles. Même si je me persuadais qu'il s'agissait d'un oiseau ou d'un campagnol, il était difficile de ne pas craindre qu'une araignée ou un serpent venimeux ne se dirigent vers moi, voire l'un des loups indigènes, au dos rayé comme celui des tigres, qui attaquent parfois les hommes. Et pendant ce temps des pensées lugubres assaillaient mon esprit. Étais-je coupable d'une faute ? Avais-je inconsciemment commis un grand péché ? Je ne voyais pas ce que ce pourrait être. Je m'étais toujours efforcé de mener une vie vertueuse et de servir le Seigneur. Comment pouvait-Il me récompenser de la sorte ?

Je n'avais pas encore réussi à fermer l'œil lorsque je perçus une légère senteur de bois qui brûle, semblable à la fumée d'un feu de camp. Mystère fort agréable, ne serait-ce que parce que cela faisait dévier mes pensées de leur sinistre cours. Ramassant ma sacoche, je commençai à marcher avec prudence dans la direction du feu. Bientôt j'entendis un murmure de voix. Durant un bref moment de fol espoir, je me demandai s'il était possible que des inconnus amicaux, membres d'une autre expédition, se trouvent là, et si, grâce à Son intervention miraculeuse, j'allais finalement pouvoir être sauvé. Puis, passant entre des arbres, je découvris un petit groupe assis autour d'un feu de camp qui flambait joyeusement. C'était Potter, Hooper et les muletiers. M'approchant subrepticement, je vis qu'ils se passaient la bouteille de cognac restante. De quel droit jouissaient-ils d'un feu ? Ils ne devraient même

361

pas se trouver de ce côté-ci de la montagne. S'étaient-ils donc égarés ? Ou bien étaient-ils venus là exprès pour me narguer ?

Alors, sous le coup de ma légitime indignation, mon moral qui était tombé si bas remonta soudain. Voici donc, en train de lamper de l'alcool et de se chauffer les pieds devant un bon feu, l'incarnation de tous mes ennuis, le Dr Thomas Potter. Sans lui, j'aurais déjà retrouvé l'Éden. Brusquement, je compris tout. Voilà pourquoi nous étions l'objet de la vindicte du Seigneur. Que pouvait-on attendre d'une expédition qui se prétendait chrétienne, était à la recherche du lieu le plus sacré, mais qui en même temps abritait en son sein un individu attirant la malignité comme un aimant ? Oui, le Seigneur avait cherché à me prévenir. Comment pouvais-je partir à la recherche du Paradis, alors que rampait et se faufilait près de moi un suppôt de Satan ? C'était une abomination.

Je connaissais mon devoir : j'allais le combattre. L'Éden serait retrouvé, malgré tout. Je n'avais aucun doute à ce sujet. Mais pour le moment cela devrait attendre. Le diable était apparu devant moi et je ne me déroberais pas. Brandissant l'étendard de la sainteté, je l'attaquerais et l'abattrais.


### Le Dr Thomas Potter. Janvier 1858

*19 janvier (suite)*

Avais cru que = finalement débarrassés de <u>Wilson</u>, mais non. Commençais juste à me réchauffer grâce à cognac quand entendu dans nuit horrible voix chevrotante sermonner muletiers : « Renoncez à ce suppôt de Satan (moi) avant = trop tard ! Rejoignez-moi + revenez dans l'étreinte de Dieu… », etc. En termes peu choisis Skeggs lui crie ficher le camp. Hooper lui lance grosse pierre. Soudain, Wilson se précipite entre nous, <u>vole</u> deux très gros <u>brandons</u> + décampe. Considère lui <u>courir après</u> + le punir, mais en vérité tous = trop fatigués. Feu très réduit, s'éteint pendant la nuit.


### Timothy Renshaw. Janvier 1858

N'ayant guère été jusqu'alors adepte des exercices physiques, j'avais plus d'une fois maudit le jour où je m'étais laissé embarquer dans cette petite randonnée à travers la brousse de Tasmanie. Puis, un beau matin, à ma grande surprise, je m'aperçus que je m'étais en quelque sorte habitué à cette marche forcée. Mes jambes semblaient littéralement danser sur les pierres et dans la boue, et j'avais bizarrement l'âme ravie. Il y avait quelque chose de curieusement satisfaisant dans cette existence fruste, où la seule obligation consistait à rester vigilant heure après heure – pour éviter de trébucher ou se garder d'un serpent caché –, avec pour toute récompense, au crépuscule, une bonne fatigue dans les jambes et la satisfaction d'avoir parcouru une aussi longue distance.

Un autre plaisir imprévu venait du paysage lui-même. La nature était magnifique, quoique sauvage, avec ses montagnes escarpées, ses rivières tumultueuses, ses forêts d'arbres aux couleurs pâles. À la tombée de la nuit, j'apercevais les étranges bêtes du cru, les kangourous et les wallabies qui bondissaient de-ci, de-là avec une grâce inouïe. Même le cri des oiseaux, que j'avais trouvé strident au début, me devint agréable. Je me réveillais parfois le matin avec l'insolite et inexplicable impression d'être chez moi. Je commençais en effet seulement à me rendre compte à quel point cette sorte de sensation m'avait manqué en Angleterre.

Puis Wilson nous fit escalader sa montagne.

Mon dernier souvenir, c'est une bagarre, puis la sensation que tout l'univers bascule au-dessus de moi tandis que mon corps est fouetté par des feuilles et des branches. Ensuite, je me revois en train de contempler le ciel, trempé jusqu'aux os, allongé sur une couche des plus bizarres, moitié feuillage, moitié mulets morts. Seuls deux ou trois des animaux étaient encore vivants, mais, à en juger par la faiblesse de leurs cris, leur vie ne tenait qu'à un fil.

Avec moult précautions, j'ébauchai quelques mouvements, le moindre d'entre eux paraissant révéler une nouvelle blessure insoupçonnée. Lorsque j'osai enfin me dresser sur mon séant, je savais déjà que j'étais blessé à la jambe, au poignet, aux deux épaules, à toutes les côtes, ainsi qu'au cou, au dos, au postérieur, et surtout au front, où cet idiot sanguinaire avait eu la bonne idée de me frapper avec son arme. En vérité, je ne savais qui remercier le plus chaudement : Wilson, pour nous avoir fait gravir cette maudite piste miraculeuse, Cromwell, le guide, pour ne pas l'avoir mieux conseillé, Potter, pour avoir effrayé le mulet en tirant sur la bride, les muletiers, pour n'avoir pas empêché leurs bêtes de déraper et de plonger dans l'abîme, ou encore Hooper, qui, en essayant de jouer les assassins, m'avait assommé et fait basculer dans ce charmant endroit.

Certes, j'avais beaucoup de chance d'être toujours en vie. Sans nul doute, ma chute avait été heureusement interrompue par les arbres et amortie par les animaux. Une fois debout, je découvris que je pouvais marcher, même si ça n'avait rien d'une partie de plaisir. Levant les yeux vers la ligne noire au sommet du versant, je ne vis aucun signe des autres membres du groupe, et même après avoir lancé plusieurs appels je ne reçus aucune réponse. Mes confrères explorateurs avaient apparemment quitté les lieux. Puisqu'il ne servirait à rien, bien sûr, de ressasser cette déception, je me mis en devoir de tenter de survivre. Tout d'abord, il me fallait construire un abri avant la tombée de la nuit. J'eus la chance de trouver une tente dans la toute première sacoche de mulet que j'ouvris et, m'efforçant d'oublier les élancements de mes diverses blessures, je la montai tant bien que mal, de manière acceptable. Quant aux vivres, cela ne posait aucun problème, le sol étant jonché de bocaux, de boîtes de conserve et de paquets. Je découvris bientôt des allumettes et du papier et, même si le ramassage du bois s'avéra fort pénible, je réussis à allumer un feu avant qu'il ne fasse tout à fait nuit. Je m'assis donc devant ma tente, presque confortablement, et mangeai du saumon et du filet de canard au riz, tout en buvant pour fêter ma survie une bouteille de champagne qui avait été épargnée.

Durant toute la nuit, je m'efforçai d'entretenir le feu, espérant que la fumée et l'odeur permettraient aux autres de me retrouver. Et, en effet, aux premières heures de la matinée, je tressaillis de joie en entendant un bruit de pas qui approchaient parmi les arbres. Supposant qu'il s'agissait du groupe, je fus étonné de ne voir apparaître qu'une seule personne. C'était Cromwell, le guide.

« Dieu soit loué ! m'exclamai-je. Où sont les autres ? »

Pour toute réponse, il se contenta de s'asseoir en face de moi et de me fixer d'un regard étrange, presque perplexe.

« Tu dois me dire quelque chose… Pourquoi tu t'es battu avec Hooper ? »

Drôle de question…

« Je ne pouvais quand même pas le laisser te tirer dessus ! »

Il grimaça comme s'il avait mal quelque part ou comme s'il cherchait à comprendre. Il étendit la main et m'effleura le bras du doigt en murmurant : « Renshaw… » Puis le renfrognement se dissipa aussi vite qu'il était apparu. Il jeta un coup d'œil sur les écorchures de mes bras et de mes jambes.

« Tu peux marcher ?

— À peine.

— Tu pourras plus tard ?

— Probablement. Mais tu ne m'as toujours pas parlé des autres. Est-ce qu'ils viennent ? »

Il me regarda comme si j'avais posé une question absolument idiote.

« Oublie-les. Ils ne valent rien.

— Qu'est-ce que tu veux dire ? Tu sais où ils sont ?

— Partis.

— Mais ils vont forcément venir à ma recherche, non ? »

— Non. Oublie-les ! » Quelque chose dans l'expression de son visage me découragea de chercher à en savoir davantage. Il se remit sur pied et commença à défaire les cordes qui soutenaient la tente.

« C'est trop près des mulets. Bientôt ça va sentir mauvais. »

Tous ses propos étaient empreints de mystère.

« Tu ne restes pas ? »

Il secoua la tête.

« J'ai des choses à faire. »

Alors il se mit à l'ouvrage, refusant catégoriquement que je l'aide. Il déplaça la tente, la remonta près d'un minuscule ruisseau puis commença un va-et-vient jusqu'à ce qu'il ait rassemblé un gros tas de bocaux et de boîtes de conserve, ainsi qu'un imposant amas de bois à brûler. Ensuite, il s'assit près du feu et fabriqua plusieurs sagaies qui avaient l'air légères mais terriblement pointues. Il en prit trois, s'enfonça au milieu des arbres et revint un peu plus tard avec un wallaby qu'il avait tué et qu'il s'empressa d'écorcher, de vider et de faire rôtir sur le feu après en avoir rempli l'abdomen éviscéré de cendres chaudes. À mon grand étonnement, ç'avait très bon goût, d'autant que c'était le premier aliment frais que je mangeais depuis bien longtemps. Enfin, une fois que nous eûmes terminé notre repas, il désigna les sagaies restantes.

« Garde-les, au cas où le kanunnah – le loup – vient. Il va sentir les mulets, tu vois. » Il égalisa le terrain devant la tente et se mit à y faire des marques avec un bout de bois pour dessiner ce que je compris être une sorte de carte. « Quand tu te sentiras mieux, tu dois descendre par là. Le sentier est en bas et tu dois le suivre comme ça, en t'éloignant du soleil. Surtout, tu dois bien faire attention à rester de ce côté-ci de la montagne qui ressemble à un crâne. Ne prends pas un autre chemin, même si ça a l'air plus facile. Comme ça, tu trouveras d'autres hommes blancs. » Il se remit debout. « Maintenant, il faut que je parte. »

— Tu vas revenir ? »

Il secoua la tête.

« Des choses à faire… Reprends des forces, et puis retourne chez les tiens. » Et il s'en alla sans plus tarder.


### Le Dr Thomas Potter. Janvier-février 1858

*20 janvier*

Matin lumineux + chaud. Avons allumé nouveau feu (pour remplacer celui que Wilson avait volé la nuit) + assis au soleil un moment, à faire du thé pour se remettre épreuves de la veille. Médité situation. Tous d'accord que je devrais devenir chef désormais. Puis réfléchi à meilleurs moyens sortir cette région sauvage + survivre. À cause errance de dément de Wilson + notre confusion pendant descente de montagne = pas du tout sûrs de position actuelle. Ni judicieux ni faisable rebrousser chemin car montagne = trop abrupte (Hodges + Skeggs ont failli tomber) aussi avons décidé = meilleure idée suivre la vallée en longeant rivière. Configuration terrain suggère meilleure route = S. (suivant sens du courant) + ensuite E. dès que possible.

Départ immédiat. Près rivière avons trouvé sentier : grande chance. Direction pas idéale (S.-S.-O. plutôt que S.) mais ira pour le moment. Bien avancé derrière montagne de forme curieuse, comme poing ou crâne. Plus tard, parvenus sur terrain dégagé, avons remarqué que suivis. Wilson = 1,5 km derrière. Quand on s'arrête, lui s'arrête, quand on repart, lui repart, etc. Semble décidé ne pas nous lâcher.

### 24 janvier

Autre bonne journée de marche, quoique + en + préoccupé par sentier. Tourné brièvement E., soit vers zones peuplées, puis retourné direction O.-S.-O. (grande erreur). Après-midi, avons tenté couper à travers végétation mais repoussés par arbustes épineux qui = parmi les pires rencontrés : vêtements restants affreusement lacérés, peau également. Aussi pu observer que chemin = bloqué en outre par chaîne montagnes lointaine. Tr. décourageant. Tous d'accord = trop tard maintenant pour revenir en arrière car distance parcourue = trop grande + vivres = trop faible quantité. Espérons que sentier peut encore revirer vers E.

Au crépuscule, tenté chasser kangourou mais échec : animaux s'échappent en bondissant trop vite.

Autre visite nocturne de Wilson. Crie aux autres que vont souffrir damnation éternelle, feu enfer, etc. parce que servent « suppôt du diable » (moi). Trop sombre pour voir exactement où il = mais Hooper + moi avons envoyé terre, cailloux, etc. dans sa direction.

### 29 janvier

Rivière s'est jetée dans deuxième, beaucoup plus grande. Possible la suivre jusqu'à côte ? Mais laquelle ? (Tourné vers S.-S.-O.)

Obligés encore réduire rations vivres. Tous maintenant = constamment affamés. À nouveau tenté prendre à travers brousse mais à nouveau repoussés par ronces. Vaudrait mieux avancer même dans mauvaise direction ?

Aucune trace de Wilson depuis 2 jours. Mort ?

### 3 février

Aujourd'hui, Skeggs chassé wallaby, quoique petit. Grillé sur feu, tous si impatients qu'on a mangé la chair encore à moitié crue. N'a pas été très loin entre nous 7. Encore plus faim après.

Wilson continue nous harceler nuit, pas mort finalement. Menace maintenant nous poursuivre en justice pour mutinerie si on atteint Hobart. (Si !) Hooper tiré en l'air. Très efficace : on l'a entendu déguerpir à toutes jambes.

### 6 février

Sentier + rivière toujours S. ou S.-O. Jamais E. Progression + lente car fatigués par manque nourriture. Plus de sucre depuis ce matin + obligés réduire nouvelle fois ration quotidienne, quoique déjà = tr. insuffisante. (N'aurais jamais dû laisser Wilson prendre vivres : a quitté groupe donc abandonné tout droit.) On parle sans cesse de nourriture, on rêve de festins chaque nuit. Aucun signe de colonie, route, etc. même tr. loin. Difficile croire qu'à part sauvages, hommes ont pu fouler sol de cet endroit maudit.

Pluie pendant la nuit (trois nuits de suite) : abri de branchages fuit + tous = (à nouveau) tout trempés. Tous tr. enrhumés. Pneumonie = grande crainte.

### 12 février

Si affaiblis qu'on commence à mettre en doute notre propre raison. Réveillé cette nuit, persuadé que pouvais sentir légère odeur viande en train de rôtir sur feu lointain. Pouvais si bien imaginer graisse gicler, peau dorer, etc. que ça m'a fait mal. Pourtant savais que pouvait seulement = pure imagination. Personne = à kilomètres d'ici à part Wilson qui pas de fusil et = pas chasseur.

### 13 février

Inquiétante découverte quand fait bagages après petit déjeuner. Toutes nos munitions (un grand sac) = disparues. Fouillé partout, mais en vain. Cela = tr. mystérieux. Munitions transportées par Tom Wright, mais lui affirme avec véhémence n'auraient pu tomber de sa sacoche. Mais si pas sa faute, alors qui ? Wilson ? Paraît peu probable. Pourtant évident que = toujours dans les parages. Perte = tr. grave. Reste maintenant que ce qui était dans poches, soit 12 cartouches fusil + 7 pour revolver. Principal espoir : avoir plus de chance à chasse car vivres maintenant = presque épuisés.

Horrible journée. Tôt ce matin, muletier <u>Ben Fiddler</u> est allé à la rivière chercher eau pour faire thé. On attend, attend mais ne revient pas. Partons à sa recherche, criant son nom, etc. mais aucune réponse. Finalement, trouvé récipient vide au bord de rivière + pierre tachée *sang* tout près.

Tous = furieux. Et <u>mystifiés</u>. Attaqué par <u>loup</u> indigène ? Semble peu probable. Hooper a suggéré que pouvait = œuvre du <u>métis</u> Cromwell, mais savais que ça = impossible. Métis = totalement dépourvu <u>intelligence + résistance</u> pour nous suivre jusque-là et serait bien trop effrayé après sa réaction (celle de Hooper) sur montagne. En outre, sûr que lui = <u>mort</u> depuis longtemps (pourrait pas survivre sans provisions). Si quelqu'un = coupable, certainement <u>Wilson</u>. Improbable mais pas impossible. Lui = ici (l'ai vu au loin hier) + si <u>dérangé</u> mentalement pourrait = capable <u>n'importe quelle énormité</u>.

Ai décidé = temps qu'on <u>le débusque</u>. L'avons trouvé assez aisément, 400 m en arrière sur piste, caché parmi arbres. Ne l'avais pas vu de près + ai observé que lui = triste état : décharné, hagard. Sacoche mulet apparemment presque <u>vide</u>. Avait <u>croix</u> fabriquée avec 2 bouts de bois, l'a brandie en nous menaçant et hurlant : « Arrière, démons ! », etc. Quand approchés, lui a détalé vers rive + <u>plongé</u> dans rivière. Ça = très dangereux (courant = rapide) mais a réussi à atteindre rive d'en face, d'où a commencé à nous lancer comme d'habitude défis de dément : « Venez donc, traversez les eaux comme les cohortes de pharaon ! », etc. Ai songé à le suivre mais renoncé. Mais l'ai apostrophé et lui ai demandé si avait dérobé munitions + assassiné Ben Fiddler. A paru tr. surpris, voire <u>ravi</u>. Criant que cela = « châtiment » + « on ne peut échapper au regard de Dieu », etc. Après ça, incertain si lui = coupable. De plus, si <u>maigre</u> que = difficile imaginer que pourrait avoir raison de Fiddler (le plus costaud des muletiers). Loup = responsable, après tout ?

Vivres en trop petite quantité pour s'attarder, donc, continué à marcher. Ai vu 2 wallabies et essayé les attraper en utilisant pistolet-revolver mais eux = trop rapides. Inventaire munitions restantes : 4 cartouches fusil + 5 pistolet. Inventaire vivres : deux cuillers à café sucre, 3 boîtes pleines hochepot d'Aberdeen + 1/4, 1 boîte pleine conserve saumon + 3/4, 1 sac riz plein + 1/4. 12 allumettes. Ai tenté porter brandon enflammé pendant marche, mais chaque fois éteint.

Peu après départ ce matin, sentier divisé en deux. Un vers S.-O., l'autre S.-E. Celui-ci = le plus prometteur depuis qu'on a quitté montagne de Wilson ! Suivi avec appréhension mais <u>direction reste tou-jours la même</u>. Doit sûrement nous conduire vers une <u>colonie</u>. Espérons seulement = pas déjà trop <u>tard</u>.

## 17 février

Jour le plus affreux jusqu'à présent. On faisait chauffer eau (plus de thé) pour petit déjeuner, Jim Bates parti pour besoins naturels. Soudain, tous = effrayés par <u>cri perçant</u>. On se précipite à travers arbres + voit Bates gisant sur sol qui gémit, long <u>bâton</u> (me rends compte = <u>sagaie</u>) fiché dans son ventre. Entends pas de quelqu'un qui détale. Le prends en chasse + entr'aperçois silhouette qui file entre arbres. Au lieu de Wilson c'est <u>métis</u> ! N'en crois pas mes yeux. Tire avec revolver mais <u>rate cible</u>.

Laisse Tommy Wright + fusil avec Bates blessé + emmène Hooper, Skeggs + Hodges pour le <u>traquer</u>. En fait = pas facile. Suivi empreintes pas jusqu'à rivière, puis <u>aucune trace</u>. Tenté poursuivre recherches mais Hodges devient tr. nerveux, fixe chaque buisson avec effroi, etc. Avoue que moi-même = un peu préoccupé : végétation si dense + <u>sauvage</u> qui pourrait se cacher n'importe où, prêt à lancer sagaies. Décidé que mieux valait retourner auprès Wright + Bates.

Excessivement troublant. Ne peux que supposer <u>métis</u> nous a suivis depuis début (doit = lui qui a volé <u>munitions</u>, tué <u>Ben Fiddler</u> + = cause l'odeur nocturne <u>viande grillée</u>). Tr. difficile admettre qu'il a sur-vécu + nous a poursuivis = au-delà intelligence + ingéniosité de son <u>type</u>. Lui = <u>exception monstrueuse</u> ? Caractères de sa moitié blanche (saxonne) = inhabituellement prééminents ? Comment expliquer comportement de <u>sauvage</u> pendant première partie voyage ? À moins que <u>résistance</u> primitive particulière conditions sauvages de cette terre ? Avoue que toute cette affaire = tr. déconcertante.

Obligés continuer la route, restant constamment <u>sur nos gardes</u>. Sûrs que métis finira par commettre erreur. Espérais que repasserait à l'attaque pour lui régler son compte. Si on atteint zone colonisée + lui suit on le fera <u>arrêter + pendre</u> comme <u>assassin sauvage ordinaire</u>. Mal-heureusement, progression = tr. ralentie par <u>Bates</u> qui = incapable mar-cher sans grande aide autres, geignant à chaque pas, etc. Avons dû nous arrêter tr. tôt. Installé camp près petit étang.

Après tombée nuit ai à nouveau perçu odeur <u>viande grillée</u>. Ça = pro-vocation impossible à tolérer. Ai insisté pour qu'on <u>suive l'odeur</u>, trouve feu, règle compte à <u>métis</u> + mange sa viande. Hodges effrayé (comme d'habitude), aussi l'ai laissé avec Bates + Wright. Ai rebroussé chemin sur sentier, suivi de Hooper + Skeggs. Difficile dans obscurité (lune = 1/4) mais bientôt aperçu lumière vive feu de camp. Malheureusement pas celui du métis mais de Wilson, qui se trouve au milieu des arbres tout près et nous traite comme toujours de « diables », etc. Surpris que pas été transpercé par sagaie du métis. Avons continué marche + bientôt senti odeur autre feu + viande grillée mais ne voyons aucune flamme. Avons cherché quelque temps quoique nerfs à vif à cause difficulté pour voir : clarté lunaire du mal à filtrer à travers arbres. Enfin découvert petit brasier dissimulé au fond de trou creusé dans sol. Paraissait procédé tr. sournois + lâche. Pas de viande. Aucune trace métis. Tr. agaçant. Pire = à venir. Sur chemin retour sagaie soudain lancée comme de nulle part, blesse Hooper au bras (heureusement blessure = superficielle). Avons essayé le poursuivre, tiré 2 coups, mais sans succès. Revenus vers les autres. Avons établi système gardes de nuit pour éviter nouvelles attaques.

Bates mort juste avant l'aube. Grande perte. Même si va au moins permettre légère augmentation rations journalières (de 7, maintenant = 5).


## Le révérend Geoffrey Wilson. Février 1858

Dieu se trouve dans mon paquet de sucre. Le diable essaye de m'en faire tomber quelques grains pendant mes repas, mais je fais bien attention, et il a du mal à en voler. Bien qu'il n'en reste que très peu, cela me calme. Ce qui me montre qu'Il est à mes côtés.

Je n'ai pas vu le diable mais j'en ai souvent senti la présence, dans mes migraines, dans les bruits nocturnes, dans la boue, dans mes rêves constants de viande rôtie. Parfois, il tente de m'effrayer en me soufflant que je me suis trompé, voire qu'Il m'a abandonné, mais alors je brandis ma croix très haut et ne l'écoute pas. Bien sûr, le diable se trouve surtout en Potter et ses acolytes. Une fois, ils ont marché si vite que je les ai perdus de vue pendant deux jours entiers et, malgré leurs empreintes, j'ai craint qu'ils ne m'aient échappé. Un moment affreux : j'ai été hanté par la vision de Potter, assis dans une belle salle à manger, en train de déguster du rôti avec des pommes de terre, ou du poisson, voire un magnifique gigot d'agneau accompagné de petits pois et de carottes, du pain beurré, naturellement, le tout suivi d'un gâteau, tout en susurrant les mensonges les plus éhontés à propos de ma mort et de l'inexistence de l'Éden en ces lieux. Puis je les ai revus, avançant en titubant, l'air plus mal en point que moi. Peu après, j'ai appris – de la bouche de Potter lui-même – qu'Il avait enfin frappé, éliminant le muletier Fiddler de la face de la Terre. Je n'étais donc pas oublié. D'un seul coup, j'ai retrouvé ma foi intacte.

Cette même nuit, il se passa quelque chose de si étrange que l'espace d'un instant je me demandai si j'étais réveillé ou si je rêvais. Soudain, comme surgissant de nulle part, apparut près de mon petit feu, tenant à la main plusieurs sagaies d'aspect redoutable, Cromwell, notre guide, que je croyais mort depuis longtemps. Il me regardait d'un air bizarre, et un moment je crus qu'il était venu me prendre mon sucre.

« Que voulez-vous ? »

Il me répondit par une autre question.

« Pourquoi est-ce que vous n'êtes pas avec les autres ?

— Parce que ce sont les suppôts du diable. Ce sont les ennemis de Dieu. » Je serrais fortement contre moi la sacoche de mulet contenant le sucre mais, à ma grande surprise, il n'y prêta aucune attention, se contentant de hocher la tête avant de détourner les yeux. Tout à coup, une pensée me traversa l'esprit. « Êtes-vous Son instrument ? m'écriai-je. Est-ce vous qui avez anéanti Ben Fiddler ? »

Il émit un sourd ricanement, et je compris que je ne m'étais pas trompé. Et, en effet, le lendemain, j'entendis leurs cris au moment où un autre muletier fut frappé. Qui sème le vent récolte la tempête... Ne les avais-je pas prévenus qu'ils devaient renoncer à Satan sous peine d'encourir un châtiment exemplaire ? S'ils m'avaient seulement écouté, je suis certain qu'Il les aurait traités avec bonté. Oui, s'ils se repentaient, il se pourrait qu'Il les épargnât encore, bien qu'il fût déjà bien tard.

En les éventrant avec les lances de Son agent et en mettant fin à leur vie souillée, Il me chuchote avec amour que je suis dans le vrai.

Mais, une nouvelle fois, j'ai eu très peur. Cet après-midi, je les ai suivis dans les collines. En dépit de mon immense fatigue, j'ai quand même persévéré. Entendant un cri lointain, j'ai levé les yeux et je les ai tous vus debout sur une crête, poussant des vivats en agitant vigoureusement les bras. Ce qui les réjouissait ne pouvait être qu'un mauvais signe pour un homme de bien. Je me suis hâté du mieux possible mais j'ai mis un certain temps à atteindre l'endroit où ils s'étaient tenus.

À mes pieds, à quelques kilomètres seulement, s'étendait la mer. Comme il était étrange de la contempler après tant de semaines d'errance ! Voilà donc la raison de leur liesse. Je restai perplexe un court moment. Hérissé de collines escarpées dissimulant à moitié une baie, sans la moindre trace de maison, route ou autre signe d'activité humaine, le paysage paraissait indéchiffrable... Vraiment ? En étudiant le panorama avec plus d'attention, je finis par découvrir derrière la cime des arbres la cause des cris de ces suppôts du diable. Il s'agissait d'une étroite bande s'avançant dans l'eau, rien de plus : une forme minuscule, trop nette et trop rectiligne pour être l'œuvre de la nature. Je supposai que c'était sans doute quelque jetée. Malgré l'absence apparente de tout bâtiment, il n'était pas impossible qu'il y en ait eu caché quelque part.

Brusquement, j'eus un affreux pressentiment. Il se pouvait très bien qu'ils fussent déjà en train de répandre des calomnies, d'informer des inconnus d'erreurs commises et de raconter des mensonges.

J'avais besoin de forces. Il ne me restait plus qu'une pincée de sucre au fond du paquet. Je le finis jusqu'au dernier grain, léchant même le papier, ce qui me revigora un peu. Puis, priant avec plus de ferveur que je ne l'avais fait depuis plusieurs jours, je commençai à descendre la colline en clopinant.

## Le Dr Thomas Potter. Février 1858

### *20 février*

Merveilleux, merveilleux, merveilleux ! Mer ! Jetée ! Espoir de salut ! Tous rient comme des enfants, poussent hourras, etc. Tom Wright suggère joyeusement qu'on mange tout de suite toute la nourriture restante (= 1 boîte entière + 1/8e hochepot d'Aberdeen) pour fêter événement. Bien que transporté joie, reste plus prudent, mais accepte qu'on consomme le 8e (1/2 cuiller à café chacun).

Avons dévalé pente, courant littéralement, malgré état pieds, comme sentier entrait dans forêt, revolver dégainé au cas où métis serait apparu. Avons dû vite ralentir car en fait distance jusqu'à côte = plus longue que vue d'en haut : crépuscule déjà bien avancé quand parvenus épuisés sur plateau. Moral en hausse quand commencé remarquer signes de côte toute proche : sol sablonneux, brume filtrant à travers arbres, légère odeur eau saumâtre. Et surtout avons trouvé sentier ! Véritable sentier : large, dégagé, un sentier d'hommes blancs ! Me suis précipité en claudiquant, agacé par fatigue de mes jambes. Puis finalement titubé sur la plage + découvert jetée, exactement comme prévu, qui disparaissait dans brouillard du soir.

Avoue éprouver quelque appréhension même alors. Tout = trop calme. Pas de sons humains. Aucune lumière. Rien que léger ressac sur rivage + odeur bois pourrissant. En montant sur jetée, beaucoup planches = brisées. Personne parmi nous ne parle. Tous se mettent à chercher à l'entour avec de + en + impatience. Mais seuls signes humanité = vieux canot à rames échoué sur plage (démantibulé), douves tonneaux défoncés, long cordage enroulé, énormes morceaux os + carcasse puante. Évident que = station baleinière abandonnée. Malgré ça mis soudain à hurler dans la brume. Aucune réponse. Silence de mort. Ai ressenti sorte de désespoir. Rien de plus difficile à supporter que grands espoirs brusquement déçus.

Skeggs = premier à exprimer tout haut nos craintes : a suggéré endroit = plus au S. sur la côte qu'on avait supposé, donc pourrait y avoir innombrables kilomètres brousse avant colonie la plus proche. On savait tous ce que ça signifiait : ni force ni nourriture pour s'y rendre + aussi = nouvelles attaques du métis. Hodges essaye = optimiste : annonce que bateau peut venir mais n'ai aucune patience pour ces sortes de chimères. Lui dis : « Quel genre de capitaine amènerait vaisseau dans baie calme + vide comme celle-ci, où rien ni personne ? »

Silence lugubre. Regagné lentement arbres derrière plage pour s'installer pour la nuit, plus habitude qu'espoir. Trouver terrain plat, allumer feu (reste 6 allumettes). Ai terrible pressentiment que = dernier campement et que tous mourir à cet endroit. Fais chauffer eau. Ouvert dernière boîte hochepot d'Aberdeen : chacun mange 1/2 cuiller à café (nous a donné encore plus faim). Reste 7/8ᵉ boîte = tout ce qu'il y a comme nourriture. Bien rangé dans dernière sacoche mulet.

Profondément endormi + rêve que sur le point manger festin bœuf, pommes de terre au four, navets, carottes, petits pois, oignons, sauce, etc. quand soudain réveillé par cris perçants et coup fusil. Bondis et vois Tom Wright (de garde : endormi ?) sagaie fichée dans poitrine et métis pointant sagaie sur moi. Réussi de justesse me contorsionner si bien que se plante dans arbre juste derrière moi. Porté main au revolver mais lui fuite dans ténèbres.

Wright transpercé en plein cœur. A bientôt poussé dernier soupir. Cet acte sauvage nous a permis secouer léthargie + mis tous en fureur. Même si on meurt dans horrible endroit, au moins se venger de ces meurtres barbares et régler compte à fourbe et odieux primitif. Devons le pourchasser car = vermine monstrueuse. Hooper, Skeggs, Hodges + moi avons commencé recherches, à l'aide de brandons pour nous éclairer. Avons suivi empreintes entre arbres mais pas ont disparu sur sol plus ferme. Malaisé. Peur se disperser au cas où on subirait autres attaques. Également faibles bruissements dans broussailles (oiseaux ? souris ? métis ?) = tr. affolant. Hodges, pris de panique, essaye tirer dans le noir (fusil pas armé). Le morigène vertement (reste seulement 2 cartouches revolver + 1 fusil, alors si tirées toutes aucune défense contre lances métis).

Finalement revenus vers feu. Personne n'a envie dormir. On décide enterrer Wright pour empêcher que dévoré par oiseaux, bêtes sauvages, etc. En vérité ne lui reste guère que peau et os – un peu de chair seulement sur mollets, cuisses, cou + épaules – mais malgré tout risque d'attirer animaux. L'avons transporté jusqu'à plage où sable = plus facile creuser + fait trou à lumière brandons. Pénible sans pelle avons dû enlever sable avec mains. Avons bientôt atteint couche racines, alors forcés donner à Wright sépulture peu profonde. L'avons placé dedans

+ on finissait le recouvrir sable quand Hodges crié : « Regardez ! Y a quelqu'un près du feu ! »

Ai en effet aperçu homme se profilant contre flammes mourantes. Semblait = en train puiser dans quelque chose. On a tous couru, prêts à tirer. Mais pas métis. Alors apparut clairement = <u>Wilson, boîte</u> dans la main en train gratter <u>dernière bouchée hochepot d'Aberdeen</u>. Notre <u>hochepot d'Aberdeen</u> ! Me suis précipité pour lui casser la figure mais Hooper été plus rapide : a envoyé dinguer boîte, essayé d'arracher aliments de bouche de Wilson (trop tard car les avalait déjà). Boîte = tout à fait <u>vide</u>. Avait mangé <u>tous les 7/8$^e$</u> ! On n'en croyait pas nos yeux.

Lui ai lancé : « <u>Sale voleur</u> ! »

Lui <u>aucun remords</u>. Dit que ceci = sa nourriture « de droit » = a lui donnée par « le Seigneur, mon père ». Prétend qu'il = de son « devoir » la manger afin qu'elle ne tombe pas aux mains « suppôts du diable ».

Hooper déclare simplement : « Pendons-le ! »

Je considère = <u>excellente idée</u>. On pourrait utiliser vieux cordage près de jetée. Crois qu'on serait passés à l'action <u>sur-le-champ</u> sans intervention <u>Hodges</u>. Gémit que aucun droit légitime pendre Wilson. Ai moins scrupules car imagine que tous morts depuis longtemps avant que juriste ne débarque sur les lieux. En outre, on l'a tous vu en train manger hochepot. Mais pour <u>bonne forme</u> suggère qu'on lui fasse <u>nous-mêmes procès</u>. Déclare que doit être « jugé par ses pairs (nous) comme un lord ». Tous d'accord (à part Wilson).

Procès débute tout de suite, dans canot échoué. Wilson placé à l'arrière, autres assis en face lui sur bancs rameurs. Moi = <u>juge</u>. Hodges = <u>défense</u>. Hooper = <u>procureur</u>. Skeggs = <u>guette métis</u>. Tous = jurés. Hooper commence interrogatoire : « Avez-vous mangé dernière boîte de hochepot d'Aberdeen dans l'intention de nous faire tous mourir d'inanition ? », etc. Wilson se récrie que ceci = procédure illégale, « loi du diable » + affirme que toute cette cour = dans celle d'un « plus grand <u>tribunal</u>, celui des anges » où allons subir « plus grand procès », etc. Affirme que Dieu lui a donné hochepot « de Sa propre main ».

Me sens las. Ciel = de + en + clair. Restés éveillés presque toute la nuit. Également <u>brise glaciale</u> mise à souffler, remuant brume. <u>Pressé</u> le pendre pour me reposer, ne permets que bref résumé + discussion. <u>Défense</u> (Hodges) suggère qu'on attende sans rien faire pour le moment. <u>Accusation</u> (Hooper) réplique que = inutile ajourner procès + doit être pendu haut et court « pour l'exemple ». Alors me mets debout et lance : « La cour va maintenant se lever pour annoncer le verdict. » Interroge chacun à son tour.

Hooper : « Coupable. »

Skeggs : « Coupable. »

Moi : « Coupable. »

Hodges : « Je pense toujours qu'il vaudrait mieux attendre. »

Déclare que verdict = coupable, à majorité + annonce sentence, soit que « le révérend Geoffrey Wilson = pendu jusqu'à ce que mort s'ensuive ». Wilson <u>sourit</u> en fait + déclare que <u>peu lui chaut</u> car <u>sait</u> que sera bientôt « en sécurité, appuyé contre le sein généreux de mon Père », etc. Examine corde mais me rends compte que = trop <u>épaisse</u> pour travail <u>délicat</u>. De plus, aucun de nous = sûr comment faire <u>nœud coulant</u>. Autre difficulté = plate-forme d'où le pousser. Hooper déclare que suffit attacher corde autour cou, la passer par-dessus branche d'arbre, hisser et retenir autre bout + le laisser se balancer. « Peut-être = moins rigoureux mais marchera quand même assez bien, vous verrez. » Hodges répète tout doit = fait selon règles. Je propose construction simple <u>plate-forme</u> à partir de planches du canot, qu'on fasse monter Wilson dessus, qu'on lui passe nœud coulant, puis qu'on la repousse d'un coup de pied. Encore en train examiner planches, réfléchissant à la façon de s'y prendre, quand soudain Wilson très bizarrement s'écrie : « Un miracle ! Un miracle ! Merci, ô mon Dieu ! Loué soit le Seigneur ! »

Crois qu'il a finalement complètement perdu la tête. Mais Skeggs s'exclame alors : « Un bateau ! »

Me retourne pour regarder ce qu'il désigne. Brume alors très dissipée par brise. Et en effet, là-bas, extrémité baie, sous falaise, peux entr'apercevoir lignes verticales + horizontales. Pas moyen de s'y tromper = <u>mâts</u>. En fait, on dirait pas 1 mais <u>2</u> navires.

Tr. tenté en finir avec opération en cours. Malheureusement = déjà trop tard : Wilson bondit hors bateau, Hodges + Skeggs, même Hooper, tous se dirigent en titubant vers mystérieux navires. Dois bien me résoudre à les suivre.


### Le capitaine Illiam Quillian Kewley. Janvier-février 1858

Vraiment, on n'avait jamais vu pareille lenteur. D'abord il y eut Parrick Quine, le douanier du port de Hobart, qui, en tant que fonctionnaire des douanes mannois, nous avait semblé une bénédiction du ciel, mais elle s'avéra fort gourmande et méfiante, cette bénédiction, car dès que Quine nous eut indiqué le nom du négociant idoine, il craignit que, une fois l'affaire conclue, on mette les voiles sans lui donner sa part du butin. Ensuite il y eut Jed Grey, l'acheteur qu'il avait fini par nous dénicher, un géant courbé à l'air soucieux, comme s'il s'était trop souvent cogné la tête contre des linteaux de porte trop bas, et qui était encore plus lambin que Quine. Il avait surtout peur qu'on soit tous des policiers astucieusement déguisés et de se réveiller un beau matin dans la prison de Port Arthur. Quand il finit par se décider et qu'il nous eut donné un petit acompte, il restait pas mal de chargement à faire car, vu notre chance, cette fois-là je refusais de prendre le moindre risque et voulais avoir à bord des tas de vivres et beaucoup d'eau au cas où on s'échouerait dans quelque région sauvage ou qu'on soit obligés de faire demi-tour et de retraverser les océans. Quand tout fut terminé, cette fichue brise du sud – si glaciale que tous les Tasmaniens se plaignaient tant et plus de cet été pourri – n'avait toujours pas cessé de souffler et nous bloquait dans Hobart aussi efficacement qu'un bouchon de champagne. J'en étais même venu à craindre que les Anglais reviennent de leur petite excursion et nous mette une fois de plus des bâtons dans les roues, mais la brise vira à l'ouest, ce qui suffisait. On appareilla ce midi-là dès que Quine eut en un tournemain gentiment parafé les documents de douane, avec pour pilote l'un des hommes de Jed Grey.

Le vent ne faiblissant pas, on vogua allégrement et, dès le lendemain soir, ayant pénétré dans la baie choisie sur les cartes, on mouilla à l'ombre d'une falaise de belle taille. On dut attendre l'arrivée de Jed Grey deux nuits de plus, parce qu'il n'aurait pas été recommandé, ni pour nous ni pour lui, de partir par la même marée, mais son bateau finit par se profiler à l'horizon. Alors, on commença à faire le travail qu'on aurait dû effectuer sept mois plus tôt dans un petit coin calme près de Maldon. Vrai, il n'y a rien comme le trafic de marchandises pour vous briser les reins. Je dus même mettre la main à la pâte, vu le manque d'hommes à bord, malgré que ce ne fut guère digne d'un capitaine de navire. Il nous fallait d'abord sortir les objets de leur cachette et les entasser dans la soute principale. Ensuite les entourer d'une corde, les hisser vers le ciel à l'aide d'une poulie fixée à la vergue de misaine, les faire pivoter vers la mer avant de les déposer dans la chaloupe en attente. Et recommencer l'opération, à plusieurs reprises, maintes et maintes fois, sans compter qu'il fallait de temps en temps aller en canot jusqu'au rivage ramasser des pierres pour servir de lest. C'était un pénible labeur. On n'en avait abattu que la moitié quand le ciel se couvrit et que le brouillard arriva, et on dut cesser le transbordement pour la journée. On se remit à l'œuvre le lendemain matin, dès que la brume se fut dissipée, et on avait déjà pris un bon rythme quand je remarquai Brew, scrutant la rive, une grimace plus impressionnante que la ville de Peel figée sur la face.

« Capitaine, regardez, là-bas, sur le rivage… »

En face, sur l'étroite plage pierreuse surplombée par la falaise, où il n'aurait dû y avoir au pire que des mouettes ou des algues, se trouvait un petit groupe de quidams en haillons, pareils à des marins naufragés, qui agitaient tous les bras en hurlant comme si leur vie en dépendait, ce qui d'ailleurs devait être le cas. En voilà une sale petite surprise ! Si on avait choisi ce coin, c'était justement parce qu'il devait être absolument désert.

« Qui ça peut être ?

— Des forçats évadés ? »

Ce serait bien ma veine qu'on soit ennuyés par des voyous en cavale !

« Va chercher ma longue vue ! »

C'est alors que je subis le second petit choc de la matinée. Il ne s'agissait pas de disparus quelconques, voyez-vous. C'étaient nos passagers. Pas moyen de se tromper, malgré leur tignasse, leurs haillons et leur maigreur. Voici le révérend, agitant les bras, tel un fou, tout comme Potter, sa longue barbe rousse emmêlée comme celle d'un dément. Et voilà Hooper, son valet, ainsi que deux autres hommes, bien qu'il n'y eût aucun signe de Renshaw, ni de cette cohorte de mulets qu'ils avaient emmenés. C'était bien pire que des bagnards. Oui, on aurait presque dit qu'ils l'avaient fait exprès rien que pour nous enquiquiner. Pendant tous ces longs mois, on avait réussi à agir dans la plus grande discrétion – quoique ce n'eût pas été facile –, et maintenant, juste au moment où je croyais être enfin au bout de mes peines, les revoilà, nous obligeant à les tirer du pétrin où ils s'étaient eux-mêmes fourrés.

Je vis bientôt Jed Grey se faire amener dans le premier canot, le visage ravagé d'inquiétude. Ce que je lui appris ne le requinqua pas du tout.

« Ils vous connaissent ? Mais ça les rend encore plus dangereux ! Pas question de les faire monter à bord, capitaine ! »

Brew fut tout aussi charitable.

« Ce serait pas très malin de les laisser voir tout ça. » Il jeta un regard sur les fûts de cognac et les feuilles de tabac qu'on apportait d'en bas.

Ils n'avaient pas tort. Ramener à bord cette bande d'imbéciles serait nous créer une jolie gêne. Même s'ils nous faisaient de belles promesses aujourd'hui, demain, en bons Anglais, ils s'empresseraient d'aller tout raconter aux douaniers et de nous causer toute une flopée d'ennuis.

Grey cherchait à apaiser sa conscience, prenant presque un air courroucé, comme s'ils lui avaient fait quelque chose.

« C'est pas notre faute, après tout, s'ils ont échoué ici. »

Brew ajouta une précision juridique :

« D'ailleurs, d'après les termes du contrat on n'était pas censés les ramener de leur expédition. »

On n'avait qu'à s'abstenir d'intervenir. À en juger par leur apparence, ils n'en avaient que pour un jour ou deux, tout au plus. Oui, on n'aurait pu commettre crime plus parfait. Si on les retrouvait – ce qui me semblait peu probable –, rien n'indiquerait qu'on avait mouillé dans les parages. Ni vu ni connu. Et rien à craindre… Sauf, évidemment, le souvenir dans ma tête des cinq hommes affamés sur le rivage, en train d'agiter les bras vers nous en hurlant au secours.

Je pris une inspiration et lançai à Kinvig : « Envoie la chaloupe à terre et ramène ces hommes ! »

Grey poussa les hauts cris.

« Je ne le permettrai pas. Vous allez nous faire tous jeter en taule !

— Il a peut-être raison », murmura Brew.

L'un des grands privilèges dont jouit le capitaine d'un navire, c'est qu'il n'a pas à justifier ses ordres. Il est maître à bord, un point c'est tout.

« Si vous ne voulez pas qu'ils vous voient, vous n'avez qu'à vous faire ramener sur votre bateau avant qu'on les embarque, répliquai-je à Grey. Je vais les débarquer dans un coin perdu, mais je ne les abandonne pas ici. »

Il me fusilla du regard et, ne pouvant rien faire, regagna son bateau en catimini afin qu'on ne vît pas son joli minois.

Brew ne se dérida pas.

« Est-ce qu'on ne devrait pas au moins attendre d'avoir enlevé toute la marchandise et refermé les écoutilles ? »

Ça ne me semblait guère nécessaire.

« Ils en ont sans doute déjà trop vu du rivage. Autant aller les récupérer et en finir. »

La chaloupe ne tarda pas à ramener nos passagers. Je m'attendais qu'ils débordent tous de reconnaissance – ce qui n'aurait été que justice, puisque pour leur sauver la vie je risquais de me mettre dans de beaux draps –, mais pas du tout, ils ne m'accordèrent même pas un « Merci, capitaine ! », chacun étant trop occupé à lancer de folles accusations contre les autres. Vraiment, je n'avais pas imaginé que des Anglais puissent perdre la tête à ce point. Le pire, c'était le révérend. Alors qu'il était encore à cinquante mètres du bateau, je l'entendais déjà criailler de sa voix de fausset :

« Capitaine, vous devez arrêter ces hommes. Ils viennent d'essayer de me tuer ! Ils sont diaboliques, absolument ! Il faut les mettre aux fers séance tenante. »

Potter n'était pas plus aimable.

« Wilson a failli nous faire mourir à maintes et maintes reprises, et à présent il tente de me faire passer pour coupable. Ne l'écoutez pas, capitaine ! »

Force me fut de conclure que leur recherche du Paradis n'avait guère été couronnée de succès.

Dans le feu de ses diatribes, lorsqu'il monta sur le pont le révérend ne prêta qu'une brève attention au remue-ménage causé par notre trafic, mais Potter écarquilla les yeux devant tout ce cognac et ce tabac, ouvrit la bouche pour dire quelque chose puis se ravisa. Je l'avais prévu, ça annonçait des ennuis. Ils avaient tous l'air très faibles et doux comme des agneaux, mais je n'étais pas d'humeur à prendre des risques. Je saisis le revolver qui sortait de la poche de Potter.

« Mylchreest va vous accompagner en bas pour vous donner à manger et à boire. »

On aurait pu penser que la perspective d'un bon repas les aurait joliment calmés, or il n'en fut rien.

« Je refuse d'être mis avec eux, hurla le révérend. Ils me tueraient ! »

Le médecin roula seulement des yeux, l'air de dire qu'il n'avait jamais entendu pareilles inepties. Mais il paraissait plus simple de céder aux demandes de Wilson. Je le mis donc dans la coquerie. Les quatre autres étant trop nombreux pour les cabines, on les conduisit dans l'atelier du menuisier. Je priai Chalse Christian d'enlever ses outils, surtout les pointus, et de fixer un verrou sur la porte pour éviter qu'ils ne s'égarent par malchance. Mylchreest leur distribua des biscuits de mer et du bœuf salé. Lorsqu'il rapporta leurs assiettes vides – où il ne restait plus la moindre miette –, il m'informa qu'ils dormaient comme des loirs. Le révérend en faisait autant, à en juger par les ronflements s'échappant de la coquerie. Vu que c'était un pur imbécile, je ne pris pas la peine de l'enfermer à double tour, mais donnai le revolver à Mylchreest, lui enjoignant de s'asseoir sur les marches et de les surveiller tous les cinq, pour plus de sûreté. Le lendemain matin, une fois qu'ils se seraient bien reposés, je tenterais de les amadouer. Il me faudrait avouer notre commerce, puisqu'il était inutile de le nier maintenant, en les priant de ne pas vendre la mèche. Pour sûr, ce serait sans doute une vaine requête, les Anglais étant du genre à préférer la loi à leur propre famille, mais qui ne risque rien n'a rien, d'autant plus qu'on leur avait sauvé la vie.

À cause de tous ces contretemps, on mit plus longtemps à transborder la marchandise, et ce n'est qu'en fin d'après-midi qu'on fit place nette et qu'on reçut nos pépètes. Je les recomptai trois fois et, comme de droit, il ne manquait pas un seul penny. Enfin une bonne chose ! Et ça faisait une coquette somme, plus importante que celle qu'on aurait obtenue de ce voleur de douanier de Melbourne. Jed Grey ne s'attarda pas. Il ordonna à ses hommes de relever l'ancre et fila sans demander son reste, mais nous, on n'appareilla pas tout de suite, car on avait accepté de demeurer là un jour de plus pour qu'on ait toujours l'air de ne pas se connaître. Brew retrouva un fût de cognac que les gars de Grey n'avaient pas vu – quoiqu'il ait fait partie de la marchandise payée. Maintenant qu'on s'était enfin débarrassés de cette cargaison spéciale – après avoir subi un retard de sept mois et fait un détour par les antipodes –, il semblait assez normal d'arroser copieusement l'événement.

## Le Dr Thomas Potter. Février 1858

*20 février (suite)*

N'aurais jamais cru que biscuits de mer + bœuf salé aient pu avoir si bon goût. Me suis senti presque défaillir de contentement, même si aurais pu manger trois fois plus. Pendant qu'on mangeait, menuisier du bateau a posé verrou extérieur porte. Affirme que c'est au cas où nous = malades. Trop fatigué pour me tracasser. Tombé profondément endormi sur le sol parmi copeaux.

Déjà nuit quand me suis réveillé. Autres ronflent toujours. Maintenant que = reposé, trouve notre situation tr. inquiétante. Ai essayé d'ouvrir porte + trouvé verrou mal fixé, donc ai pu ouvrir de quelques centimètres : ai juste aperçu marches menant sur pont où = jambes d'un marin assis. Même si n'ai pu voir tête, a l'air = Mylchreest, commis aux vivres, et dans son giron = revolver, ce qui confirme soupçons que nous = prisonniers. Aucun doute sur motif. À en juger par feuilles tabac + fûts alcool vus sur pont tout à l'heure, évident que la *Sincérité* = bateau équipé exprès pour contrebande. Explique aussi autres mystères pendant voyage, par ex. brusques appareillages, etc. (le wombat ?). Mannois nous ont utilisés pour dissimuler forfaits. Ma préoccupation = leurs intentions vis-à-vis de nous. Projettent-ils nous trancher la gorge + nous jeter tous par-dessus bord pour éviter être démasqués, jetés en prison, etc. ? Qui s'en apercevrait ? Expliquerait présence vigile armé sur marches.

Autre problème = Wilson. Évidence : lui = décidé à me perdre (regrette pas avoir expédié + vite procès). Va sûrement nous accuser avoir tenté de le tuer. Si affaire passe un jour en justice, uniquement sa parole contre la nôtre. Pourrait s'avérer dangereux pour moi car lui = ecclésiastique et Skeggs + Hodges pourraient = témoins peu sûrs. Tr. inquiétant. Pas grand-chose à faire pour le moment, cependant, car principale préoccupation = Mannois.

Ai réveillé autres + leur ai fait part de mes craintes. Eux aussi = tr. inquiets. Avons fait ce qu'on pouvait : détaché pieds tabourets de bois pour avoir moyens même faibles se défendre si Mannois font irruption dans but nous assassiner. Puis écouté attentivement pour tenter saisir moindre indice quant à leurs intentions. N'avons entendu que bribes bavardage (sans intérêt, tout en manx). Puis avons entendu chants.

# Peevay. Février 1858

J'ai donc finalement livré mes batailles contre les nommes, avec trente étés de retard. Pendant que je les suivais et les guettais, attendant l'occasion, la saisissant tout de suite, je me rappelais souvent maman, en pensant que ça lui réjouirait le cœur si elle savait ce que j'étais en train de faire. C'était facile, oh oui ! car là les sales Blancs étaient tout bêtes, ne trouvant jamais les bonnes racines, trop bruyants et trop maladroits pour attraper le gibier, alors qu'il y avait beaucoup à manger, maintenant que les Palawas avaient disparu, et moi j'aurais pu beaucoup grossir si j'avais voulu. Plus ça allait mal pour eux, plus je devenais malin, retrouvant les vieilles méthodes du temps jadis. J'avais plus qu'à transpercer avec ma lance Potter, Hooper et les autres. Le plus difficile à tuer, c'était Potter, car il était prudent, gardant toujours son arme dans sa poche et ne s'aventurant jamais trop loin des autres, mais je l'aurais tôt ou tard, je me disais.

Soudain, quand j'avais presque fini ma besogne, des *navires* sont apparus et les ont emmenés loin du rivage. Ça, ç'a été dur à supporter. C'est triste, quand on croit qu'on peut attraper facilement une chose dans sa main, de la voir filer. Oui, c'était affreux de penser que ces sales bougres, les découpeurs de maman, avaient fini par s'échapper et pouvaient aller se donner du bon temps quelque part sans avoir été tués d'un coup de lance comme ils le méritaient.

Le temps a passé et je suis resté assis sur le rivage, avec des sentiments de tristesse tout au fond de ma poitrine. Je savais plus quoi faire, non, car tout était inutile. J'étais venu là que pour régler leur compte à ces salauds, et maintenant ils avaient fichu le camp. Peu à peu, le jour a vieilli, l'autre bateau a hissé les *voiles* et s'est envolé, mais j'ai remarqué que celui de Potter n'a pas bougé. Même quand la nuit est tombée, il était toujours là. C'était une surprise, ça oui. Aussi j'ai espéré à nouveau et j'ai imaginé un dernier assaut que je pourrais donner. Oui, je devais essayer ça, même si c'était seulement une bêtise ridicule, puisqu'il n'y avait rien d'autre à faire. Alors j'ai pris un brandon et allumé un autre feu, tout petit et caché derrière les arbres. Puis j'ai commencé à construire mon canot, à l'ancienne manière, avec de l'écorce d'arbre attachée avec des vrilles. C'était la première fois que je fabriquais un canot depuis tous ces nombreux étés, et il a pris une forme bizarre, pointant vers la droite comme si j'essayais de tourner un coin, mais j'ai réussi, et quand je l'ai tiré dans la mer, oui, il a flotté. J'ai planté le brandon dans l'écorce qui l'a tenu comme des doigts, derrière moi, pour qu'il reste un secret. Les sagaies, je les ai bien couchées sous les vrilles.

J'ai avancé avec prudence, penché en avant et repoussant l'eau en arrière avec mes mains. J'avais encore jamais été seul sur la mer, même la journée, et ça faisait tout drôle. La lune s'était pas levée, les étoiles se cachaient derrière les nuages, alors tout ce qu'on voyait c'étaient les reflets sur l'eau de mon brandon et la lumière des lampes sur le *pont* du bateau, qui se balançaient de-ci de-là, d'abord minuscules, puis de plus en plus grosses. C'était comme si j'étais dans un vide immense, où on connaissait que les choses qu'on sentait, par exemple l'eau froide sur mes jambes et le petit vent sur mon visage. Plus je m'approchais, plus les bruits des nommes blancs se faisaient forts : de la musique grinçante qu'on appelle du *violon*, et aussi des chansons, même si j'arrivais pas à deviner les paroles.

Bientôt les vagues ont grandi, et malgré qu'elles n'étaient pas énormes, finalement il y en a eu une trop grosse pour mon canot qui voulait tourner son coin. Alors je me suis retrouvé dans l'eau, essayant de voir où était le haut, ce qui était dur car tout était du même noir. Alors j'ai senti le canot contre mon dos et j'ai tiré dessus jusqu'à ce que j'arrive à regrimper dedans pour sauver ma vie. C'est seulement à ce moment que j'ai vu que j'étais fichu. En tirant, j'avais cassé les sagaies, vous voyez, et le feu du brandon était éteint, bien sûr. Alors je me suis demandé si je devais retourner à terre, car pour se battre contre ce bateau plein d'hommes blancs, sans armes pour tuer, je valais plus rien. Maintenant, vous voyez, j'étais plus dangereux du tout. Mais retourner sur le rivage, où il y avait rien, c'était trop affreux. Non, je pouvais pas rester à regarder le bateau de Potter l'emporter très loin, heureux et tranquille, gagnant une fois de plus, grâce à mon accident. Je devais tenter quelque chose, mais je savais pas quoi.

Alors, j'ai replongé mes mains dans l'eau et j'ai poussé pour avancer.


## Le révérend Geoffrey Wilson. Février 1858

Je me réveillai en sursaut, presque comme si j'avais été secoué par quelque main puissante. Je me dressai sur mon séant et, n'ayant qu'une seule pensée en tête, je ne prêtai aucune attention à l'ankylose due à la dureté du sol de la coquerie sur lequel j'avais dormi. Il *fallait* que je convainque les Mannois. Le mal avait fait son apparition parmi eux, et ils devaient le reconnaître comme tel, l'affronter, brandir le poing et l'abattre.

Il faisait sombre mais une lumière brillait sous la porte et, l'entr'ouvrant doucement, j'aperçus le pont, mais ce que je vis n'était guère rassurant. En haut des marches qu'on avait fait descendre aux autres était assis Mylchreest, le commis aux vivres, lequel n'avait pas la compétence requise pour occuper ce genre de poste. Il se leva, s'approcha du bastingage et cracha tranquillement dans l'eau. À la lumière de sa lampe, je pus aisément découvrir qu'il avait laissé son pistolet sur place. N'avaient-ils donc pas entendu mes avertissements ? Ils auraient tous dû rester là et monter la garde, armés jusqu'aux dents. Au lieu de quoi ils se trouvaient à l'arrière du navire, à moitié ivres et en train de chanter. Devrais-je à nouveau tenter de les prévenir ? Avant d'avoir bu, le capitaine n'avait fait aucun cas de mes craintes, maintenant qu'il était en état d'ébriété, il y avait encore moins de chances qu'il les prît au sérieux.

J'avais besoin d'une preuve : une preuve irréfutable de la malfaisance de Potter. Il devait bien exister quelque chose sur quoi étayer mes affirmations. Je pensais et repensais à notre voyage, me rappelant notre vie dans l'entrepont en compagnie du pauvre Renshaw qu'on avait assassiné. Une pensée me vint à l'esprit... Ses carnets... Il y avait constamment jeté des notes. J'y trouverais sans aucun doute quelque chose. Il en avait utilisé plusieurs ; il devait bien s'en trouver un dans ses bagages, qui étaient entreposés dans le bateau. Jetant un coup d'œil vers l'avant, je vis que l'écoutille menant à la cale était demeurée ouverte après le déchargement effectué par l'équipage. On y voyait le haut d'une échelle. Ayant repris son poste en haut des marches, Mylchreest me tournait le dos et s'affairait sur sa pipe. J'ouvris délicatement la porte et sortis en catimini.

### Le Dr Thomas Potter. Février 1858

*20 février (suite)*

Ai soudain entendu grand vacarme sur le pont : hurlements (Wilson ?) + pluie d'objets s'écrasant bruyamment sur planches du pont, presque aussi drue qu'averse de grêlons. Bouteilles ? Pierres ? Quelque trafic de contrebande ? Mais pourquoi est-ce que ça tombe sur le pont de la sorte ? Finalement, martèlement bottes et cris Mannois. Hodges s'inquiète, suggère que Wilson = assassiné et nous = suivants.

Moi refuse attendre + ne rien faire. Aussi fracas continuel mystérieux objets pourrait = utile car couvrirait bruits faits par nous. Appuie sur porte + jette coup d'œil dehors, vois que Mylchreest a quitté marches. Cela = tr. encourageant. Moi + Hooper réussissons coincer pieds tabouret entre porte + cadre, puis = levier jusqu'à ce que verrou se détache. Porte s'ouvre. Nous = libres ! Commençons monter à pas de loup. Regardons avec prudence par écoutille, craignant de trouver Mannois qui attendent en haut, armés + prêts à tuer.

Spectacle = totalement inattendu. Pont = jonché d'objets. Bâtons + bols ? Difficile voir dans obscurité. Mannois = sur l'avant, près principale descente de cale. Kewley criant (ton inquiet) : « À quoi tout ça rime-t-il ? » Tout à coup, deux objets ronds = projetés de soute, s'écrasent sur pont, se brisent en deux, suivis de trois autres. Voix de Wilson qui hurle d'en bas : « Vous voyez ! Vous voyez ! C'est l'œuvre du diable ! »

D'un seul coup comprends horrible vérité. Objets = mes spécimens. Le pont = parsemé de précieux échantillons, abominablement endommagés ! Grande partie ma collection ! Des mois de dur + soigneux labeur = en mille morceaux.

Je crie : « Arrêtez immédiatement ! »

Mannois se retournent pour voir ce qui se passe. Kewley demande : « Qu'est-ce que vous faites ici ? »

Avant que je puisse répondre, Wilson apparaît en haut marches qui montent de cale, autre spécimen dans la main, hurlant comme un dément : « Attrapez-le ! Attrapez-le ! Enfermez-le ! » Puis s'apprête à lancer spécimen contre moi !

Ma réaction = plus instinctive que réfléchie. Ne peux accepter qu'il continue ce massacre. Remarque que Mannois le plus proche, Mylchreest, me regarde d'un air idiot, bouche bée, et dans sa poche = revolver. Bondis en avant, le pousse, saisis arme. Puis la montrant à Wilson, lui ordonne : « Arrêtez immédiatement ! »

Wilson abaisse le spécimen. Mais Kewley me regarde maintenant œil mauvais.

« Vous avez intérêt à me remettre ça, docteur. »

N'avais pas pensé à lui mais à Wilson. Affreux silence. Hooper, Skeggs + Hodges sur pont à côté de moi, tr. hésitants. Curieuse sensation que situation = sur le point m'échapper. N'avais pas voulu que choses tournent cette manière. Lui dis : « Je crains que ce soit impossible, capitaine. »

Kewley fronce les sourcils.

« Réfléchissez, docteur. Vous savez que d'aucuns qualifieraient ça de mutinerie... »

Ne pouvant revenir en arrière, suis forcé continuer à avancer, quelles que soient les conséquences. Ai franchi le Rubicon. Déclare avec grande fermeté : « C'est moi qui commande ce navire désormais. » Pourquoi ? Dois avoir motif. « Parce qu'ai toute raison de croire que ce bateau = utilisé pour trafic contrebande. »

Hooper à mes côtés s'agite nerveusement en chuchotant : « Vous êtes sûr que c'est une bonne idée ? »

En fait, moi = loin en être sûr. Une difficulté = trop Mannois. Eux = 10 (+ Wilson = 11). Nous = seulement 4. En outre, eux = équipage bateau, nous = incapables faire marcher *Sincérité*. Position = impossible, cependant inconcevable agir <u>autrement</u>. Tout ce que peux faire = tenter <u>détendre</u> situation. Me tourne vers autres Mannois. « Je sais que vous n'êtes pas du tout complices de ce forfait, soyez-en certains. Ceci = uniquement l'œuvre capitaine Kewley et M. Wilson. »

Ne m'attendais pas qu'ils me croient (avec raison, vu leur mine) mais espérais qu'aiderait au moins à gagner temps + éviterait les accuser tous ensemble. En fait, aucun effet. Kewley fulmine. « J'empêcherai qu'on me vole mon bateau. » Wilson vitupère comme d'habitude : « Retourne en enfer ! » « Suppôt du diable ! », etc., mais plus déconcertant = <u>Chine Clucas</u>, géant. Difficile comprendre car jusque-là toujours = tr. influençable, mais maintenant me <u>fusille</u> du regard + avance <u>vers moi</u> air menaçant. Sais que dois <u>prendre décision</u> rapide mais ne peux risquer provoquer telle fureur que Mannois réagissent <u>dangereusement</u>. Vise au-dessus tête Clucas + <u>tire</u>. Heureusement = tr. efficace. Brew, second, entraîne Clucas par le bras, en criant « Non, pas question ! ». Les autres se taisent. Même Wilson = coi.

Agis sans tarder pour consolider avantage. Ordonne Hooper descendre dans soute + chercher 4 <u>fusils</u> qui doivent toujours = à bord. Nerveux mais obéit + revient bientôt avec armes. On les charge toutes. Atmosphère sur pont tout à fait changée maintenant que nous = <u>armés</u> : Hooper + Skeggs = moins effrayés. Mannois regardent avec air crispé et <u>soumis</u>. Ensuite ordonne à Kewley + Wilson descendre atelier menuisier. Kewley jure + nous traite de « pirates », Wilson vocifère contre démons, enfer, etc., mais quand Hooper donne coup de pied à Wilson, ils se mettent en marche. Ordonne alors à Christian, le menuisier, de poser sur la porte 2 autres verrous plus <u>costauds</u>. Grand soulagement que désormais camps = plus équilibrés (nous 4, eux 9) mais ne peux toujours pas permettre aux matelots déambuler à leur guise. Leur ordonne se rendre sur gaillard d'avant (leur dis que = nécessaire « au cas où certains ont pu = dupés par les mensonges du capitaine Kewley »). Puis oblige Christian à fixer sur porte barres de bois tr. solides. En plein travail quand Hooper crie : « Hé, là-bas ! »

Il désigne une silhouette à l'arrière. Difficile distinguer dans obscurité, mais on dirait qu'homme porte sorte <u>sac</u>. Tr. déconcertant. Avais cru que tous = enfermés double tour.

Me dirige à grands pas vers arrière : « Qui va là ? »

Homme approche bastingage avec sac. Tout à coup reconnais allure. Lui = sauvage assassin, <u>métis</u> ! Comment monté à bord ? Autre découverte : sac = <u>sac en toile</u> qui contient le plus <u>complet</u> + plus précieux <u>spécimen</u>, femme dénommée <u>Marie</u>. Ne peut être que ça car = seul emballé ainsi. Quelle audace ! Tire un coup revolver mais lui saute déjà par-dessus bord. Saisis lampe, me précipite vers bastingage, le vois déjà dans l'eau accroché à canot primitif. Tente tirer une fois de plus mais dernière balle déjà été utilisée. Hooper tire coup fusil mais métis déjà sous l'eau devant proue navire + en train filer. Dur à atteindre.

Songe faire mettre chaloupe à l'eau pour prendre en chasse, mais devrais relâcher les Mannois, ce qui pourrait = dangereux, car capables se mutiner quand nous = distraits. Tr. irritant.


### Peevay. Février 1858


Donc, je suis sorti du canot en faisant très attention et j'ai grimpé sur le *pont* du bateau. Quand j'ai enjambé le *bastingage*, j'ai vu Potter et d'autres sales Blancs à l'autre bout en train de donner des coups de *marteau*, mais en vérité j'ai pas beaucoup fait attention car j'étais stupéfait par mon horrible découverte. Partout, il y avait des gens morts, vous voyez, cassés en morceaux, de-ci, de-là, sur tout le pont. Y en avait des tas, autant que dans certaines tribus. Alors j'ai avancé parmi eux, si triste et si étonné, et aussi en colère. Qui étaient ceux-là ? je me suis demandé. Ça pouvait même être des gens que je connaissais, je me disais. Dray, Mongana, Heedeek, est-ce que vous êtes là ?

À ce moment j'ai vu un sac, le seul qui était là, avec des mots écrits dessus :

TYPE NOIR. FEMME ABORIGÈNE DE TASMANIE (COMPLÈTE)
(SPÉCIMEN : M.)
PRÉCIEUX : FRAGILE, MANIPULER AVEC PRÉCAUTION
PROPRIÉTÉ DU DR T. POTTER
FACULTÉ DE MÉDECINE DE LONDRES

La lettre M m'a donné à réfléchir. En regardant plus près, j'ai vu quelque chose de petit attaché au sac et, vous savez, c'était l'amulette de maman qui contenait l'os de Tayaleah à l'intérieur et qu'elle portait sous ses vêtements pour que les nommes ne la voient pas. Donc, j'ai compris. Le sac était tout léger, oui, ce qui était très triste, maman n'aurait jamais dû être transformée en une chose légère, car elle était trop remarquable. Alors j'ai entendu Hooper et Barbe-Rousse qui criaient tellement ils étaient surpris : « Qui va là ? », et j'ai vu le pistolet de Barbe-Rousse prêt à tirer, alors j'ai su que je devais m'en aller ou être tué, ce qui était bougrement dommage. Même au moment où j'échappais à ses tentatives de me tuer et revenais à terre dans l'eau en m'accrochant au canot pour ne pas me noyer, j'étais fou de rage. J'ai été encore plus en colère quand je suis revenu sur le rivage et que mon plus cher désir était de retourner pour sauver les autres malheureux, brûler son bateau et les réduire en cendres, lui et son valet Hooper.

Bientôt pourtant j'ai compris que c'était un espoir vain. Comme ils devaient m'attendre en guettant mon brandon, ils pourraient me tuer trop facilement. Au moins j'avais ma pauvre maman, ce qui était une très grande chance, puisque j'avais désespéré de la retrouver jamais. Maman aurait été furieuse de devenir un jouet pour ces saletés de Blancs, j'en étais sûr, et c'était déjà un petit résultat à vous réjouir le cœur. Alors je me suis dit que malgré que j'avais pas obtenu tout ce que je cherchais, au moins j'avais eu certaines choses, et que je devais essayer de m'en contenter.

J'ai regardé à travers les arbres, de peur que les sales Blancs viennent me chercher, mais ça n'est pas arrivé. Juste après l'aube, les voiles du bateau sont tombées l'une après l'autre, alors il a quitté cette baie et est parti pour quelque part. Alors je suis resté tout seul, ce qui voulait dire que je pouvais dire un bel adieu à maman et essayer de réduire en poussière toutes ces horribles choses qu'elle avait subies avant. D'abord j'ai fait des allées et venues sous les arbres pour ramasser du bois et construire son bûcher comme on aurait dû le faire tout de suite, et quand il a été assez haut je l'ai placée au sommet. Alors je lui ai dit mes très tristes adieux et j'ai allumé son feu. Il faisait chaud, il ne pleuvait pas, le bois brûlait bien, et bientôt tout a flambé et crépité. Donc, ici, dans le monde qui lui appartenait, maman a enfin retrouvé sa vraie dignité. Oui, c'était une sorte de triste réjouissance, il m'a semblé.

Comme elle disparaissait, j'ai réfléchi à la vie qu'elle avait eue. Une vie de désolation, ça oui, passée à se battre et à chercher à survivre, mais j'ai pensé que pour l'époque où elle vivait – la plus affreuse qu'il y avait jamais eu – elle s'était bien débrouillée. Non, elle n'avait pas pu accomplir son plus grand désir de vaincre les nommes blancs et les faire repartir, parce que c'était une chose impossible, mais elle avait eu sa horde et livré ses batailles et ne s'était jamais souciée de ce que disaient les autres, ce qui était une vraie merveille. En vérité, j'aurais voulu lui ressembler davantage.

Peu à peu, les flammes ont pris de la force et la fumée est montée très haut comme une grosse main qui se lève. Puis pendant que je regardais une idée intéressante m'a traversé l'esprit. Vous voyez, tout au fond de son cœur il y avait un désir qui n'avait jamais été réalisé pendant tout ce temps mais qui pouvait encore l'être. Oui, durant toutes ces longues années de tracas, de résistance et d'errance, on n'avait pas réussi à tuer papa.

14

## Timothy Renshaw. Janvier-mars 1858

Donc, j'étais là, couvert de bleus et en piteux état, juste au-dessous du sommet de quelque montagne inconnue de Tasmanie. Comme je me trouvais du côté sous le vent, j'étais au moins assez bien protégé, bien qu'il ait fait encore terriblement froid la nuit et quand il pleuvait.

Malgré les avertissements de Cromwell, j'avais du mal à croire que les autres n'allaient pas venir me chercher et je guettais constamment un éventuel bruit de pas. Plus les jours passaient, plus croissait ma déception, puis j'eus de brusques accès de colère, quoique à d'autres moments je les aie imaginés en train de se diriger loyalement vers quelque colonie afin de recruter une équipe de secours. Je calculai et recalculai combien de jours ça leur prendrait mais ne parvenais jamais au même résultat, le nombre étant plus faible quand j'étais de bonne humeur et plus élevé lorsque le désespoir m'étreignait.

Plus ma solitude durait, plus c'était pénible. Je me surpris plus d'une fois à me parler à moi-même et j'attendais avec grande impatience l'apparition de bêtes sauvages, car même les loups indigènes me tenaient en quelque sorte compagnie. Comme l'avait prédit Cromwell, deux d'entre eux ne tardèrent pas à faire leur apparition – étranges créatures bondissantes marquées de raies noires sur le dos. Heureusement, ils semblaient ne s'intéresser qu'aux mulets. Des wallabies sautaient parfois entre les arbres, et un wombat me rendait chaque soir visite au crépuscule, fourrageant parmi la végétation puis s'arrêtant, un regard vide fixé sur ma tente, avant de repartir d'un pas tranquille. Les opossums à la curieuse petite tête étaient moins prudents. Ils apparaissaient le soir pendant que je préparais mon dîner – qu'ils s'empressaient de dérober si je tournais le dos un seul instant. J'avais soif de compagnie, fût-ce celle de voleurs. Ayant assez de nourriture, je n'ai jamais eu besoin d'utiliser les sagaies que m'avait laissées Cromwell.

Le passage du temps servait au moins à guérir mes blessures. Il me fut de plus en plus facile de marcher autour de ma tente, même si je ne m'en éloignais jamais beaucoup, ayant très peur de manquer les autres s'ils arrivaient entre-temps. Mes bavardages solitaires eurent de plus en plus comme sujet le dilemme auquel j'étais confronté. « Le soir tombe plus vite. C'est difficile à déterminer sans montre, mais le soleil se couche déjà, alors que je jurerais qu'il n'est que six heures et demie. Et les nuits sont plus fraîches. Plus je reste ici, plus ce sera difficile de regagner un lieu sûr, ça c'est certain. Mais peut-être vont-ils venir me chercher finalement… Oui, en ce moment même ils pourraient être en train de gravir le flanc de la montagne. S'ils ne m'ont pas abandonné, me croyant mort. Les sales traîtres ! Mais non, je ne peux pas les croire capables de commettre une telle vilenie, puisque… »

Chaque fois que je ressassais ces pensées, la pénible décision de quitter les lieux semblait la bonne solution. Enfin, un après-midi je commençai à rassembler les objets dont j'aurais besoin pour mon voyage. Le poids des bagages me stupéfia. Avec sa toile épaisse et son cadre de bois encombrant, la tente paraissait avoir été conçue exprès pour peser lourd, et même si, prises séparément, les boîtes de conserve étaient très légères, leur ensemble constituait un véritable fardeau. Devoir tout transporter dans une sacoche de mulet aux courroies mal ajustées ne me facilitait pas la tâche. J'en vins à renoncer à prendre une tente, décidant de me contenter d'une large bande de toile que je suspendrais aux arbres. J'emportais seulement environ dix jours de vivres, ce qui, espérais-je, devait me suffire.

Je partis au petit matin, les sagaies que m'avait laissées Cromwell serrées dans la main, les jambes raidies par mes blessures. Pendant les premiers mètres, je m'arrêtai plusieurs fois, tendant l'oreille dans l'espoir d'entendre les autres approcher, mais les seuls bruits perceptibles étaient la brise soufflant dans la cime des arbres et le léger murmure des insectes. Après avoir jeté dans le vent quelques mots grossiers, je tournai le dos pour la dernière fois à mon solitaire logis et poursuivis ma route. Les indications de Cromwell s'avérèrent inestimables et, quoique le chemin fût malaisé – à commencer par la vertigineuse dégringolade le long du flanc de la montagne –, je trouvai le sentier qu'il avait décrit et le suivis vers le sud. Le lendemain, j'atteignis le curieux pic en forme de crâne dont il avait parlé et à l'est duquel je restai, comme il me l'avait conseillé. Le troisième jour, la nature devint moins sauvage et je sentis mon moral remonter, allant jusqu'à me moquer de mon appréhension à prendre le départ, car j'avais l'impression qu'il ne me serait pas très difficile de parvenir en lieu sûr.

On ne devrait sans doute jamais se montrer aussi confiant. L'après-midi même, je trébuchai et m'écorchai le genou. Je nettoyai la plaie dans la rivière et n'y vis qu'un petit contretemps. Le lendemain, cependant, elle commença à m'élancer, puis le genou enfla et devint bientôt si douloureux que je fus obligé de me fabriquer une béquille grossière avec une branche d'arbre. Mon allure en fut très ralentie. Finalement un matin, au réveil, je me sentis si fiévreux que, ne pouvant me lever pour quitter mon pauvre abri de toile, je somnolai toute la journée. Au crépuscule, je fus réveillé par un bruissement dans les broussailles et vis qu'un loup, tout près de moi, me lorgnait patiemment. Me remettant sur pied tant bien que mal, je lançai l'une des sagaies de Cromwell en direction de l'animal, et, bien qu'elle ait de beaucoup raté sa cible, il détala. L'incident me fit si peur que, parvenant à retrouver quelque force, je réussis à faire un feu aussi grand que possible, et tout en longueur, dans l'espoir que les flammes se déplacent progressivement et qu'il dure toute la nuit.

Tôt le lendemain matin, je me réveillai, du moins, je le crus. Devant moi, contemplant le feu qui avait beaucoup perdu de son ardeur, se trouvaient mes parents et mon frère aîné.

« Il l'a très mal préparé, fit observer mon père en tisonnant les cendres de la pointe de son parapluie. Vraiment, il aurait dû ramasser davantage de bois. Je ne crois pas qu'il va brûler encore longtemps.

— Ç'a toujours été un gamin paresseux, renchérit ma mère en secouant la tête.

— Si une bête le dévore, ce qui est fort probable, ce sera entièrement sa faute. »

Ma mère jeta un coup d'œil à mon père.

« Si seulement Jeremy avait préparé le feu ! »

Quoique à l'évidence ravi de la remarque, mon frère ne la salua que d'un haussement d'épaules.

« J'aurais fait de mon mieux, maman, c'est tout ce que je puis dire.

— Tu es trop modeste, mon enfant », répondit ma mère d'un ton approbateur.

Tout à coup, je sentis quelque chose monter en moi, une sorte de nausée.

« Je renonce à vous, vous m'entendez ? hurlai-je. À vous tous ! Maintenant, fichez-moi la paix ! »

Ils me regardèrent tous les trois d'un air surpris, voire indigné, puis, l'un après l'autre ils me tournèrent le dos et s'enfoncèrent dans la forêt.

Réveillé, je vis l'aube se lever tandis qu'à ma grande satisfaction le feu brûlait toujours plutôt bien. Malgré la fièvre, je me sentais un peu mieux, et assez fort pour me mettre debout à l'aide de ma béquille. Je n'avais pas beaucoup marché et n'avais parcouru qu'une courte distance lorsque, au sortir d'un bosquet, je tombai nez à nez avec un mouton. Il faisait partie d'un grand troupeau, et quand je fis un pas vers elles les bêtes se retournèrent toutes en même temps et s'enfuirent comme des moineaux. Je poussai des cris de joie. Bien que ma jambe me fît plus mal, étrangement, maintenant que je me croyais sauvé, je continuai à avancer et parvins peu après à une large piste où l'on apercevait de merveilleuses empreintes de sabots de cheval, dont certaines paraissaient toutes fraîches. En grimpant sur une petite éminence, j'aperçus une maison de bois, à moitié cachée par des arbres, et dont la cheminée dégageait des volutes de fumée. Lâchant la sacoche, clopin-clopant, je me dirigeai vers la maison jusqu'à ce que, ayant atteint une grille que j'ouvris en poussant une sorte de ricanement idiot, je découvrisse un jardin plein de couleurs éclatantes comme je n'en avais guère vu depuis d'innombrables semaines.

Mais quel étrange spectacle ! Tout autour de moi, voyez-vous, accrochés aux murs, juchés sur des roches, debout sur la pelouse, des dizaines d'angelots ailés aux visages grisâtres me regardaient en souriant.

### Le Dr Thomas Potter. Février 1858

*La Destinée des nations*
Chapitre quatre : Sur l'avenir des races humaines

Le caractère dominant du type noir étant la sauvagerie, le nègre ne pense qu'à court terme. Comme son esprit est dénué de toute faculté de comprendre les idées, d'entreprendre quoi que ce soit, de concevoir le temps, il se contente de vivre sa morne et primitive existence, courant nu dans la nature sauvage, à la recherche de n'importe quelle misérable nourriture susceptible de le maintenir en vie quelques jours de plus. De ce point de vue, on peut donc s'apitoyer sur le terrible sort qui l'attend...

*La Destinée des nations*
Chapitre quatre : Sur l'avenir des races humaines (correction)

Le caractère dominant du type noir étant la barbarie, il est incapable de comprendre les idées, l'esprit d'entreprise, le passage du temps, mais on ne doit pas le considérer comme inoffensif. Sa morne existence peut paraître l'innocence même – par exemple, ses courses à travers la nature sauvage, à la recherche de n'importe quelle misérable nourriture qui puisse le maintenir en vie quelques heures de plus –, mais une étude plus approfondie révélera une tout autre vérité. Ne sous-estimez pas le sauvage, car, bien que la faculté de raisonner lui fasse entièrement défaut, il est rusé comme un animal. Pis, il est dévoré de jalousie envers les races ayant produit ce fruit merveilleux qu'est la civilisation – d'une manière qui lui échappe. Ce qui le pousse à la malfaisance. En Australie, Tasmanie, Nouvelle-Zélande – et bientôt en Afrique, sans aucun doute –, l'histoire récente du type noir se caractérise par un funeste et rapide déclin semblant augurer d'une disparition prochaine. En conséquence, il est devenu à la mode dans certains milieux de penseurs sentimentaux de s'apitoyer sur le sort des races à la peau sombre : on les considère comme les victimes de traitements odieux infligés par des conquérants insensibles. Bien que partant d'un bon sentiment, un tel jugement est trompeur et gros de risques. La vérité, c'est que le type noir, en raison de sa nature défectueuse et dangereuse, a en grande partie causé ses propres malheurs.

On ne saurait trouver exemple plus probant que celui de cette nation aujourd'hui réduite à quelques individus, celle des aborigènes de Tasmanie. Depuis que l'île a été reçue dans le giron du monde civilisé, cette infortunée tribu est en général considérée comme la race – ou l'espèce – la moins évoluée, dépourvue qu'elle est des compétences les plus rudimentaires, y compris la pratique de l'agriculture. Il est donc fondé qu'elle occupe une place intermédiaire entre l'humanité et le règne animal. En dépit de ce lamentable retard dans l'évolution, les maîtres britanniques des aborigènes ont fait preuve d'une grande compassion envers leurs nouveaux pupilles, une telle sensiblerie constituant une rare et charmante faiblesse chez le type saxon (voir ci-dessus le chapitre deux). Le gouvernement colonial s'est efforcé d'éduquer les Noirs qu'il a capturés et de les mener de l'oisiveté à la civilisation. On aurait pu supposer que ces efforts seraient accueillis avec gratitude, mais pas du tout. Faisant fi de la généreuse instruction qu'on leur a dispensée, sous un vernis de civilisation, les aborigènes sont demeurés aussi sauvages qu'auparavant. Même aujourd'hui, les rares survivants sont toujours capables de commettre toutes sortes de traîtrises, de violences (voire de meurtres), ainsi que de vols, de quelque valeur que ce soit.

Un tel comportement a presque épuisé la patience du gentil et sentimental Saxon, lequel – bien qu'il ne soit pas belliqueux de nature – n'hésitera plus, pour protéger sa personne et ses biens, à exercer son droit de légitime défense. Il ne fait aucun doute que, lorsque surviendra le Grand Conflit entre les nations, le type noir sera l'un des tout premiers à périr, et, quoique ce genre d'événement soit propre à émouvoir le cœur de l'homme, on est en droit de penser qu'un tel dénouement ne sera pas immérité.

Grâce à son caractère rusé, il se peut que le type normand survive un peu plus longtemps, toutefois, il connaîtra un sort similaire. Le pouvoir du Normand émane de la position qu'il a usurpée au centre des affaires – notamment de sa mainmise sur les terres, les titres et l'Église – et de sa faculté à éblouir le Saxon, qui lui est supérieur, par son attachement futile aux traditions et aux cérémonies. Une telle situation ne saurait durer. Chaque jour qui passe diminue sensiblement la crédulité de l'honnête Saxon. D'heure en heure, il distingue plus clairement l'arrogance sans fondement, la perversion du sens du sacré prétendument « noble ». Un matin radieux, dessillés, les yeux du Saxon s'ouvriront sur les mensonges dont il a été victime, et, d'un seul coup redoutable, ses bras puissants briseront les fers qui l'ont assujetti jusque-là, jetant aux oubliettes les seigneurs et les prêtres parasites qui depuis huit cents ans se nourrissent de son labeur.

Le type celtique, au contraire, survivra, même si son statut reste modeste. S'il est évident que les caractéristiques dominantes du Celte sont la paresse et la sournoiserie, il n'est pas étranger à la raison car il possède l'instinct fort utile de l'obéissance. Ce sont en fait ses défauts mêmes – irrésolution, peur de ceux qui sont plus puissants et plus intelligents que lui – qui permettront à ce type de perdurer. Sa fonction sera de servir le Saxon, qu'il soit son domestique, marche dans ses armées, cultive ses champs, travaille dans ses usines ou participe sur les mers à la manœuvre de ses navires. Le rapport entre le Saxon et le Celte consistera donc en un échange de bons procédés : il s'agira d'une sorte de contrat entre supérieur et inférieur, entre maître et esclave.

### Le capitaine Illiam Quillian Kewley. Avril 1858

Les marques que j'avais faites sur la muraille relataient notre histoire, et qu'elle était vulgaire et misérable cette histoire ! On naviguait depuis neuf semaines. Neuf semaines enfermés à double tour sous le pont de mon propre navire et, pis, par un passager que j'avais pris la peine de sauver d'une mort certaine causée par sa propre incurie. Durant ces neuf semaines, je savais que ce sale merdeux arpentait le gaillard d'arrière – mon gaillard d'arrière ! – comme s'il était chez lui. Tenez, ç'aurait été pareil si un inconnu avait devant moi glissé ses doigts sous les jupes de mon Ealisad. Quelle ingratitude ! Vraiment, j'aurais dû le laisser mourir de faim sur ce rivage.

Le vent ayant dans l'ensemble été favorable, je calculai qu'on devait avoir presque atteint le cap Horn, c'est-à-dire qu'on devait se trouver à mi-chemin de l'Angleterre de Potter, sans doute notre destination finale. Jolie perspective à laquelle j'avais assez de mal à me faire... Il y avait belle lurette que Brew aurait dû s'emparer du navire, par un brusque et puissant coup de force de Mannois. Quoi ! il aurait pu créer une vraie chienlit rien qu'en se croisant les bras – n'importe quel Mannois est expert en la matière –, vu que, livrés à eux-mêmes, Potter et ses trois idiots n'auraient pas été capables de faire avancer la *Sincérité* de deux mètres. Au début, je pensais qu'il attendait patiemment son heure mais, plus les jours passaient, plus c'était dur à avaler. Le matin et le soir, le révérend et moi-même étions conduits sur le pont pour aller à la poulaine – Skeggs et Hodges nous poussant avec la pointe de leur fusil –, et chaque fois je lançais des regards interrogateurs à Brew et aux autres, guettant un ou deux clins d'œil mannois en guise de réponse. À peine si on me rendait mon regard. Vrai, ce genre de choses donne à réfléchir, et je me rappelais souvent ce vieux dicton de Peel : « À la foire, tous les Brew cherchent la bonne poire ! » Ou bien je revoyais la mine de cet enfant de salaud, à Melbourne, quand il s'était demandé où était son intérêt : rester à bord dans l'espoir d'obtenir sa part du butin ou jouer les traîtres en se joignant à la bande de vauriens qui avaient déserté le bateau pour se faire chercheurs d'or. Ce serait bigrement ma chance si ce filou s'apprêtait à me rendre responsable de tout – comme l'avait perfidement suggéré Potter – après avoir convaincu les autres crétins de l'imiter !

Je voyais déjà un juge austère se lécher les babines devant notre cas, si Potter nous ramenait à son Angleterre natale. Des passagers qui jouent les mutins à bord d'un bateau se livrant à la contrebande, en outre chargé de crânes et d'ossements humains, ne serait-ce pas un morceau de choix pour la justice ? D'un côté, le Dr Potter, Anglais instruit, flanqué de ses trois acolytes et d'un équipage de Mannois ayant tourné casaque. De l'autre, le capitaine Kewley, propriétaire du navire, contrebandier accompagné de son charmant ami, un pasteur radoteur, plus toqué d'heure en heure. Pas d'hésitation pour savoir qui effectuerait un long séjour derrière les barreaux.

C'est le genre de truc qui vous turlupine, et j'en étais arrivé au point d'être bigrement tenté de me révolter, même tout seul, puisque à mon avis tout valait mieux que de se tourner les pouces en attendant que les choses se tassent. Au bout d'une semaine, Potter nous ayant permis enfin de dormir sur des lits de camp au lieu du dur plancher, je détachai du mien un montant en bois pour essayer de forcer la porte. Les verrous étaient malheureusement très costauds, et le révérend refusa de me prêter main-forte, car il m'en voulait énormément depuis qu'il avait appris que je faisais du trafic de cognac et de tabac (je pense qu'il craignait que mes péchés ne le contaminent, le faisant mal voir de son grand ami divin). Malgré tous mes efforts, je ne parvins même pas à passer la barre entre la porte et son cadre pour faire levier. Pis, Skeggs remarqua les éraflures laissées sur le bois. D'où une visite de Potter, qui darda sur moi son regard méprisant et ordonna à Christian de rajouter trois verrous à la porte. On nous enleva nos lits, et nous dûmes à nouveau dormir à même le sol, punition qui fit faire moult grimaces au révérend. Cela sonna le glas de mes tentatives d'évasion, la porte étant désormais aussi blindée qu'un cuirassé. Lorsqu'ils nous apportaient nos repas, Skeggs et Hodges montraient à présent une prudence d'hommes de loi, se tenant très en retrait au moment où ils ouvraient la porte, et n'entraient dans la pièce qu'après s'être bien assurés que leurs deux prisonniers avaient l'air tout à fait inoffensifs.

Je jouissais donc de la compagnie du révérend Wilson, depuis des semaines. C'était insoutenable... Je crois vraiment que j'aurais pardonné à Potter de m'avoir volé mon bateau s'il avait eu la bonté de balancer, ni vu ni connu, cette vieille baderne par-dessus bord. Wilson n'arrêtait pas de jacasser. Par exemple, voyez-vous, si en guise de passe-temps je m'amusais à compter les clous plantés dans les planches ou à écouter quelque bruit passionnant, il entamait sa rengaine, bavassant à vous faire perdre la raison. Il s'adonnait surtout à la prière, et tous les sujets étaient bons, depuis « le salut de l'âme de nos bourreaux » aux « motifs d'espérer en cette heure des plus sombres ». Le pire, c'était quand il priait pour moi, car il lançait toutes sortes de sales petites allusions, affirmant qu'il me pardonnait d'avoir fait de la contrebande de cognac, voire de ronfler la nuit, cette dernière accusation étant sûrement fausse. Rien n'est plus désagréable que d'être pardonné, car ça vous ôte l'occasion de répliquer, et si je tentais de me défendre il prenait des airs supérieurs de saint homme. Il y avait bien des moments où j'aurais pu moi-même réciter quelque bonne prière, vu le tour que prenaient les choses, mais je n'en ai jamais eu l'occasion, étant donné qu'il débitait les siennes jour et nuit. On aurait dit qu'il avait accaparé Dieu pour lui tout seul.

Sa seconde distraction consistait à se quereller avec Hodges et Skeggs. Il s'agissait d'une pure mise en scène – non pas à mon intention, bien sûr, mais à celle de son ami au plus haut des cieux – qui me rendait fou. Ces deux énergumènes et leurs acolytes détenaient les armes, la nourriture, et, vu leur drôle de goût pour les collections de crânes humains, j'avais le sentiment qu'il n'était pas très malin de leur lancer des piques. Mais il était impossible d'empêcher Wilson d'agir à sa guise. Dès qu'ils passaient le seuil, déployant tout son talent, il les sermonnait, les traitait de belles crapules puisqu'ils obéissaient à Potter – apparemment, le diable en personne venu nous rendre visite – et leur annonçait qu'ils étaient condamnés à subir les flammes de l'enfer. Homme lymphatique, Hodges prenait plutôt son mal en patience. Pas du tout fait du même bois, Skeggs, lui, se laissait souvent aller à flanquer de sales coups au révérend, ce qui ne m'aurait fait ni chaud ni froid si je n'en avais récolté un ou deux moi-même, alors que je n'avais rien à voir avec ça. C'était encore pire quand Wilson se mettait à jouer les martyrs, le dimanche, en général.

« Remportez votre immonde nourriture ! s'écriait-il avec mépris, bien qu'il eût le ventre creux. Je n'en ai pas besoin. La mienne est toute spirituelle. »

Libre à lui de jouer les grands héros, mais c'était aussi ma nourriture, et moi, j'en avais besoin. Les portions étaient maigres, et manger constituait l'un des rares plaisirs durant ces longues journées d'oisiveté. Il aurait au moins pu me demander mon avis avant de se lancer dans ses diatribes, mais il n'en était pas question : pourquoi consulter un simple capitaine de navire quand on est soutenu et encouragé par le ciel ? Je tentais de sauver ma part, peut-être de faire une petite plaisanterie, déclarant d'un ton badin : « Ma nourriture personnelle à moi est aussi consistante que l'eau de mer ! » Mais ça ne marchait jamais. Skeggs se contentait d'éclater de rire.

« Comme vous voulez, mon révérend ! » Puis il avalait une grosse bouchée de mon repas et en offrait un peu à Hodges.

Ça devenait si pénible que j'en arrivais presque à espérer qu'on coule, car tout aurait mieux valu que de voir Potter ricaner dans un tribunal anglais, tandis qu'on m'emmènerait en taule. Ce qui ne semblait pas du tout impossible si le mauvais temps gagnait la partie. Toute la nuit, les lames avaient cogné contre la poupe avec la force du canon et fait faire au bateau, qui tanguait et roulait tant et plus, des bonds plus désordonnés qu'un cheval qui a marché sur la queue d'un serpent. Ça correspondait à ce que j'avais entendu dire du cap Horn. Si les choses empiraient, vu le manque d'hommes d'équipage, tout était possible.

J'avais imaginé que par ce temps nos geôliers risquaient d'oublier leur visite matinale, mais non, ils nous apportèrent notre festin habituel, composé de bœuf salé coriace, de biscuits de mer rassis et également d'un citron vert ratatiné, le tout délicatement parfumé à l'eau de mer dont il venait d'être aspergé en chemin. Comme d'habitude, après le repas on nous fit monter les marches en nous poussant à la pointe du fusil pour nous conduire à la poulaine. Pour sûr, c'était un bien sale temps. Dès que j'arrivai sur le pont, je fus trempé de la tête aux pieds par les embruns tandis que des paquets de mer rugissants submergeaient la proue du navire avec une telle violence qu'on aurait dit que, jouant les marsouins, le bateau plongeait pour étudier les fonds marins. Ce n'était pas du tout du goût de nos pauvres Anglais. Debout sur le gaillard d'arrière, Potter, pâle comme la mort, entourait de ses bras les haubans d'artimon, non comme des cordages mais bien comme s'il se fût agi de sa chère maman dès longtemps disparue et enfin retrouvée. Juste à ce moment, une masse d'eau s'abattit sur l'arrière et le fit tomber à genoux. Il ne lâcha pas pour autant la crosse de son revolver. Hooper avait dû guetter notre arrivée : dès que l'eau commença à se retirer par les dalots il en profita pour descendre en catimini.

Davantage que le comportement des Anglais, celui de l'équipage attira mon attention. D'abord, Jamys Kinred, qui tenait la barre – ou plutôt qui était attaché à celle-ci pour éviter d'être emporté par les paquets de mer. Kinred était sans doute un assez bon marin, mais il n'avait rien d'un géant. Par ce genre de temps, personnellement, j'aurais choisi Chine Clucas comme timonier. Il se trouvait d'ailleurs que Chine n'était pas loin : dans la mâture, en train de réparer les enfléchures d'artimon. Ne voilà-t-il pas un autre joli petit mystère ? La réparation des enfléchures est un boulot qui requiert pas mal de dextérité, mais on réserve ça pour les périodes de beau temps ; en pleine tempête, ce n'est pas le moment de s'en préoccuper. De plus, je n'avais pas l'impression qu'elles avaient besoin d'être réparées. Brew se tenait juste au-dessous, et, le croirez-vous ? cette fois-ci, il me fit un clin d'œil, ce qui suffit pour me mettre la puce à l'oreille. Apparemment, j'avais très mal jugé le petit gars. Il avait sans doute simplement attendu que le temps se gâte pour de bon.

Normalement, Skeggs ne prenait pas la peine de nous accompagner, moi et le révérend, jusqu'à l'avant, laissant ce soin à Hodges, tout en nous gardant à l'œil, mais, ce jour-là, à cause de toute cette eau, il rentra prudemment par l'écoutille. En vérité, puisque l'océan venait jusqu'à nous, il semblait assez inutile, pour pisser et chier dans l'eau, de se battre contre les éléments en cherchant à atteindre la poulaine. Juste au moment où on commençait notre progression, le bateau plongea dans le creux d'une vague, et un paquet d'eau engloutit presque la poulaine, la dérobant à notre regard. Ça suffit à faire gémir le révérend.

« Vous ne pouvez pas me demander d'aller là-bas… », dit-il à Hodges d'un ton geignard.

Vraiment, j'aurais pu l'assommer ! Il ne m'avait pas échappé, voyez-vous, que malgré les terribles douches qu'il prenait, Chalse Christian, le menuisier, se tenait juste à côté de la poulaine et s'activait à resserrer l'un des haubans du foc – à mes yeux en excellent état. Heureusement que, Hodges ayant donné à Wilson un vigoureux coup avec la pointe de son fusil, on avança cahin-caha, penchés en avant pour s'accrocher au plat-bord tandis qu'on recevait une petite ration supplémentaire d'eau de mer au moment où une nouvelle vague déferla derrière nous. Lorsqu'on parvint à destination, à l'instant où Hodges faisait un pas en arrière pour me permettre d'ouvrir la porte, Christian saisit un cabillot dans sa ceinture et lui flanqua sur la tête un petit coup net et précis. Je n'avais pas besoin qu'on me fasse un dessin. Christian lui sauta dessus, je l'imitai, et on essaya tous les deux de lui ravir son arme. Non que notre problème fût Hodges – qui n'avait rien d'un bagarreur –, mais la vague suivante, un véritable monstre, qui heurta si violemment le bateau qu'on se retrouva tous les quatre fers en l'air.

C'est le moment que choisit le révérend pour se faire entendre. « Hourra ! hurla-t-il aussi fort que le lui permettait son horrible petite voix de fausset. Hourra ! Hourra ! Grâce soit rendue à Dieu ! »

Il y a certes des moments pour pousser des hourras, celui-ci n'étant pas le meilleur. Regardant en arrière, je vis notre ami Potter lancer un coup d'œil sur notre petite échauffourée avant de lever la tête vers la mâture. Où il aperçut Chine Clucas sur le point de lâcher un cabillot sur sa précieuse caboche. Il effectua un rapide bond de côté, et la cheville ne fracassa que les planches du pont. Potter se rattrapa au bastingage avant l'arrivée de la vague suivante et, quoique le cabillot lui eût heurté l'épaule, il ne lâcha pas son revolver et tira en l'air, ce qui à nouveau effraya Brew. Ça sentait mauvais.

« Hourra ! Hourra ! » reprit le révérend.

Je l'aurais congratulé si je n'avais pas eu mieux à faire. Je me jetai sur l'arme de Hodges. Me retournant après m'en être emparé, je découvris une vraie bataille rangée. Ayant sorti la tête par l'écoutille, Skeggs s'était retrouvé aux prises avec Tom Karran, qui en voulait à son fusil. Pendant ce temps, alors que la *Sincérité* tanguait et roulait comme une folle, agrippé au plat-bord, Potter pointait son revolver sur tout ce qui bougeait, sans se soucier le moins du monde de viser. Il avait quatre hommes en face de lui, y compris Brew, Chine, et même ce vieil imbécile de Rob Quayle, le cuistot, qui guettaient l'occasion d'intervenir. Je compris alors que s'il n'osait tirer, c'était de peur de se voir régler son compte s'il blessait l'un de ses adversaires.

Je pouvais peut-être leur donner un petit coup de main. Ayant fait pivoter le fusil de Hodges jusqu'à ce que le bon docteur se trouve dans ma ligne de mire, j'appuyai sur la détente. L'arme était à l'évidence chargée car, autrement, pourquoi Hodges l'aurait-il trimbalée nuit et jour ? Eh bien ! le croirez-vous ? je n'entendis qu'un petit déclic. C'est la douche qu'il a reçue, pensai-je. Quelle supercherie ! Les Anglais ne cessent de nous rebattre les oreilles de l'excellence de leur acier, de leurs chemins de fer et de leurs navires qui, à les croire, font l'envie du monde entier, et ne voilà-t-il pas que leurs fusils ne supportent même pas une goutte d'humidité ! Est-ce qu'ils s'attendaient à ce qu'on aille combattre le Russe et chasser le tigre seulement par beau temps ? Oui, ça me paraissait un vrai miracle qu'ils aient réussi à conquérir la moitié du monde…

En fait, c'était la fin de notre petite guerre. L'instant d'après, Hooper avait surgi de l'entrepont où il s'était tapi et flanqué un sale coup de crosse sur la tête de Tom Karran. Ça mit un terme, par la même occasion, aux ennuis de Skeggs et, alors qu'il n'y avait eu qu'un Anglais à pointer son arme, d'un seul coup ils étaient trois – beaucoup trop. Les épaules de Brew, Chine et les autres s'affaissèrent à vue d'œil et ils battirent en retraite. Je ne leur en voulai pas. S'étant tant bien que mal remis sur pied, Hodges s'empara de son espèce de fusil inutile dont il se servit pour me fiche un bon coup dans les côtes en guise de remerciement. Un sale moment ! Et ça ne m'a pas du tout mis du baume au cœur quand le révérend m'a tancé de son air hagard de dément :

« Si seulement vous aviez demandé pardon au Seigneur de vos péchés, capitaine, comme je vous l'ai maintes et maintes fois suggéré, ne croyez-vous pas que les choses auraient pu tourner autrement ? »

### Le Dr Thomas Potter. Avril 1858

*La Destinée des nations*
Chapitre quatre : Sur l'avenir des races humaines (correction)

Le type celtique, comme les types noir et normand, est destiné à disparaître complètement au cours du Grand Conflit entre les nations. Avec ses manières serviles et débonnaires, le Celte peut tenter de tromper tout le monde, mais le robuste Saxon ne se laissera pas séduire. Il reconnaîtra les principales caractéristiques qui se cachent derrière ce sourire benêt : roublardise, sournoiserie, et surtout goût de la violence gratuite et malfaisante. Le Celte est dénué de la plus élémentaire faculté de raisonner, et cette absence suffira à causer sa perte. Après avoir été moult fois victime d'agressions et de perfidies qui finiront par ébranler sa superbe patience, d'une chiquenaude le Saxon se débarrassera de son ennemi comme d'une mouche importune. C'est ainsi que les Celtes causeront eux-mêmes leur propre anéantissement, à telle enseigne qu'il n'en restera quasiment aucun sur Terre...

Nouveau règlement en vigueur sur la *Sincérité* : Mannois

Afin de prévenir de nouveaux actes de <u>mutinerie violente</u> à l'encontre des membres de la <u>force de commandement</u>, les <u>règles</u> suivantes seront désormais en vigueur sur le navire. Toutes ces règles seront <u>strictement appliquées</u>.

RÈGLE 1
<u>Aucun</u> travail d'entretien du bateau ne sera autorisé, qu'il s'agisse du brossage du pont ou du goudronnage des espars, car il a été observé que ces tâches ne sont qu'un <u>prétexte</u> pour préparer <u>en sous-main</u> des <u>attaques</u> contre les membres de la <u>force de commandement</u>. La seule exception concerne l'emploi quotidien des pompes, mais les hommes qui les actionnent seront toujours <u>attachés</u> à leur poste.

RÈGLE 2
L'équipage ne touchera plus au mât d'artimon, sous aucun prétexte. Les artimons demeureront ferlés en permanence.

### RÈGLE 3

Seuls les Mannois occupant les fonctions suivantes seront autorisés à se tenir sur le <u>gaillard d'arrière</u> :
1) L'homme de barre (qui sera <u>attaché</u> à la roue du gouvernail).
2) Le second de quart (qui sera <u>attaché</u> au mât d'artimon).
Note : Toute infraction à cette règle sera <u>très sévèrement punie</u>.

### RÈGLE 4

Tous les hommes d'équipage, à part le timonier et le second de quart, resteront désormais enfermés dans le gaillard d'avant, <u>sauf</u> quand le Dr Potter indiquera qu'on a besoin d'eux sur le pont pour manœuvrer le bateau.

### RÈGLE 5

Les <u>prisonniers</u> gardés en bas seront dorénavant <u>mis aux fers</u>. Des pots de chambre leur seront fournis.

### RÈGLE 6

L'utilisation du <u>manx</u> est formellement <u>interdite</u>. Toute violation de cette règle sera considérée comme une <u>tentative de mutinerie</u>.
Note : toute infraction à cette règle sera <u>très sévèrement punie</u>.

<u>Nouveau règlement en vigueur sur la *Sincérité* : membres de la force de commandement</u>

### RÈGLE 1

Tous les membres de la <u>force de commandement</u> doivent <u>constamment</u> porter une arme chargée

### RÈGLE 2

Au moins <u>deux</u> membres de la <u>force de commandement</u> doivent être présents <u>jour et nuit</u> sur le gaillard d'arrière (voir nouvelle organisation des quarts).

### RÈGLE 3

Les <u>quatre</u> membres de la <u>force de commandement</u> doivent être présents sur le pont chaque fois que l'équipage mannois travaille dans la mâture (pour border les voiles, prendre des ris, etc.). Ils doivent rester sur place pendant toute l'opération.

### *24 avril*

Ai enfermé tout l'équipage dans leur poste mais ai dû les relâcher car tempête empirait (hunier de misaine et grand perroquet ont tous les deux <u>éclaté</u>). Les avons surveillés <u>tr. attentivement</u>, prêts à tirer.

Tempête = enfin calmée. Hooper a suggéré qu'on jette Brew + Kinvig par-dessus bord en tant que meneurs. Tr. tentant. Cependant, ai décidé que = dangereux vu situation personnelle à notre arrivée (éventuelle) en Angleterre. De plus, avons besoin d'eux pour manœuvrer bateau. Mais ai autorisé Hooper à les fouetter jusqu'au sang devant tous les autres Mannois assemblés (Hooper a fabriqué lui-même fouet avec matériel embarqué : tr. efficace). Ensuite, ai envoyé Brew en bas avec Kewley + Wilson. Ai ordonné à Christian, le menuisier, les mettre tous trois aux fers fixés au plancher pour prévenir nouveaux troubles.

Ensuite ai fortifié gaillard d'arrière en érigeant barricade de caisses, de lest, etc. Utilisé également vieux canon de proue. Pas de munitions à bord pour cet engin mais ai pris poudre dans cartouches fusils + enveloppée dans papier pour fabriquer charge explosive, puis fait seconde charge à l'aide balles en vrac, petits cailloux du lest, etc. Ai rassemblé Mannois sur le pont pour faire démonstration. Me suis demandé si correctement dosé mais en l'occurrence tout = tr. bien passé. Hooper a allumé mèche (ficelle trempée dans pétrole + petite quantité poudre) puis avons tous regardé quand canon tonné + lancé puissante volée balles au-dessus flots. À ma grande joie, Mannois = fort impressionnés. Ai rechargé + mis canon sur barricade pour dominer pont principal. Lampe doit rester allumée jour et nuit dans endroit abrité de barricade.

Contretemps = mutinerie = coup tr. dur. Ne leur avais (heureusement) jamais fait confiance mais avais espéré qu'ils pourraient être persuadés se détourner Kewley ne serait-ce que par instinct de conservation. Ma situation auj. = tr. désagréable. L'Angleterre = meilleure destination que Hobart et ses ridicules âmes sensibles, mais le fait = que désormais toute destination = périlleuse. Mannois ne manqueront pas m'accuser piraterie. Le rév. m'attaquera à propos spécimens + affirmera qu'on avait projeté l'assassiner. Suis certain avoir toujours agi avec la plus grande correction mais me rends compte que risque = jugé avec extrême sévérité par ignorants. Le moins qui puisse m'arriver = désastreux scandale. Le pire = inconcevable. Perspective réputation entachée = particulièrement ennuyeux car causerait terribles dommages à *La Destinée des nations*. En vérité, maintenant ce livre = presque plus important pour moi que propre avenir. Crois sincèrement = mon legs au monde + = de la plus grande importance pour compréhension avenir par les hommes. Ne peux absolument accepter que livre dénigré + détruit.

Les trois autres = aussi tr. troublés par violence gratuite Mannois. Ai tenté les convaincre qu'avons eu tout à fait raison arracher bateau à des malfaiteurs avérés. Affirme qu'action = devoir civique, pas violation loi

+ recevrons félicitations (en vérité, pas certain). Heureusement, maintenant = beaucoup trop tard pour renoncer. Eux = déjà impliqués dans processus. Espérons seulement ne pas faiblir.

Autre inquiétude = vivres. Avais pensé faire relâche dans port (aux Malouines, en Argentine ?) mais cela dorénavant = tout à fait impossible car Mannois en profiteraient pour s'échapper, trahir, attaquer, etc. Cependant, vivres = en trop faible quantité pour durer jusqu'en Angleterre. Obligé ordonner réduction considérable rations Mannois pour que aliments restants = suffisants. En outre, considère maintenant que trop grande générosité précédente a pu encourager chez eux esprit rébellion. Nos rations = réduites également mais moins car = impératif qu'on garde des forces pour empêcher nouvelle mutinerie (de plus, priver type saxon d'aliments vitaux = grande erreur). Décisions tr. pénibles à prendre mais refuse absolument me laisser dévier de grand dessein. Si Mannois en pâtissent = leur faute.

Nouvelle organisation quarts, etc. déjà = tr. fatigant. Suis hanté par pensées lugubres + cauchemars. M'efforce trouver la paix dans travail. Continue à tenter remettre ensemble + reclasser spécimens, quoique = tr. difficile car dégâts causés par Wilson = terribles + nombreux spécimens = trop abîmés, mélangés, etc. pour être sauvés (tr. décourageant). Travaille aussi beaucoup à manuscrit et peux affirmer que j'avance beaucoup. Chapitre sur forme des crânes types inférieurs = quasiment terminé.


## Peevay. Février-avril 1858

Il faisait très beau quand j'ai traversé le monde pour la dernière fois, l'automne rendait les arbres jolis, mais c'était triste de penser que j'étais le dernier Palawa à marcher là et qu'après moi y aurait plus personne, ou rien que des sales Blancs. Ici, ça ne sera jamais chez eux, je me suis dit. Ça oui, ils pouvaient bien aller ici et là en pensant : *C'est à moi maintenant*, mais ils ne pourraient jamais sentir que le monde leur appartenait comme aux miens. Comment est-ce que ça serait possible, alors qu'ils connaissaient pas les noms des lieux ni leur histoire ? Les nommes n'auraient jamais cet endroit au tréfonds de leur cœur, ça non. Ils y habiteraient seulement.

C'est devenu pénible d'être tout seul. Ça oui, j'étais presque malheureux que l'horrible Potter et les autres n'étaient plus là, car les détester et les tuer ça me tenait presque compagnie. Bientôt la folie de la solitude me rendait visite la nuit pour me chuchoter que tout était fichu et me donner des douleurs dans les épaules et les os, comme si les larmes avaient coulé à l'intérieur et les avaient fait pourrir comme du bois. Mais ensuite le jour arrivait, éclatant et tout neuf, alors je m'étirais, me levais et continuais à survivre. Enfin j'ai quitté les montagnes et atteint les routes et les fermes des Blancs. Là j'avançais avec précaution, même si c'était très facile, ça oui, parce qu'ils ne faisaient plus du tout attention. Pourquoi donc est-ce qu'ils se seraient méfiés puisque tous les nôtres avaient disparu ? Je pouvais les voir depuis ma cachette, dans des charrettes ou chevauchant de-ci de-là pour que les bêtes moutons courent toutes ensemble, et j'ai observé que leurs yeux avaient l'air calmes et vides, comme s'il y avait à l'intérieur que de toutes petites pensées, par exemple : *Quel va être mon prochain travail ? Qu'est-ce que je vais manger à mon prochain repas ? Est-ce qu'il fera encore beau demain ?* Oui, voilà quels étaient leurs plaisirs, maintenant qu'on était tous morts. Ça me les faisait haïr.

Peu à peu, lentement, la terre est devenue plus plate, jusqu'au jour où après avoir franchi une colline j'ai vu la mer, la mer du Nord. J'ai suivi le rivage vers l'est jusqu'au moment où un matin ensoleillé j'ai aperçu loin derrière les vagues cette montagne si familière, mince et pointue comme une sagaie. L'île de Robson où il nous avait emmenés pour nous regarder mourir. Ça me faisait tout drôle de la contempler, comme si je voyais un fantôme très triste. Plus près dans la mer, il y avait une colline, ronde et basse, et je me suis dit que ça devait être l'île de papa, car la fois où maman avait essayé de le tuer avec sa massue je me suis rappelé qu'il était parti dans cette direction avec son bateau. J'ai pressé le pas, les îles se sont rapprochées, et bientôt je suis arrivé dans un village de nommes. C'était tout petit, et y avait seulement quelques maisons à côté d'une rivière et quelques Blancs tout près, qui comme toujours faisaient courir les bêtes moutons ici et là. La rivière près de la mer était boueuse, et sur la boue se trouvaient deux bateaux, et l'un d'eux était ce qu'il me fallait, avec ses deux rames et son petit mât pour une voile. Alors je me suis éloigné pour aller dans la forêt où j'ai fabriqué des lances, des tas, et puis j'ai attendu. Quand le soir est tombé et que les sales Blancs sont tous rentrés dans leurs maisons, je suis allé jusqu'au bateau, à pas de loup, je l'ai poussé dans l'eau malgré qu'il était très lourd, ai grimpé dedans et suis parti.

La nuit était assez claire grâce à la demi-lune. J'ai hissé la voile et ramé de temps en temps en plus. Le matin, l'île avec la colline était toute proche, et le monde derrière avait disparu dans un nuage. D'abord j'ai rien pu voir, mais quand j'ai fait le tour de l'île j'ai découvert des maisons, six, longues et basses. Pas mal de Blancs pouvaient habiter dedans, trop pour que je puisse me battre tout seul contre eux, ce qui m'a tracassé car je me suis dit qu'ils risquaient de me tuer avant que j'aie eu une chance de pouvoir tuer papa d'un coup de lance. Ensuite j'ai découvert un casse-tête à n'y rien comprendre. Y avait personne, vous voyez, et aucune fumée sortait des cheminées. Est-ce qu'ils étaient tous cachés, attendant de me tuer par surprise ? J'ai baissé la voile, avançant très lentement, mais personne n'est sorti pour me voir ou tirer avec son fusil, alors j'ai été jusqu'au rivage et traîné le bateau hors de l'eau. J'ai marché jusqu'à la maison la plus proche, les sagaies toutes prêtes, et j'ai ouvert la porte. Dedans il y avait personne, mais on voyait des tables et des chaises et ça sentait le puffin. Quand je me suis approché du feu et l'ai touché avec mes doigts, les cendres étaient encore tièdes. C'était exactement pareil dans les autres maisons, ce qui était intéressant. Alors j'ai décidé de guetter. J'ai tiré mon bateau, très lourd, et je l'ai caché dans les buissons. Après je me suis assis derrière avec toutes mes sagaies bien rangées et toutes prêtes.

Il faisait presque nuit et je dormais déjà quand j'ai été réveillé par un murmure de voix lointaines sur l'eau. Des lumières brillaient sur la mer, quatre en tout, éclairant des petites gerbes d'eau chaque fois que les rames plongeaient. Grâce aux mouvements des lumières, je voyais qu'il y avait quatre bateaux, et malgré que je ne voyais pas de rameurs j'ai compris d'après les voix qu'ils étaient nombreux, ce qui était mauvais. Mais comme je pouvais rien faire pour le moment, j'ai pas bougé, regardant les bateaux approcher, touchant mes sagaies très souvent pour être prêt, tout en me demandant si papa avait avec lui aujourd'hui toute une horrible tribu.

### Le capitaine Illiam Quillian Kewley. Avril-juin 1858

Chaque jour, le crépuscule arrivait un poil plus tard et la nuit se faisait un rien plus froide. Eh bien ! ce n'était pas difficile de comprendre ce qui se passait. On entrait dans les mers du Nord. On n'allait pas tarder à atteindre l'Angleterre de Potter. Peu réjouissante perspective…

D'après les marques que j'avais faites sur la paroi, il y avait neuf semaines qu'on avait doublé le cap Horn, c'est-à-dire deux bons mois. Je n'avais jamais passé deux mois plus lamentables ni eu aussi faim. Était-ce dû à la frousse qu'ils avaient eue ou à la fierté d'avoir été les plus malins ? Depuis qu'ils avaient gagné la petite bataille du cap Horn, c'était comme si le sang de ces pirates s'était glacé dans leurs veines. Le Dr Potter eut la charmante idée de nous enchaîner au plancher, Brew, le révérend et moi-même, et il descendit en personne s'assurer du résultat. Les liens étaient si serrés qu'il était quasiment impossible de fermer l'œil de la nuit. En guise de mesquines et humiliantes représailles, la poulaine fut remplacée par des seaux. Même Hodges, le plus accommodant des quatre, s'amusa comme un petit fou à nous fiche des coups avec la pointe de son fusil. On aurait dit que c'était un nouveau jeu auquel il n'avait pas osé se livrer jusque-là. Mais le plus mauvais, c'était Hooper. C'est lui qui avait fouetté les malheureux Brew et Kinvig – spectacle auquel nous fûmes contraints d'assister –, et il y avait pris un évident plaisir : un large sourire étalé sur la face, il faisait de petits va-et-vient en courant pour s'élancer et leur labourer le dos bien fort. Cette raclée semblait lui avoir ouvert l'appétit, et il devait espérer remettre ça : je l'entendis plusieurs fois descendre les marches en catimini pour nous surprendre, Brew et moi, en train de parler manx, le nouveau règlement de Potter nous l'interdisant. Le Mannois a sans doute ses défauts, mais il n'est jamais brutal ni fourbe à ce point. Ces types prenaient plaisir à faire mal.

Pourtant, Hooper n'eut bientôt plus l'occasion de jouer à cette sorte de jeu. Au bout de deux jours, Potter ayant remarqué qu'il n'avait pas assez de Mannois pour manœuvrer le bateau, les fers de Brew furent prestement enlevés. Je le regrettai, d'ailleurs, ayant été content de jouir d'une autre compagnie que celle de ce grincheux radoteur de pasteur. En fait, le séjour de Brew montra son utilité par la suite, puisqu'il savait où j'étais enchaîné. La nuit qui suivit son départ, j'entendis dans la paroi derrière moi un grattement aussi léger que celui d'une souris en vadrouille, bruit qui persista toute la nuit. Ça attira mon attention, d'autant plus que je savais que derrière la paroi se trouvait le gaillard d'avant. Et, en effet, tôt le lendemain matin, un éclat métallique jaillit à travers l'une des planches près de mon coude avant de disparaître en laissant un petit trou et, lorsque je me penchai vers lui, la délicieuse musique du manx chatouilla mon oreille. Le métal, me chuchota Brew, était celui d'une cuiller à café, le seul couvert autorisé par Potter pour manger leurs repas, car il craignait apparemment que les fourchettes et autres instruments de cet acabit rendent dangereux ces gars de Peel et mettent en péril ses pauvres agneaux seulement armés de fusils.

Agréable changement ! D'un coup, je pouvais entendre tout ce qu'on disait et ce qui se passait sur le pont. Non que cela ait plu à tout le monde. Chaque fois que l'un des matelots me saluait en chuchotant, je voyais Wilson s'énerver et ses yeux chercher partout comme s'il tentait de comprendre ce qu'ils disaient, même si les voir ne l'aurait guère aidé, chaque mot étant du plus pur manx. L'homme était jaloux alors qu'il n'avait pas la moindre raison de l'être. Ce n'était même pas comme s'il était triste d'être privé de ma charmante compagnie, puisqu'il y avait belle lurette qu'il ne m'adressait plus la parole, préférant bavarder uniquement avec le ciel. Parfois, lorsque Brew me souhaitait le bonjour, il se mettait à prier d'une voix plus forte rien que pour m'empêcher d'entendre le chuchotement du second, et je craignais beaucoup qu'il s'arrange pour vendre la mèche à Skeggs et à Hodges ou qu'il leur signale le trou dans la paroi en le fixant (je le cachais de mon mieux avec le bras). Quelle sacrée fripouille que ce pasteur ! Après tout, on était dorénavant égaux, n'est-ce pas ? Il avait comme moi quelqu'un avec qui papoter, en la personne de son cher ami, le Tout-Puissant, mais, à en juger par sa curiosité, celui avec qui je parlais était plus intéressant, puisqu'il me faisait part des dernières nouvelles.

Non qu'elles fussent agréables à entendre, puisqu'elles étaient toutes mauvaises. Brew m'informa que le gaillard d'avant n'était plus que la prison privée de l'équipage, qu'il était garni de tant de verrous qu'aucune évasion n'était possible, même en se servant des redoutables petites cuillers, et que les hommes y étaient enfermés, sauf quand on avait besoin d'eux pour actionner les pompes ou manœuvrer les voiles. Pis, j'avais l'impression qu'ils commençaient à perdre le moral. Je tentai de les encourager à fomenter de nouveaux troubles – peut-être pendant la nuit, quand les Anglais étaient fatigués –, mais sans résultat. La vérité, c'est qu'au fond les Mannois n'en font jamais qu'à leur tête : tour à tour, ils se gonflent et se dégonflent telles des voiles au gré du vent. Quand tout va bien et qu'ils voient la vie en rose, il n'y a pas moyen de les arrêter, mais si ça se gâte, alors ils s'avachissent d'un seul coup et perdent leur assurance. S'être fait battre par les Anglais les avait complètement démoralisés, et avoir été forcés de voir Brew et Kinvig recevoir le fouet sans pouvoir les secourir avait constitué un véritable supplice. Mais nos ennuis ne s'arrêtaient pas là. Le Mannois a beau garder en général la tête froide, certains mystères le troublent et le turlupinent. Celui concernant les crânes et les ossements de Potter en faisait justement partie. Non que je sois personnellement sensible à ce genre de choses, mais je reconnais que ç'avait rendu quelques matelots un brin nerveux, le bruit courant que comme Potter était sûrement soutenu par « certains êtres », il serait capable de déjouer toutes nos ruses. C'est la sorte de pensée qui décourage un homme.

Le bateau était désormais en piteux état. La nouvelle folie de Potter interdisant toute réparation eut bientôt de fâcheuses conséquences, surtout au moment où nous atteignîmes la zone des calmes équatoriaux dans lesquels nous restâmes bloqués durant plus de deux semaines. Un soleil brûlant alternant avec des grains sans un souffle de vent, rien ne peut davantage abîmer un voilier. Lorsqu'une brise nous permit de voguer à nouveau, j'entendis les gémissements de la *Sincérité* se propager à travers les planches du pont. On percevait ses souffrances dans le grincement des poulies en acier, trop aigu et trop perçant pour être normal, dans le martèlement des bottes des hommes sur les planches du pont, qui aurait dû être sourd et plein, mais qui au contraire commençait à sonner un peu creux, comme si les matelots dansaient sur un cercueil bon marché, et on les entendait surtout dans le flic-flac de l'eau de cale, de plus en plus lent et sonore – comme une baignoire

métallique qui se remplit – et dans le couinement des pompes s'efforçant d'assécher le ventre du bateau. Tout bâtiment qui navigue depuis
un an ou deux a de temps en temps besoin d'un pompage, mais là,
c'était différent. Pas une heure ne s'écoulait, de nuit comme de jour,
sans qu'elles entrent en action.

C'était évident de même que deux et deux font quatre : le navire
tombait en morceaux. Très lentement, sans doute, mais c'était bien ce
qui se passait. Lésinez sur les réparations, et votre voilier ne sera bientôt
plus que bois pourri, cordages effilochés, métal rouillé, et il prendra
l'eau de plus en plus. Sans lavage et calfatage quotidiens, les planches
du pont rétrécissent et laissent passer l'eau qui clapote dans la cale, tout
en causant, en prime, un début de pourrissement. Et, en effet, pendant
les grains je commençais à remarquer un suintement venant du pont et
l'apparition de plaques d'humidité sur la muraille. Brew m'annonça que
les cordages s'effrangeaient et pendaient, Potter étant trop méfiant pour
autoriser les hommes à les retendre périodiquement. S'il n'y prenait pas
garde, les mâts eux-mêmes allaient s'abattre : si on ne les regoudron-
nait pas ils risquaient de pourrir et de se casser. Peu à peu, la *Sincérité* s'efforçait d'atteindre le but ultime vers lequel tend ardemment tout
navire : décorer quelque rivage désert, transformé en tas de bouts de
bois et de voiles.

Du sale vandalisme de bas étage. Voir ma *Sincérité*, que j'avais
construite à partir d'épaves, quasiment de mes propres mains, et à
laquelle j'avais prodigué tant de soins, détruite par cette bande de sales
mutins ignares ! Tenez, c'était comme si quelqu'un pissait sur votre
enfant chéri. J'aurais presque préféré qu'elle sombre corps et biens,
mais on n'aurait même pas cette chance. Brew m'affirmait que, malgré
toutes les fuites, elle flottait encore parfaitement. Je n'ai pas tout de
suite compris pourquoi, puis j'ai résolu l'énigme : c'était grâce aux
compartiments de la contrebande. Ils devaient jouer le rôle de deux
grands flotteurs qui nous maintenaient à flot. Quand il est protégé par
deux coques, je suppose qu'il n'est pas facile d'envoyer un navire par le
fond.

Dommage que nous, les pauvres Mannois, on n'ait pas eu une
seconde coque pour nous protéger. Depuis l'échauffourée du cap Horn,
Potter avait tellement réduit nos rations que même une souris serait
restée sur sa faim. Bientôt, je ne pensais qu'à la nourriture, et à cette
fringale qui me tiraillait en permanence l'estomac. Les conséquences
furent bientôt visibles. Le révérend n'avait jamais été très gros mais, au
moment où nous quittâmes la zone des calmes équatoriaux, c'était un
véritable squelette, et je voyais les os de mes bras et jambes apparaître
chaque jour plus nettement. Brew disait que les hommes devenaient si
légers et si maigres que leurs têtes ressemblaient de plus en plus à celles

des macchabées. Pendant tout ce temps je me réjouissais de constater que les Anglais ne se privaient de rien ; j'aurais juré que le tour de taille – déjà considérable – de Skeggs avait pris un ou deux centimètres.

Il n'eut pas autant de chance avec le scorbut, hélas ! Je m'y attendais, n'ayant pas vu le moindre citron vert depuis la zone des calmes, et sentant déjà de folles envies de légumes. Malgré toute sa graisse, Skeggs fut le premier à en souffrir. Il devint pâle et amorphe – ce qui à mon avis l'avantageait –, puis, sa bouche commençant à enfler, il ne subsista aucun doute. Après ça, Brew ne parla plus que du scorbut, et encore du scorbut : qui en était frappé et qui croyait être la prochaine victime. Je l'attrapai, comme les autres, et je ne peux pas dire que c'était agréable. D'abord, j'étais si crevé qu'il m'était impossible d'envisager le moindre mouvement, puis j'eus les gencives et la bouche à vif, ce qui rendait affreusement pénible la mastication. Je connaissais d'avance les stades suivants : le corps se couvre de taches comme si on avait la peste, puis les dents se déchaussent, enfin on se retrouve enveloppé dans un morceau de toile de voile et jeté tranquillement par-dessus bord, au grand étonnement des poissons.

Savez-vous qui à bord fut le dernier à l'attraper ? Le révérend… Comment s'était-il débrouillé ? Mystère. Peut-être avait-il réussi à dérober des citrons verts. Il exultait, bien sûr, et pas une heure ne s'écoulait sans qu'il offre une action de grâces au Seigneur Dieu son Père pour le remercier d'avoir voulu que lui, le révérend Geoffrey Wilson, jouisse toujours d'une forme éblouissante, alors que nous autres, pauvres hères, étions ballonnés comme des cadavres et sentions nos dents se débiner. Quel soulagement quand il tomba malade lui aussi ! Non que ça ait fait beaucoup de différence. Vrai, je crois qu'il me tapa encore plus sur les nerfs. Il ne se taisait pas un seul instant et, lorsqu'il ne trouvait plus rien à dire à son copain le Tout-Puissant, histoire de m'enquiquiner, il se mettait simplement à fredonner ou à produire d'étranges petits *pstt-pstt-pstt* avec la bouche, ou encore à tambouriner sur le plancher avec les articulations des doigts. J'aurais donné pas mal de pépètes pour qu'on m'ôte les fers afin de lui clouer le bec en lui flanquant une bonne raclée des familles.

Entre-temps, les soirées allongèrent et l'air se rafraîchit. Le jour vint où Skeggs cessa de nous rendre visite et fut remplacé par Hooper, qui nous apporta des miettes de nourriture. Brew nous apprit que deux des matelots étaient si faibles qu'ils avaient le plus grand mal à grimper dans la mâture pour manœuvrer les voiles. On continua malgré tout à avancer gentiment. Des tempêtes ? Vrai, je ne voyais pas à quoi s'amusait l'océan. Depuis la saucée du cap Horn, l'Atlantique n'avait pas été à la hauteur et ne nous avait rien infligé de plus méchant qu'un joli temps de régates. Le cap Finisterre, le golfe de Gascogne, qui se vantaient tant et plus d'avoir fracassé et envoyé par le fond tant de navires, auraient dû avoir honte.

Enfin, un beau matin, alors que je sentais qu'une de mes dents se détachait, j'entendis Brew me chuchoter ce que je ne voulais pas entendre :

« Cette nuit, on a passé Ouessant. »

Maintenant, on devait être en pleine Manche. C'est-à-dire presque en territoire anglais.

Bien que je n'eusse pas ouvert la bouche, Kinvig devina mes pensées.

« Ne vous en faites pas, capitaine. Je viens d'avoir une idée. On est loin d'être cuits, c'est moi qui vous le dis... »


## Le révérend Geoffrey Wilson. Juin 1858


Père tout-puissant qui es aux cieux, ces nuits fraîches m'indiquent que nous sommes presque arrivés. Tout autre que moi pourrait se sentir désespéré après les épreuves que j'ai endurées : la faim, les fers, la maladie et l'obligation de subir la compagnie d'un trafiquant d'alcool et de voir mes bourreaux – Tes ennemis et les agents du malin – triompher et se pavaner. Tout autre que moi pourrait se sentir abandonné, voire cruellement *trahi*. Tout autre que moi pourrait être rendu *furieux* par l'apparent échec de sa grande quête entreprise avec tant d'espoir et pour laquelle il a courageusement subi tant d'avanies, dans le seul but de servir *Ta gloire*.

Je ne ressens aucune amertume. Je ne lance aucun *reproche*. Père tout-puissant qui es aux cieux, je garde vaillamment ma foi malgré tout. Je demande seulement que si Tu me réserves un autre dessein grandiose – comme cela me semble *aller de soi* –, alors que *ce soit pour bientôt.* Je suis tout prêt et ne cesse de guetter le moindre signe, bien que je n'aie *encore rien vu.*

L'Éden se trouvait-il en fait ici en Angleterre ? Est-ce là la réponse ? Cette grande aventure a-t-elle constitué seulement une sorte d'épreuve suprême ? *Mais alors, pourquoi m'as-Tu envoyé si loin d'ici ?*

Père tout-puissant qui es aux cieux, ne pourrais-Tu pas au moins soulager la faim qui me tenaille ? Ce ne peut être trop demander... Je ressens une telle envie de pommes que j'en vois souvent en rêve. Même le miracle d'un *oignon* serait fort apprécié, ou même une pomme de terre crue.

# Le Dr Thomas Potter. Juin 1858

Mannois = traîtres jusqu'au dernier. Ai entendu Brew (attaché au mât d'artimon comme d'habitude) donnant ordre au timonier naviguer N.-N.-O. Quand l'ai interrogé à ce sujet, a affirmé qu'on a = déportés dans golfe Gascogne par courants contraires + devons éviter péninsule bretonne. Il désigne terre lointaine au N.-N.-E. en déclarant que = Bretagne. J'en doute. D'après cartes, avais supposé que nous = déjà plus au N. Vois au loin plusieurs bateaux faisant route vers E. ou O. Entrent-ils dans Manche ou la quittent-ils ? Si terre lointaine = pas Bretagne, mais Cornouailles, alors direction N.-N.-O. nous conduirait dans mer d'Irlande + vers île de Man. Brew espérait nous prendre au piège + échouer le navire sur quelque rivage mannois, pour que ses compatriotes celtes puissent nous assassiner ? Quand ai proféré ces accusations, sa réponse = faible + peu convaincante. Évident que mes soupçons = tout à fait fondés.

Ai considéré qu'il fallait répondre à ce dernier acte de rébellion avec plus extrême rigueur. On ne peut mettre notre vie en péril en laissant navire aux mains de criminels fourbes + mutins. Ai décidé qu'on devait s'occuper du bateau tout seuls, tant en ce qui concerne plan navigation que pour tenir barre. Ne peut pas = très difficile, si même type celtique mannois peut y parvenir, et on a observé Brew, Kinvig, etc., assez longtemps pour comprendre parfaitement gestes de leur métier. Ai réagi tout de suite. Fait détacher Brew du mât d'artimon + expulsé du gaillard d'arrière. Ai annoncé que désormais serai capitaine et second à la fois + que l'équipage devra prendre ses ordres directement auprès de moi. Brew a protesté en geignant, prophétisant catastrophe, etc. (bien sûr) mais ai tenu bon. De même, ai dégagé Chine Clucas de barre et l'ai remplacé par Hooper. Hooper craignait qu'il = trop faible (scorbut) mais lui ai assuré que maintenant = presque arrivés. Angleterre = en vue.

Ai lancé premier ordre = « Déployez davantage de voiles ! » Vent = léger et soupçonnais Brew ralentir le bateau. Brew affirme que plus de voile = dangereux, car vents vont se renforcer + mâts = fragiles, vu manque réparations. Ses protestations n'ont fait qu'affermir ma détermination. Ai ordonné encore davantage de voiles ! Matelots dans voilure tr. lents à obéir, alors moi = obligé tirer une fois en l'air avec revolver. Tr. efficace. Mon raisonnement = avéré. Mâts ont tenu le coup, bateau marché plus vite. Ai fait ramener hommes sur gaillard d'avant ou attacher à pompe, comme précédemment. Ai mis cap E.-N.-E.

Me suis senti tr. fatigué. Ai décidé descendre me reposer, laissant Hooper (barre) + Hodges pour surveiller. Fait petite visite à Skeggs. Va tr. mal. Ma bouche + mains douloureuses à cause scorbut, ce qui rend pénible même rédaction journal. Me sens tr. inquiet à propos débarquement proche sur rivage Angleterre. Suis extrêmement angoissé. Accoster ou mourir, même si ça signifie qu'ignorants vont m'inculper, peut-être m'arrêter + m'emprisonner. Au moins une consolation : ai terminé La Destinée des nations. Quel que soit mon propre destin, espère + crois que cette œuvre = mon enfant, en vue d'un avenir empreint de + de sagesse.

## Le capitaine Illiam Quillian Kewley. Juin 1858

Je fus réveillé par des craquements de bois que je ne reconnus pas, craquements lents et extrêmement bruyants comme si la moitié des arbres d'une forêt se cassaient la figure. Au moment où je me redressai, il se produisit un énorme fracas ; on aurait dit que des boyaux éventrés lâchaient soudain d'en haut des tonnes de gros objets emplissant l'air d'une grande quantité de poussière. Quelque chose de lourd comme un cadavre me coupa brusquement le souffle en tombant dans mon giron avec un bruit sourd. Au même instant, je sentis que tout le navire penchait d'un seul coup comme si une gigantesque main le tirait à bâbord. Il commença à se redresser mais reprit tout de suite de la gîte. La quille s'était-elle cassée ? S'il chavirait, l'eau de mer chercherait à s'infiltrer par tous les trous, passerait à travers le bois pourri et nous enverrait par le fond en cinq sec. Je n'avais jamais songé à une mort par noyade mais, puisqu'on n'est pas libre de choisir sa manière de quitter ce monde, je ne pouvais pas faire grand-chose. Je comptai quelques secondes, puis quelques-unes de plus, et, bien que le bateau ait continué à rouler, on flottait toujours. Finalement, il se calma tout en gardant une gîte prononcée. Je compris que je n'étais pas sur le point d'avaler de l'eau salée.

Je crachai, car l'odeur du goudron et la poussière de plâtre m'avaient asséché la bouche. Baissant les yeux, je vis que je n'avais pas récolté un cadavre, mais un simple gros rouleau de cordages. Entre-temps, l'air s'était un peu dégagé et je découvris que notre prison avait reçu un tout nouveau meuble : un véritable arbre, qui avait complètement défoncé la porte et traversé la cabine en diagonale. Les objets qui ne sont pas du tout à leur place acquièrent une certaine magie, et il était bien difficile de reconnaître une des vergues, normalement fixée à mi-mât, d'où pendait une voile pour agacer le vent. Ça faisait tout bizarre de la voir crever le plancher, au milieu de l'enchevêtrement de toile et de cordages qui avaient envahi la cabine. Heureusement qu'elle avait eu la bonne idée de tomber de travers, sans quoi j'aurais risqué d'être transpercé en même temps que les planches. La façon dont elle était entrée était évidente : je découvris au plafond le trou qu'elle avait fait dans le pont, assez large pour une ou deux vaches, ce qui expliquait pourquoi la pluie me chatouillait le visage. J'entr'apercevais tout juste un bout du mât auquel elle aurait dû être fixée, mât désormais étendu de tout son long sur le pont. Et derrière, le ciel du plus joli rose auroral. Bonne journée à toi aussi !

Quelle terrible avanie ! Ma pauvre *Sincérité*, démantibulée par de sales Anglais qu'on n'aurait jamais dû laisser approcher d'un voilier. Rien d'étonnant à ça. Brew m'avait appris que Potter avait déployé une quantité démentielle de voiles. Sur tout autre navire, ça n'aurait entraîné que l'éclatement d'une voile ou deux. Mais pas sur celui-ci. À cause de sa négligence, les frettes et les boulons avaient dû se rouiller de part en part, les filins se détendre. Le mât devait lui-même être à moitié pourri, et tout près de se briser. Il ne manquait plus qu'une bonne rafale de vent pour nous faire chavirer. Malgré tout, quelque chose m'intriguait. Les autres se trouvant bien trop en avant, il ne pouvait s'agir que du mât d'artimon, alors que, si j'avais bonne mémoire, Potter avait stipulé dans son règlement qu'aucune voile ne devait être déferlée à l'arrière. Pourquoi, alors, était-il tombé ?

Je repoussai le rouleau de cordages de mon giron comme un vieux chien qui prend ses aises, puis, ayant fait bouger bras et jambes, je fus un peu rassuré en constatant qu'en dépit de belles contusions rien ne semblait vraiment cassé. Des voix appelaient d'en haut... D'après leur direction, je devinais qu'il s'agissait des deux hommes attachés aux pompes. J'étais heureux qu'ils n'aient pas été écrasés par le mât. Même si à cause du vent je n'arrivais pas à comprendre ce qu'ils disaient, il était clair qu'ils étaient en rogne. Je découvris d'ailleurs assez vite la raison de leur fureur. Le flanc du bateau subit soudain une violente secousse qui ébranla tout le navire. Ce petit bruit m'apprit que ce n'était pas un mât, mais deux, qui s'étaient abattus. Dans sa chute, le grand mât avait dû entraîner le mât d'artimon. Pis, tandis que l'artimon était tombé bien proprement le long du pont, le grand mât était carrément passé par-dessus bord, et les lames venaient de le faire cogner contre la coque. S'il continuait à la taper ainsi, il ne tarderait pas à percer un trou dans la muraille, et on coulerait à toute vitesse.

« Merci, Seigneur, de m'avoir préservé du désastre », marmonna le révérend au milieu de la poussière, choisissant, comme à l'accoutumée, le plus mauvais moment.

C'est alors que je notai un autre changement intéressant. Voyez-vous, lorsqu'on se trouve enchaîné au sol pendant plusieurs mois, on connaît bientôt toutes les petites manies et sautes d'humeur de ses fers, presque mieux que celles de son épouse. Parce qu'elle était mince, la chaîne qui me ceignait les poignets semblait acariâtre et quinteuse, se plaignant dès

413

qu'on la dérangeait, cependant que, plus costaud, le gros fer, accroché à un anneau fixé au plancher, me tirait brusquement en arrière comme s'il était furibard contre moi. Or, je m'aperçus soudain que ce dernier paraissait un rien plus flemmard que d'habitude, lâchant un peu de mou avant de me tirer le bras. Je découvris bientôt la cause du phénomène. Ayant ouvert une vaste brèche dans le plancher, la vergue avait presque détaché l'anneau. Curieuse et agréable découverte… L'un des boulons étant desserré, je pus dégager l'anneau sans difficulté, et bien que l'autre soit resté bloqué, c'était déjà un bon début. Tremblant de joie en découvrant que je n'allais finalement pas mourir noyé, je me mis en devoir d'essayer de desceller le second boulon du plancher. Ce n'était pas facile, certes, mais peu à peu le bois commença à s'effriter, jusqu'au moment où je sentis le boulon bouger gentiment comme une dent cariée. Finalement, m'étant accroupi au-dessus, je lui donnai une brutale secousse, et il se détacha d'un seul coup. Quel moment délicieux ! J'étais libre ! À part, bien sûr, les vingt-cinq kilos de chaînes que je continuais à traîner derrière moi.

Je me demandais ce qui se passait sur le pont.

« Y a-t-il encore quelqu'un ? criai-je par le trou qu'avait percé Brew dans la paroi.

— On est au complet, répondit celui-ci. Tout va pour le mieux, sauf qu'on est sur le point de se noyer. »

Ça, c'était sacrément bizarre… J'avais pensé que Potter aurait libéré certains d'entre eux pour qu'ils puissent couper et détacher le grand mât. À quoi jouait-il ?

« Ne vous en faites pas, je vais vous tirer de là ! promis-je, même si c'était plutôt un souhait qu'une certitude.

— Capitaine Kewley, il faut que vous m'aidiez. »

Ça faisait si longtemps que le révérend ne s'adressait qu'à son copain des cieux que je sursautai presque. Il voulait donc être sauvé, c'était ça ? Quel toupet ! Durant toutes ces semaines, il n'aurait même pas daigné me dire l'heure, mais aujourd'hui qu'il avait besoin de mon aide il devenait très bavard. J'étais bigrement tenté de laisser crever ce fichu enquiquineur, car c'était tout ce qu'il méritait. Mais, voyez-vous, quand on est resté enchaîné à côté de quelqu'un pendant un bon bout de temps, il est difficile de fiche le camp en le laissant avaler de l'eau de mer, même s'il s'agit d'un minable parasite. On ne peut s'empêcher de s'imaginer à sa place, et ça vous freine net. Ayant débarrassé d'un coup de pied les restes de la porte, j'étais sur le point de sortir dans la coursive, mais je fis demi-tour.

« D'accord, révérend… »

Quand j'examinai ses chaînes, je n'en revins pas. S'il avait seulement fait l'effort de regarder, il aurait découvert qu'il était à peine attaché au

414

sol. Les planches se trouvant à ses pieds avaient dû recevoir plus d'eau de pluie que les miennes, car elles étaient pourries et friables, et la vergue avait achevé la besogne. Une petite secousse, et le tour fut joué.

Quel que fût le temps qui nous restait et le boulot que j'aurais à faire, je ne me voyais pas agir en trimbalant un tel fardeau de chaînes, ça c'était sûr. Dans la coursive, il y avait le casier du maître d'équipage, où en temps normal on gardait une hache, au cas où il faudrait de toute urgence couper un cordage. Quoiqu'on ne fût pas en temps normal, la hache était bien là quand même.

« Étalez vos chaînes sur ça ! » ordonnai-je vivement à Wilson en désignant la vergue qui nous était tombée dessus.

Il m'obéit en poussant une sorte de gloussement. Visant le petit anneau qui retenait toutes les chaînes ensemble, j'abattis la hache. N'ayant plus beaucoup de force à cause du scorbut, je dus m'y reprendre à quatre fois, mais l'anneau finit par se fendre. La grosse chaîne se détacha, tandis que la petite se brisait en deux. Une fois ses mains libérées, Wilson ramassa un long clou et se mit à tirailler les anneaux qui entouraient ses poignets.

« Ce n'est pas le moment, lui lançai-je d'un ton sec. Tenez ! »

Je lui tendis la hache et commençai à relever mes chaînes en espérant qu'il était doué pour ce genre d'exercice. Il va sans dire que je n'appris jamais si c'était le cas. J'aurais dû pourtant savoir désormais à quoi m'en tenir, vu qu'il est inutile de rendre service à un Anglais. Au lieu de me montrer la reconnaissance qui semblait aller de soi, cette satanée vieille cruche se contenta de murmurer : « Le devoir m'appelle... » Puis, comme je cherchais toujours à comprendre la plaisanterie, il grimpa sur la vergue et monta en direction du pont. Quelle foutue ingratitude ! Je réussis à lui attraper un pied mais, le croirez-vous ? il en profita pour me le flanquer en plein dans l'œil, et, les chaînes me tirant toujours en arrière, ça suffit à me faire tomber à la renverse. Il y a des mots pour qualifier cette sorte d'attitude, et je ne me privai pas de les employer à son adresse, ce qui ne l'empêcha pas de déguerpir. Vraiment, ce type dépassait les bornes. Je le vis s'efforcer de se hisser par le trou au milieu des planches du pont.

D'un seul coup, le peu de temps qui me restait me fut volé, et mes ennuis – j'en avais déjà à revendre – doublèrent, triplèrent et quadruplèrent. Il faut vraiment être doué pour fendre une chaîne qui lie les poignets avec une hache qu'on tient soi-même. De plus, l'élément de surprise était le seul et unique privilège dont j'aurais pu bénéficier pour lancer n'importe quelle téméraire action d'éclat contre les Anglais. Maintenant que le révérend grimpait sur le pont, l'effet de surprise aurait toute la fraîcheur d'un hareng pêché le mois passé. Mais comme ça ne servait à rien de rester là à se tourner les pouces, je décidai de tenter le tout pour le tout. Ramassant mes chaînes sur le bras, je me hâtai dans la coursive et gravis les marches.

C'est ainsi que je contemplai un monde que je n'avais pas vu depuis un bon bout de temps, et le spectacle n'était guère réjouissant. Je savais que ces minables avaient fichu mon bateau sens dessus dessous, mais vraiment, j'avais été loin d'imaginer que ce serait aussi affreux. Avec sa peinture écaillée et les planches de son pont gauchies il avait des allures de vaisseau fantôme. En fait, c'était pis, car un vaisseau fantôme aurait eu tous ses mâts. Comme je l'avais deviné, la *Sincérité* en avait perdu deux, dont il ne restait plus qu'une sorte de souche d'arbre mort, et le mât de misaine paraissait bien seul. Elle n'avait même plus du tout l'air d'un voilier, désormais réduite à un incroyable fatras de débris éparpillés, sous un ciel immense. Un enchevêtrement inextricable de cordages pendant par-dessus bord m'indiqua où se trouvait le grand mât, même si cet indice se révéla superflu, puisque à ce moment-là une nouvelle lame l'envoya cogner contre la coque. Ces dégâts devaient avoir sonné le glas du gouvernail et réduit le navire à la condition d'épave. En fin de compte, on était devenu un énorme tas de bois sur le point de sombrer.

Cela me conduisit à la constatation suivante, qui m'apparut comme le comble de la dégueulasserie. Dans ce genre de circonstances, n'importe quel marin normal, ange ou pirate, n'a qu'une seule idée en tête : sauver son navire. Il se jette sur la hache la plus proche et se met à casser les espars endommagés avant qu'ils ne fassent couler le bateau. Les choses se passaient différemment sur la *Sincérité*. Certes, les Anglais s'affairaient comme dans une ruche, mais ils portaient tous leurs efforts sur la mise à l'eau de la chaloupe. Ils n'avaient apparemment pas la moindre intention de s'embarrasser de Mannois, préférant faire une petite balade privée entre eux. J'apercevais la côte, bordée d'un joli liseré d'écume là où les vagues se brisaient, et même si elle se trouvait à quelques milles, elle paraissait assez proche pour qu'ils puissent la gagner sans encombre.

C'était le type même du beau meurtre à l'anglaise. Commettre un crime *sans se mouiller*, voilà, m'est avis, la méthode préférée des Anglais. Tuer au fusil ou à coups de massue toute une cargaison de passagers, c'est pas très propre, et de plus un tantinet gênant vis-à-vis de la loi. Mais quoi de plus élégant que de se diriger discrètement vers le rivage et d'abandonner derrière soi un foutoir ? Il s'agit d'opération aussi facile que de laisser une portée de chatons se noyer dans un seau. Mon ami Potter n'avait qu'à fermer les yeux un instant pour concocter une jolie petite histoire à raconter aux curieux, et après quelques gentils coups de rame tous ses ennuis se seraient envolés. Il devait, me disais-je, se congratuler chaudement, derrière sa barbe. Pas étonnant que les deux types attachés aux pompes fulminent et poussent les hauts cris. Les gars enfermés dans le gaillard d'avant avaient dû les entendre, car ils tambourinaient et hurlaient à fendre l'âme.

Non que les Anglais se soient très bien débrouillés dans l'accomplissement de leur crime. En vérité, on n'avait jamais vu une bande de minables moins compétents dans l'art maritime. Ils avaient à descendre un canot, ce qui n'est guère la manœuvre la plus délicate sur un bateau, et ils s'y prenaient comme des manches. Le canot était bien suspendu contre le flanc du navire mais il n'avait parcouru qu'une cinquantaine de centimètres avant de rester joliment coincé en l'air. Quant aux Anglais, Skeggs – pâle comme la mort – était allongé dedans, la tête reposant sur l'un des bancs des rameurs, flanqué de Hodges et Hooper qui s'activaient sur les palans, tandis que, debout sur le pont, Potter leur faisait face par-dessus le bastingage, un tas de fusils et une serviette de cuir à ses pieds. Contenait-elle notre or ? L'or pour lequel on avait fait carrément le tour du monde... Bande de salauds !

Et ils étaient d'une humeur massacrante, s'invectivant comme des ivrognes qui se disputent la dernière goutte au fond d'une bouteille. J'imagine qu'ils avaient la frousse de ne pas réussir à se sauver et de se tuer accidentellement en même temps que tous les autres. Les pauvres innocents... S'ils avaient songé à me le demander, j'aurais pu leur expliquer ce qui n'allait pas, l'ayant compris au premier coup d'œil : les poulies étaient pratiquement bloquées par la rouille, et les cordes qui retenaient le canot s'effrangeaient comme de la laine. C'était d'ailleurs leur faute, vu le bel état dans lequel ils avaient eux-mêmes mis le navire.

« Il faut couper les cordages ! hurla Hooper.

— Mais ce serait pure folie ! répliqua Potter sur le même ton. Le canot risque de chavirer en heurtant l'eau ! »

Si seulement j'arrivais à gagner le gaillard d'avant et à libérer les autres, on avait une chance de s'en tirer. Ce serait difficile, cependant, entre les chaînes à porter et les fusils que Potter avait entassés à ses pieds. Je me préparais à tenter le coup quand j'entendis une imprécation : « Seigneur Dieu qui es aux cieux, je Te supplie d'abattre Tes ennemis. » Étrangement, ces dernières minutes, j'avais presque oublié l'existence du révérend. Mais le revoilà, l'air farouche, traversant le pont d'un pas ferme. Un instant, je craignis qu'il ne révèle ma présence, mais non, en proie à son délire, il ne me gratifia même pas d'un regard de mépris. Il était grand temps qu'un autre ait à le supporter. Tenez, il allait peut-être m'être utile en attirant sur lui l'attention de Potter.

« Arrière ! Éloignez-vous d'ici ! » hurla le médecin comme s'il chassait un fantôme.

D'un bond, je quittai aussitôt les marches et courus le plus vite possible jusqu'à la souche du mât d'artimon tombé, que j'atteignis sans recevoir la moindre balle. Il serait plus malaisé de gagner le gaillard d'avant. D'un signe, j'intimai aux deux pauvres squelettes attachés à la pompe de se tenir cois.

J'entendais Wilson marmonner derrière moi :

« Je dois prendre ce bateau.

— Je vous ordonne de fiche le camp ! » Potter aurait dû savoir qu'on ne pouvait donner d'ordres au révérend.

« Dieu dit qu'il est à moi.

— Dieu se trompe. »

Jetant un coup d'œil en arrière, je vis Potter agiter son pistolet sous le nez du révérend. Non que ça ait fait la moindre différence, puisque la seule façon de convaincre le vieux singe eût été de lui loger une balle dans le crâne. Il dut d'ailleurs regretter de ne pas l'avoir fait. Poussant soudain une sorte de cri aigu, Wilson se rua sur le bastingage, l'escalada, sauta de l'autre côté – un vrai pasteur volant ! –, et atterrit sans encombre dans le canot. Le plus surprenant fut ce qui arriva ensuite. Alors qu'il ne devait pas peser bien lourd, puisqu'il n'avait guère plus que la peau et les os, les cordages ragués ne résistèrent pas. L'un tint, mais l'autre céda, et ce qu'ils soutenaient tomba selon une parfaite verticale. Comment Wilson se retint, je ne saurais le dire. Les autres eurent moins de chance, ou moins de volonté. En un instant, Hooper, Skeggs et Hodges – ainsi que les avirons – s'éparpillèrent sur l'océan, créant de charmants petits remous. Je les entendis émettre de faibles gémissements, de plus en plus faibles, car le vent nous poussait loin d'eux. Un vrai miracle... J'aurais volontiers serré la main du révérend pour le féliciter d'avoir fait disparaître sans coup férir les trois quarts des compatriotes de Potter. Sans hésiter, je saisis ma nouvelle chance. Un bond de plus, et je fus devant la porte du gaillard d'avant. Laissant retomber mes chaînes en un seul tas, je me mis à dégager les verrous. Il y en avait un paquet, de ces satanés engins, et la moitié d'entre eux étaient bloqués par la rouille.

« De quel droit ? » hurla Potter au révérend. Me retournant, je vis qu'il ne savait quel parti prendre, tantôt jetant un œil par-dessus le platbord, dans l'espoir de sauver ses amis – même si on n'en voyait aucune trace –, tantôt fixant Wilson d'un air courroucé, comme s'il cherchait à se mettre en condition de tirer sur le vieux débris. Si c'était là son intention, il ne fut pas assez rapide. Ayant dû terriblement souffrir puisqu'il lui fallait supporter tout le poids du canot, la seconde corde cassa brusquement, et l'embarcation tomba dans la mer au milieu d'une énorme gerbe d'eau. Le visage de Potter devint plus rouge que sa barbe et, se penchant par-dessus le bastingage, il vida son arme. Je ne pus me rendre compte s'il avait atteint sa cible, le canot étant trop près du bateau, et il avait paru viser au petit bonheur.

Non que j'aie eu le temps de m'occuper de ce genre de détail. Je finis par dégager le dernier verrou, la porte du gaillard d'avant fut tirée de l'intérieur et des têtes familières apparurent. En vérité, elles n'étaient que familières. Si je croyais être en mauvaise forme, l'état de mes compagnons était dix fois pire et je n'avais jamais vu d'êtres aussi décharnés. Leurs visages avaient l'air de masques, leurs bras et leurs jambes n'étaient que des os enveloppés dans un peu de peau, comme des squelettes en chaussettes. Même Chine Clucas semblait avoir perdu la moitié de son poids. Si j'avais eu besoin d'un surplus de colère – ce qui n'était pas le cas –, cette apparition aurait achevé de me rendre fou de rage. Je fus stupéfait qu'ils réussissent tous à sortir en trébuchant, surtout les deux qui paraissaient déjà à moitié morts du scorbut. Évidemment, je suppose que rien ne peut vous redonner de l'ardeur comme d'avoir été enfermé et d'avoir failli mourir noyé. L'instant d'après, on libérait les deux hommes attachés aux pompes.

Interloqué et furieux de nous apercevoir, Potter nous cria : « Rentrez dans vos cabines ! » Comme il avait l'air gros et gras, à côté de nous !

Je ne donnai aucun ordre, mais tout se passa comme si chacun de nous savait ce qu'il devait faire. On se dirigea vers lui d'un pas chancelant, les malades donnant un coup de main aux mourants.

« Un pas de plus, et je tire ! » vociféra Potter.

On était trop en colère pour prendre garde à ses menaces. Alors que nous approchions de lui en titubant, il ramassa par terre tous les fusils, en mettant trois en bandoulière, saisissant le quatrième dans une main, tenant le revolver dans l'autre, ce qui donnait à ce médecin l'allure d'un vrai bandit. Jolie bataille rangée : d'un côté dix squelettes mannois, l'un d'eux traînant des chaînes, deux autres quasiment incapables de marcher, sans même un cure-dent pour se défendre ; de l'autre, un Anglais qui se prenait à lui seul pour une armée.

« Je vais tirer ! » Il brandit son fusil, l'agita dans un sens, puis dans l'autre, mais il ne sembla pas savoir lequel d'entre nous choisir. Il fouilla quelques instants dans sa poche, sans doute pour y prendre des balles de revolver supplémentaires, puis, poussant une sorte de jappement, comme un chien qui reçoit un coup de pied, il saisit la serviette de cuir et, dans un cliquetis de fusils, détala en direction des marches qui conduisaient aux cabines des maîtres. S'accrochant au panneau dans un bruit discordant, ses fusils l'empêchèrent presque de continuer sa course, ce qui le fit jurer comme un charretier, mais il réussit finalement à dégringoler les marches et à nous échapper. « Si l'un de vous descend ici, je lui tire dessus ! » annonça-t-il obligeamment. J'entendis un raclement de caisses qu'on déplace, comme s'il essayait de se bâtir une sorte d'abri.

Je l'abandonnai à son triste sort, ayant des tâches plus urgentes à accomplir. « Les débris ! » criai-je. J'aurais d'ailleurs pu m'abstenir d'en parler, car Chine Clucas était déjà en train de s'emparer d'une hache. En un rien de temps, le mât et l'attirail qui l'encombrait furent tranchés et, détachés du bateau, se mirent à dériver, tandis que Vartin Clague redressait la barre pour nous remettre d'aplomb. Me penchant par-dessus le bastingage, je jetai un coup d'œil sur les bordages. Le spectacle n'était guère ragoûtant… Le mât les ayant affreusement entaillés et défoncés, il ne me restait plus qu'à espérer qu'ils ne céderaient pas dès la première forte lame. Mais nous n'étions pas au bout de nos peines.

« On n'arrivera jamais à contourner ça… », grommela Brew. Pendant tout le temps qu'on s'était amusés avec l'Anglais, le vent avait poussé le bateau droit sur l'Angleterre, et on dérivait gentiment dans une baie. Brew fixait une longue pointe qui se projetait dans l'océan à bâbord. « Même si on met davantage de voile sur le mât de misaine et qu'elle tienne – ce dont je doute –, le vent est trop défavorable. »

Il avait raison, hélas ! Même en s'y reprenant trente-six fois, on n'arriverait jamais à éviter cet énorme rocher. Ces fichus Anglais avaient donc bousillé pour de bon ma *Sincérité*. Quel sale destin ! Elle nous avait transportés aux antipodes et ramenés, en plus, mais maintenant elle allait se fracasser contre des rochers de leur foutu pays ! Tout ce qu'on pouvait espérer était de ne pas sombrer avec elle. Étalant mes chaînes sur le mât d'artimon abattu, je demandai à Chine Clucas de les fendre à la hache, ce qu'il fit avec pas mal d'adresse avant de détacher les anneaux à l'aide du ciseau de Christian. C'était déjà quelque chose, en tout cas. Après avoir été enchaîné si longtemps, aussi légers que l'air, mes bras n'arrêtaient pas de battre tout seuls comme des ailes.

« Regardez, voici le révérend ! » s'écria Kinvig.

En effet, assis dans la chaloupe, à cent mètres de là, il gardait les mains jointes pour une autre petite séance de prières, au cas où Dieu se serait senti négligé. Son embarcation était très enfoncée dans l'eau, le vent paraissait le laisser tranquille et il dérivait avec le courant. Apparemment, il allait même contourner le promontoire. Pas moyen de nier que ce type avait vraiment une chance de pendu, même si je ne croyais pas qu'il puisse durer longtemps en pleine mer, surtout sans avirons. Aucune trace des trois autres.

Nous n'eûmes pas sa veine. Je regardai les autres canots : la chute des vergues les avait mis hors d'usage, en fracassant deux en mille morceaux et fendant de part en part les bordages de proue du troisième. On allait devoir faire, semblait-il, avec les moyens du bord… Il se pouvait que ça nous prenne une demi-heure, voire davantage, mais on arriverait toujours assez tôt. Il était difficile d'évaluer la rigueur des épreuves qui nous attendaient, et les lames se ruant sur la côte n'étaient guère accueillantes.

C'est le moment que choisit Brew pour demander : « Et où est l'or ? »

Voilà une bonne petite question. J'avais cru que ces Anglais avaient épuisé leur faculté de nuire, mais non, même maintenant le docteur avait réussi à gentiment nous filouter. Le sale voleur, avec sa serviette en cuir... Je regardai par l'écoutille et vis qu'il avait condamné la porte du carré à l'aide d'un entassement de caisses. Un fusil sortait par une brèche, au milieu.

« N'approchez pas ! hurla-t-il. Un pas de plus et je tire. »

Ce ne serait pas une bonne idée d'y aller, ça, c'était clair comme de l'eau de roche.

« On pourrait faire descendre quelqu'un par-dessus le bastingage de l'arrière, suggéra Brew.

— Il ne manquerait pas de le voir et de lui loger une balle dans le corps.

— Et le canon ? demanda Chine Clucas, d'une voix plutôt sinistre. On pourrait faire voler Potter en éclats. »

Le voir suffit pour nous ôter l'idée de la tête. Le mât d'artimon s'était abattu en plein dessus, l'aplatissant comme un rat pris dans une essoreuse. Mais une idée me vint :

« Et les compartiments secrets ? Est-ce qu'il est au courant ? »

Brew n'en était pas sûr.

« Il doit connaître leur existence. »

Comme l'avaient fort bien prouvé les douaniers londoniens, il y avait une énorme différence entre être au courant de leur existence et savoir comment y entrer. Ce serait hasardeux, pour sûr, vu qu'on n'avait aucune arme, mais est-ce que ça ne l'était pas aussi de se trouver sur une embarcation près de se fracasser contre une côte rocheuse ?

« Autant tenter le coup.

— Je viens avec vous », dit Chine Clucas en ramassant la hache.

Chine ferait parfaitement l'affaire pour ce genre de petite balade. Je pris un cabillot d'amarrage et nous voilà fin prêts. À part le carré, l'autre voie d'accès était la soute, nous ouvrîmes donc le panneau principal. Dans la cale, on découvrit un vrai lac dont les vagues baignaient le lest, léchaient les barriques vides et me trempèrent des pieds à la tête lorsque je descendis le long de la corde. Heureusement, l'eau n'avait pas atteint les fameuses planches de la muraille. Je perçus le léger déclic au moment où, tirant sur le câble spécial, Kinvig les fit tressaillir et s'écarter avec une grande souplesse. Ayant allumé une bougie, je jetai un œil à l'intérieur et compris clairement pourquoi on n'avait ni chaviré ni sombré. Savez-vous que le compartiment de la contrebande était quasiment sec à part une petite flaque d'eau qui clapotait au fond ? L'aurait-on voulu qu'on n'aurait pu construire pour la *Sincérité* deux meilleurs flotteurs.

Je grimpai à l'intérieur. N'apercevant aucune lumière à l'autre bout, du côté où se trouvait Potter, j'en déduisis que le panneau s'ouvrant sur le carré devait toujours être fermé, ce qui me rassura. Sauf s'il avait deviné nos intentions et attendait un moment propice. De toute façon, une chose était certaine : on ne pouvait courir le risque d'être entendus. Je chuchotai donc aux gars de gagner l'arrière et de le harceler en faisant tout le boucan dont ils étaient capables. Peu après, je les entendis hurler près de son repaire, le traiter de tous les noms – art dans lequel les Mannois sont passés maîtres –, tandis que Chine et moi-même entreprenions notre petite excursion.

Tâche fort malaisée. Pour ne pas glisser, on dut descendre vers l'endroit où le passage était le plus étroit et le plus de guingois, et même là il était difficile de se frayer un chemin – nos jambes se tordant à cause des planches –, d'autant plus que pour éviter de révéler notre présence on était obligés d'empêcher la hache et le cabillot de frotter contre les parois. Plus on avançait, plus il faisait noir, et plus on percevait l'odeur du cognac et du tabac. Tout autour de moi, j'entendais la muraille craquer, nous rappelant qu'on était coincés dans une petite poche d'air et que des tonnes d'eau de mer appuyaient sur les deux flancs du navire. J'avais choisi celui qui n'avait pas été défoncé par le mât mais ça ne faisait guère de différence, puisque, si les bordages cédaient, la *Sincérité* plongerait plus vite qu'un marsouin. J'appréhendais également qu'un petit bout d'Angleterre vienne nous surprendre en crevant soudain la coque du navire. Pendant qu'on progressait, le ton des insultes des hommes varia à maintes reprises, montant ou diminuant, durcissant ou s'adoucissant, selon les voies qu'elles empruntaient pour traverser la charpente du bateau. Finalement, il y eut une violente détonation suivie d'éclats de rire, signe que les gars avaient tant nargué Potter que celui-ci avait gâché une balle. Ils avaient dû finalement trouver l'insulte qui avait fait mouche.

Entre-temps, nous avions enfin atteint le bout du tunnel. Nous nous glissâmes entre les parois comme deux petits ramoneurs et nous hissâmes jusqu'à ce que je sente la présence des câbles commandant l'ouverture de la trappe. Je n'entendais que les cris des matelots. Si Potter avait découvert l'entrée par hasard – ce qui n'était pas impossible puisqu'il avait occupé ma cabine pendant tous ces mois –, il devait nous attendre de pied ferme, mais on était bien forcés de tenter le coup. Le panneau n'avait jamais grincé jusque-là et j'espérais qu'il n'avait pas pris de mauvaises habitudes. Je tirai sur les câbles aussi délicatement que d'avoir emmené Chine Clucas dans cette dernière petite excursion. Mais qu'aurions-nous pu faire d'autre ? Je vous le demande…

« Alors, ça, c'est les pépètes ? » s'enquit Brew en désignant la serviette de cuir.

Je l'avais complètement oubliée. Remarquez, je l'avais trimbalée en pure perte. Je l'avais traînée et sortie du bateau comme si ma vie en dépendait et, quand je l'ouvris, je n'y trouvai que du papier. À quoi ça pouvait bien servir ? En plus, autant que je pouvais en juger, il s'agissait d'un vrai galimatias qui ne parlait que de types, de caractéristiques et autres idioties. J'avais du mal à comprendre pourquoi Potter semblait y tenir comme à la prunelle de ses yeux.

Chine montra la dune derrière nous. « Quelqu'un vient ! »

Suivant son regard, je vis deux quidams à cheval se diriger vers nous. Des sauveteurs, il ne manquait plus que ça ! À en juger par leurs vête-ments, ils avaient l'air de paysans. Ils n'en revenaient pas de nous voir si décharnés.

« Dieu du ciel ! qu'est-ce qui vous est arrivé ? »

C'est en répondant à des questions comme celle-ci qu'on finirait au bout d'une corde.

« On arrive de Tasmanie. On s'est trouvés à court de vivres. »

Ça suffit à les calmer ; pour le moment, en tout cas.

« Je vais aller chercher le chariot. »

Le plus prudent serait de filer le plus loin et le plus vite possible, avant qu'il ne soit trop tard. Qu'il s'agisse de sauveteurs, de ramasseurs d'épaves ou simplement d'un Anglais trop curieux, ce serait du pareil au même. Après ça, peu importerait qu'on ait été dans notre bon droit. D'ailleurs, ce qui compte, ce n'est pas d'être dans son *droit*, mais d'être *cru*, ce qui n'a strictement rien à voir. Un rapide examen du bateau révélerait assez de mystères pour nous faire traduire devant un tribunal anglais et comme contrebandiers, et comme meurtriers. Tandis que des types couverts de diplômes se rappelleraient à quel point le Dr Potter avait été un très respectable gentleman.

Ce serait bien ma veine, non, d'avoir passé tous ces longs mois à me battre contre ce vieux chameau et puis, juste au moment où je pensais avoir gagné la partie, de me retrouver pendu au bout de son propre cadavre ?

## 15

### Timothy Renshaw. Mars-avril 1858

Je me retrouvai dans une pièce toute simple, la lumière jaune du soleil couchant illuminant les draps du lit. Une jeune femme inconnue me regardait en souriant comme si j'avais fait une plaisanterie, mais je doutais beaucoup que ce fût le cas.

« Bien, bien… Bonjour à vous ! »

J'étais tout hébété.

« Où suis-je ?

— Dans la ferme de papa, bien sûr !

— Y a longtemps que je suis là ?

— Presque deux jours. » Elle sourit à nouveau. « On s'est posé des questions. On avait l'impression que vous aviez traversé toute la brousse à pied. Est-ce que vous avez un nom ?

— Timothy Renshaw.

— Moi, c'est Liz. Liz Sheppard. »

Les souvenirs me revenaient, même si tout semblait assez irrél et s'être passé il y avait bien longtemps. « J'ai vu des anges. »

Le sourire s'estompa.

« C'est juste. Ce sont les œuvres de papa. Y en a partout. »

Ce ne fut qu'un mois plus tard que j'appris toute la vérité sur les anges. Ce matin-là, le père de Liz était parti faire des achats et ses frères étaient sortis inspecter les clôtures, pendant que Liz et moi nous rendions dans la grange. Elle m'avait laissé déboutonner le haut de sa robe et délacer son corset, et quoique j'eusse bien aimé la déshabiller un peu plus, c'était déjà bien agréable comme ça. J'étais tout à mon affaire, lorsque son humeur changea brusquement.

« Ça suffit ! s'écria-t-elle d'un ton furieux, me repoussant et cachant ses jolis seins tout ronds. Tu n'as pas le droit, absolument aucun droit ! »

J'étais décontenancé.

« Qu'est-ce qui ne va pas ? Tu avais plutôt l'air d'aimer ça… »

Elle darda sur moi un regard accusateur.

« Tu te fiches pas mal de moi. Pour toi, je suis seulement une amusette. »

Les filles ont la manie de devenir sérieuses au pire moment.

« C'est pas vrai ! » rétorquai-je, même s'il est probable que j'espérais surtout l'amadouer et la persuader de se laisser aller à nouveau. Au lieu de quoi elle fondit en larmes.

« Je sais pas pourquoi je te laisse m'approcher. Tu vas seulement me faire du mal. » Elle eut soudain un air presque hagard. « Si tu avais été au courant, tu ne m'aurais même pas regardée. »

Première nouvelle !

« Au courant de quoi ? »

— À propos de papa. » Sa voix, d'habitude forte et désinvolte, devint presque inaudible. « C'est un ancien de Port Arthur. Il n'a fait que prendre le sac d'un type dans une hôtellerie parce qu'il avait faim et a remis ça une seconde fois alors qu'il aurait dû se tenir à carreau, mais ça a suffi. C'est à Port Arthur qu'il a commencé à sculpter. Il faisait des statues pour le jardin de la femme du commandant. »

Je suppose que je m'étais déjà posé des questions. Le dimanche précédent, je m'étais enfin senti assez bien pour les accompagner à l'église – sorte de petit hangar coiffé d'un toit de zinc – et j'avais remarqué les regards des voisins.

Elle se mit en rogne.

« Eh bien ! va-t'en ! Fiche le camp et ne remets plus les pieds ici ! Après tout, tu ne voudrais pas qu'on te voie te promener avec la fille d'un bagnard. »

Je l'embrassai et elle me rendit mon baiser, goulûment. Puis elle se laissa gentiment aller, à tel point que je parvins quasiment à mes fins. Couchée dans le foin, elle formait d'ailleurs un assez joli tableau.

J'avais déjà commencé à aider un peu aux travaux de la ferme. Cet après-midi-là, je sellai le cheval pour aller jeter un coup d'œil sur les moutons près de la rivière, à l'endroit où le père de Liz disait avoir aperçu un loup en train de rôder. Il faisait beau, les arbres prenaient leurs teintes automnales et c'était agréable de chevaucher en pleine nature, coiffé d'un chapeau à large bord pour me protéger du soleil, une cape sur les épaules au cas où il serait mis à pleuvoir. Bien plus qu'à Londres, quelque chose dans cette région me donnait le sentiment d'être en vie.

J'avais du mal à penser à M. Sheppard comme à un ancien de Port Arthur. Avec ses épaules tombantes, son air timide et effarouché, on lui aurait donné le bon Dieu sans confession. Donc, j'avais embrassé la fille d'un bagnard… Qu'aurait dit ma mère ? Ce n'était guère le genre de nouvelle qu'elle voudrait annoncer à ses amies de la bonne société. Tenez, rien que de penser à maman me donnait envie de rentrer sur-le-champ pour me remettre à lutiner Liz. Ce que je faisais ne regardait plus ma famille. Puisqu'on m'avait envoyé ici, au péril de ma vie, j'étais désormais maître de mon destin. Pourquoi ne pas rester ? Cette vie me plaisait assez. Si la ferme ne paraissait pas rapporter gros, la terre n'était pas mauvaise, et la famille de Liz semblait pouvoir subvenir à ses besoins sans se fouler la rate. Tenez, j'appréciais même la végétation du pays. À Londres, étudier les plantes avait été une corvée, alors qu'ici elles servaient à quelque chose. En plus du potager, la ferme possédait plusieurs champs de blé ainsi qu'une petite pommeraie, et j'avais pu dispenser quelques conseils utiles. Et Liz ? Sans compter le fait qu'elle m'avait ramené des rives de la mort, c'était une fille fort appétissante et bien roulée, qui m'avait témoigné davantage d'affection que ma famille durant toute mon existence. Oui, si ça me chantait, je pourrais même épouser la fille d'un ancien forçat.

Je vis qu'un des agneaux était passé à travers le grillage, il devait se croire très malin, d'avoir réussi à se retrouver dans la brousse, juste de l'autre côté. Il aurait vite changé d'avis si un loup s'était jeté sur lui pour en faire son repas. J'allai le rechercher mais il ne se laissa pas facilement rattraper, courant d'un côté, puis de l'autre, pour m'éviter, me faisant même une fois tomber de cheval avant que j'arrive à m'emparer de lui et à le remettre avec ses congénères. Je réparai ensuite la brèche par laquelle il s'était faufilé, et quand je revins enfin à la maison, c'était déjà presque le crépuscule. Liz travaillait encore dans le potager et elle me vit passer à cheval. Elle paraissait remise de ses émotions.

« Tu t'es vu ? » fit-elle en éclatant de rire. Je suppose que j'avais ramassé pas mal de poussière. « Tu as l'air d'un vrai Tasmanien. »

## M. P. T. Windrush. 1865

*Curiosités de l'île de Wight*
Chapitre six : Une île d'excentriques (extrait)

Cependant, c'est dans le petit village de Chale, juste au-delà de la pointe de Sainte-Catherine, qu'on peut rencontrer l'un des personnages les plus extraordinaires. Allez voir la vieille église ravissante, d'où l'on jouit d'une magnifique vue de la côte s'étendant vers l'ouest à perte de vue, et vous aurez une chance de découvrir, assis sous le porche, le bonhomme jovial et vêtu de haillons, connu dans toute l'île comme « le Messie de Chale ».

L'aubergiste du village le trouva sous les falaises sombres qui se délitent, typiques de cette partie de Wight. Affreusement décharné, il avait l'air d'un naufragé ayant miraculeusement échappé à la noyade, mais la raison de son arrivée sur ce rivage reste à ce jour un mystère fort discuté à Chale. Des planches semblant avoir appartenu à un canot à rames jonchaient la grève mais elles ne portaient pas la moindre marque et, ayant perdu la tête au point d'être incapable de donner son nom, le pauvre malheureux ne put fournir le moindre renseignement. Est-il idiot de naissance ou l'est-il devenu après quelque tragédie en mer ? Il est probable qu'on ne le saura jamais. (D'aucuns ont suggéré que c'était à cause de l'eau de mer qu'il avait bue.)

L'aubergiste et son épouse s'efforcèrent de le soigner jusqu'à ce qu'il ait retrouvé un assez bon état de santé physique mais, hélas ! il ne recouvra pas tous ses esprits et continua à parler à tort et à travers sans qu'on puisse vraiment comprendre le sens de ses propos. Ayant exprimé d'emblée le modeste et touchant désir de se rendre à l'église la plus proche, dont il entendait le carillon depuis son lit de malade, il fut si enthousiasmé par ce temple qu'à peine remis il insista pour habiter sous son porche. Là, il se comporta comme un simple d'esprit au sourire béat, débitant des imbécillités à qui voulait l'entendre et exhortant les passants à sauver leur âme ! Resté seul, il continuait à parler d'abondance, les yeux fixés sur sa droite, comme s'il faisait part de la plus petite nouvelle à quelque invisible fantôme assis à ses côtés, qu'il s'agît d'un changement de temps ou de la chute d'une feuille dans son giron. Lorsqu'on lui demandait le nom de son interlocuteur, il vous regardait d'un air bizarre mais sa réponse ne variait jamais : « À mon Père, mon Père qui est aux cieux. » D'où son surnom.

Comme il y avait toujours quelqu'un pour offrir au Messie un penny ou un quignon de pain, il tenait assez bien le coup. Il ne plaisait pas à tout le monde, cependant. Il montra dès l'abord une grande antipathie vis-à-vis de M. Roberts, le pasteur, qu'il lui arrivait de dénoncer comme un « suppôt de Belzébuth ». M. Roberts en vint à suggérer qu'on le mît dans un asile d'aliénés. On s'aperçut alors que le Messie n'était pas dépourvu d'amis dans le coin, en particulier un fermier non-conformiste qui eut la générosité de lui offrir un logis, à savoir une dépendance inoccupée située sur ses terres et qui avait naguère servi d'abri à animaux. Existait-il endroit plus adéquat pour recevoir un Messie ? Il y vit toujours, mais passe ses journées assis sur le mur du cimetière à bavarder joyeusement avec son Père divin. Sa renommée a tellement grandi qu'elle suscite même la curiosité d'habitants d'autres parties de l'île. Quand apparaît un visiteur, le Messie adore lui montrer, tout à côté de son humble logis, une bande de terre envahie par la végétation, où jadis les cochons se prélassaient au soleil mais qui, selon lui, est le jardin d'Éden !

Un autre mystère à propos de cet homme : sa connaissance des roches. Bien qu'il n'arrive même pas à se rappeler son propre nom, il connaît parfaitement celui de chaque pierre. Qu'on lui présente n'importe laquelle, ou n'importe quel minéral, et il les nomme immédiatement. Il ne se trompe jamais.

### Peevay. 1858-1870

Je l'ai donc eue, ma surprise ! Quand j'ai regardé de mon endroit secret ces types qui approchaient dans leurs quatre bateaux, les tiraient sur le rivage et en sortaient des *provisions*, j'ai vu qu'ils ne ressemblaient pas du tout à papa mais qu'ils étaient tous différents les uns des autres. La lumière de la lampe a révélé qu'un était blanc – peau blanche et yeux pâles, comme tous les nommes –, mais juste à côté y en avait un autre qui était aussi noir que maman. D'autres étaient mélangés comme moi : peau claire avec un nez de Palawa, ou visage noir mais cheveux roux. Mais même les Blancs ne ressemblaient pas aux nommes habituels, non, car ils ne faisaient pas les fiers comme les sales Blancs. Non, c'était pas des ennemis, ça, je pouvais le deviner. Je me suis levé, j'ai quitté ma cachette et leur ai crié bonjour, ce qui les a fait se retourner pour éclaircir ce drôle de mystère.

Alors j'ai eu ma seconde surprise. Vous savez, c'était pas des inconnus mais mes frères et sœurs. Des tas de frères et sœurs dont j'avais même pas soupçonné l'existence. Non pas que tous étaient les enfants de papa, car d'autres hommes blancs avaient vécu ici avant pour attraper comme lui des phoques et des puffins, mais beaucoup l'étaient. Vraiment, c'était une très heureuse découverte qui m'a réjoui le cœur, la meilleure nouvelle de ma vie. Donc, j'étais pas tout seul, en fait. Oui, j'avais une famille dont j'avais jamais entendu parler. C'était la *horde de Peevay*.

Papa était mort il y avait cinq ans, c'est ce qu'ils m'ont appris cette nuit-là. Sa mort n'avait rien d'intéressant, non. Il s'était rendu en bateau sur l'île de mort de Robson pour aller chercher des provisions, s'était saoulé, endormi devant le *magasin d'approvisionnement* par une nuit glaciale. Il est rentré chez lui avec la fièvre, est allé se coucher et a été retrouvé mort dans son lit. C'était le dernier père blanc à vivre là, et le plus mauvais, alors personne n'a eu du chagrin. On l'a mis de l'autre côté de la colline pour ne pas avoir à regarder l'endroit où il était enterré, sauf de temps en temps. Les mères, toutes des Palawas volées comme maman, étaient maintenant mortes elles aussi, mais elles avaient été placées près des maisons pour qu'on puisse les saluer tous les jours.

Donc, maman avait vécu plus longtemps que papa, même si elle ne l'avait pas su. Ça, ça lui aurait plu, je me suis dit.

C'est drôle que même si on ne disait que du mal de papa – qu'il buvait trop ou qu'il donnait de sales coups pour trois fois rien –, j'arrivais pas à le détester complètement. D'accord, c'était un salaud sans rien de bien en lui, mais quelque chose de bien est venu de lui, même si c'est juste grâce à un hasard idiot qu'il n'avait pas du tout prévu. Vous voyez, il m'avait fait, et maintenant il me donnait ma tribu. Voilà un mystère à n'y rien comprendre.

Donc je suis là, chez moi. Des fois, je me réveille la nuit, et c'est un nouveau casse-tête que j'ai tant de chance de simplement vivre, de chasser les phoques avec les autres, d'attraper des puffins et de ramasser les œufs dans les trous qu'ils font par terre. Le seul moment où je vois des hommes blancs, c'est quand je vais sur l'île de mort de Robson pour vendre des choses et acheter de nouvelles provisions. Le *marchand* sourit parce qu'il est content qu'on soit ses clients, mais je vois bien dans son regard qu'il nous méprise. Les salauds de fermiers blancs – ils occupent l'île maintenant – sont pires : ils rient et me lancent des noms magiques quand ils sont saouls. En réalité, c'est une bonne chose, parce que ça me force à me rappeler qu'il faut continuer à se battre. Vous voyez, mes nouveaux parents ne connaissent pas grand-chose du monde, ni même sur eux-mêmes, puisque papa ne les a jamais mis au courant, alors mon cher désir est de leur donner des leçons. Je leur apprends l'écriture, les *lois*, les pièges des Blancs, *l'escroquerie de la Bible*, et d'autres choses encore. Ils doivent tout savoir pour pouvoir survivre. Qui sait ? peut-être qu'un jour ils arriveront à combattre ces sales bougres. Voilà mon rêve. C'est mon plus cher désir tout au fond de ma poitrine, et je m'efforcerai de le réaliser jour après jour.

## Le capitaine Illiam Quillian Kewley. 1858-1859

J'appris la nouvelle seulement une semaine ou deux après mon retour à Peel, alors que les remontrances d'Ealisad résonnaient toujours dans mes oreilles. Elle émanait des assureurs de la *Sincérité*, là-bas, à Douglas, et elle était on ne peut plus atroce, cette nouvelle. Ils avaient reçu une lettre d'un certain Jonah Childs leur annonçant son intention de faire renflouer la *Sincérité*, à ses frais, vu qu'il n'y avait aucune cargaison à bord.

Un vent de panique souffla. La plupart des matelots filèrent à Whitehaven ou à Liverpool à la recherche de n'importe quel boulot sur un navire en partance pour des horizons lointains. Brew trouva un poste de second sur un bateau près d'appareiller pour quelque pays d'Amérique du Sud, Kinvig disparut à bord d'un vapeur crasseux mettant le cap sur New York, tandis que Chine Clucas alla jouer les géants sur un navire transportant du thé qui faisait voile – heureux hasard ! – vers...

la Chine. Je leur aurais bien emboîté le pas, mais en fait je n'arrivais pas à me décider. Je ne sais pas si c'était à cause de ce voyage de retour où on avait crevé de faim et subi les pires épreuves, ou des événements de la dernière matinée, mais j'avais l'impression d'être vidé. À quoi ça servirait, de courir à l'autre bout du monde, alors que j'étais sûr qu'on me rattraperait tôt ou tard ? Après tout, il n'y a pas des tas de capitaines au long cours mannois, et rien de tel qu'une histoire de meurtre pour ameuter la terre entière.

Ne pouvant rester là les bras croisés, un beau jour je m'embarquai pour Dublin. Je revins par le chemin des écoliers. Passant d'abord par Liverpool, je me rendis à Douglas avant de regagner à pied la ville de Peel en franchissant discrètement les collines, la nuit. De là, j'allai directement chez le cousin Tobm, descendis à pas de loup dans son sous-sol où je me tins sans faire de bruit. Je ne peux pas dire que ce séjour était une partie de plaisir, mais au moins ça me permettait de rester en vie. L'humidité ne me dérangeait pas vraiment, ni la solitude, car on en a l'habitude sur les bateaux. Le cousin Tobm descendait chaque jour me voir et Ealisad venait me rendre visite une fois par semaine pour me houspiller un peu plus. Ç'aurait été supportable, sans le chat de mon hôte. Pour toute fenêtre, il n'y avait que quelques morceaux de verre plantés au milieu des pavés du jardin de Tobm. Quand le soleil était haut dans le ciel, il brillait joliment par ces carreaux, créant de belles plaques lumineuses sur le sol près de la table, mais c'est juste à ce moment-là que l'énorme matou de Tobm adorait s'installer dessus en me plongeant dans les ténèbres. Sans doute qu'il aimait se prélasser sur le verre chaud. J'ai tout essayé : hurler, taper contre le plafond avec un pied de chaise... Rien n'y fit. Quand on est impuissant, les animaux s'en rendent toujours parfaitement compte.

L'automne succéda à l'été, puis vint Noël et ses frimas. Je toussai et pestai contre cette prison privée. Je m'étonnais et m'inquiétais pendant tout ce temps que certains quidams ne se soient pas ramenés d'Angleterre, comme je m'y attendais, pour fouiner partout, l'œil fureteur, et demander Illiam Quillian Kewley. S'ils avaient débarqué, je l'aurais appris séance tenante, vu que le cousin Tobm était aux aguets et que, lorsqu'un étranger fait son apparition à Peel, on le sait dans l'heure. Ce n'était pas que j'avais hâte de les voir, mais rien ne tracasse un homme comme de ne pas comprendre ce qui se passe. En outre, plus ils tardaient, plus j'étais forcé de rester à moisir dans cette cave.

Enfin, l'hiver céda le pas au printemps, mais, qu'est-ce que vous croyez ? dès que le soleil devint sensiblement plus chaud, le chat s'affala à son endroit favori, me précipitant dans l'obscurité. Peu de temps après, Ealisad m'apporta une lettre de Jonah Childs lui-même.

433

J'y trouvai un adorable petit carton d'invitation ainsi que des billets pour le train et le bateau à vapeur.

*Vous êtes invité à une exposition à la faculté de médecine de Londres*
*où seront présentés les objets de la collection*
*du très regretté Dr Thomas Potter,*
*explorateur et écrivain,*
*rassemblés durant son récent voyage d'exploration*
*de la colonie royale de Tasmanie.*

Il s'agissait évidemment d'un piège, mais tant pis ! J'en avais assez de me terrer dans le noir depuis des mois à grelotter et à tendre le dos. Si je devais être pendu, eh bien ! le plus tôt serait le mieux. Alors je suis remonté à la surface, donnant au passage un bon petit coup de pied au chat pour saluer ma rentrée dans le monde. Peu après, je traversai une mer d'Irlande printanière sur un vapeur, regardant les passagers vomir et faire tout un tintouin à cause du petit grain qu'on essuyait. Puis je me retrouvai dans un train qui quitta Liverpool à toute vitesse, sifflant, hurlant et barbouillant tout le monde de suie. Et tout à coup je fus replongé dans la bousculade insensée de Londres, que j'avais pensé ne jamais revoir. Un taxi me déposa devant le bâtiment plutôt sinistre où éclosent les médecins. Après avoir regardé mon invitation, les portiers hochèrent la tête et m'indiquèrent un escalier.

Je m'attendais un peu à tomber sur une bande de policiers prêts à m'alpaguer, mais non, il y avait vraiment une exposition. Je pénétrai dans une immense salle animée comme une ruche, bourrée de snobs londoniens endimanchés qui allaient et venaient dans la pièce, papotant et se saluant d'une voix forte. En plein milieu se dressait un beau portrait de notre bon docteur lui-même, sourire aux lèvres. Bien le bonsoir à toi, également. Tout autour s'alignaient des vitrines où s'entassaient les crânes et les ossements qu'il avait rassemblés. Certains, fixés sur des supports, reconstituaient les squelettes entiers, penchés en arrière, les bras pendant de chaque côté, comme si l'espoir était toujours permis. Le bateau avait donc été récupéré en assez bon état. Mais alors, justement, comment se faisait-il qu'on ne me mette pas la main au collet ?

« Capitaine Kewley ? » Toutes dents dehors, Jonah Childs me saluait comme si on était de vieux copains. « Je suis si heureux que vous ayez pu venir, surtout de si loin ! Mais permettez-moi de vous présenter… »

Je me retrouvai en train de serrer la main d'un major de l'armée anglaise, un énorme bonhomme, gros et gras qui, selon Childs, avait exploré des déserts à dos de mulet, même si on avait l'impression que seul un éléphant aurait pu supporter une telle charge, ainsi que celle de deux amis médecins de Potter. C'étaient eux et Childs qui avaient organisé l'exposition.

« Mais c'est en tout premier lieu le capitaine Kewley qu'on doit remercier, déclara Childs en me décochant un large sourire. Sans lui, en effet, l'ouvrage du Dr Potter ne nous serait jamais parvenu. Si quelqu'un mérite notre gratitude, c'est vous, capitaine. »

Première nouvelle !

« Quel ouvrage ? »

Il éclata de rire.

« Mais, vous savez bien… *La Destinée des nations*. C'est vous qui l'avez rapporté à terre. »

J'en déduisis qu'il s'agissait à l'évidence du tas de galimatias que contenait la serviette en cuir.

Childs trouvait l'histoire très drôle.

« Vraiment, capitaine, ajouta-t-il, l'air radieux, vous pouvez être fier. Vous avez sauvé une très grande œuvre. On ne parle que de ça. Les commandes affluent, et l'imprimeur a du mal à tenir le rythme. »

Je me demandai un instant si on me tendait un piège. Au milieu de tout le charabia, y avait-il quelque chose de caché qui m'incriminât ? Cependant, tout sourires, Jonah Childs et ses copains docteurs se montraient fort charmants. C'était tenter le diable et risquer le tout pour le tout, mais je ne pus m'empêcher de demander : « Par conséquent, le renflouage s'est bien passé, pas vrai ? »

Childs poussa un petit gloussement.

« Vous plaisantez, capitaine ? Quoi ! on n'aurait pu imaginer pires difficultés ! D'abord, le temps n'aurait pu être plus atroce, bien qu'on fût censé être en plein été. Puis, le bateau était davantage enfoncé dans la vase que prévu. Ensuite, il y a eu la traîtrise des sauveteurs qui ont soudain décidé de filer dans le Devon pour s'occuper d'une autre opération plus juteuse. Ça a pris plus de quatre mois. »

Après m'être tellement avancé, je me sentis obligé d'aller jusqu'au bout.

« Vous avez eu des surprises ? »

Savez-vous qu'il m'a fixé d'un air inquiet, comme si c'était *lui* qui était soupçonné ?

« Je vous assure qu'il n'y avait rien d'autre que les collections du Dr Potter. Si on avait trouvé autre chose, j'en aurais naturellement informé vos assureurs.

— Je n'en doute pas, monsieur Childs. »

La marée l'avait-elle emporté ? Il était possible que le bateau se soit éventré en heurtant les fonds marins et qu'il ait été éjecté. Je sentais un large sourire près d'éclore sur mon visage. Quoi de plus agréable, en effet, que d'apprendre un beau soir que finalement on ne va pas être pendu ?

« Mais il y a là d'autres personnes que vous devriez rencontrer, roucoula Childs pour se montrer aimable. Je n'imaginais pas du tout que l'exposition attirerait tant d'éminentes personnalités. Cet homme de haute taille à cheveux gris est député, et celui-là, à côté de la porte, est un philosophe dont on admire beaucoup les écrits. Cet autre qui se tient à côté de lui... »

Peu m'importait qui ils étaient. Je n'avais qu'un seul désir : me retrouver seul dans un coin calme pour remercier ma bonne étoile.

« Si ça ne vous ennuie pas, j'aimerais visiter l'exposition. Je ne voudrais pas rater ça.

— Bien sûr, capitaine, bien sûr. »

C'est ainsi que je commençai à faire un petit tour dans la salle sans vraiment prendre la peine d'examiner soigneusement les objets exposés, trop absorbé que j'étais dans mes délicieuses pensées. J'étais libre. Et je n'aurais même pas eu besoin de m'enfermer dans ce sous-sol durant tout ce temps... Quelle idiotie ! Quelle folie !

J'avais à peine parcouru la moitié de l'exposition que je m'arrêtai devant un autre ensemble d'ossements, disposés sur un beau cadre de métal et joints les uns aux autres avec beaucoup de soin et de précision. Je n'allais pas m'y attarder longtemps, cependant un gros trou dans le crâne, juste au-dessus de l'œil droit, attira mon attention. Simple coïncidence, sans doute, mais n'était-ce pas plus ou moins à cet endroit que Chine Clucas avait frappé avec sa hache ? Sur le cadre était apposée une plaquette en cuivre sur laquelle était joliment gravée l'inscription suivante :

*Squelette d'un homme inconnu. Probablement aborigène de Tasmanie.*
*Peut-être victime d'un sacrifice humain*

Juste à côté se trouvait une petite vitrine dans laquelle était exposé un petit morceau de quelque chose qui ressemblait à de la peau.

*Amulette aborigène utilisée en sorcellerie*

On ne pouvait se tromper sur l'origine des poils : courts, de la bonne taille pour des poils de barbe, et d'une jolie nuance de roux.

Il n'avait pas été emporté par les flots. Il avait été nettoyé de toutes ses chairs. En quatre mois, des animaux marins devaient avoir eu largement le temps de se taper la cloche.

L'espace d'un instant, je craignis que Jonah Childs et les autres ne viennent m'arrêter pour me jeter en prison, mais personne ne bougea. Ils continuèrent à se saluer, à se faire des politesses, à échanger des plaisanteries comme d'habitude...

Personne ne semblait particulièrement intéressé.

*Épilogue*

Tout écrit – qu'il s'agisse ou non d'un roman – modifie et condense ce qu'il dépeint. C'est l'un de ses premiers desseins. Cela dit, j'ai tenté de représenter l'époque où se passe l'action de manière aussi fidèle et précise que possible. Les principaux événements de la partie tasmanienne du roman sont fondés sur des faits réels, de l'enlèvement des femmes aborigènes par des chasseurs de phoques au massacre de la falaise, en passant par les singuliers sévices infligés aux bagnards, le fiasco de la « Ligne noire » ainsi que la tragique farce de l'île de Flinders. De même, certains des personnages sont fortement inspirés par des figures de l'époque, notamment Robson, les divers gouverneurs et leurs épouses, ainsi que « maman » (Walyeric). Son modèle est Walyer, une femme redoutable qui combattit les Blancs et à qui elle inspirait une terrible crainte. Elle savait se servir des armes à feu, avait, disait-on, ouvert une nouvelle piste à travers la brousse pour faciliter le déroulement de ses campagnes et connaissait très bien des jurons anglais qu'elle proférait en lançant ses attaques. Finalement capturée par les Britanniques à la fin de l'année 1831, elle s'efforça d'organiser immédiatement une révolte de ses congénères aborigènes. Elle mourut peu de temps après.

Tayaleah, alias George Vandiemen, est un autre personnage inspiré par un homme ayant réellement vécu. Le vrai George Vandiemen était un enfant tasmanien aborigène qu'on trouva en 1821 en train d'errer près de New Norfolk après avoir été séparé de sa famille. Son nom indigène ne nous est pas parvenu. Cette découverte attira l'attention de William Kermode, un colon récemment arrivé – un Mannois, étrangement –, qui décida de l'envoyer à l'école en Angleterre, dans le Lancashire. Après avoir fait de bonnes études, le jeune garçon fut renvoyé en Tasmanie en 1828, mais tomba malade et mourut bientôt. Sa brève histoire fut vite oubliée.

Je voudrais maintenant faire un petit bond en avant. Pendant les années 1850, une révolution tranquille se déroulait en Angleterre. Auparavant, les Européens avaient fréquemment traité d'autres peuples avec beaucoup de cruauté – le pire exemple étant notoirement l'esclavage –, mais parmi les gens instruits pratiquement personne n'avait tenté de justifier ce comportement. Si l'on avait peut-être fait fi du

437

principe biblique selon lequel les hommes sont plus ou moins égaux, dans l'ensemble, on ne l'avait pas remis en doute. Tout cela allait changer. En 1850, un médecin renégat nommé Robert Knox publia *Les Races humaines. Fragment.* Il s'agissait par maints aspects d'un livre précurseur du *Mein Kampf*, de Hitler, qui affirmait que toute l'Histoire n'était qu'une suite de conflits raciaux (un peu comme, deux ans plus tôt, Karl Marx et Friedrich Engels, dans leur *Manifeste du parti communiste*, avaient déclaré que l'Histoire n'était qu'une lutte entre les classes économiques). Knox fut l'un des premiers à écrire que les diverses races humaines étaient en fait des espèces différentes (idée grotesque à la lumière de la science moderne), et personne ne sera surpris qu'il ait soutenu que le Saxon d'Angleterre se trouvait tout au sommet de la hiérarchie. Son ouvrage fut sur-le-champ un succès de librairie. Pour la première fois, il devint acceptable, voire à la mode, de considérer le monde sous cet angle. Bien que ces théories aient été vigoureusement combattues dans certains milieux, elles continuèrent à gagner du terrain, formant une sorte d'arrière-plan sonore discordant qui se fit entendre pendant toute la fin du siècle. Elles ont depuis porté leurs fruits hideux, que l'on peut contempler aujourd'hui encore.

Si seulement les Anglais de l'époque victorienne avaient pris la peine de mieux étudier les éléments à leur disposition... Durant toute la fin du XIX^e siècle, on jugeait en général que la race la moins évoluée avait été celle des aborigènes de Tasmanie, race souvent considérée comme une façon de chaînon manquant entre les hommes et les singes et comme totalement dénuée de raison – autrement, comment se seraient-ils si bêtement laissé exterminer ? Un autre postulat de l'époque était que les mathématiques constituaient la forme la plus élevée et la plus subtile de la logique.

J'aimerais maintenant livrer un document historique de l'époque. Il s'agit du dernier bulletin scolaire de George Vandiemen, rédigé par John Bradley, son maître du Lancashire. Je le donne dans son entier.

*Monsieur Kermode,*
*En consultant le cahier de calcul de George, vous prendrez connaissance de la manière simple utilisée pour lui apprendre l'arithmétique, matière scolaire pour laquelle il était censé ne montrer aucune aptitude, mais je suis convaincu que ce jugement avait pour cause l'inexpérience et le manque de méthode de ceux qui avaient tenté de la lui enseigner, et non pas une absence de don chez ce garçon. Son séjour chez moi a été fort court, mais je suis persuadé que sa grande mémoire, visible dans sa façon de réciter les psaumes et autres textes appris par cœur, lui permettra, sans doute aucun, de maîtriser l'arithmétique élémentaire aussi aisément que les autres élèves de son âge.*

Malgré la brièveté de son séjour ici, je suis fort satisfait d'avoir reçu ce jeune garçon chez moi, car cela confirme une opinion que je nourris depuis longtemps : les hommes de toutes les parties du monde sont identiques. Parce qu'il est libre, l'homme peut, par ses propres efforts, atteindre l'excellence ou s'abaisser jusqu'à un niveau inférieur à celui de la bête. C'est surtout l'instruction, la forme de gouvernement et les coutumes établies qui créent les différences entre les nations. Placez sous le même climat un certain nombre d'êtres humains, quelle que soit la couleur de leur teint, offrez-leur les mêmes possibilités de développement intellectuel, et je suppose que les Noirs parviendront au même niveau que les Blancs, car la couleur de la peau n'affaiblit pas les muscles, pas plus qu'elle n'avachit le cerveau. Nous savons bien qu'un cheval noir peut courir aussi vite qu'un cheval blanc et qu'Hannibal et ses Africains noirs disputèrent glorieusement à Rome la domination du monde. Puissent les révolutions de l'esprit édifier l'empire de la raison et de la tolérance sur les ruines de l'ignorance et des préjugés ! Mais je crains, monsieur, de m'écarter du sujet, puisque ce qui vous intéresse c'est George, et la méthode que je recommande pour la poursuite de ses études.

En ce qui concerne l'arithmétique, je suggère de choisir les exercices faciles dans le livre qu'il apporte avec lui, mais il faut prendre garde qu'il ne défigure son cahier de calcul qui pourrait être montré au gouverneur. Par conséquent, qu'il utilise pour les problèmes du papier ordinaire avant de les transcrire plus tard sur le cahier, si on le juge nécessaire.

Les psaumes. En réciter un chaque jour afin qu'il retienne le plus grand nombre possible de ceux qu'il connaît déjà.

Lire une leçon chaque jour dans le livre de lecture et apprendre un passage par cœur.

Réciter souvent les tables de multiplication et les divisions de la monnaie, faire un peu de géographie, étudier une leçon d'orthographe et les règles en rapport avec la leçon.

Pour le reste, je vous laisse juge. Puisse le Dispensateur de l'intelligence bénir vos entreprises et vous apporter le bonheur dans l'exercice de la bienveillance. Je prie également pour que notre nation soit aussi juste que grande et réserve à George une parcelle de la terre qui lui a donné le jour, pour que ceux qui nous gouvernent agissent en l'occurrence avec justice, que l'indigène reçoive ce que la voix de la raison et de l'équité lui alloue, et pour que le pouvoir ne détrône pas le droit.

Veuillez accepter mes vœux pour votre prospérité et pour celle de George. Puisse son voyage à l'autre bout de la terre se dérouler sous les meilleurs auspices !

Votre humble serviteur,

John Bradley

*Remerciements*

Je souhaiterais remercier les personnes suivantes pour leur aide précieuse lors de la longue rédaction de ce livre.

En Tasmanie : Jenny Scott, Phillipa Foster, Damien Morgan et, surtout, Cassandra Pybus. Ainsi que le Bureau des archives de Tasmanie, où j'ai découvert la lettre figurant dans l'épilogue.

En Australie continentale : Gerard Bryant et Jacqui Boyle, Meredith et John Purcell, Maggie Hamilton, Judith Curr.

Dans l'île de Man : Alan Kelly.

Au pays de Galles : John et Edna Fernihough et tous les habitants de Grosmont et des environs, dans le comté de Gwent.

En Angleterre : Deborah Rogers, David Miller, Maggie Black, Pamela Egan et Andrew Kidd.

ALLISON Dorothy
*Retour à Cayro*

ANDERSON Scott
*Triage*

ANDRÍC Ivo
*Titanic et autres contes
    juifs de Bosnie*
*Le Pont sur la Drina*
*La Chronique de Travnik*
*Mara la courtisane*

BANKS Iain
*Le Business*

BAXTER Charles
*Festin d'amour*

BENEDETTI Mario
*La Trêve*

BERENDT John
*Minuit dans le jardin
    du bien et du mal*

BROOKNER Anita
*Hôtel du Lac*
*La Vie, quelque part*
*Providence*
*Mésalliance*
*Dolly*
*États seconds*
*Une chute très lente*

COURTENAY Bryce
*La Puissance de l'Ange*

CUNNINGHAM Michael
*La Maison du bout
    du monde*
*Les Heures*
*De chair et de sang*

DORRESTEIN Renate
*Vices cachés*
*Un cœur de pierre*

EDELMAN Gwen
*Dernier refuge avant la nuit*

FEUCHTWANGER Lion
*Le Diable en France*
*Le Juif Süss*

FITZGERALD Francis Scott
*Entre trois et quatre*
*Fleurs interdites*
*Fragments du paradis*
*Tendre est la nuit*

FRY Stephen
*Mensonges, mensonges*
*L'Hippopotame*
*L'Île du Dr Mallo*

GEMMELL Nikki
*Les Noces sauvages*
*Love Song*

GLENDINNING Victoria
*Le Don de Charlotte*

HARIG Ludwig
*Malheur à qui danse
    hors de la ronde*
*Les Hortensias
    de Mme von Roselius*

JAMES Henry
*La Muse tragique*

JERSILD P. C.
*Un amour d'autrefois*

JULAVITS Heidi
*Des anges et des chiens*

KENNEDY William
*L'Herbe de fer*
*Jack « Legs » Diamond*
*Billy Phelan*
*Le Livre de Quinn*
*Vieilles carcasses*

LAMB Wally
*La Puissance des vaincus*

Pour en savoir plus
sur les éditions Belfond
(catalogue complet, auteurs, titres,
extraits de livres),
vous pouvez consulter notre site Internet :

**www.belfond.fr**